MARIAGE
À L'ESSAI

Retrouvez toutes les collections **J'ai lu pour elle**
sur notre site :

www.jailu.com

Virginia Henley

MARIAGE
À L'ESSAI

Traduit de l'américain par Catherine Plasait

J'AI LU

POUR elle

Titre original :

Tempted

All rights reserved. Published by arrangement with
Dell Publishing, a division of Bantam Doubleday
Dell Publishing Group, Inc., N. Y.

Pour la traduction française :
© **Éditions J'ai lu, 1995**

1

Valentina Kennedy, ainsi prénommée parce qu'elle était née le jour de la Saint-Valentin, était plus souvent appelée Tina la Flamboyante à cause de sa somptueuse chevelure d'or rouge, feu et flammes.

Elle la repoussa en arrière d'un geste nerveux alors qu'elle approchait de la grande salle de la tour du château de Doon. Ses yeux dorés, généralement rêveurs ou pétillants de malice, étaient agrandis d'appréhension.

Elle carra les épaules et poussa la porte avec un courage qu'elle était bien loin de ressentir. Le simple fait de franchir le seuil était un acte d'audace, car depuis son plus jeune âge cet endroit lui était connu comme la chambre des tortures.

Elle avait toujours chahuté avec ses frères, elle se montrait même parfois plus hardie, plus téméraire qu'eux, et elle se sentait toute fière lorsque les domestiques déclaraient qu'elle avait du cran. Cependant sa belle assurance l'avait abandonnée le jour où les garçons l'avaient emmenée dans la chambre des tortures pour lui montrer les affreux instruments. Ils avaient pris un malin plaisir à lui décrire en détail comment Bothwick le Boucher arrachait une langue ou désorbitait un œil, par exemple. Tout joyeux, ils lui avaient montré les dalles tachées de rouge sombre et avaient attrapé un pot rempli de sangsues qui allaient, disaient-ils, la vider de son sang. Valentina rougissait encore de sa réaction lorsqu'elle avait vu Bothwick le

Boucher, le géant barbu qui maniait ces horribles instruments. Elle s'était évanouie !

Des années plus tard seulement, elle avait compris que Bothwick était le chirurgien du château. Il pansait les blessures des Kennedy, perçait les furoncles et arrachait les dents gâtées. Or c'était justement une rage de dents qui l'amenait ici, ce jour-là. Elle n'avait jamais assisté à une extraction, mais quelque chose lui disait que ça ferait mal... et qu'il y aurait du sang.

— Entre, petite. Je t'attendais, dit le colossal bonhomme en faisant rouler ses muscles, impatient de montrer ses talents.

Tina était absolument terrifiée, pourtant elle possédait tant d'orgueil qu'elle aurait préféré être hachée menu plutôt que d'avouer sa peur.

— Tout est prêt, dit-il en saisissant une affreuse pince dans ses grosses mains couvertes de poils.

Pétrifiée, elle était incapable de faire le moindre geste, et Bothwick dut l'encourager :

— Je ne suis pas un monstre, tu sais. Je ne te ferai pas mal.

Elle respira un bon coup pour se calmer, un peu rassurée par ces paroles. Sur un haussement d'épaules, elle s'avança bravement. Il la dominait de toute sa taille, si proche qu'elle sentait son haleine parfumée au whisky. Ses biceps saillants indiquaient clairement sa force : il n'aurait aucun mal à la maintenir si elle résistait.

Il effleura ses lèvres du doigt et marmonna, bourru :

— Allez, sois une bonne petite, ouvre la bouche.

Par réflexe, elle recula imperceptiblement, mais il avança avec détermination. Soudain, elle bondit et mit le petit lit entre eux.

— Allonge-toi là et, dans une minute, tout est fini, insista-t-il.

Si elle obéissait, elle serait complètement à sa merci !

Folle de rage, elle se rappela les réactions fort peu charitables de sa famille. Beth, sa sœur, lui avait lancé un coup d'œil qui disait clairement qu'elle était ravie de ne pas se trouver à sa place. Quant à ses frères, ils s'étaient tapé sur les cuisses, enchantés que pour une fois le destin ne fût pas clément envers leur obstinée cadette.

— Je ne me suis presque pas plainte! C'est injuste! avait-elle crié.

Leurs rires n'avaient fait que redoubler.

— Qui t'a dit que la vie était juste?

Mais c'était surtout à son père qu'elle en voulait. Lorsqu'il donnait un ordre, personne n'osait lui désobéir. Même la mère de Tina avait pâli quand Rob Kennedy, seigneur de Galloway, avait décrété:

— Elle ira voir Bothwick.

— B... Bothwick le Boucher? Rob, faut-il vraiment...

— Tu m'as bien entendu, femme, tu n'es pas sourde. Et je ne supporterai ni récriminations ni gémissements.

Il avait jeté sur les siens un regard de défi.

— Quelqu'un dans cette pièce oserait-il affirmer que je ne sais pas ce qui vaut le mieux pour ma famille?

La gorge serrée, Valentina observait le géant prêt à lui sauter dessus. Quand il passa un bras autoritaire sur ses épaules pour l'empêcher de se sauver de nouveau, elle ferma les yeux, submergée par la peur. Contre son dos, elle sentait les pierres froides. Impossible de reculer davantage.

Il lui prit le menton, l'obligea à lever la tête. Elle lui lança un regard suppliant.

— Non, je vous en prie. Cela ne peut-il attendre demain?

— Ne sois pas lâche, petite. Plus tu attends, plus ce sera dur. Allons-y tout de suite! Je serai aussi rapide que possible.

S'il y avait une chose que Tina ne supportait pas, c'était bien de s'entendre traiter de lâche! Rassemblant tout son courage, elle acquiesça d'un signe. Il effleura de nouveau ses lèvres.

— Ouvre, petite.

Elle obéit et il glissa les doigts dans sa bouche. Fermant ses paupières frangées de longs cils bruns, elle ravala un gémissement tandis qu'il tâtait la dent douloureuse. Elle ne pouvait pas parler, évidemment... elle ne pouvait même plus respirer. Soudain, quelque chose en elle craqua.

De toutes ses forces, elle repoussa le colosse qui alla s'étaler sur les dalles de pierre.

— Bon Dieu! jura-t-il.

Elle fut aussitôt désolée.

— Oh, Bothwick, excusez-moi!

Elle tendit la main pour l'aider à se relever.

— J'ai juste changé d'avis. Tout à coup, je n'avais plus mal, je n'ai plus mal. Il n'y a aucune raison d'arracher une dent parfaitement saine.

— Menteuse! grommela-t-il en se frottant le coude.

Elle eut un brusque sourire, et le géant ne put s'empêcher de penser que jamais il n'avait vu beauté si radieuse.

— Je me moque que vous me traitiez de menteuse, si vous ne dites pas que je suis lâche. Ne leur racontez pas que j'ai eu peur, car c'est faux. Quand vous avez touché ma dent, la douleur a disparu. Vous avez des doigts magiques, Bothwick.

Il sourit à son tour et posa l'instrument barbare qu'il tenait à la main.

— Tu es une menteuse, mais une gentille petite menteuse!

— Je vais aller voir M. Burque. Il me donnera bien quelque chose pour m'aider.

— Sapristi, petite, ce sont ses saletés qui t'ont donné mal aux dents. Ce bellâtre gâtera toutes tes jolies dents avant que tu t'en rendes compte!

M. Burque était l'élégant chef français qui avait accompagné sa mère en Ecosse lorsqu'elle avait épousé Lord Kennedy. Devant l'air désespéré de la jeune fille, Bothwick fit marche arrière:

— Allez, file à la cuisine, puisque tu y tiens. Moi aussi, j'aime bien son chocolat...

Dans les cuisines du château, Tina ne put s'empêcher de comparer les doigts fins de M. Burque aux grosses mains poilues de Bothwick. Il était en train d'étendre délicatement la pâte d'une énorme tourte à l'agneau dont il faisait une véritable œuvre d'art. Tina se percha sur la table de travail, les pieds sur un tabouret.

— Je vais mettre de la farine sur votre jolie robe, ma chère enfant.

— Vous mettrez bientôt des fleurs sur ma tombe si vous ne me donnez rien pour calmer cette névralgie, répliqua-t-elle, dramatique.

M. Burque compatit aussitôt. Il leva les yeux au ciel, se tordit les mains, et Valentina se mit à rire devant son visage expressif, heureuse d'être près de lui. Il était plus joli que bien des femmes, et elle entretenait depuis toujours des relations privilégiées avec lui. M. Burque souleva le couvercle de sa précieuse boîte à épices et en sortit un trésor qu'il tint délicatement entre le pouce et l'index.

— Voilà! déclara-t-il, rayonnant.

Elle renifla le petit objet. C'était un clou de girofle. Confiante comme un oisillon, elle ouvrit la bouche et le chef posa le clou sur la dent douloureuse.

Ils sursautèrent tous les deux en entendant la grosse voix de Rob Kennedy dont la massive silhouette semblait boucher la porte de la cuisine. Celui-ci remarqua les deux têtes proches l'une de l'autre, mais il ne craignait pas pour la vertu de sa fille. Pas avec ce nigaud de Français trop raffiné.

— Es-tu allée voir Bothwick comme je te l'avais ordonné?

Lady Valentina sauta sur ses pieds pour affronter son père.

— Oui, monseigneur. Comme vous me l'aviez conseillé, j'ai fait face à l'épreuve.

Il s'attendrit quelque peu.

— Tu as eu mal?

— A peine, assura-t-elle.

— Du sang?

— Pas une goutte, répondit-elle avec sincérité.

Il hocha la tête, admiratif.

— Tu es une brave petite. Par Dieu, tu me ressembles un peu plus chaque jour.

Elle espéra de tout son cœur qu'il se trompait!

M. Burque faillit s'étrangler dans sa barbe, et Rob Kennedy lui lança un coup d'œil mauvais.

— Combien de temps avant le souper? grogna-t-il.

— Une petite minute, monseigneur...

— Tout est prêt? Ah! Un bon potage épais qui tient au ventre, j'espère! Pas ces horreurs de plats français!

— Peste! marmonna M. Burque en français lorsque le seigneur de Galloway eut quitté les lieux.

Inattendue, la silhouette de Rob Kennedy se profila de nouveau sur le seuil.

— Avertis donc cette «peste» que nous avons des invités pour souper, dit-il à Tina avant de tourner les talons.

— Courage, Burque, murmura la jeune fille. Il s'embarque demain, Dieu merci!

Les paroles de son père ne l'avaient guère étonnée. Il y avait sans cesse des invités, au château. C'était un endroit accueillant, confortable, situé au-dessus du port d'Ayr, et l'hospitalité des Kennedy était légendaire... pour qui avait le bonheur de leur plaire. La table du seigneur de Galloway était réputée la meilleure d'Ecosse. Les capitaines des Kennedy y soupaient à côté des jeunes châtelains et des chefs d'importants clans.

Le quartier des célibataires regorgeait en ce moment de jeunes gens aux cheveux roux en provenance de quatre branches différentes du clan, qui avaient apporté la laine de leurs premières tontes. Celle-ci serait bientôt expédiée à l'étranger par les vaisseaux de Kennedy.

Lorsque Tina pénétra dans la salle commune, il y avait un vacarme à soulever le toit. Elle adorait se trouver avec ses frères et tous ses cousins. Elle adorait la compagnie des hommes, leurs rires, leurs plaisanteries, leur rude langage. En secret, elle rêvait d'être un garçon.

A son arrivée, ils se turent un instant, puis s'écartèrent comme la mer Rouge s'ouvrit devant Moïse, pour ensuite se regrouper autour d'elle, centre de toutes les attentions.

— Puis-je te servir du vin, Tina ? offrit Callum Kennedy, de Newark.

Elle le remercia d'un sourire.

— Je boirai de la bière, comme vous tous.

On lui tendit une chope de cuir, tandis que son frère Donald faisait remarquer sur un ton de reproche :

— La bière est une boisson d'homme, Tina.

Elle lui lança un regard de défi.

— Oui, comme le reste. Tout semble fait pour le seul plaisir des hommes.

Les garçons sifflèrent et il y eut des remarques égrillardes sur l'éternelle pomme de discorde entre les hommes et les femmes.

— Dis-moi, je te prie, quels plaisirs sont réservés aux femmes ? demanda Tina, échauffée par le sujet. C'est vous qui chassez et nous, pendant ce temps, nous nous occupons d'entretenir le feu dans la cheminée !

— Ecoutez-moi ça ! s'écria son frère Duncan en riant. Faire du feu, alors qu'elle est incapable de mettre de l'eau à bouillir !

— Et c'est tant mieux, plaisanta Donald, nous risquerions tous d'être empoisonnés.

— Vous avez des armures, poursuivit-elle, des armes, des sabres, des épées, des poignards. Le couteau que l'on m'autorise à porter est bien peu de chose comparé aux lames que Duncan astique jour et nuit.

— Inutile de mêler ma vie sexuelle à tout cela, chuchota Duncan à son cousin qui partit d'un grand éclat de rire.

— J'ai entendu ce que tu as dit, Duncan Kennedy ! lui reprocha Tina. Et cela ne fait que renforcer mon point de vue. Encore une injustice envers les femmes ! Le roi détient le record en matière de bâtards, et vous êtes tous dans la course, sauf peut-être mon petit frère Davie.

David, du haut de ses quatorze ans, se dressa sur ses ergots. C'était la seule tête blonde au milieu de cette mer de flammes.

— Tu veux qu'on se moque de moi ? Je ne manque pas d'expérience, tu n'es qu'une chipie !

— Vous voyez ce que je veux dire ? insista Tina en riant. Les hommes se vantent de leurs aventures, alors qu'elles n'amènent que tourment et honte aux femmes.

Une dispute éclata alors entre un Kennedy de Newark et un Kennedy de Dunure :

— Non, imbécile, ce n'est pas le roi qui a le plus de bâtards, c'est mon frère Keith, annonçait fièrement le premier.

— Tu es complètement fou ! Pas un seul Kennedy ne peut rivaliser avec les Stuarts sur ce sujet.

Son cousin lui donna une bourrade qui faillit l'envoyer rouler dans l'immense cheminée, et il revint à la charge, les poings serrés :

— Tu vas me le payer !

Duncan et Donald attrapèrent chacun des combattants d'un bras solide passé autour de la gorge, mettant un terme à la bagarre.

— Robert Stuart d'Orkney a dix-sept fils, tous nés hors mariage, et aucun de la même mère ! lança Duncan.

— Ce n'est pas un sujet à aborder devant notre petite sœur, objecta Donald.

Tina prit aussitôt la mouche.

— Parce que je suis une femme, je n'ai pas le droit de parler de bâtards ! Je n'ai pas non plus le droit de boire, de jurer, de me battre, de partir en expédition avec vous !

Un étrange silence pesa tout à coup sur les jeunes gens. Donald échangea un coup d'œil avec Callum Kennedy, et Tina sentit qu'ils tramaient quelque chose. Néanmoins, elle eut la sagesse de se taire.

Afin d'alléger l'atmosphère, Andrew Kennedy, seigneur de Carrick, prit la main de Tina.

— Si tu acceptais l'une des nombreuses demandes en mariage qui te sont faites, ton mari t'apporterait tout le plaisir dont peut rêver une jeune fille.

Une voix à réveiller les morts tonna soudain :

— Qu'est-ce que c'est que cette histoire de mariage ?

Le groupe de jeunes gens s'ouvrit de nouveau, exposant Valentina à la colère de Rob Kennedy.

— Je... j'ai refusé quand Andrew m'a demandé de l'épouser. Je n'ai pas envie de me marier, ajouta la jeune fille d'une toute petite voix.

— Pas envie de te marier ? éclata Rob Kennedy, congestionné de rage.

Il la regardait d'un air furibond, comme si elle avait blasphémé.

— Et combien d'autres en as-tu envoyé promener de cette façon ?

— Au... aucun, murmura-t-elle.

Les jeunes gens aux cheveux roux, derrière elle, toussèrent d'indignation devant ce mensonge éhonté.

— Tous ceux qui se trouvent dans cette pièce, révéla Davie. Et Sandy Gordon, la semaine dernière.

Duncan lui envoya un coup de pied dans le tibia, tandis que Rob Kennedy semblait au bord de l'apoplexie.

— Tu as rejeté l'héritier du comte de Huntly ? s'étrangla-t-il.

Ce fut le moment que choisit Lady Elizabeth pour faire son apparition, accompagnée de sa plus jeune fille, Beth. La mère de Tina jeta un regard inquiet sur la foule et hésita quelque peu. Elle avait toujours du mal à affronter les Kennedy en bloc. Rob ignora royalement sa présence, cependant il mit un frein à sa colère.

— Je te verrai après le souper, dit-il à Tina. Bon Dieu, avoir des filles est une véritable plaie !

Andrew Kennedy, protecteur, demanda à Tina la permission de s'asseoir près d'elle pendant le repas tandis que Donald lui murmurait :

— Père est vraiment fâché après toi. Tu as intérêt à jouer en douceur.

Elle leur adressa à tous deux un sourire reconnaissant.

— Je me débrouillerai avec lui, dit-elle, bravache.

Mais cela lui gâcha le plaisir des truffes au chocolat que M. Burque avait préparées spécialement pour elle. Et cette satanée dent qui recommençait à la tracasser.

Tout au bout de la grande pièce commune, deux femmes d'une trentaine d'années dînaient à la table réservée aux domestiques les plus importants du château. L'intendant se délectait à les observer. De notoriété publique, elles ne se supportaient pas, et il sentait qu'une scène distrayante allait se déclencher d'un moment à l'autre.

Kirsty, une Ecossaise en charge de la plus jeune — et de la plus douce — fille des Kennedy, ne pouvait dissimuler un sourire de satisfaction tandis qu'elle se servait de la tourte à l'agneau. Elle rectifia l'ordonnance de sa sévère robe bordée de fourrure et murmura avec une joie mauvaise :

— Soucis ! Soucis est le deuxième prénom de Valentina Kennedy.

Ada, l'Anglaise que Lady Kennedy avait amenée, toute jeune fille, avec elle au château, parvint à maîtriser sa réaction. Elle était officiellement la femme de chambre de Tina, mais aussi son amie, sa confidente. Encore fort séduisante, Ada portait sa chevelure relevée pour mettre en valeur son long cou et ses pendants d'oreilles.

Elle toisa sa voisine d'un air hautain.

— Je parie que le malheureux animal à qui appartenait la fourrure miteuse que vous portez ne la regrette guère.

— Oh ! s'écria Kirsty, pincée. Quelle langue de vipère ! Il est facile de comprendre d'où Tina tire son insolence !

— Je l'avoue volontiers, je lui ai enseigné à se défendre toute seule. Si vous vous faites paillasson, il ne faut pas s'étonner que l'on essuie ses bottes sur vous, répliqua sèchement Ada.

Kirsty reprit son air suffisant.

— Cette fois, monseigneur est fou de rage. Cela m'étonnerait qu'elle lui tienne tête bien longtemps.

— Rob Kennedy traite sans ménagement ceux qui le laissent faire, mais il admire le courage, même chez une femme. Une nuance qui vous échappe complètement.

— Si Valentina était à ma charge, je m'occuperais de lui inculquer quelques notions d'obéissance à coups de fouet!

L'intendant éclata de rire. Par Dieu, il aurait fallu un colosse pour dompter la flamboyante Tina Kennedy!

— Elle a seize ans, presque dix-sept, rétorqua Ada. Elle est trop âgée pour accepter les ordres d'une bonne d'enfants.

— Beth obéit aux miens, déclara Kirsty.

Ada n'avait aucune intention de dire ouvertement du mal de Beth, aussi se contenta-t-elle de répondre:

— C'est le jour et la nuit, toutes les deux. Valentina n'est que charme, grâce, beauté.

— Et elle le sait! grinça Kirsty en lançant un coup d'œil mauvais à la jeune fille, entourée de ses chevaliers servants. On dit que c'est un cœur d'artichaut, et cela ne m'étonne pas, puisque c'est vous qui êtes chargée de lui enseigner la moralité.

Ada, jeune veuve, ne pouvait nier qu'elle appréciait la compagnie des hommes.

— La jalousie ne vous convient guère, ma chère.

— Autant que je sache, les hommes préfèrent un peu plus d'innocence. Ils n'aiment pas que quelques pétales aient été arrachés à la fleur.

— Vous parlez par expérience, ou c'est une supposition? demanda Ada qui avait décidé de clore le bec une fois pour toutes à son adversaire. Savez-vous ce qui arrive aux vieilles filles le jour de leurs quarante ans? Elles se ferment définitivement!

Kirsty, rouge comme un coquelicot, se leva d'un bond et quitta la table, tandis que l'intendant s'étranglait de rire dans sa bière. Cependant la satisfaction d'Ada fut de courte durée: un page vint lui annoncer que le seigneur voulait la voir.

Lady Kennedy, très pâle, suivit son mari dans la pièce qu'il utilisait pour régler ses affaires, Valentina derrière elle, Ada fermant la marche.

— Un jour de plus et il aurait été parti, murmura la gouvernante.

Tina, dans un geste qui lui était familier, haussa une épaule pour toute réponse.

La mère et la fille s'assirent, tandis qu'Ada se tenait debout derrière la chaise de Tina.

Autrefois, Rob Kennedy avait été bel homme, mais sa flamboyante chevelure était à présent grise et clairsemée, son visage rubicond portait de lourdes bajoues et son ventre rebondi était un hommage aux talents de M. Burque. Cependant, il demeurait impressionnant, avec sa large carrure et ses yeux perçants. Le dos tourné à la cheminée, il demanda d'une voix faussement calme :

— Y aurait-il une conspiration, par hasard ?

Il s'adressa à sa malheureuse épouse :

— Combien de demandes en mariage m'as-tu cachées, au juste ?

Elizabeth se décomposa.

— J'ignore tout de cette histoire, Rob, répondit-elle à voix basse.

— Tu ignores tout, vraiment ? Dieu me pardonne, femme, mais tu traverses la vie avec des œillères, dans ce cas. Tu ignores tout, tu ignores toujours tout !

Il avait élevé la voix.

— Je vous en prie, ne grondez pas mère, dit Tina, raisonnable.

— Tu as raison, car c'est toi qui es en cause !

Il la fixa droit dans les yeux.

— A quoi peuvent bien servir les filles, dans une famille comme la nôtre ?

Silence.

— Je vais te le dire, poursuivit Rob. Les filles, surtout quand elles sont aussi belles que toi, servent à créer des unions entre les clans afin de préserver la paix, étendre leur pouvoir et augmenter leur richesse.

Il se tourna de nouveau vers sa femme.

— Je n'aurais pas dû t'écouter. J'aurais mieux fait de l'envoyer à la Cour… Elle serait mariée à présent, et elle porterait un héritier dans son ventre.

Elizabeth osa répondre :

16

— La dernière Kennedy qui s'est rendue à la Cour n'y a pas trouvé d'époux.

— Elle a fait bien mieux! Elle est devenue la maîtresse des deux hommes les plus influents d'Ecosse, Archibald Douglas, comte d'Angus, et maintenant le roi en personne, si tu parles bien de ma petite cousine Janet.

— Ne prononcez pas ce nom dans notre maison!

— Janet Kennedy? hurla-t-il. C'est une garce, mais permets-moi de te le rappeler, femme, les Kennedy ont été rois de Carrick. C'est le sang le plus noble d'Ecosse!

— C'est Douglas qui me gêne, rétorqua calmement Elizabeth.

Rob s'éclaircit la voix.

— Ouais, bon. Je ne voulais pas réveiller de pénibles souvenirs, Lizzy. Que le diable emporte ces maudits Douglas.

Elizabeth s'essuya délicatement les yeux.

— Puis-je me retirer? Je ne me sens pas bien.

Il hocha la tête et attendit qu'elle fût sortie pour exploser.

— Regarde ce que tu as fait! Je devrais te rosser pour avoir contrarié ta mère!

Tina bondit sur ses pieds.

— C'est vous qui l'avez bouleversée en parlant des Douglas!

Rob agita la main pour se débarrasser du sujet.

— Elle est trop sensible. Tout ça s'est passé il y a plus de quinze ans, mieux vaut ne plus y penser. Elle se comporte comme si Damaris était sa sœur, et non la mienne.

— Damaris était sa meilleure amie, sa seule amie en Ecosse. Le clan Douglas l'a empoisonnée, mère ne l'oubliera jamais!

— Ce n'est pas le problème pour l'instant!

Rob fut soudain frappé une fois de plus par la beauté de sa fille. Comment avait-il pu engendrer une enfant si parfaite? Les flammes soulignaient son petit visage en forme de cœur et allumaient des reflets cuivrés dans sa chevelure. Elle attirait les hommes comme le miel les abeilles, et il s'était souvent étonné qu'elle n'eût encore reçu aucune demande en mariage. Il s'attendrit quelque peu.

— Ecoute, petite, j'aimerais pour toi un Campbell, ou un Gordon.

— Je ne veux pas me marier, père. Ne pourriez-vous m'enseigner la navigation ? Ainsi j'irais moi-même livrer la laine en Flandre.

Le regard dur, il se tourna vers Ada.

— C'est toi qui lui mets ces idées stupides en tête, hein ? Pourquoi n'en as-tu pas fait une jeune fille douce et docile ?

— L'Ecosse est un pays dur, monseigneur, peuplé d'hommes plus durs encore. Je vous jure que je ne commettrais pas l'erreur d'élever Tina comme l'ont été sa mère et sa sœur. De plus, elle vous ressemble trop pour être douce. Quant à la docilité... il faudrait quelqu'un de diablement fort pour la lui inculquer.

— Ouais... je m'en doutais. Tina, écoute ton vieux père. Choisis pendant que tu en as la possibilité. Tu vas avoir dix-sept ans. Si tu ne te maries pas rapidement, Archibald Kennedy, comte de Cassillis, choisira à ta place, comme il est de son devoir en tant que chef du clan. A moins que le roi n'ait une autre idée sur ton avenir. Sois raisonnable, décide-toi pour un fils de comte, et tu seras comtesse. Maintenant, file, sorcière ! J'ai à parler avec Ada...

» Bon sang, que les femmes sont entêtées ! reprit-il quand sa fille se fut retirée.

— Vous n'auriez pas de respect pour quelqu'un qui ne le serait pas, Rob Kennedy.

— Ouais, les autres me font tourner en bourrique avec leurs larmes, dit-il, pensant à sa femme. Cela va me coûter un voyage en Angleterre, histoire de la calmer.

Il eut un petit regard en coin.

— Tu es sacrément belle femme, Ada. Il y a bien longtemps qu'on ne s'est pas fait un peu plaisir, tous les deux. Aurais-tu besoin de compagnie cette nuit ?

18

Ada fit tinter ses boucles d'oreilles, provocante.

— Pourquoi pas ?

Ada trouva Tina devant le miroir d'argent poli, la bouche ouverte, le cou tordu.

— Montrez-moi, dit-elle en saisissant un candélabre.

Obéissante, Tina se tourna vers elle. Ada examina sa bouche avant de déclarer, soulagée :

— C'est tout simplement une dent de sagesse qui pousse. Heureusement que vous n'avez pas laissé Bothwick vous l'arracher. Une femme doit garder ses molaires à tout prix, cela aide à rester jeune. Quand on ne les a plus, les joues se creusent et cela vieillit terriblement.

— Merci, Ada. Croyez-vous que la douleur va passer rapidement ?

— A votre place, j'irais me coucher, et sans doute n'y penserez-vous plus au réveil. Demain, c'est le 1er mai.

— Le 1er mai ! répéta Tina, ravie.

Elle se réjouissait de cette fête religieuse celtique. Dans la journée, les villageois danseraient autour du traditionnel arbre de mai ; à la nuit, il y aurait des réjouissances, encore des danses près des feux... et bien d'autres choses encore !

Tina bâilla, haussa une épaule, se débarrassa de sa robe de chambre.

— Bonne nuit, Ada. Je vais suivre votre conseil.

Dès que la jeune femme fut sortie, Tina se déshabilla complètement.

— N'y comptez pas trop, ajouta-t-elle joyeusement.

Cette nuit était celle où les Gitans revenaient dans la vallée de Galloway.

2

A une cinquantaine de kilomètres de là, chez les Douglas, Ram, étendu par terre dans la pièce commune, jouait aux dés avec ses frères et quelques-uns de ses hommes. Pochard, son grand chien-loup, se prélassait près de lui devant la vaste cheminée.

Les flammes accentuaient les traits taillés à la serpe de Ramsay Douglas, le gris métallique de ses yeux sous les épais sourcils noirs qui lui donnaient un air diabolique. Et c'était bien d'une humeur diabolique qu'il faisait preuve aussi, si on le cherchait. Ce soir toutefois, il semblait assez détendu, tandis qu'il lançait les dés d'un air nonchalant.

Le niveau sonore était plutôt élevé dans la pièce, mais c'était habituel. Ces soldats qui surveillaient la frontière avec l'Angleterre étaient une bande de filous bruyants et chahuteurs, et on avait toujours l'impression qu'ils se chamaillaient.

Quelqu'un se mit à jouer de la cornemuse. Cameron, le cadet des Douglas, entonna une chanson paillarde à la gloire du 1er mai, jour où tout était permis. Deux de ses cousins se joignirent à lui.

Pochard se leva, s'étira, jugeant la compagnie suffisamment ivre pour ne pas le remarquer s'il allait se régaler des reliefs du repas.

Il posa ses pattes de devant sur la table et saisit un os de gigot qu'il entama de ses dents acérées. Un domestique tenta de le repousser, mais il coucha ses oreilles en arrière et fit entendre un grognement menaçant. L'homme renonça en le traitant de tous les noms, tandis que Pochard renversait un gobelet dont il lapa le contenu avant qu'il eût atteint le sol.

Gavin, aussi brun que Ramsay, mais plus beau et moins inquiétant, demanda à son frère :

— Tu ne veux pas qu'on augmente les enchères, pour rendre le jeu plus intéressant ?

— Pourquoi pas ?

Plein d'audace, Gavin proposa :

— Tu mettrais Jenna en jeu ?

Ian et Drummond, capitaines des vaisseaux Douglas, échangèrent un regard chargé d'appréhension. Black Ramsay Douglas n'était pas homme à partager quoi que ce fût, et surtout pas la jeune femme qui égayait ses nuits.

Ram haussa un sourcil amusé.

— En échange de quoi ?

— Mon faucon, répondit Gavin, les yeux brillants.

Il savait que son frère convoitait ce splendide rapace.

— Pourquoi pas ? fit Ramsay, apparemment indifférent.

Il montrait une indéfectible confiance en lui, et Gavin avait peu de chances de le battre aux dés. Mais il pouvait toujours essayer...

Gavin ouvrit de grands yeux en voyant son frère tirer un misérable trois et sentit une bouffée de chaleur l'envahir devant sa propre chance. Puis il retrouva son bon sens et accusa Ram :

— Tu as fait exprès de perdre, vieux.

Ram se leva, s'étira.

— Pas du tout. Tu as gagné à la loyale. Amuse-toi bien avec elle. Bon, je m'en vais.

Gavin le dévisagea, étonné.

— Je croyais que tu devais chercher des chevaux dans la montagne, demain ?

— Je pars à l'aube. Il me reste encore huit heures, répondit Ram en adressant un clin d'œil à son frère.

Il s'éloignait déjà quand Gavin dit à Cameron :

— Il vient de perdre Jenna... et je suis sûr qu'il l'a fait volontairement. Pourquoi, bon Dieu ?

Cameron fronça les sourcils, perplexe, puis son visage s'éclaira :

— Les Gitans ! C'est la nuit où les Gitans reviennent dans la vallée de Galloway !

Tina, vêtue d'une tenue d'équitation vert profond, se glissa hors du château pour se diriger vers les écuries. Elle regarda le petit croissant de lune, tout blanc dans le ciel sombre, et se dit que c'était une nuit parfaite pour un raid.

Comme elle ouvrait la porte des écuries, l'odeur mêlée de cheval, de foin et de crottin lui chatouilla les narines. Elle avait à peine fait trois pas à l'intérieur qu'elle se trouva nez à nez avec une douzaine de Kennedy en train de seller leurs montures. Les garçons et la jeune fille se regardèrent, contrariés, conscients d'être tous en faute.

— Oh, vous partez en expédition ! s'écria Tina.

Elle se doutait bien qu'ils en projetaient une, mais elle pensait qu'ils attendraient le départ de leur père.

— Mais non, idiote. Bien sûr que non, protesta Donald. Et toi, bon sang, où vas-tu comme ça ?

Elle ignora la question.

— Je sais que vous allez faire un raid, dit-elle. Aucun de vous ne porte le tartan des Kennedy, et la lune est complice.

Donald se mit en selle, et les autres l'imitèrent.

— Tu as trop d'imagination, Tina. Nous allons simplement à Glasgow. Rentre au château, petite, avant de t'attirer des ennuis.

— Duncan, supplia-t-elle, dis à Donald de m'emmener ! Je vous obéirai en tout, c'est promis. Je veux vous aider.

— Jamais tu n'as su obéir de ta vie, coupa Donald.

— Je suis aussi une Kennedy ! s'emporta-t-elle. Je veux vous accompagner, je veux participer !

Duncan se pencha pour lui murmurer à l'oreille :

— Nous allons dans une maison close de Glasgow. Comment nous aiderais-tu ? En tenant les jupes des filles ?

Toute rouge de confusion, elle les regarda sortir les uns derrière les autres.

Valentina était soulagée que les Kennedy se dirigent vers Glasgow. Elle partait vers l'est, aussi n'avaient-ils aucune chance de se rencontrer.

Les Gitans installaient leur campement à une dizaine de kilomètres, au bord de la rivière Ayr. Tina n'avait absolument pas peur de chevaucher dans le noir, elle redoutait seulement que sa belle jument ne se tordît la cheville dans un terrier, aussi préféra-t-elle le trot au galop.

Les collines étaient parsemées de moutons et de tout jeunes agneaux qui passaient leur première nuit dehors après l'hiver, en ce dernier jour d'avril 1512. On entendait le ruisseau cascader sur les rochers ; au loin, un renard glapit. C'était une nuit magique, pleine de promesses. Tina se sentait incroyablement légère, heureuse de vivre, le vent dans les cheveux, l'air frais lui balayant le visage.

Elle ouvrit grands les bras, comme pour embrasser l'univers. Demain, avec sa menace d'époux et de mariage, lui semblait à des millions d'années. Mais quand cela arriverait, elle affronterait le problème la tête haute, et selon ses propres termes.

Elle aperçut la lueur des feux de camp, puis les formes sombres des roulottes, bien avant de rejoindre le fond de la vallée pour se mêler à la joyeuse bande de nomades...

Un étalon noir était arrêté à la lisière du campement, et son cavalier aidait une jeune Gitane à monter en selle avec lui. La jupe rouge glissa sur ses jambes nues lorsqu'elle s'accrocha à lui, et elle fut parcourue d'un long frisson. Tout chez cet homme était dur, sombre. La ligne aiguë de sa mâchoire, son arrogant port de tête, ses larges épaules... Il était vêtu de noir de la tête aux pieds. Zara frémit. Il était brutal, dangereux, elle le savait. De tous ceux qu'elle avait connus — et Dieu sait s'il y en avait — il était le seul qu'elle ne pouvait dominer au lit.

Soudain il se pencha en avant, appuyé au pommeau de sa selle, pour regarder une jeune femme à la chevelure flamboyante qui arrivait au campement, montée à califourchon — ce qui était exceptionnel. Elle se laissa glisser à terre pour se précipiter dans les bras d'un Gitan.

— Heath ! Oh, Heath, comme tu m'as manqué !

Ram continua d'observer l'éclatante créature que l'homme faisait tournoyer en l'air.

— Qui est-ce ? demanda-t-il d'une voix intense, sans essayer de masquer son intérêt.

— Je n'en sais rien, mentit Zara. Quelque épouse qui vient goûter au fruit défendu. En tout cas, tu ferais mieux de te tenir à l'écart des femmes de Heath, si tu ne veux pas te retrouver un couteau planté entre les côtes.

Ram sourit. Zara était jalouse — et c'était bien normal, face à cette radieuse beauté —, mais il ne fallait pas que cette jalousie l'enhardît au point qu'elle le menace.

— Tu veux me suivre à pied jusqu'au château ? demanda-t-il, doucereux.

— Qu'est-ce qui te fait croire que je te suivrai ? siffla-t-elle, furieuse.

Mais elle savait bien que ce serait ainsi. Qu'il soit maudit !

Heath et Valentina se racontaient tout ce qui leur était arrivé depuis leur dernière rencontre. Les Gitans étaient allés vers le nord jusqu'à Inverary, dans les Highlands, pour la période d'été, puis ils avaient passé l'hiver à Carlisle, en Angleterre, où le climat était moins rude. Ils avaient également séjourné à Stirling, l'ancienne capitale et à Edimbourg, la nouvelle capitale, pendant que le roi y résidait avec la Cour.

Tina avait mille questions à lui poser, au sujet notamment de sa célèbre parente dont on disait qu'elle était la maîtresse du roi.

— Est-il vrai que Janet a été la maîtresse d'Archibald Douglas, le redoutable comte d'Angus ? demanda-t-elle en frissonnant. Cela ne m'étonne plus qu'elle cherche la protection du roi !

— On ne prononce jamais le nom de Douglas sans

trembler de peur, pourtant je crois que l'Ecosse a beaucoup plus à craindre d'Argyll, qui a l'intention de conquérir toutes les Highlands.

— Cependant, Douglas est à moins de cinquante kilomètres, Heath. Toute la frontière est à leur botte.

— Ce n'est pas une mauvaise chose, ma douce, qu'ils soient si forts. Depuis que le roi a nommé Douglas responsable de tout ce qui se passe à la frontière, l'Angleterre sait qu'elle ne peut plus attaquer impunément. Je n'ai pas entendu parler de beaucoup d'affrontements entre les deux pays, cet hiver.

— Excellente nouvelle! s'écria-t-elle en riant. Ainsi nous autres Ecossais allons pouvoir reprendre notre occupation favorite: nous battre les uns contre les autres.

Elle pencha la tête, sans quitter le jeune homme des yeux.

— Mais tu n'as pas répondu à ma question sur Janet Kennedy.

Il eut un sourire qui découvrit de superbes dents très blanches.

— Qu'elle aille au diable! Parle-moi plutôt de Valentina Kennedy.

— Les nouvelles sont épouvantables, en ce qui la concerne, dit elle gaiement. J'ai une horrible rage de dents, et le nœud coulant du mariage se resserre autour de mon cou.

Une étincelle passa dans les yeux bruns de Heath.

— Tu n'as qu'à t'enfuir avec les Gitans.

— Ça pourrait bien arriver un jour!

— Allons, viens, Meg va trouver un remède pour cette pauvre dent.

— Oh, oui! et elle me dira la bonne aventure!

La roulotte de la vieille Meg était un petit univers à elle toute seule. A l'extérieur, elle était peinte en rouge et blanc, tandis que l'intérieur révélait un véritable capharnaüm d'objets divers. Elle lisait l'avenir, jetait des sorts et dispensait des électuaires, remèdes à base de poudre et de miel, pour tous les maux de la terre. Au plafond pendaient des herbes séchées qui parfumaient l'atmosphère, et les murs étaient couverts d'étagères chargées de flacons, de bols, de boîtes, pleins d'étranges poudres, de potions, de membres d'animaux desséchés. Une lampe de cuivre oscillait doucement au-dessus d'une petite table ronde, illuminant la boule de cristal et un jeu de tarots écorné.

Rusée comme un renard, Meg avait également fait fortune en faisant avorter les nobles dames.

Elle n'eut aucune parole de bienvenue lorsque Valentina grimpa les marches de son domaine, mais se mit à préparer une décoction dès que Heath, son petit-fils, lui apprit qu'il s'agissait d'une rage de dents.

— Meg, tu veux bien me dire la bonne aventure ? demanda Tina en s'asseyant à la petite table pour boire son remède.

Heath, la tête penchée sous le plafond trop bas, intervint :

— Quand tu auras fini, retrouve-moi près du feu de camp.

La vieille Meg, les lèvres pincées, posa ses mains tavelées sur la boule de cristal. Après une minute de silence concentré, elle déclara :

— Les astres ne sont pas bons, ce soir. Je ne peux rien te dire.

Tina soutint son regard, bien décidée à ne pas céder.

— Alors, lis dans les cartes, Meg.

Meg se renfrogna encore. Elle désapprouvait tout à fait l'amitié de son petit-fils, qu'elle avait élevé depuis la mort de sa mère, avec cette enfant vive et trop gâtée. Elle n'avait aucune raison d'aimer les Kennedy.

— Barre ma main avec de l'argent, ordonna-t-elle.

Tina plaça trois pièces d'argent dans la paume calleuse et retint son souffle tandis qu'elle choisissait quelques cartes parmi celles que lui tendait la vieille femme. Elle ferma les yeux et fit un vœu, comme on le lui avait enseigné, avant de rendre les cartes à la Gitane.

La première retournée fut l'Empereur.

— Un homme sombre, autoritaire, siège sur un trône, dont le dossier et les accoudoirs sont en forme de tête de bélier, commenta Meg. Dans sa main droite, il tient la Croix de Vie, la croix ansée d'Egypte. Sur son épaule droite se trouve une représentation de tête de bélier. Derrière lui, des montagnes, sans autre paysage. L'Empereur symbolise la connaissance terrestre. Cet homme est gouverné par son esprit plus que par ses émotions — il représente la loi et l'ordre. Les montagnes montrent sa puissance, sa force. Il est inflexible, inébranlable dans ses jugements. C'est un chef, il aime commander d'une main d'acier.

La seconde carte était l'Impératrice, et Meg poursuivit de sa voix monocorde :

— Une belle femme porte une couronne de douze étoiles. A côté d'elle se trouve un bouclier en forme de cœur orné du signe de Vénus. Devant elle, un champ de blé, derrière des arbres en fleurs. C'est Aphrodite, la déesse de l'Amour humain. Cette carte représente la fertilité. Les sexes s'unissent, il y a accomplissement des pulsions érotiques. Elle symbolise le paradis sur terre, le jardin d'Eden, la porte qui s'ouvre sur les trésors et les plaisirs de la vie.

Meg retourna ensuite le valet d'épée.

— Un jeune homme serre une épée à deux mains. Il est environné de nuages. Il doit prouver sa virilité en se battant, et se sert de l'agressivité pour compenser son manque de confiance en lui.

Tina pensa aussitôt à son frère David, et elle retint son souffle quand une nouvelle épée sortit : le cinq. Les épées étaient les plus mauvaises cartes du jeu, elle le savait.

— Un homme qui porte deux épées sur l'épaule et une autre à la main regarde avec mépris deux silhouettes désarmées. Le ciel est lourd d'orage. C'est un homme qui aime vaincre, un homme insensible, indifférent, qui vit par son épée... Cela signifie une perte, une cassure, une séparation des êtres aimés.

Tina fut soulagée de découvrir ensuite un sept de bâton, mais Meg s'arrangea pour en sortir le pire :

— Tous les sept suggèrent un changement. Cette carte indique que tu devras résister à des circonstances défavorables. Il te faudra tenir bon face à l'adversité, car on ne grandit que dans le changement.

Le quatre de coupe fut posé sur la petite table, et Meg continua :

— Un jeune homme est assis contre un arbre, les bras croisés. Une main lui tend une coupe, tandis que trois autres sont posées à ses pieds. Il ne prend pas la coupe offerte, il se contente de la regarder. Cette carte symbolise l'amour, le plaisir et l'irrésistible attirance sexuelle.

Meg retourna enfin la septième et dernière carte : le dix d'épée. La vieille femme se tut. Tina n'avait pas besoin de commentaire... Un homme était étendu à terre, dix épées plantées dans le dos, sous un ciel d'encre.

Meg ramassa vivement les cartes.

— Il y a différentes significations possibles...

Tina rassembla son courage.

— Interprète-moi l'ensemble, dit-elle. Mon vœu sera-t-il exaucé ?

— Oui, répondit la vieille femme sans hésiter.

Tina poussa un soupir de soulagement. Bien qu'elle eût quelqu'un en tête comme époux possible, elle avait demandé qu'il n'y eût pas de mariage cette année.

— Les cartes parlent d'elles-mêmes. Tu seras liée à un homme sombre dont le symbole est le bélier. Il te dominera. L'Impératrice, c'est toi. L'homme sombre t'apportera l'accomplissement sexuel. Tu seras fertile.

Rien de tout cela n'arriverait, puisque son vœu se réaliserait, et que ce vœu était « pas de mariage ».

— Le valet d'épée est un jeune homme proche de toi. Il contribuera au début de tes ennuis. Le cinq d'épée signifie bagarre, sang versé, et le résultat sera la séparation d'avec ceux que tu aimes. Le sept de coupe confirme ce changement et te met en garde : tu devras te montrer ferme pour que ta volonté prenne le dessus, mais le quatre de coupe indique que tu recevras une offre et que le choix t'appartiendra.

— Et la dernière carte ? la pressa Valentina.

Meg regarda l'homme brun, le corps transpercé

d'épées. Son Heath bien-aimé était brun. Elle lança à Tina un regard perçant.

— Tu regretteras d'être en vie! prophétisa la vieille Gitane.

Tina sentit quelque chose bouger contre son pied, sous la table, et elle sursauta.

— Qu'est-ce que c'est? demanda-t-elle en se penchant pour soulever la longue nappe.

Elle aperçut une tortue, une grosse pierre rouge incrustée dans sa carapace.

— Oh, mais c'est un rubis! N'as-tu pas peur qu'on te vole ta tortue? dit-elle en passant le doigt sur la pierre lisse.

Meg eut un sourire cynique.

— Cette pierre est maudite. Celui qui la touche connaîtra la douleur et le chagrin.

Tina regarda la Gitane, et soudain ses yeux pétillèrent. La vieille faisait tout son possible pour la terroriser. Les mauvais sorts n'existaient pas. Dans la vie, chacun était responsable de ce qui lui arrivait.

— Tu es terriblement taquine, Meg. Merci pour la potion, je n'ai plus du tout mal.

Elle alla prendre congé de Heath afin de rentrer au château avant que l'on remarquât son absence.

— M'emmèneras-tu voir les feux du 1ᵉʳ mai, demain soir?

Il eut son éblouissant sourire.

— Ai-je le choix? Si je refuse, tu t'y rendras seule.

Il l'aida à se mettre en selle et elle ajouta:

— Père prend la mer demain. Je pourrai rester toute la nuit!

Ramsay Douglas franchit le pont-levis de son château au triple galop, et le garde remonta aussitôt celui-ci derrière lui, baissant la herse pour que plus personne ne pût entrer. Les gardes avaient surnommé Ram «l'Eclair» parce qu'il menait toujours ses montures ventre à terre, même lorsqu'il avait une femme en croupe.

Zara monta vivement l'escalier devant Ram en prenant soin de relever ses jupes afin de montrer ses fines chevilles et ses mollets bruns. Il la suivait, muni d'une torche qui crachotait, jetait de longues ombres sur les murs de pierre.

Soudain un autre homme surgit en haut des marches. Il leur adressa un bref salut avant de s'éloigner, très raide. Ram posa la torche dans un support près de la porte de sa chambre, et Zara pénétra dans la pièce où elle était déjà venue au printemps précédent.

Comme Ram allumait les lampes, elle esquissa une moue boudeuse.

— Il me déteste ! se plaignit-elle.

— Colin ne déteste personne. Il est bien trop mou et sot pour ça.

— Il avait un air dégoûté... je ne suis pas folle !

Ram sourit à la jeune Gitane.

— Cela m'était destiné. Mon cousin désapprouve mes nombreuses amourettes. Il voudrait me voir marié et père de famille, comme le reste du clan... s'il avait son mot à dire.

Elle glissa les bras autour de son cou et murmura :

— Dans ce château, je suppose que tu es le seul à avoir ton mot à dire.

— Tu supposes bien.

Malgré l'heure tardive, il ne semblait guère pressé de faire l'amour, et Zara en fut vexée. Il observait, presque détaché, les petits seins arrogants qui durcissaient sous son regard, les yeux en amande, héritage de ses ancêtres venus du Sud. Il effleura l'anneau d'or qu'elle portait à une oreille.

— As-tu perdu l'autre boucle que je t'avais offerte, ou l'as-tu vendue ?

Elle lui lança un coup d'œil provocant.

— C'était la première fois que je gagnais de l'or véritable. Je le garderai toujours. Dans un endroit qui me fera le plus grand bien.

Elle s'exprimait par énigmes, or il n'avait ni le goût ni l'envie d'écouter des sornettes de femme. Il la repoussa et ôta sa veste de cuir. Elle ouvrit de grands yeux en constatant qu'il portait en dessous une cotte de mailles. A ses mouvements souples et déliés, elle ne l'aurait jamais deviné, mais Black Ram avait trop d'ennemis pour se déplacer sans protection.

Comme il se débarrassait de sa chemise de lin, de ses bottes et de sa culotte en tartan, elle s'émerveilla de sa splendide virilité. Zara, elle, ne portait qu'une jupe et une blouse que Ram lui fit rapidement glisser par-dessus la tête.

— Laisse-moi te regarder à présent, dit-il en la tenant à bout de bras.

Elle passa un petit bout de langue sur ses lèvres tout en relevant sa longue jupe rouge. Le regard de Ram perdit son indifférence.

— Jésus ! souffla-t-il. Je croyais avoir tout vu…

L'autre boucle d'oreille avait été fixée sur le mont de Vénus de la jeune femme.

— Cela me procure plus de clients que je ne peux en accepter, expliqua-t-elle. Je suis la catin la mieux payée d'Ecosse, plus célèbre que n'importe quelle courtisane. Le roi a adoré !

Ram siffla entre ses dents.

— Le roi ? Comment est-il au lit ?

Elle ôta sa jupe qu'elle lança à travers la chambre.

— Il ne manque pas de talent, mais tu as sans aucun doute plus de… souffle.

Avec un cri de guerre, il la souleva de terre comme si elle ne pesait pas plus qu'une plume et la jeta sur le grand lit. De la main, il cherchait l'anneau d'or.

— C'est exactement la bonne dimension pour qu'un homme franchisse la porte du paradis, dit-elle en ouvrant les jambes de manière à ce que le cercle fût juste à la hauteur de son sexe.

3

Rob Kennedy avait bien deviné. Sa femme s'arran-gea pour qu'il l'autorisât à se rendre à Carlisle, chez elle. Ses malles étaient bouclées au moment où il fut prêt à s'embarquer.

Les quatre enfants Kennedy ainsi que leurs cousins descendirent jusqu'à l'estuaire pour les voir monter à bord du *Thistle Doon* et leur adresser de grands signes d'adieu.

Tina avait eu toute la nuit pour repenser aux paroles de son père, et elle avait décidé de le laisser partir avec un peu d'espoir. Comme ils se dirigeaient vers le navire, elle passa un bras autour de sa taille et il la serra contre lui, en se disant une fois de plus qu'elle lui ressemblait étonnamment.

— Que penseriez-vous d'une alliance avec les Hamil-ton ? demanda-t-elle d'un ton léger.

Il l'observa, les yeux plissés. Faisait-elle allusion à l'héritier du comte d'Arran ? Dieu, James Hamilton, comte d'Arran, était le petit-fils du roi Jean II, et grand amiral d'Ecosse.

— Tu parles de Patrick Hamilton ?

Elle lui adressa son plus charmant sourire.

— J'ai depuis longtemps décidé qu'il était le plus convenable de mes prétendants.

— Sage enfant ! Invite-le à Doon.

— L'amiral a ancré le navire commandant du roi à Ayr, ainsi Patrick ne sera pas dépaysé.

Il sourit, tout fier de sa fille.

— Je suis certain qu'il mangera bientôt dans ta main, dit-il, avant d'agiter un doigt menaçant sous son nez. Mais ne laisse pas ce garçon prendre davantage avant de s'être engagé définitivement !

Comme le vent gonflait les voiles, poussant rapide-ment le bateau vers la mer, tous les visages exprimèrent le même soulagement. Davie bâilla ostensiblement, et Valentina le taquina :

— Je suis surprise que tu sois parvenu à te tirer du lit pour accomplir ton devoir de bon fils.

— Par Dieu, je tenais à le voir partir de mes propres yeux. Il passe son temps à m'adresser des sermons sur les dangers de la chair. Ce vieux débauché me donne la nausée !

— Davie n'est pas dans son état normal, aujourd'hui, murmura Tina à Donald.

— Mais si, répondit son frère en songeant à la prostituée avec qui Davie avait passé la nuit précédente. C'est un sale petit vicieux.

Tina ne prit pas l'accusation au sérieux. Quand ils étaient enfants, un lien très fort l'unissait à Davie. Les aînés ne faisaient jamais participer leur cadet à leurs occupations, car la naissance des deux filles le séparait d'eux. Aussi Davie avait-il été contraint de partager les jeux de ses sœurs. Tina, de quelques années plus âgée que lui, l'avait toujours protégé des déceptions et des coups de la vie, elle l'avait toujours défendu contre les autres. Pourtant, depuis quelque temps, il s'éloignait d'elle, essayait de prouver qu'il était un homme. Pour elle néanmoins, c'était toujours un adolescent, d'autant plus que sa constitution plutôt frêle le différenciait des autres mâles de la famille, robustes et râblés. Elle devait faire un effort pour cesser de le materner ainsi...

Tina rejoignit sa sœur qui murmura :

— Je suis heureuse que mère n'ait pas insisté pour m'emmener en Angleterre.

Elle lança un coup d'œil timide à Andrew Kennedy et devint rouge comme une tomate.

Tina sourit, complice.

— Il ne me regarde jamais, poursuivit Beth sur le ton de la confidence.

— C'est parce que tu ne fais rien pour attirer son attention. Agis, et tout de suite ! ordonna Tina.

Beth, prise d'une audace subite, ramassa un petit coquillage rosé et allongea le pas pour arriver à la hauteur d'Andrew.

— Regardez, Lord Carrick, dit-elle d'une petite voix essoufflée. Regardez le coquillage que je viens de trouver.

— Très joli, ma chère, répondit-il distraitement.

Affreusement déçue, Beth s'immobilisa, et Tina ne tarda pas à la rattraper.

— Les hommes ne s'intéressent guère aux coquillages, Beth.

La jeune fille blonde ouvrit de grands yeux.

— Alors, qu'est-ce qui les intéresse?

Tina éclata de rire.

— Deux choses, en tout cas.

Au lieu de dire «argent» et «sexe», elle enjoliva:

— Un doublon d'or échoué sur le sable et un bain de minuit avec une jeune fille nue.

Beth pâlit.

— Ne prends pas la vie trop au sérieux, lui conseilla Tina. Les hommes aiment aussi rire, tu n'as qu'à les écouter. Il faut un talent particulier pour les arracher à leurs histoires d'hommes. Regarde.

Une étincelle de défi dans les yeux, la jeune fille ôta ses souliers, ses bas, et alla tremper ses pieds dans l'eau, la jupe remontée haut sur ses jambes parfaites. Les jeunes gens se dirigèrent tous vers elle, attirés comme par un aimant. Quand leurs remarques se firent un peu osées, elle leur envoya de l'eau du bout des pieds, et Beth, stupéfaite, constata qu'ils ne s'en souciaient guère. Au contraire, ils se pressaient autour d'elle tels des béliers emmêlant leurs cornes en présence d'une brebis. Valentina parvint à les congédier, comme une reine répudie ses sujets, puis elle s'assit sur un rocher pour remettre ses souliers, fourrant ses bas dans sa poche.

— Tina, si j'apportais le souper dans ta chambre, on pourrait passer la soirée toutes les deux? suggéra Beth, pleine d'espoir.

— Ce soir, ce sont les feux du 1er mai, répondit carrément Tina. Je sors. Tu veux venir avec moi? proposa-t-elle, prise d'un accès de générosité.

— Mon Dieu, non! s'écria Beth. Tu n'as pas peur?

— Un tout petit peu, mais c'est ça qui est excitant, comme d'aller au cimetière à minuit ou de se baigner nue dans le Black Loch.

— Kirsty dit que tu es perverse, avoua Beth, qui n'était pas loin de le croire.

— Ah bon? Eh bien, cela vaut mieux que de détaler comme un lapin au moindre danger. Je n'ai rien à craindre. Heath est là, il prendra soin de moi.

Beth fronça le nez.

— Cette canaille de Gitan?

— Cette canaille de Gitan est l'être le plus viril de la terre! protesta Tina.

À dire vrai, elle était soulagée que Beth eût refusé son invitation. Elle repoussa une mèche de cheveux du front de sa petite sœur et désigna le groupe de séduisants jeunes gens.

— Demain, ils seront tous partis. Ils étaient seulement venus apporter la laine. Je veux que tu soupes avec eux dans la salle commune... Et porte ta plus jolie robe, compris?

Au début de l'après-midi, Ram Douglas était déjà en selle depuis huit heures. Il arriverait aux splendides monts Grampians avant le crépuscule. Afin de réussir cet exploit, il chevauchait alternativement deux robustes étalons.

À cinq heures du matin, il avait réveillé un de ses gardes et avait poussé la Gitane dans ses bras avec pour mission de la raccompagner au campement. Ensuite il avait annoncé à ses hommes que, le lendemain soir, ils auraient le troupeau qu'ils souhaitaient.

Les chevaux sauvages avaient grandi dans les forêts septentrionales où ils s'étaient aguerris contre le froid et les intempéries. Ils pouvaient galoper plusieurs heures sans se restaurer. Ces montures au pied sûr étaient les préférées des soldats qui devaient patrouiller indéfiniment au milieu de la lande. Les écuries des Douglas regorgeaient d'étalons au sang vif, bien nourris. Le favori de Ram était une espèce de brute qui mesurait plus d'un mètre quatre-vingt-dix au garrot et qu'il appelait Ruffian. Ram pouvait sauter en selle sans se servir des étriers, et nombre de ses hommes avaient ramassé une belle chute en essayant de l'imiter, particulièrement lorsqu'ils portaient une lourde cotte de mailles.

Ram Douglas avait l'œil aussi exercé pour les chevaux que pour les femmes, et il ne tarda pas à sélectionner les plus belles bêtes. Il laissa les poulains avec leurs mères et ne put s'empêcher de rire quand l'étalon dominant tenta de l'attaquer pour le punir de voler ses juments.

Ces forêts regorgeaient de loups, de sangliers, de taureaux sauvages, et Ram aurait volontiers chassé, mais il se promit de résister à cette envie, à moins qu'une bête ne menaçât la horde. Son instinct lui interdisait de s'absenter trop longtemps de ses terres. Ces satanés Hamilton pourraient bien en profiter pour organiser un raid, lâches comme ils étaient...

Dès son retour, il enverrait son frère Gavin au château Douglas avec la moitié du troupeau. Le château de la ville de Douglas, qu'on appelait souvent le Château des Dangers, ne devait pas être confondu avec la massive forteresse qui se trouvait à une cinquantaine de kilomètres vers le sud, près de la frontière. Bien qu'on eût l'habitude de les appeler tous deux « château Douglas ».

Kirsty s'inquiéta lorsqu'elle vit Beth sortir sa tenue de velours bleu de la garde-robe.

— Vous feriez mieux de souper dans votre chambre avec moi, maintenant que vos parents sont partis. Le château est plein d'hommes.

Pour une fois, Beth s'insurgea.

— Je dîne en bas avec Valentina ce soir, Kirsty. Elle veillera sur moi.

La servante pinça les lèvres. Elle serait à l'autre bout de la pièce, à la table des domestiques. Dieu seul savait quels sujets scabreux Tina aborderait !

Kirsty descendit de bonne heure pour ne rien manquer de ce qui se passerait. Valentina arriva, vêtue d'une robe couleur de feu qui la rendait plus éclatante encore. Kirsty fut heureuse de constater que les jeunes gens n'avaient pas pris la peine de revêtir leurs kilts pour impressionner la demoiselle, mais elle déchanta lorsqu'elle vit les deux jeunes filles s'asseoir entre Lord Carrick et Callum Kennedy. Des personnes convenables se seraient installées près de leurs frères !

Ada comprit tout de suite ce qui contrariait Kirsty et, en digne adversaire, décida de retourner le fer dans la plaie.

— Je suis ravie que Tina ait accepté d'initier Beth aux relations mondaines.

— Je ne considère pas Valentina Kennedy comme un modèle pour ma douce Beth, siffla Kirsty.

— Oh, je vous en prie, Kirsty, détendez-vous, pour une fois. C'est Beltan, la nuit du 1er mai !

Kirsty sursauta, indignée.

— Ce rituel païen ! Comment osez-vous en parler dans cette demeure ? C'est simplement une excuse à toutes les perversions. Laissez-moi vous dire, madame, que les appétits charnels ne mènent pas au royaume des Cieux !

— Vous croyez que sexe et Eglise ne vont pas ensemble ? s'étonna Ada en riant. Plus l'occasion est sainte, plus les instincts se déchaînent. Vous ai-je déjà raconté l'histoire du curé d'Aberdeen ?

— Taisez-vous. Je n'écouterai pas ces indécences.

Elle regarda l'intendant et les autres domestiques pour les prendre à témoin, mais ils s'amusaient ouvertement de son embarras.

Tina, de son côté, prenait tout autant de plaisir qu'Ada à taquiner ses compagnons. Imperturbable mais une flamme malicieuse au fond des yeux, elle lança à Andrew :

— Pourquoi ne racontez-vous pas à Beth l'intéressante soirée que vous avez passée à Glasgow hier ?

Andrew lui répondit par un regard d'avertissement et se demanda comment elle faisait pour paraître l'image même de l'innocence.

— Je suis certain qu'elle ne s'intéresse guère aux affaires d'hommes, dit-il, sévère.

— Oh, vous vous trompez, Lord Carrick. Cela me fascine, intervint Beth qui était suspendue à ses lèvres.

— Votre frère nous a montré des quartiers de Glasgow que j'ignorais totalement, expliqua-t-il de mauvaise grâce.

— On m'a raconté, relança Beth, qu'il y avait beaucoup de taudis là-bas, mais j'y ai vu aussi de fort belles demeures. Ne trouvez-vous pas que les dames s'habillent différemment en ville ?

— Dites-nous donc à quoi ressemblait la maison où vous vous êtes rendus, insista Tina, et comment les femmes y étaient vêtues.

— Ça ne vous intéresserait pas.

Beth posa sa petite main sur le bras du jeune homme.

— S'il vous plaît... pria-t-elle doucement.

Andrew rougit légèrement au souvenir de sa nuit de débauche, puis il couvrit la main de Beth de la sienne et expliqua gentiment :

— Votre sœur est une vilaine taquine. Elle sait que j'ai passé la soirée d'hier dans un... cabaret.

— Oh, que je suis sotte ! pouffa Beth.

Tina éclata de rire, puis Andrew, et l'aventure se termina dans la bonne humeur.

A l'autre bout de la pièce, l'intendant demandait à Ada, les yeux pétillants d'espoir :

— Voudriez-vous assister aux réjouissances avec moi ?

— Oh, je suis navrée, Jack, j'ai déjà accepté la proposition de M. Burque, répondit Ada avec un coup d'œil satisfait à Kirsty qui, elle le savait, avait un faible pour le beau Français.

— Burque ? Ce petit gringalet ? se moqua l'intendant. Je vous aurais vue en compagnie plus... consistante, ce soir.

— M. Burque est un excellent chef, riposta Ada. Et croyez-moi, il peut se montrer tout à fait « consistant ».

De son côté, Valentina tentait de s'assurer que personne ne la verrait quitter le château.

— Vous partirez à l'aube, je présume, dit-elle à ses voisins de table. Avez-vous des projets pour ce soir ?

Les deux jeunes gens échangèrent un coup d'œil, et Andrew répondit, pour gagner du temps :

— Eh bien, nous envisagions de nous rendre de nouveau à Glasgow.

— Quel dommage ! Je pensais que nous pourrions monter sur les remparts afin de compter les feux de Beltan... à moins que vous n'en ayez pas le temps avant de partir ?

— C'est exactement ce que j'ai envie de faire dès que nous aurons fini de souper, s'empressa Andrew.

Callum lui jeta un regard noir.

— J'aimerais vous accompagner, Tina. Il fait sombre, là-haut. Une dame a besoin d'un bras robuste, et je vous offre le mien.

— Vous êtes si galants, tous les deux ! s'exclama Tina, tout miel. Je ne puis accepter, mais Beth sera ravie d'en profiter.

Conscients d'avoir été manipulés, les deux jeunes gens s'inclinèrent galamment devant la petite Beth.

— Ce sera un honneur, demoiselle.

Kirsty porta la main à sa gorge lorsqu'elle vit sa protégée quitter la table au bras des deux hommes. Il n'était pas courant qu'une domestique s'approchât de la table des maîtres, mais l'inquiétude lui fit passer outre à cette convention.

— Je vais vous accompagner, Beth. Où que vous alliez, je vous accompagne.

Tina toisa la gouvernante.

— Ne dépassez pas les limites, Kirsty. C'est moi la maîtresse de Doon, en ce moment. Je ne pense pas que Lord Carrick apprécie de se voir imposer votre présence. Vous feriez mieux de choisir l'intendant.

— Mais... mais Beth n'est jamais restée seule avec des hommes ! protesta Kirsty, anéantie, en regardant la jeune fille quitter la pièce.

— Alors, il n'est que temps ! Et plus ils sont nombreux, moins c'est dangereux. D'autre part, je ne pense pas que la petite Beth éveille leurs appétits bestiaux.

— Les hommes n'ont guère besoin de provocation, siffla Kirsty.

— Vraiment ? dit Tina, les sourcils levés. Il faudra un jour que vous me racontiez tout ce que vous savez des hommes, si vous avez le temps.

De la main elle adressa à Ada un signe qui voulait dire : « Ne m'attendez pas ! »

Valentina avait à peine parcouru un kilomètre quand Heath arriva à sa rencontre. Entièrement vêtu de daim, il chevauchait un animal qui n'avait rien à envier à l'écurie des Kennedy. Tina eut un sifflement appréciateur.

— D'où vient-il ?

Il sourit et posa un doigt sur sa bouche.

— Pas de questions, ma douce. Tu n'aimerais sans doute pas la réponse.

— Pourrais-tu m'obtenir une jument barbe ? demanda-t-elle vivement.

— C'est une commande difficile à satisfaire, tu sais.

— Mais pas impossible ?

— Non, ma douce, pas impossible.

— Merveilleux ! Où allons-nous ce soir ?

— Où tu veux. Prends la tête.

Il avait à peine terminé sa phrase qu'elle s'élançait, rapide comme le vent. Elle avait attaché ses cheveux en une longue natte dans le dos, qui ne tarda pas à se dénouer. Heath eut un petit rire ravi. Il y avait tant de sauvagerie en elle !

Ils traversèrent l'Ayr et commencèrent de sortir de la vallée. On n'allumerait pas les feux de Beltan sur les collines, car on risquerait de les confondre avec les feux d'alarme utilisés lors d'invasions. Tina se dirigeait vers Muirkirk, une plaine qui s'étendait entre les comtés d'Ayr et de Lanark, endroit le plus proche où il y avait des divertissements traditionnels.

Comme elle atteignait une crête, ayant devancé son compagnon d'une centaine de mètres, elle aperçut douze cavaliers qui arrivaient en sens inverse, vêtus du tartan bleu des Hamilton.

Elle passa prestement une jambe par-dessus sa selle, pour qu'on ne vît pas qu'elle montait à califourchon, et espéra qu'ils ne s'apercevraient pas qu'elle chevauchait à cru.

— Valentina ! s'écria Patrick Hamilton, à la fois enchanté de la voir et inquiet de la trouver dehors la nuit tombée.

Il mit vivement pied à terre et s'approcha d'elle, ses hommes restant discrètement à l'écart.

C'était un magnifique garçon brun qui se tenait très droit, avec toute la fierté de son clan. Il posa une main possessive sur le genou de la jeune fille.

— Je ne parviens pas à croire que vous vous promeniez seule ! C'est la Providence qui m'a mis sur votre chemin.

La faible lumière empêchait le jeune homme de voir l'éclat des yeux de Valentina, mais déposait des reflets dans sa somptueuse chevelure. Patrick réprima l'envie de l'attirer à lui pour goûter à ces lèvres si troublantes.

— Vous allez sans doute rendre visite à l'amiral, Patrick, dit-elle. Si vous venez dîner à Doon vendredi, je demanderai à M. Burque de préparer vos plats favoris.

— Merci, Tina. J'en serai ravi. Vous connaissez ma destination, mais j'ignore la vôtre.

— C'est vrai, dit-elle en riant.

A cet instant, Heath arriva sur la crête. Patrick fronça les sourcils.

— Finalement, vous avez une escorte, marmonna-t-il, visiblement contrarié.

— Bonsoir, Patrick. Je dois partir, j'ai un rendez-vous urgent.

Hamilton avait parcouru une dizaine de kilomètres, l'esprit tout plein de Valentina Kennedy, lorsqu'il se souvint qu'on était le 1er mai. Un horrible soupçon lui traversa l'esprit, qu'il chassa bien vite.

— Elle n'oserait pas, se persuada-t-il.

Les Kennedy avaient bien préparé leur coup, la veille au soir. Ils s'étaient même aventurés jusqu'à la frontière des terres des Douglas qu'ils avaient l'intention d'attaquer. Les Douglas étaient le clan le plus riche d'Ecosse, avec des acres de terres et un bétail innombrable. C'étaient Donald et Duncan qui en avaient eu l'idée, et ils en avaient fait part aux autres membres du clan lorsqu'ils étaient arrivés avec leurs cargaisons de laine. Sans trop s'approcher du Château des Dangers, Donald estimait qu'ils pouvaient subtiliser environ deux cents vaches et quatre cents moutons chez les fermiers des Douglas. Et, mieux encore, le clan Douglas en rendrait responsables leurs pires ennemis, les Hamilton, qui vivaient à une vingtaine de kilomètres de chez eux.

Les Kennedy avaient décidé de se partager le butin avant de retourner chacun chez soi. Donald conduirait le sien dans le château du Loch Ryan, qu'il espérait habiter quand il se marierait. Il en laisserait toutefois une partie dans sa résidence de Kirkcudbright. Ironie du sort, la tour carrée de Kirkcudbright n'était qu'à quinze kilomètres de l'énorme forteresse Douglas.

Donald avait donné ordre à ses hommes de ne pas approcher du château, car il ne voulait pas de violence. C'était simplement un petit raid sous le couvert de la nuit et, avec un peu de chance, les Douglas ne s'apercevraient de rien avant le matin.

Tout se déroula comme prévu, et les Kennedy étaient ravis que Donald commandât. Tous, sauf David, qui avait d'autres idées sur la question. C'était la première fois qu'il participait à ce genre d'expédition, bien qu'il en eût rêvé depuis des années. Il s'était toujours délecté des récits de ses aînés, lors des réunions du clan.

Comme les Douglas possédaient environ dix mille têtes de bétail, David se dit que le foin était leur récolte la plus vitale. Bien que Donald lui eût ordonné de rester en sentinelle, il était déterminé à jouer un rôle plus actif. Il passa sa torche à travers les herbes, et le feu se propagea rapidement sur les terres desséchées.

Lorsque Donald sentit la fumée et entendit l'incendie gronder comme la tempête, il jura violemment.

— Quel est le fils de garce qui a déclenché ça?

Les fermiers des Douglas accouraient en masse, et sans aucun doute, ils avaient alerté les hommes du château. Un feu la nuit était effrayant, et dans le chaos général, les Kennedy purent emporter le bétail convoité.

Duncan chevauchait près de Donald.

— Davie était posté non loin de l'endroit où l'incendie s'est déclaré. A mon avis, c'est lui le responsable.

— Par le sang du Christ! Dès notre retour, je lui arracherai la peau du derrière!

Pendant ce temps, grisé par son succès, David s'approcha tout près des murs du Château des Dangers. Les flammes s'élevaient haut dans le ciel noir, fascinantes. Mais soudain sa torche lui fut arrachée, mettant le feu à sa manche, tandis qu'il était jeté à terre par quelque chose qui ressemblait à la foudre.

Cet éclair était Gavin Douglas, entièrement nu, qui avait été tiré du lit et des bras de Jenna, sa toute nouvelle compagne. Heureusement pour Davie, il n'était pas armé, sinon le jeune homme aurait déjà été envoyé dans l'autre monde.

Gavin roula le garçon dans la poussière pour éteindre sa manche en feu, puis le mit sur ses pieds. Ses yeux s'agrandirent devant l'extrême jeunesse du coupable. Il pesta d'avoir mis la main sur le petit dernier, mais il n'y avait pas d'autre ennemi alentour. Seulement Cameron et d'autres hommes des Douglas qui s'affairaient à maîtriser l'incendie avant qu'il n'eût détruit tout le village.

Il traîna son prisonnier par les cheveux jusqu'à la pièce commune, toute bourdonnante d'activité. Comme Colin Douglas arrivait en claudiquant, Gavin lui dit:

J'en ai attrapé un. Les Hamilton se servent des gamins, maintenant!

Colin, devant la pâleur du jeune garçon, déclara tranquillement:

— Je vais chercher de quoi panser sa blessure.

— Panser sa blessure ? tonna Gavin. Je vais plutôt l'embrocher et lui faire rôtir l'autre bras, là dehors !

— Quand tu te seras calmé, objecta Colin, tu comprendras que Ram pourrait demander une rançon pour le gamin.

Davie jugea qu'il avait été traité de « gamin » une fois de trop. Il rassembla sa salive et cracha au visage de Colin. Gavin lui assena une claque qui lui fendit la lèvre et l'envoya rouler à terre, puis il se passa la main dans les cheveux.

— Bon Dieu, Ram va être fou de rage. Qui était de garde, ce soir ? demanda-t-il à ses hommes. Pourquoi n'a-t-on pas sonné l'alarme plus tôt ?

— Nous avons cru au début qu'il s'agissait d'un feu de Beltan, répondit bêtement quelqu'un.

— Espèce de paresseux ! Vous êtes tout juste bons à boire, vous bagarrer et trousser les filles !

Il s'aperçut soudain qu'il était nu et se rappela ce qu'il faisait quand le feu s'était déclaré...

— Emmenez cet individu hors de ma vue. Enfermez-le dans un cachot.

Il lança un regard menaçant à ses hommes.

— Vous avez deux minutes pour vous trouver un cheval. Nous allons les rattraper, ou au moins suivre leur trace. Quand Ram rentrera, l'un de vous devra payer pour ça !

Et, se frottant la nuque, il souhaita de toutes ses forces que ce ne soit pas lui !

4

Tina Kennedy était tout excitée par l'aventure, et sa rencontre avec Patrick Hamilton avait rendu le jeu plus amusant encore.

Heath et elle participèrent de tout leur cœur aux réjouissances, sautèrent par-dessus les flammes, dansèrent autour des feux de camp.

Ce rituel était ancien comme le monde, et Tina n'y aurait pas renoncé pour un empire. Cependant vers minuit, hommes et femmes, jeunes et vieux, s'effondraient, ivres morts, ou se trouvaient tellement excités qu'ils arrachaient leurs vêtements et copulaient avec le premier venu.

La voyant choquée, Heath l'entraîna à l'écart de cette scène orgiaque.

— Il est temps que tu rentres à Doon, déclara-t-il fermement.

Il l'aidait à se mettre en selle quand elle demanda, d'une petite voix perdue :

— C'est toujours comme ça ?

— Oui. Des bêtes !

Soumise, elle le suivit en silence, et il en fut rassuré. Jamais il ne lui interdisait quoi que ce fût, jamais il ne lui adressait de sermons. Il avait tout simplement confiance en son bon sens qui l'empêchait de commettre deux fois les mêmes erreurs.

Il la regarda franchir le pont-levis de Doon avant de repartir vers le sud au triple galop.

Tina mena sa jument dans une stalle, l'étrilla et la couvrit d'un plaid.

Soudain l'intérieur du mur d'enceinte se remplit d'hommes, de chevaux, de bétail. Une cinquantaine de moutons foncèrent en bêlant dans les écuries, faisant aboyer les chiens et caqueter les poules.

La voix de Duncan s'éleva, ferme et autoritaire :

— Emmenez ces satanés moutons dans la prairie, et les vaches près de la rivière !

Tina, les yeux comme des soucoupes, se dirigea vers son frère.

— Par le sang du Christ ! Vous êtes allés faire un raid !

— Si on te le demande... Mais que fais-tu dehors à cette heure-ci ? File te coucher, et ne dis rien à personne !

Les poings sur les hanches, elle s'apprêtait à discuter, mais il brandit le poing dans sa direction, et elle vit qu'il n'était pas d'humeur à argumenter avec une femme. Elle haussa une épaule, releva sa jupe et se fraya un chemin à travers la ménagerie brailleuse.

Tina dormit peu cette nuit-là, et elle se leva aux aurores. Comme elle n'avait pas envie d'attendre que l'on servît le petit déjeuner dans la salle commune, elle se dirigea vers les cuisines. M. Burque, un peu verdâtre, supervisait les préparatifs du premier repas de la journée en tentant de réprimer la nausée qui lui montait à la gorge.

— Trop de feux de Beltan, murmura-t-elle, complice.

— Trop de whisky! Ça pourrit l'estomac comme l'esprit! Pas étonnant que les Ecossais soient si lourds!

Duncan ouvrait la porte de la cuisine d'un coup de pied.

— Bon Dieu, quand est-ce qu'on mange? Où est le foutu garçon qui sert la bière? gronda-t-il avant de ressortir en trombe.

M. Burque leva les yeux au ciel.

— Il se passe quelque chose... de grave. Duncan est celui des Kennedy qui a le meilleur caractère.

— Ils étaient en expédition, cette nuit, chuchota Valentina.

— D'habitude, ça le réjouit plutôt, c'est son passe-temps favori.

— Je croyais que c'étaient les filles...

Il secoua la tête.

— Non, non, ma belle, ça c'est bon pour les Français.

Elle vola une pâtisserie toute chaude.

— Je me charge de trouver la raison de sa mauvaise humeur.

Les Kennedy étaient négociants, et Doon n'était pas une garnison, pourtant ils entretenaient quelques hommes d'armes. Ce jour-là, tous s'installèrent en silence autour de la grande table. D'habitude, ils faisaient un tapage assourdissant, et Tina n'eut pas besoin de demander si quelque chose clochait.

— Joyeuse compagnie! Où est Donald? demanda-t-elle, soudain inquiète.

46

La main du domestique tremblait lorsqu'il remplit la chope de Duncan, et il renversa de la bière.

— Imbécile! hurla Duncan avant de répondre sèchement à sa sœur : Donald est à Kirkcudbright.

— Laisse-moi deviner, dit Tina en souriant. Andrew est retourné à Carrick et Callum à Newark. Vous vous êtes partagé le butin et vous êtes partis dans six directions différentes. Brillante stratégie, Duncan. Pourquoi alors es-tu d'une humeur de chien à qui on a volé son os?

— Davie, marmonna Duncan, sombre.

— Davie? Tu crois qu'il va t'en vouloir de ne pas l'avoir emmené?

— Nous avons pris ce petit crétin avec nous.

Tina eut soudain la gorge serrée.

— Avec vous? Où est-il maintenant?

— Pourquoi faut-il que tu fourres toujours ton nez dans les histoires d'hommes, bon sang?

— Il est blessé! s'écria-t-elle en se précipitant vers l'escalier

— Tina! Il... il n'est pas rentré avec nous. Il a disparu.

— Disparu?

— Cesse de tout répéter comme un perroquet!

— Va le retrouver! ordonna-t-elle. Non, j'y vais moi-même, par Dieu!

— Nous l'avons déjà cherché. Je crois qu'ils l'ont capturé.

Cette fois, Tina était folle de rage.

— Vas-y et exige qu'on le rende. Menace-les de détruire leur maudit château pierre par pierre s'ils refusent. Qui le détient? Contre qui était le raid?

Duncan crispa les lèvres, comme s'il ne pouvait se résoudre à prononcer le nom.

— Douglas, grommela-t-il enfin.

— Black Ram? murmura-t-elle, pâle et tremblante.

Elle parcourut les hommes des yeux, mais aucun n'osait croiser son regard. Elle était consternée, épouvantée.

— Vous rendez-vous compte de ce que vous avez

fait ? Défier la puissance des Douglas ? Notre mot d'ordre, chez les Kennedy, est : « Envisage les conséquences. » Comment avez-vous pu vous montrer si stupides ?

— Ils penseront que ce sont les Hamilton.

Le visage de cette tête brûlée de Patrick Hamilton dansa devant ses yeux, et elle se laissa tomber sur un banc, effondrée.

— Mais ils ont David.

— Il n'est pas roux comme nous. S'il tient sa langue, ils ne se douteront jamais que c'est un Kennedy.

— C'est encore un enfant, s'indigna-t-elle. Vous connaissez bien ces monstres de Douglas ! Ils vont le torturer. Mon Dieu, Duncan, il faut faire quelque chose… n'importe quoi !

— Nous attendrons Donald. Montrons-nous discrets aujourd'hui. David ne parlera pas, j'en suis certain. Si nous sommes imprudents, ce raid ne nous attirera que des ennuis.

Valentina évita sa petite sœur de peur de l'alarmer. Toutes les demi-heures, elle grimpait sur les remparts pour scruter l'horizon, angoissée. Elle avait envie de hurler, pourtant sa gorge serrée ne laissait passer aucun son. Dans son imagination fertile, elle voyait toutes les horreurs que l'on pouvait infliger à Davie, et elle frémissait de terreur.

Les Kennedy n'avaient entretenu aucun rapport avec les Douglas depuis la terrible tragédie qui avait séparé les deux clans peu après la naissance de Tina. Lorsque sa mère était venue d'Angleterre pour épouser Lord Kennedy, la jeune sœur de ce dernier, Damaris, était devenue sa meilleure amie. Alexander Douglas s'était amouraché d'elle et, après une cour rapide, il l'avait épousée, pour le grand plaisir des Kennedy qui le jugeaient un parti plus que convenable… Comme ils s'étaient trompés !

Damaris était encore toute jeune lorsque son mari, dans un accès de jalousie, l'avait empoisonnée. Tina frissonna à ce souvenir, espérant que cette haine entre les deux clans ne détruirait pas toute la famille. Peut-être David était-il déjà mort... En sanglotant, elle adressa une prière au Ciel. Si Davie était encore en vie, son seul espoir résidait dans la fuite.

Des nuages sombres s'amoncelaient au-dessus d'elle, jetant une ombre sinistre sur le paysage. Elle avait l'impression d'être prisonnière, comme son petit frère. Si elle n'agissait pas, elle allait devenir folle! Il lui fallait bouger pour se débarrasser de cette peur, de cette inquiétude, de l'angoisse qui broyait son cœur comme une main de fer.

Elle courut à sa chambre et fouilla sa garde-robe à la recherche d'une robe de laine lavande. Superstitieuse, elle était persuadée que toutes les teintes de bleu lui portaient chance. Elle glissa un poignard dans une de ses bottes, un autre dans sa cape de velours et descendit discrètement vers les écuries.

Elle quitta le château sans savoir au juste où elle allait. Elle avait seulement besoin de se libérer des murs qui l'étouffaient. Elle se dirigea vers l'est, sans regarder en arrière, sans ralentir l'allure. Elle ne voyait pas les champs de jacinthes sauvages qu'elle traversait, ni le paysage ondulant sous la brise. Elle n'entendait pas les mouettes rieuses ni les bêlements des agneaux. Elle était obsédée par le sort de son frère, rien d'autre ne comptait.

Enfin elle se rendit compte de la direction qu'elle avait prise et tira sur les rênes, inquiète. Elle suivait l'Ayr. Or ce chemin — elle le savait sans l'avoir jamais encore emprunté — menait tout droit chez les Douglas. Pourtant, elle continua à s'avancer. Elle passa devant des champs noircis et brûlés, vit des paysans en train de reconstruire des cabanes détruites par le feu, puis se dirigea vers le Château des Dangers, isolé et menaçant.

Il fallait y pénétrer, d'une manière ou d'une autre. Or la meilleure façon était qu'un Douglas l'y fît entrer. Un plan audacieux lui vint à l'esprit. Elle allait feindre un accident de cheval... son propre accident. Elle était une femme fragile, jeune et belle : il y aurait bien un des hommes des Douglas pour venir à son secours.

Elle accrocha ses rênes dans un bosquet d'épineux, desserra la sangle pour que sa selle tournât et s'allongea par terre, la cape ramenée sur elle, les bras levés comme si elle avait essayé de se rattraper. Puis elle hurla de toute la force de ses poumons, ferma les yeux et attendit.

Presque aussitôt, elle regretta son imprudence. L'orage qui menaçait depuis le début de la matinée éclata enfin et une pluie torrentielle s'abattit sur elle. Elle demeura immobile sous le déluge, trempée jusqu'aux os, frissonnante. Et ce n'était pas seulement le froid qui la faisait trembler. Maintenant qu'elle était là, il fallait bien rester immobile, à imaginer les tortures que les Douglas risquaient d'infliger à Davie...

Si elle avait pu assister au retour de Ram, quand il s'était aperçu que ses champs étaient brûlés et son bétail envolé, elle aurait pris ses jambes à son cou. Il avait passé un tel savon à ses frères que Gavin avait fini par se mettre en garde, les poings serrés, et par crier :

— Je vais te casser la figure, on verra bien si cela ne te fait pas taire !

Ram déchaîné n'était pas un spectacle de tout repos. Ses yeux gris scintillaient comme des diamants bruts, et son visage semblait taillé dans le granit. On n'attendait pas son retour avant le soir, mais il avait chevauché ventre à terre sans s'arrêter. Bien qu'il fût accoutumé à ce genre de sport, le fait qu'il eût pris fort peu de repos depuis trois jours n'améliorait pas son humeur.

Il dirigea ensuite sa colère contre ses hommes qu'il traita de bons à rien et d'ivrognes incapables de penser à autre chose qu'aux filles. Il balaya d'un grand geste toutes les chopes qui se trouvaient sur la table.

— Non contents de laisser ces salauds brûler les récoltes et voler le bétail, vous leur avez en plus permis de s'échapper ! J'aurais pu pardonner si j'avais trouvé une douzaine d'Hamilton pendus haut et court. J'au-

rais pu pardonner si vous aviez retrouvé les bêtes...
Mais vous n'avez même pas découvert la moindre
piste ! Je vais réduire les rations de moitié, cela vous
éclaircira peut-être les idées.

Furibond, il tourna les talons, ses éperons lançant
des étincelles sur le sol de pierre tandis qu'il partait lui-
même à la recherche de quelques indices. Seul son
chien-loup eut le courage de lui emboîter le pas.

Il alla d'abord inspecter les chaumières brûlées et dit
aux femmes d'envoyer les enfants au château en attendant qu'elles soient reconstruites. Puis il accompagna
un petit groupe de fermiers dans les champs.

— Nous resèmerons de l'avoine, en espérant une
seconde récolte. Allez chercher des graines dans les
réserves du château.

Ses gens lui indiquèrent combien de bêtes avaient
été volées, et il promit de les remplacer.

— Les moutons avaient déjà été tondus, mais la
laine était rangée près du foin. Tout est parti en fumée,
expliqua un paysan.

— Je vais envoyer des hommes d'armes pour rebâtir
les maisons et semer l'avoine. En ce moment, ils ne
patrouillent pas à la frontière. Je ne tiens pas à ce qu'ils
restent occupés seulement à boire et à se reproduire.

Ses gens le regardèrent partir, le cœur plein de
reconnaissance. Il était dur, mais toujours juste envers
ceux qui dépendaient de lui.

Sa colère s'apaisa quelque peu quand il constata par
lui-même qu'il n'y avait pas de traces claires, et que les
pistes du bétail partaient dans six directions différentes. Lorsque le ciel se déchira sur un violent orage,
il maudit le sort qui allait faire disparaître tout indice.
Pourquoi cette pluie n'était-elle pas tombée avant le
raid, afin de détremper les récoltes et les empêcher de
brûler ?

Un peu calmé, il siffla Pochard et dirigea son étalon
vers le château. Il s'en approchait lorsque le chien-loup
bondit en direction d'un cheval qui semblait pris dans
un fourré d'épineux...

Tina eut la peur de sa vie quand un animal poilu,

énorme, lui sauta dessus. C'était un chien féroce, deux fois plus gros que tous ceux qu'elle avait vus jusqu'ici. Elle ferma les yeux et se mordit les lèvres pour retenir le cri de terreur qui montait dans sa gorge. Si l'horrible créature la croyait morte, peut-être s'en tirerait-elle entière ? Elle entendit une voix d'homme et trembla comme une feuille.

— Par Dieu, que m'as-tu trouvé là ? On dirait un rat mouillé !

Un long frisson parcourut le dos de la jeune fille. Elle se sentit soulevée comme si elle ne pesait pas plus qu'un enfant et, sans façon, se retrouva en travers d'une selle, la tête en bas.

Elle risqua un coup d'œil et fut effrayée par la distance qui la séparait du sol. La monture était aussi énorme que le chien ! Elle faillit hurler d'indignation devant ce traitement, sa chevelure mouillée traînant contre le flanc de l'étalon.

Ram dénouait les rênes de la jument qui hennit de peur lorsque l'étalon tenta de la mordre au cou. Ram lui assena une solide tape.

— Non, Ruffian ! J'admets que c'est un beau morceau, mais tu ne la monteras sûrement pas alors que je me trempe sous la pluie !

« Mon Dieu, pensa Tina, cette brute va laisser son étalon abîmer ma jument ! »

Quand ils atteignirent les murs d'enceinte du château, Ram remit les rênes des deux chevaux à un palefrenier.

— Ne les place pas l'un près de l'autre, ordonna-t-il. Je ne veux pas de saillie avec une bête aussi commune.

— Elle me semble de bonne race, Votre Seigneurie.

— Je t'ai demandé ton avis ? coupa sèchement Ram.

Il débarrassa Ruffian de son fardeau sans prendre trop de précautions et porta Tina à l'intérieur de la forteresse. Dans la pièce commune où brûlait un bon feu dans l'immense cheminée, il la déposa sur un siège de bois sculpté.

Il ôta sa cape trempée et la lança à une servante qui

la mit à sécher devant l'âtre. Puis un homme vint s'agenouiller devant son maître pour lui ôter ses cuissardes.

Absolument molle, les paupières closes, Tina sentit
une main calleuse lui prendre le menton, tandis qu'on
l'observait. Un souvenir s'imposa à l'esprit de Ram
lorsque les flammes éclairèrent les cheveux roux de la
jeune fille. Il l'avait déjà vue, et il savait parfaitement
où. Son cœur bondit dans sa poitrine. Dès qu'il l'avait
aperçue près du campement des Gitans, il avait eu
envie d'elle. Et elle lui était livrée sur un plateau !

Tina ouvrit lentement les yeux et porta une main
hésitante à sa tête.

— Où... où suis-je ? Chez moi ?

Ram scrutait son visage, craignant qu'elle n'eût subi
une grave commotion.

— Au château Douglas, répondit-il, tandis que ses
frères venaient aux nouvelles.

Tina réprima un frisson. L'homme aux larges épaules
qui se penchait sur elle bloquait tout son champ de
vision. C'était l'image même de l'autorité, et elle sut instinctivement que c'était lui qu'il fallait convaincre.
C'était lui qu'il fallait persuader qu'elle avait reçu un
choc à la tête et n'avait plus son bon sens.

— Vous... vous êtes mon père ?

Sous l'insulte, il fut piqué. Il la trouvait incroyablement séduisante, et elle le traitait de vieux. Il gronda,
au milieu des rires de ses frères :

— Par le Christ, que je sois maudit si j'ai pu engendrer une femme de cet âge !

— Qui êtes-vous, jeune fille ? demanda Gavin.

Elle le regarda d'un air flou et porta de nouveau la
main à sa tête.

— Je... je ne sais pas, souffla-t-elle.

Cameron, brutal comme seuls le sont les très jeunes
gens, fronça les sourcils :

— Elle est simple d'esprit ?

— Non, dit Ram plus doucement, attendri. J'ai déjà
vu ça, au combat. Elle a perdu la mémoire, mais cela
va revenir.

Tina vit les belles lèvres de l'homme s'adoucir tandis

qu'il la regardait. Elle fut un instant fascinée par son regard métallique et demeura parfaitement immobile tandis qu'il tâtait son corps pour voir si elle avait des fractures. Soudain, elle se rendit compte que ses mains s'attardaient sur elle... comme s'il la caressait ! La prenait-il pour une fille de ferme qu'il pouvait lutiner à sa guise ? Elle avait envie de crier qu'elle était Lady Valentina Kennedy, mais évidemment, c'était impossible ! Elle avait bien laissé quelques hommes l'embrasser, cependant aucun ne l'avait touchée aussi intimement que cet impertinent ! Elle se dégagea d'un geste brusque.

— Non !

Colin s'approcha en boitant et lança un coup d'œil sévère à son cousin.

— Pardonnez à ces rustres, madame. Vous êtes trempée jusqu'aux os. Permettez-moi de vous proposer une chambre confortable avec un bon lit et un grand feu, afin que vous puissiez vous reposer tranquillement.

— M... merci, balbutia-t-elle.

Elle se leva, mais ses jambes se dérobèrent sous elle. Trois paires de bras se tendirent pour la soutenir. Ram fut le plus rapide, et il enleva la jeune fille, bien serrée contre sa poitrine. Les yeux dorés de Tina brillaient d'appréhension. Il était pourtant beaucoup plus tendre que lorsqu'il l'avait amenée au château...

Colin montra le chemin, sa jambe malade heurtant bizarrement le sol de pierre. Gavin fermait la marche.

Cette fois, Tina était au bord de la panique.

Si seulement c'était l'un des plus jeunes qui l'avait trouvée, elle aurait eu moins de mal à le berner.

Ram lui parlait à l'oreille tandis qu'ils montaient les marches :

— Quand vous vous rappellerez qui vous êtes, ma chérie, faites-moi signe. Si vous n'êtes pas une amie, peut-être êtes-vous une ennemie, ajouta-t-il avec un clin d'œil audacieux.

Il s'arrêta sur le seuil de sa chambre et déposa la jeune fille dans les bras de son frère.

— Je vais me changer, et je me réjouis de vous voir plus longuement tout à l'heure.

Il accompagna ses paroles d'un regard sans équivoque sur les seins de Tina soulignés par les vêtements mouillés.

Elle tremblait dans les bras de Gavin qui se sentit soudain étrangement protecteur. Elle était cependant soulagée d'être débarrassée de la présence de l'*autre*. Il avait le teint plus basané que les Gitans, et ses yeux gris brillaient d'un éclat arrogant. Son magnétisme inquiétait ; il était sombre, dur, menaçant.

— Qui êtes-vous... et qui suis-je ? demanda-t-elle faiblement, songeant qu'elle manipulerait plus aisément ce garçon-là.

Il lui adressa un sourire éblouissant.

— Je suis Gavin Douglas, ma belle, et voici mon vieux cousin Colin.

Ce dernier prit un air sévère.

— Sois un peu sérieux, mon garçon. La demoiselle a reçu un choc. Vous êtes à la résidence des Douglas, mon enfant. Juste au nord de la frontière, entre l'Angleterre et les villes de Glasgow et Edimbourg.

Il faisait froid dans le corridor, et elle frissonna.

— Je vous enlèverai bientôt votre robe trempée, petite, dit Gavin.

— Bon sang, Gavin, intervint Colin, tu ne vois pas que c'est une dame ? Elle doit déjà être terrorisée de s'être réveillée entre les griffes de Black Ram Douglas.

Mon Dieu ! Il s'agissait de l'infâme Black Ram !

Ils pénétrèrent dans une chambre décorée avec un goût exquis. Un chat, qui dormait dans un fauteuil, se réveilla en sursaut et fila sous un coffre.

Gavin déposa la jeune fille à contrecœur au bord du grand lit, tandis que Colin claudiquait vers une armoire pour en sortir des serviettes et une chaude couverture.

Du seuil, une voix profonde déclara :

— Ne reste pas là à sourire bêtement comme une gargouille... Cette demoiselle va croire qu'elle est tombée dans une maison de demeurés. Commande un feu aux domestiques, afin qu'elle puisse se réchauffer et se reposer.

Tina, étrangement, fut troublée par cette intonation grave et par le regard que Ram posait sur elle. Visiblement, elle lui plaisait. Comme Gavin se dirigeait vers la porte, Ram reprit, sur un tout autre ton :

— Montre-moi donc ce prisonnier que tu as attrapé.

— C'est un gamin, intervint Colin, l'air dégoûté. Il n'a même pas de poil au menton.

— Dans ce cas, le faire parler sera un jeu d'enfant, dit Ram.

Valentina faillit s'étrangler de rage. Et dire qu'elle avait un instant été sensible au magnétisme de cet homme ! Ce sinistre individu méritait déjà une gifle pour l'avoir jetée sur sa selle comme un sac de grain. Une autre pour avoir touché son corps de ses sales mains. Mais lorsqu'il parla de son petit frère, ce fut carrément de la haine qu'elle ressentit pour lui. Une haine farouche. S'il touchait à un seul cheveu de la tête de Davie, elle réglerait son compte à Black Ram Douglas, dût-elle y laisser sa vie !

5

Les domestiques se retirèrent après avoir allumé le feu, et Valentina se débarrassa de sa robe, de ses sous-vêtements trempés. Elle dissimula le poignard sous le matelas puis entreprit de sécher sa longue chevelure rousse. La serviette était du lin le plus fin et, du doigt, elle éprouva la douceur du plaid des Douglas, tout en ressentant une haine instantanée pour les verts foncés et les bleus sombres du tartan. Par orgueil, elle se refusait à s'y enrouler lorsque l'on frappa à la porte. Machinalement, elle se drapa dans la laine légère.

Colin Douglas entra, un plateau sur son bras invalide.

— Laissez-moi vous aider, offrit-elle spontanément,

prise d'un élan de sympathie pour cet homme différent des autres membres du clan.

Il avait un visage ouvert, honnête, des manières civilisées. Elle aurait aimé savoir ce qui avait détérioré ce physique dont on devinait qu'il avait été magnifique, mais elle avait trop d'éducation et de sensibilité pour poser la question.

— Je vous ai apporté de la soupe et du pain. C'est un peu rustique pour une dame, mais il n'y a que des hommes ici, à part les servantes et les filles de cuisine.

— Je vous remercie, cela sent très bon. S'il n'y a pas de femme, alors à qui appartient cette chambre ? A la dame du portrait ? demanda-t-elle en désignant un tableau près de la cheminée.

— L'épouse de mon frère Alexander. Damaris. Elle est morte, déclara-t-il brièvement avant de se diriger en boitant vers la porte.

Tina faillit s'étrangler avec son potage.

— Ne vous brûlez pas ! conseilla-t-il.

Il ferma le lourd battant derrière lui.

Tina se précipita vers la toile. Doucement, elle suivit du doigt la fine dentelle de ce qui avait dû être une robe de mariée.

— Tante Damaris, murmura-t-elle, comme vous étiez belle...

Un sanglot lui monta à la gorge. La jeune femme avait l'air si fragile, si innocente !

Dans un coin sombre de la pièce, l'esprit de Damaris apparut soudain et murmura :

— *Mon Dieu, vous devez être ma nièce, Valentina Kennedy ! Allez-vous-en ! Quittez cet endroit !*

— Que vous a fait cet infâme Douglas ? demanda Tina, sans entendre ni distinguer le fantôme de sa tante.

— *Vous ignorez qu'Alexander m'a empoisonnée ? Mon propre mari, que j'aimais plus que ma vie ? Il m'a accusée de le tromper avec son frère Colin. Il m'a frappée...*

Tina effleura, sur la cheminée, les articles de toilette en porcelaine décorée à la main.

— C'était à vous, dit-elle.

Elle alla caresser les brosses à cheveux à dos d'argent, les draperies du lit.

— C'est si étrange... J'ai l'impression de sentir votre présence dans cette chambre.

— *Oh, je l'espère, ma chérie! Sauvez-vous, sauvez-vous pendant qu'il en est encore temps!*

Tina, les yeux clos, porta à son cou le bouchon d'un flacon de parfum en cristal.

— On dit que vous avez été tuée ici, mais je ne perçois que chaleur et amour. Vous avez dû souffrir horriblement, pourtant je sens seulement votre bonheur.

— *J'ai été heureuse — plus heureuse que je ne l'avais été de toute ma vie, plus heureuse qu'une femme ne peut l'être — avant ce jour fatidique. L'amour est aveugle. Ne laissez pas un Douglas vous aveugler, Valentina!*

Damaris passa une main invisible sur les vêtements que Tina avait mis à sécher au pied du lit.

— *Rhabillez-vous vite et partez.*

Tina toucha ses sous-vêtements et eut la surprise de les trouver déjà secs. Se débarrassant du plaid, elle enfila l'exquise lingerie brodée par Ada.

— *Vite, Valentina!*

Damaris posa la main sur l'épaule de Tina.

La jeune fille frissonna tandis qu'elle se glissait dans son jupon.

Lorsque Ram Douglas vit le gamin que ses frères avaient capturé, il éclata d'un grand rire.

— Dieu! Il tète encore sa mère! Comment t'appelles-tu, petit? demanda-t-il au jeune homme très pâle que l'on avait enfermé dans un cachot du donjon.

— Fiche le camp! lança Davie en crachant dans sa direction.

Ram fit la grimace.

— Une corde autour de ta gorge, et tu ne pourras plus cracher!

— Pends-moi et va au diable! rétorqua Davie, furieux.

— Sacré petit coq! apprécia Gavin.

— Pure bravade. Il est mort de peur, en réalité! affirma Ram.

— Je n'ai peur d'aucun satané Douglas !

— Alors tu es stupide, petit, répondit Ram gaiement. Je vais donner aux Hamilton une chance de payer une rançon pour lui, ajouta-t-il à l'intention de son frère. S'ils refusent, je le pendrai.

En haut, Tina récupérait son poignard sous le matelas lorsque la porte de la chambre s'ouvrit à la volée. Elle fit volte-face, surprise... puis effrayée.

— Vous arrive-t-il de frapper, monsieur ?

Ram Douglas haussa les sourcils.

— Sous mon propre toit ?

— Oui, chez vous, avant d'entrer dans la chambre d'une dame.

— Une dame ? Ainsi vous savez qui vous êtes ?

— N... non, balbutia-t-elle en se couvrant de nouveau du plaid des Douglas.

Sa chevelure, sèche à présent, cascadait somptueusement dans son dos, et Ram avait une folle envie d'y plonger les mains.

— Je me rappelle être sortie à cheval, reprit Tina, nerveuse. Je me rappelle une pluie torrentielle. Je me rappelle vos mains sur moi, ajouta-t-elle, accusatrice.

— Ouais, c'est une chose que les femmes ne peuvent oublier...

La colère submergea Tina, effaçant un instant sa peur. Il se prenait pour un don du Ciel ! Cependant il était tellement dangereux qu'il valait mieux ne pas le contrarier. Se mordant la lèvre, elle parvint à esquisser un sourire.

— Je suis désolée, monseigneur, de m'imposer ainsi. Dès que je me souviendrai de l'endroit où je vis, je partirai. C'est exaspérant. J'ai mon nom sur le bout de la langue, mais il m'échappe sans cesse.

Il l'observait sans vergogne, remontant de ses seins à présent cachés par le plaid, vers sa bouche, puis ses yeux.

Elle ravala une remarque bien sentie, mais il devina sa colère et son regard pétilla d'amusement.

— Si le pire se produisait et que vous ne retrouviez jamais qui vous êtes, je vous garderais.

Il se mit à rire.

— Et n'ayez pas cet air outragé, petite. Si vous ne vous souvenez toujours de rien demain, je n'aurai pas de mal à découvrir d'où vous venez.

Tina se raidit, sentant le danger.

— Comment ?

Il s'approcha et saisit une mèche de cheveux cuivrés.

— Je vous ai déjà vue.

Cette fois, elle fut franchement terrifiée. Où, grands dieux, avait-il bien pu la rencontrer ? Elle ne l'avait jamais vu, elle, sinon elle ne l'aurait pas oublié.

— Où ? demanda-t-elle, craintive.

— Dans les bras d'un homme, répondit-il, énigmatique.

C'était impossible !

— Vous me confondez avec quelqu'un d'autre, monsieur.

— Jamais je ne pourrais vous confondre avec qui que ce soit.

Il avait envie d'elle plus que de tout au monde, et comme Ram Douglas obtenait toujours ce dont il avait envie, il plongea les mains dans ses cheveux et leva son visage vers lui. Il y eut une étincelle entre eux.

— Oh, laissez-moi, monsieur ! Je n'ai pas l'habitude des hommes, souffla-t-elle.

— Vous vous trompez. Je suis persuadé au contraire que vous avez une grande habitude des hommes. Un mari peut-être... des amants, certainement.

— Comment osez-vous ? s'indigna Tina.

Il arracha le plaid pour découvrir la naissance de ses seins.

— Tout en vous respire la sensualité. Vos sous-vêtements sont faits pour séduire. Ils révèlent vos seins, la finesse de votre taille, ils donnent envie de tirer sur les rubans pour vous débarrasser de ces fines dentelles. Ainsi...

Vif comme l'éclair, il dénoua un ruban et saisit un sein dans sa paume.

Elle leva la main pour le gifler. Douglas ou pas !

Il l'arrêta prestement.

— Vous n'êtes pas une personne facile, dit-il en souriant. Cela me plaît.

Elle dégagea sa main d'une secousse et se détourna, le plaid remonté jusqu'au menton.

— Je vous en prie, laissez-moi, que je puisse m'habiller et descendre.

— Vous n'aimez pas cette superbe chambre ? demanda-t-il, moqueur.

— Si, c'est très joli, et elle est jolie aussi, ajouta-t-elle en désignant le portrait de Damaris.

— Cette garce de Kennedy !

Elle crut voir un éclair de douleur dans son regard, puis il cracha.

Valentina eut l'impression d'être frappée en plein visage.

— Si vous la détestez à ce point, pourquoi gardez-vous le tableau ?

Ramsay Douglas eut un rire sans joie.

— Nous avons essayé de nous en débarrasser, croyez-le. Mais dès que le tableau quitte le mur, tout va de travers dans le château. Et ça s'arrange dès que nous le remettons en place. Cette sorcière nous joue des tours.

— Oh, voyons, le terrible Black Ram croirait-il aux fantômes ? dit elle avec un petit rire moqueur.

Les yeux gris se rétrécirent.

— Vous me connaissez, jeune fille ?

— C... Colin m'a dit votre nom. Il l'a prononcé avec tant de respect que je me suis dit que vous étiez au moins un dieu.

— Un dieu ? Un archange, peut-être, concéda-t-il.

Valentina éclata d'un rire frais et sincère.

— Eh bien, en tout cas, vous avez de l'humour.

— Vous aussi. Et il est possible que nous ayons d'autres points communs.

— Je ne sais même pas qui je suis... ni qui vous êtes, au demeurant, répliqua-t-elle froidement.

— Vous êtes une femme et moi un homme, dit-il en s'approchant de nouveau.

S'il la touchait encore, elle allait s'évanouir ! Il y eut un bruit providentiel à l'extérieur, et Ram, agacé, alla ouvrir la porte. C'était le chien-loup.

Valentina se réfugia près de la cheminée.

— Non, je vous en prie, ne le laissez pas entrer !

— Rassurez-vous, il n'y a aucun risque. Le spectre l'empêche de pénétrer dans cette pièce.

— Vous êtes sérieux, au sujet de l'esprit qui hante le château ?

— Oui, répondit-il gravement. Alexander l'a amenée ici il y a plus de quinze ans. Une catin, comme toutes les Kennedy. Elle avait deux frères à ses pieds. Alexander l'a empoisonnée, puis il s'est jeté du haut des remparts.

Tina était rouge de colère.

— Peut-être est-ce l'esprit du meurtrier qui est condamné à errer dans ce maudit château pour l'éternité...

— Son fantôme reste toujours à mes côtés pour m'empêcher de me marier. Les femmes sont comme les mantes religieuses. Une fois qu'elles se sont accouplées, elles dévorent lentement leur mâle.

Valentina frémit. Il fallait qu'elle s'éloignât au plus vite de cet homme qui méprisait tant les femmes.

— Je vous prie, monseigneur, de me laisser finir de m'habiller, et de me permettre de me promener à ma guise dans votre demeure. Je sais que la mémoire me reviendra si je marche un peu, si je prends l'air. J'ai envie de retourner à l'endroit de ma chute. Il est aussi possible qu'à la vue de mon cheval, tout me revienne en tête.

— Explorez mon « maudit » château à votre guise... si vous ne craignez pas les fantômes.

— Ce sont les vivants qui me font peur, rétorqua-t-elle.

— Touché, ma belle sorcière ! Visiblement, vous voulez vous débarrasser de moi. Je dois me rendre à une intéressante entrevue avec mes plus proches et plus

62

chers voisins, les Hamilton. A mon retour, je vous invite à souper avec moi.

— Merci, murmura-t-elle.

Après son départ, elle s'appuya un instant contre la porte. Il l'avait appelée sorcière... comme son père.

— *Ne restez plus jamais seule avec lui*, l'avertit Damaris.

Tina arracha le détesté tartan et enfila sa robe lavande. Puis elle se tourna vers la ravissante jeune femme du portrait et chuchota :

— Aidez-moi à retrouver Davie, Damaris. Nous devons nous enfuir. Ce sera l'enfer lorsqu'il s'apercevra que le raid n'était pas monté par les Hamilton.

— *Je ne quitte presque jamais cette chambre. C'est mon seul moyen d'éviter Alexander...*

Tina glissa le poignard dans la manche de sa robe.

— *Sainte Marie, que faites-vous avec cette arme ? Je n'ai pas le choix, il faut que je vous accompagne pour vous protéger. Vous êtes une jeune fille très téméraire...*

Tina grimpa sur un coffre pour regarder par la haute fenêtre, et vit Black Ram se diriger vers les écuries, quelques-uns de ses hommes sur les talons. Elle soupira de soulagement, et se couvrit les cheveux du plaid des Douglas avant de quitter la pièce sans bruit.

Le cœur au bord des lèvres, elle longea les couloirs d'un air innocent. Elle voulait éviter la pièce commune où se rassemblaient les soldats par temps de pluie. De loin, elle aperçut des domestiques et des membres du clan, pour la plupart vêtus de plaids, comme elle. Elle vit soudain un escalier qui descendait et s'y engagea prudemment.

L'air était suffocant d'humidité et de l'odeur des chandelles à la graisse de mouton.

Elle passa devant une pièce pleine de tonneaux de bière et de vin. Elle s'immobilisa soudain, entendant des sifflements, de petits criaillements.

— *Les rats me sentent*, dit Damaris. *N'ayez pas peur...*

Les sales bêtes s'enfuirent et Tina reprit courage tandis qu'elle s'engageait dans un étroit passage blanchi à la chaux bordé de cellules vides garnies de barreaux, semblables à celles des sous-sols de Doon. En arrivant à la quatrième, elle aperçut son frère, le bras bandé.

Un doigt sur les lèvres, elle s'approcha de lui.

— Tu es blessé, chuchota-t-elle enfin. Que t'ont-ils fait, Davie ?

— Ils m'ont brûlé ! mentit-il.

— *Donnez-lui le poignard !* pressait Damaris.

— Que fais-tu ici, petite sœur ? Es-tu venue apporter une rançon ?

Elle secoua la tête.

— Ils ignorent qui nous sommes, et nous devons nous enfuir avant qu'ils ne l'apprennent. Nous n'avons guère de temps, Davie. Cet odieux Douglas est allé chez les Hamilton demander une rançon pour toi. Je ne puis ouvrir la cellule, mais voici mon poignard.

Il s'en saisit.

— Quand le garde m'apportera à manger, il fera mieux d'ouvrir cette satanée grille, s'il ne veut pas que je l'égorge.

— Ne le tue que si c'est indispensable, Davie... Il n'y a pas encore eu de sang versé.

Il montra son bras, amer.

— Quelqu'un devra payer pour ça !

— J'ai fait tout ce que j'ai pu. Je dois partir avant le retour de Douglas.

— Tout ce que tu as pu ? répéta-t-il, méprisant. Mets le feu au château avant de t'en aller, rase cette satanée bâtisse !

— Dieu, baisse le ton ! Je veux simplement que nous sortions tous les deux vivants d'ici !

Le cœur battant, elle revint sur ses pas pour se diriger vers la pièce commune.

L'esprit d'Alexander Douglas devina immédiatement la présence de Damaris. Il abandonna le groupe d'hommes qui jouaient aux dés pour s'approcher des deux jolies femmes — l'une pleine de vie, vibrante d'énergie, l'autre éthérée, lointaine.

— *Damaris, mon amour, qui gardes-tu si jalousement ?*

Le ravissant fantôme ne marqua même pas par un

64

battement de cils qu'elle l'avait entendu ou vu. Alexander soupira. Depuis quinze ans, il suppliait sa femme d'écouter ses justifications. Sans succès.

Au début, il avait tenté de communiquer avec les vivants, tant il avait besoin de se disculper, mais cela s'était révélé impossible. Les chevaux à l'écurie étaient conscients de sa présence, et le chien-loup de Ram était tellement habitué à le voir qu'il remuait la queue dès qu'Alexander approchait ; cependant Damaris se comportait toujours comme s'il lui était invisible. Il la soupçonnait de le voir parfaitement mais elle croyait dur comme fer qu'il l'avait empoisonnée et, comme toutes les femmes, elle était trop entêtée pour écouter ses suppliques.

Elle glissait devant lui et il retint son souffle, émerveillé par sa beauté. Elle était exactement la même que lors de cette nuit fatale, quinze ans auparavant. Sa chemise de nuit rose aux manches tombantes rehaussait sa silhouette délicate. Sa peau était de porcelaine et ses cheveux couleur de lune.

Alexander avait le cœur brisé à la pensée que sa bien-aimée Damaris fût à jamais perdue pour lui, cependant il acceptait cette douloureuse existence car il pouvait continuer à la voir et à vivre près d'elle à Douglas. Il s'accrochait encore à l'espoir qu'un jour elle le regarderait, lui sourirait, ou même le maudirait... n'importe quel signe qui lui prouverait qu'elle était consciente de sa présence.

Tina se rendit compte que les hommes d'armes la regardaient. Elle se débarrassa du plaid, récupéra sa cape de velours sur le siège de bois et s'y enroula, rabattant le capuchon sur sa tête.

— Vous nous quittez, madame ? s'étonna Colin.

— Non, non. J'avais seulement envie d'aller me promener un peu autour du château. Lord Douglas pense que peut-être en revoyant mon cheval, je retrouverai la mémoire. J'ai promis de souper avec lui à son retour de Lanark.

Elle se mordit la lèvre. Elle venait de commettre une erreur en mentionnant le fait qu'elle sût que Lanark était le plus proche château des Hamilton. Heureusement, Colin ne releva pas, persuadé sans doute que Ram le lui avait dit. Le cœur battant, elle sortit aussi calmement que possible.

Damaris renonça à accompagner sa nièce au-dehors, car sa présence rendait toujours les chevaux nerveux. Elle savait que la jeune fille rentrerait saine et sauve. Elle lui baisa légèrement le front en murmurant :

— *Au revoir et… s'il vous plaît, ne revenez jamais.*

Sans s'en rendre compte, Tina repoussa une mèche de cheveux, puis elle se dirigea vers sa jument qu'elle fit sortir des écuries.

Elle sauta sur le dos de l'animal et piqua des talons. Elle était à peu près certaine que personne ne la suivrait. Les hommes du château Douglas seraient ravis d'être débarrassés de cette étrange jeune femme.

Il faisait nuit lorsque Tina franchit le pont-levis de Doon. Duncan, l'air sévère, l'attendait au pied de l'escalier qui menait aux élégants appartements. Il l'attrapa sans façon par le bras et la secoua comme un prunier.

— As-tu une idée du souci que je me suis fait toute la journée ? Tu n'es qu'une écervelée, une égoïste, Tina ! Tu savais que Donald ne rentrerait pas avant demain, alors tu en as profité pour courir retrouver tes affreux amis gitans ! Tu te moques complètement que je porte cette responsabilité sur mes épaules…

— Ne me parle pas sur ce ton, Duncan ! Je suis allée délivrer Davie. Je viens de parcourir des kilomètres, et je suis épuisée.

Le visage de Duncan perdit ses couleurs.

— Tu es folle ? Combien de fois t'ai-je dit de ne pas te mêler des histoires d'hommes ?

Pour s'empêcher de la frapper, il se passa une main nerveuse dans les cheveux et respira un grand coup.

— Je suggérerai à Donald de t'infliger une bonne correction, reprit-il.

Tina n'en pouvait plus, pourtant elle s'insurgea :

— Cela lui permettra de s'entraîner pour le jour où il épousera Meg Campbell.

— Donald a du bon sens. Il ne se marierait pas avec une fille qui a besoin d'être matée. Meggie est douce et docile. Toi, tu as toujours mené père par le bout du nez. Ce n'est pas le cas de Meggie avec Archibald Campbell.

En toute honnêteté, Tina devait reconnaître qu'il n'avait pas tort. Elle connaissait un seul homme aussi dominateur qu'Archibald Campbell : c'était Archibald Kennedy, comte de Cassillis et chef du clan. Peut-être était-ce dû à leur prénom…

Il y eut un brouhaha à l'extérieur, et une lueur d'espoir éclaira le regard de Duncan.

— C'est peut-être Davie…

— Bien sûr que c'est lui, rétorqua Tina en haussant une épaule. Ne t'ai-je pas dit que j'étais allée le libérer ?

Elle ferma les yeux et se signa, souhaitant de tout son cœur que ce fût vrai… Et ce fut vrai !

Lorsque Duncan vit dans quel état se trouvait son jeune frère, il l'emporta dans sa chambre et le dévêtit. Puis il envoya chercher Ada pour soigner son bras douloureux.

— Apportez-moi du whisky, ordonna la jeune femme avec une autorité toute féminine avant d'examiner la plaie.

— C'est sans doute Colin qui t'a soigné, déclara Tina. Le seul être civilisé chez les Douglas.

— Ouais, l'infirme, répondit Davie en serrant les dents.

Ada lui tendit le carafon de whisky et il en avala une longue gorgée.

— Il n'aurait pas dû mettre de gras, constata Ada en secouant la tête. Je vais devoir tout laver. Vous sentez-vous prêt, David ?

Il but encore et se mit à rire.

— Lorsque Ram Douglas m'a demandé mon nom, je lui ai craché dessus et je l'ai envoyé au diable, alors je pense être capable de supporter vos soins.

— Un jour, ton mauvais caractère te coûtera la vie ! protesta Tina.

— Je n'ai pas un mauvais caractère, et je tuerai celui qui le prétendra !

Duncan sourit.

— Moi qui pensais que Tina la Flamboyante avait hérité de toute la vivacité des Kennedy !

— C'est le cas, déclara l'intéressée. Tu aurais été fier de moi si tu avais assisté à ma petite comédie.

David, qui avait vidé la moitié du flacon de whisky, était hilare.

— Ce Douglas a dit que si les Hamilton étaient trop pingres, il me pendrait. J'aurais aimé voir sa tête quand il s'est aperçu que l'oiseau s'était envolé !

— Tina, aidez-moi à ôter ce bandage, pria Ada. Il colle à la peau.

Lorsque Valentina vit l'état du bras de son frère, elle traita les Douglas de tous les noms.

David gardait sa belle humeur, tandis qu'Ada baignait sa blessure. Enfin, après avoir demandé à Duncan de le tenir fermement, elle vida le reste du carafon sur la plaie.

Davie poussa un hurlement et tourna de l'œil.

— Il le fallait. Si son bras s'infecte, il risque de le perdre.

Valentina était blanche comme un linge.

— J'ignorais ce qu'était la haine jusqu'à présent, Ada. Or je déteste Ram Douglas de tout mon cœur, de toute mon âme, et je prie Dieu de ne plus jamais, jamais me mettre en son odieuse présence.

— Couchez-la, Ada, intervint Duncan. Elle en a assez enduré pour la journée.

6

Le vœu de Tina ne fut pas exaucé. Dès qu'elle succomba à l'épuisement, elle se retrouva en rêve à Douglas, prisonnière de Black Ram. Il était l'Empereur assis sur le trône orné de têtes de béliers. Agenouillée à ses pieds, cachant sa nudité sous un plaid vert foncé, elle se rendait compte qu'il possédait la puissance et la force de dix hommes. Il était dur et inflexible dans ses jugements, il régentait tout d'une main d'acier.

De l'autre côté de la pièce se dressait Bothwick le Boucher, devant un chaudron fumant, ses instruments de torture disposés devant lui. Il tenait solidement David.

— Il est coupable ! Pends-le ! ordonna Black Ram.

— Non ! Je vous en supplie ! cria Tina en se traînant à ses pieds.

— Lève-toi ! Déshabille-toi ! commanda-t-il.

— Jamais ! rétorqua-t-elle, ses yeux dorés lançant des flammes de colère et de défi.

Black Ram fit un signe à Bothwick qui plongea le bras de Davie dans la bassine d'huile bouillante. Le jeune homme hurla de douleur.

— Obéis-moi, et la torture cessera.

Elle se mit debout et laissa tomber le plaid pour se retrouver nue devant lui, tremblante de dégoût et de peur. Pourtant, elle ne devait laisser voir ni l'un ni l'autre, et son orgueil lui faisait redresser la tête. Ses seins pointaient hardiment, tandis que Ram la dévorait du regard. Il eut un geste impératif de la main.

— Approche !

Le visage figé, elle obéit au monstre. Il effleura la toison dorée de son pubis.

Elle frémit lorsqu'il la hissa sur son genou et introduisit un énorme rubis dans son nombril.

— Cette pierre est maudite, dit-il, cruel. Si quelqu'un d'autre que moi la touche, il mourra.

Il prit un sein dans sa main, et elle retint un haut-le-corps, puis son autre main descendit le long de sa cuisse.

— Ouvre-toi pour moi, murmura-t-il d'une voix rauque.

Soudain, il lui présenta un calice d'or rempli de vin.

— Ouvre-toi pour moi, répéta-t-il.

Soulagée, elle comprit qu'il s'agissait d'ouvrir la

bouche, mais lorsqu'elle but, elle s'aperçut avec horreur que la boisson était empoisonnée…

… Valentina se redressa d'un bond dans son lit en hurlant. Elle mit un moment à réaliser qu'il s'agissait d'un cauchemar et dut allumer un candélabre pour effacer cette horrible impression.

Puis elle se rappela la prédiction de la vieille Meg, la tortue, et elle rit doucement. Pelotonnée dans son lit, en sécurité, elle savoura sa victoire sur Ram Douglas et imagina avec délectation sa colère lorsqu'il s'était aperçu qu'elle s'était enfuie, ainsi que David.

Tôt le matin, Tina se précipita dans la chambre de son petit frère, pour s'apercevoir que Duncan avait passé la nuit près de lui. Ils furent heureux de constater qu'il semblait en bien meilleure forme et que son bras était moins douloureux.

— Duncan, dit-elle, enjôleuse, je pense que ce serait une mauvaise idée de raconter à Donald ce que j'ai fait hier. D'ailleurs, est-il même besoin de lui dire que Davie a été capturé, alors que tout s'est si bien terminé? Il risque de se mettre en rage, de nous infliger un sermon. Beth fondra en larmes, les domestiques s'empresseront de broder sur le sujet, et cette ennuyeuse Kirsty prendra son air pincé et s'arrangera pour que père apprenne que vous êtes partis en expédition dès qu'il a eu le dos tourné.

— Elle a raison, tu sais, renchérit David. Le raid a été un succès. Pourquoi le gâcher aux yeux de Donald?

Duncan regarda tour à tour son frère et sa sœur.

— Si tu restes couché toute la journée, dit-il au garçon, et toi, Tina, si tu promets de ne pas quitter Doon pour aller traîner Dieu sait où, j'y réfléchirai.

— C'est promis, tout ce que tu voudras! Nous ne te causerons pas le moindre ennui, déclara la jeune fille.

— Ça, j'en doute!

Le cœur léger, Tina courut à la cuisine. Elle grimpa sur la table de travail de M. Burque, son perchoir favori quand elle voulait le séduire.

— J'ai besoin de vous. J'ai invité Patrick Hamilton à souper ce soir, et je voudrais que vous lui serviez un repas superbe. Et je vous en prie, arrangez-vous pour trouver quelque chose d'original !

Il se mit à rire.

— Ma chère enfant, les Ecossais n'ont l'impression d'être nourris que s'ils mangent du mouton !

— Patrick, le fils du comte d'Arran, est moins rustique que nos visiteurs de la semaine passée.

— Alors je suggère du saumon fumé, suivi d'un coq de bruyère. Je lui ferai la peau dorée et craquante, exactement comme vous l'aimez.

— Je ne sais plus, hésita-t-elle. Les hommes mangent toujours le gibier avec leurs mains.

— Je vais prévoir des rince-doigts à l'eau de rose et des serviettes.

— J'ai dit qu'il était moins rustique, je n'ai pas dit raffiné !

— Donald rentre aujourd'hui. Par prudence, ma chérie, je pense qu'il vaudrait mieux nous en tenir au mouton. Vous aurez tout intérêt à ce qu'il soit de bonne humeur, n'est-ce pas ?

Tina ne s'inquiétait pas que M. Burque connût les secrets de la famille. Il était assez discret pour se taire.

— La dernière fois que Patrick est venu, il était tombé amoureux de votre foie gras en gelée. Pourrais-je vous en redemander un ?

Il lui lança un regard taquin.

— Attention ! Mon foie gras est aphrodisiaque. Il va vous faire une cour empressée.

— Ho ho, des promesses ? roucoula Tina.

Pour tout le whisky des Highlands, Ram Douglas n'aurait jamais cru un mot de ces menteurs d'Hamilton, mais le garde de Lanark avait l'accent de la vérité lorsqu'il lui affirma qu'il était le Hamilton du rang le plus élevé présent au château. Patrick et ses hommes se trouvaient à Ayr où son père venait d'ancrer le nouveau bâtiment du roi. Les plus jeunes fils étaient en patrouille à la frontière, et les autres résidaient au château Hamilton, plus loin vers le nord. D'autre part, la rivalité entre les deux clans était si forte qu'un Hamilton se serait senti humilié de rester terré chez lui alors qu'un Douglas et six de ses hommes se trouvaient à l'extérieur. Le défi était trop tentant, trop délicieusement provocant.

Comme il rentrait vers sa demeure, Ram se demanda qui, à part les Hamilton, aurait pu avoir l'audace d'attaquer son château. Il ne pouvait s'agir des Anglais... Il se rasséréna. Dès son retour, il saurait persuader son prisonnier de l'éclairer. Il n'avait jamais eu l'intention de le pendre, mais il n'hésiterait pas à lui administrer une solide correction jusqu'à ce qu'il parle.

Cela décidé, il pensa à la farouche beauté qui l'attendait, et il sentit le désir monter en lui. L'avait-elle vu au campement des Gitans, et avait-elle décidé de le séduire ? Les femmes avaient tendance à se jeter à son cou lorsqu'elles apprenaient qu'il était le riche et puissant Ram Douglas. Il n'avait pas totalement cru à son histoire d'amnésie, mais il était prêt à entrer dans son jeu, quel qu'il fût.

La gorge sèche, il s'imagina en train de la déshabiller. Décidément, les sous-vêtements qui révélaient et dissimulaient à la fois les courbes des femmes étaient bien excitants !

Les rudes et fiers hommes du clan Douglas étaient plutôt piteux devant la fureur de Ram.

— Par les saints stigmates du Christ, vous vous êtes laissé berner par un gamin !

Ses frères agrippaient leurs chopes, connaissant sa fâcheuse manie de les balayer de la table lorsqu'il était en colère.

— Lui avez-vous sellé un cheval et donné des biscuits pour son trajet de retour ?

— Logan a été blessé, intervint Gavin.

— Et vous n'avez même pas eu l'idée de le fouiller pour voir s'il portait un poignard ! Pochard aurait fait un meilleur garde que vous ! Vous m'écœurez !

Il héla un domestique.

— Apporte-moi à souper dans ma chambre... pour deux personnes. Où est la fille ? ajouta-t-il en se tournant vers Colin.

— Bouleversée par l'hospitalité des Douglas, elle s'est enfuie tant que sa vertu était intacte, répondit celui-ci, sarcastique.

Gavin tenta d'alléger l'atmosphère :

— Elle a dû reprendre ses esprits et filer dès qu'elle s'est aperçue qu'elle était tombée entre les griffes des méchants Douglas.

— Veux-tu un peu de whisky ? risqua Cameron.

— Ne bouge pas ! tonna Ram en saisissant un carafon d'alcool. Je suis capable de tout, ce soir !

Une fois dans sa chambre, il se servit un gobelet de whisky qu'il avala d'un trait, savourant la soudaine chaleur qui envahissait sa gorge, puis il s'appuya au manteau de la cheminée.

Le chien-loup vint s'allonger à ses pieds, et il le caressa distraitement. Lorsqu'il cessa, le chien chercha sa main de la tête en poussant un petit gémissement.

— Oh, ça va ! Ne pleure pas !

Ram déboutonna sa chemise qu'il jeta sur une chaise. Comme s'il s'agissait d'un signal, le chien se dressa sur ses pattes de derrière, appuyant celles de devant sur les épaules de Ram. Ils demeurèrent un instant ainsi, les yeux dans les yeux, un sourd grondement s'échappant de leurs gorges. Puis ils roulèrent au sol, chacun essayant de clouer l'autre à terre, féroces comme deux bêtes sauvages.

Ram parvint à maintenir son adversaire sur le dos quelques secondes, mais les positions furent rapidement inversées. Quand ce fut le tour de Pochard de tenir son maître à sa merci, il sortit une grande langue râpeuse pour lui lécher le visage. Ram éclata de rire, et le chien s'étendit à ses côtés, pattes en l'air, attendant que l'homme le caressât.

Le serviteur qui apportait le repas prit bien soin de frapper. Immédiatement, le chien fut debout, en alerte, l'air mauvais. Il jouait les animaux domestiques seulement en présence de Ram.

Celui-ci soupira en voyant le plateau prêt pour deux. Il posa la seconde assiette devant Pochard.

— Au diable les femmes ! pesta-t-il. Surtout les rousses.

Deux heures plus tard, il fixait distraitement le pelage gris du chien-loup quand ses yeux se fermèrent. Son gobelet lui tomba des mains...

Il se mit aussitôt à rêver. Il chevauchait face au vent. Il était en selle depuis des heures, mais il n'était pas fatigué, au contraire, quelque chose l'attirait irrésistiblement. Tandis que la massive forteresse de son château se profilait dans le clair de lune, il sut de quoi il s'agissait. C'était la femme. Elle l'avait vu, et son visage rayonnait de joie, encadré par sa somptueuse chevelure de feu. Le cœur débordant de bonheur, il eut la certitude qu'elle serait toujours là pour l'accueillir. Il mit pied à terre et grimpa les marches en courant pour la serrer contre son cœur. Elle riait, s'accrochait à lui, s'offrait tout entière.

Soudain il fut nu, et il la porta sur le grand lit, gonflé de désir. S'il ne pouvait pénétrer en elle sur-le-champ, goûter son corps délicieux, il en mourrait.

Elle portait la lingerie la plus affolante qu'il eût vue. Le bleu très pâle enserrait sa poitrine comme une coupe, le centre des fleurs était représenté par les bouts de ses seins, roses et tendus. Des pans de soie cachaient son ventre, et chaque fois qu'il en soulevait un il y en avait un autre, qui augmentait sa frustration. Il finit par déchirer le vêtement et enfouir son visage contre la peau satinée.

— Je sais qui tu es, murmura-t-il.

— Qui ? demanda-t-elle.

— Tu es ma femme ! cria-t-il, triomphant, prêt à plonger en elle.

Soudain la porte de la chambre s'ouvrit sur un homme d'une beauté parfaite.

— Elle était à moi avant ! déclara celui-ci.

Il se dressa et vit le Gitan, nu comme lui.

Armés de poignards, ils s'affrontèrent.

— Tu étais peut-être le premier, grinça Ram, mais je serai le dernier.

Il frappa, sa main se couvrit de sang chaud et gluant...

C'était Pochard qui lui léchait la main, et il ne put s'empêcher de rire de lui-même en se levant pour se diriger vers son lit. Peut-être la femme reviendrait-elle dans ses rêves ? Comme il s'assoupissait de nouveau, il entendit sa voix : Au moins, vous avez de l'humour...

Le lendemain matin toutefois, cet humour semblait l'avoir tout à fait déserté. Bien qu'il eût une grande habitude de l'alcool, il avait l'impression qu'une tenaille lui enserrait les tempes.

Une chose était certaine, cependant : la fuite du garçon et la visite de la belle inconnue étaient liées. Avait-il été aveuglé par son étonnante beauté ? Il n'en revenait pas de s'être laissé berner ainsi. Elle les avait bien eus, tous ! Les autres Douglas s'étaient montrés aussi stupides que lui.

Il était d'une humeur de dogue, furieux contre le gamin qui avait blessé l'un de ses hommes, furieux contre lui-même, qui s'était laissé abuser par une femme. L'image du Gitan de son rêve lui revint à l'esprit et il serra les dents. Avant le coucher du soleil, il saurait qui elle était.

7

Donald rentra à Doon d'excellente humeur, l'esprit plein de projets. Il allait demander à son père de donner les terres de l'embouchure de la Dee à Duncan, et en échange de le faire unique propriétaire du château Kennedy de Wigtown, qui serait parfait pour accueillir une épouse. Surtout s'il s'agissait de la fille des puissants Argyll. Il les fournirait en bovins et en ovins, butins de ses prochains raids, peut-être de nouveau contre le château Douglas. Ensuite, il demanderait Meggie en mariage et l'emmènerait chez lui avec la bénédiction des Argyll. La jolie fille qui avait partagé son lit la veille à Kirkcudbright ne comptait guère, là-dedans. Mieux valait ne pas mélanger épouse et maîtresses...

L'aube rosissait à peine le ciel lorsque Ram Douglas mena sa monture préférée, Ruffian, vers la rivière. Une fois arrivé, il mit pied à terre et plongea dans les eaux glaciales pour se rafraîchir les idées et se calmer un peu. Ruffian prit autant de plaisir que lui à ce bain matinal et se roula ensuite avec délectation sur l'herbe de la rive.

Au repas de midi, ses frères le regardèrent avec étonnement. Ram était un homme d'action, ce n'était pas dans ses habitudes de prendre son temps...

Au début de l'après-midi, il décrocha l'une de ses épées favorites, qu'il huila et astiqua avec amour, jusqu'à la poignée, polie par les ans, qui allait si bien dans sa paume. Puis il fit de même avec son poignard dont la garde était ciselée en tête de bélier. Enfin il se planta nu devant son miroir en se demandant ce qu'il allait porter. En général, il aimait s'habiller de noir de la tête aux pieds, ce qui le rendait plus inquiétant encore.

Toutefois ce jour-là, il choisit un kilt et un plaid drapé sur une épaule, retenu par une broche portant l'ancienne devise du clan, le Cœur sanglant des Douglas. Il fixa l'épée à sa hanche, glissa le poignard dans sa ceinture...

Tandis qu'il observait son visage, le spectre d'Alexander le regardait, lui aussi. L'atmosphère était chargée de puissance animale. Avec sa longue chevelure brune, Ram ressemblait exactement à ses ancêtres, et Alexander connaissait bien sa nature fougueuse, primitive. La brutalité des Douglas était légendaire, et les mères menaçaient leurs enfants désobéissants de faire venir le Black Douglas s'ils ne se tenaient pas tranquilles. Archibald Douglas, l'oncle de Ram, était redouté pour sa cruauté, et son passe-temps favori était de pendre les traîtres. Lorsqu'il chevauchait à la tête de ses hommes et criait : «Place aux Douglas!», personne n'avait l'idée une seconde de le contrarier.

Lorsque Zara vit Ram pénétrer au triple galop dans le campement, son cœur fit un bond. Avait-il donc tant envie d'elle, pour arriver avant le soir? Elle courut à lui avant qu'il eût le temps de mettre pied à terre, dévorant des yeux ses cuisses musclées, son torse puissant, son visage d'une intensité bouleversante.

— Je suis flattée que tu viennes si tôt, monseigneur.

— Tu possèdes quelque chose que je désire, je suis venu le chercher, répondit-il simplement.

Fière comme une chatte, elle le conduisit vers sa roulotte, tout en jetant des regards dédaigneux aux autres femmes qui commençaient à préparer le repas du soir. En fait, elle se sentait encore plus triomphante que le jour où elle était arrivée à séduire Jacques Stuart, roi d'Ecosse.

Ram Douglas s'arrêta en voyant un Gitan ramener des chevaux de la rivière. Il s'agissait de bêtes de grande qualité, mais pour l'instant c'était l'homme qui retenait son attention. Ils se dévisagèrent, impassibles ; seules leurs attitudes indiquaient toute l'animosité qu'ils ressentaient l'un pour l'autre. Ramsay avait le goût du sang dans la bouche. Il aurait aimé obliger l'homme à lui donner le nom qu'il cherchait sous la menace de son poignard, mais il savait qu'il l'obtiendrait de Zara. Il espérait toutefois rencontrer un jour le Gitan pour s'expliquer avec lui.

Ram maîtrisa Ruffian, excité par la proximité des juments, puis il s'éloigna vers la roulotte bariolée de Zara et attacha son cheval à l'extérieur.

La pièce était principalement occupée par un lit, dont la jeune femme était déjà en train de rabattre la couverture.

— Veux tu allumer les lanternes? demanda-t-elle, avec, dans sa voix rauque, tout le désir qu'elle avait d'admirer à la lumière ce corps magnifique.

Le verre rouge donna à l'endroit une atmosphère

érotique, tandis que les yeux de Zara brillaient de plaisir. Elle se débarrassa de son corsage, révélant de petits seins hauts, aussi fermes et tentants que les pommes du jardin d'Eden.

Très lentement, elle releva sa jupe sur ses fines jambes brunes. Elle était nue jusqu'à la taille, et elle eut un sourire ravi lorsqu'elle vit la réaction de Ram sous le kilt. Elle fit passer sa jupe par-dessus la tête et retint son souffle pendant que son compagnon se déshabillait.

Elle l'adorait et se réjouissait déjà de bientôt le sentir en elle, pleine de sa puissance, de sa force. Qu'il soit maudit! Il ne semblait cependant pas pressé de la prendre!

Elle le fixait, fascinée, son désir était si fort qu'il en devenait presque douloureux. Elle avait envie de hurler. A genoux, elle se dirigea vers le bord du lit près duquel il se tenait debout, immense et viril. Elle se passa la langue sur les lèvres et ouvrit la bouche pour le prendre en elle. Toute proche, elle demanda dans un souffle :

— Est-ce ce que tu souhaites, monseigneur ?

— Non.

Il la souleva pour la mettre debout sur le lit.

Elle plongea la main dans sa chevelure dense, mais il la repoussa légèrement et entreprit de défaire la boucle d'oreille qui ornait son mont de Vénus. Elle gémit en sentant ses doigts si proches du cœur de sa féminité.

Il lui remit l'anneau à l'oreille et la serra contre lui tandis qu'elle nouait les jambes autour de sa taille. Du bout de la langue, il dessina le contour de ses lèvres et elle ferma les yeux, submergée par la passion.

Il caressait ses seins durcis, la rendant plus folle encore de désir. Lorsqu'il prit enfin ses lèvres, elle les ouvrit pour lui comme elle avait envie de s'ouvrir tout entière. Elle allait mourir s'il ne lui donnait pas satisfaction. Il releva la tête.

— Ce Gitan est-il ton frère ?

Elle mit un certain temps à saisir le sens de sa question.

— Non, répondit-elle. Heath n'est pas mon frère.

— Alors... ton amant occasionnel?

Elle n'avait aucune envie de parler.

— Non, dit-elle néanmoins. Il ne me l'a jamais proposé. Ne t'inquiète pas, monseigneur.

— Il préfère les rousses, sans doute.

Soudain, elle comprit et sut exactement ce qu'il voulait — et comment il entendait l'obtenir — mais elle ne s'en souciait guère. Elle aussi, elle voulait quelque chose de lui, et elle lui ferait payer le prix fort. Elle dénoua ses jambes et se tint debout devant lui.

— Je te l'ai déjà dit, monseigneur, répondit-elle, joueuse. Je ne connais pas son nom.

Ram réprima un sourire. Elle connaissait son nom, il en était sûr, et il trouverait aisément le moyen de la faire parler. Il s'étendit sur le lit et l'attira sur lui pour la caresser longuement de son sexe.

Zara glissa la main entre eux afin de le faire entrer en elle, mais Ram l'en empêcha, tout en continuant à jouer avec elle en expert.

— Je ne connais vraiment pas son nom, s'entêta-t-elle.

— Chut! dit-il en prenant ses lèvres.

Sa bouche était chaude, exigeante, et elle se donna complètement à ses baisers. Puis il la fit rouler sur le dos et l'emprisonna de ses puissantes cuisses. Il la torturait, ce maudit démon!

— Je... je crois qu'elle s'appelle Tina, murmura-t-elle, vaincue.

Le nom ne signifiait rien pour lui cependant Zara méritait sa récompense et il plongea enfin profondément en elle. Elle hurla de plaisir, enfonçant ses ongles dans les épaules musclées. Mais il se retira rapidement.

— Allons dehors, maintenant qu'il fait nuit. On étouffe dans cette étroite roulotte.

Quel jeu cruel il jouait! Zara savait qu'elle finirait par lui avouer le nom de la jeune femme. Par le Ciel, Ram l'excitait tellement qu'elle lui aurait donné son âme, s'il la lui avait demandée!

Enroulée dans un châle, elle sortit, suivie de Ram

entièrement nu. Il aimait cela, il se sentait parfaitement à l'aise sans vêtements, il n'avait pas l'impression, comme bien d'autres, d'être menacé, ni vulnérable. C'était son côté animal, naturel.

Il l'emmena à la rivière et l'étendit sur l'herbe grasse pour caresser les parties les plus sensibles de ce corps jeune et voluptueux. Il baisa ses joues, ses paupières, puis se tint au-dessus d'elle dans le clair de lune, les yeux fixés sur ses lèvres. Zara était tendue comme un arc.

— Elle habite à l'ouest.

Ram dessina le contour de ses seins, descendit le long du ventre, plus bas. Tandis qu'il la caressait au rythme des battements de son cœur, elle prit son sexe dans sa main. Et elle savait comment faire pour plaire aux hommes !

Enfin il entra en elle, loin, profondément, sachant qu'il était le seul à pouvoir lui procurer une telle plénitude.

Elle avait perdu tout contrôle d'elle-même et ondulait sauvagement sous lui lorsqu'il se retira de nouveau.

— Je pense que nous étions mieux dans la roulotte, finalement, murmura-t-il.

Dieu ! L'épreuve n'était pas terminée ! Il l'avait emmenée très haut pour mieux la voir tomber ensuite. Elle n'en pouvait plus !

— Lady Valentina Kennedy ! lâcha-t-elle dans un cri.

Il revint en elle et la pénétra sauvagement, sachant exactement quand elle atteindrait la jouissance ultime.

Il attendit patiemment qu'elle revînt de ces hauteurs bénies et reprît conscience de son environnement. Cependant, Zara était consciente d'autre chose : il n'avait pas joui, et il n'en avait pas envie.

L'esprit de Ram l'avait abandonnée dès qu'elle avait prononcé le nom fatidique. Elle se couvrit de son châle, et il la souleva comme une plume pour la ramener vers la roulotte. Là, il la déposa doucement sur le lit, se rhabilla et s'en fut sans un mot.

Ces satanés Kennedy ! Ils avaient été autrefois rois de Carrick, et sur la côte ouest, il y avait plus de deux douzaines de seigneurs Kennedy. Ram leva les yeux vers les collines qui avaient connu quelques-unes des plus sauvages querelles de clans.

Il se dirigea lentement vers le château de Doon, l'esprit tout concentré sur la femme. Ainsi, c'était Tina la Flamboyante ! Il aurait dû s'en douter. Pourtant, il était choqué que cette créature magnifique et indomptée fût une dame de grande lignée. Choqué aussi qu'une jeune fille eût la liberté de se rendre au camp des Gitans, de chevaucher seule dans la campagne, d'aller et venir comme elle le désirait, de pénétrer dans des châteaux où elle risquait d'être violée, voire pire... Certes, il n'imaginait pas qu'elle fût vierge. Il connaissait sa réputation. Tout le monde parlait d'elle, à la Cour, chez ses amis les Gordon et les Campbell. Il avait entendu prononcer son nom dans les Highlands, à Glasgow, Edimbourg et Stirling. On la citait chaque fois que l'on voulait parler de jolies femmes, de femmes volontaires, de celles avec lesquelles on aimerait coucher, qui feraient de magnifiques maîtresses.

Il serra les dents, au point d'en avoir la mâchoire douloureuse. Encore une catin Kennedy !

8

Le souper fut fort gai ce soir-là, au château de Doon. Donald était tellement content de lui qu'il ne cessait de donner des bourrades à Duncan. Celui-ci se félicitait d'avoir pour une fois suivi le conseil de sa sœur et de ne lui avoir rien dit. Quant à Davie, son bras allait beaucoup mieux, au point qu'il pouvait se passer de bandage. La petite Beth était heureuse car sa grande sœur avait pris le temps de l'aider à choisir sa robe et parce que ses frères étaient d'humeur charmante.

Ada était aux anges : Lord Hamilton avait amené son

second, un homme aussi poli et galant qu'un Hamilton
— en vérité, elle se demandait s'il n'était pas un fils
naturel du comte d'Arran.

Kirsty se réjouissait d'avoir été regardée presque une
minute entière par M. Burque. Peut-être grâce au rembourrage qu'elle avait hardiment placé dans son corsage... Dieu merci, elle ne s'était pas aperçue que l'un
de ses nouveaux seins avait glissé jusqu'à son dos !

Quant à Lady Valentina, elle rayonnait. Lord Hamilton était arrivé de bonne heure, et depuis, pas un instant ses yeux bleus ne l'avaient quittée. Il était charmant, drôle, brillant, et visiblement épris. Par le passé,
ils avaient souvent échangé des regards, des plaisanteries, des baisers légers, mais elle ne l'avait jamais
remarqué plus que ses autres soupirants. Or ce soir,
quelque chose de particulier dans l'atmosphère laissait
présager le développement d'une liaison. Ses frères se
montraient amicaux envers le jeune homme et, surtout,
les parents n'étaient pas là.

Le repas avait été superbe, le vin coulait à flots, et la
soirée elle-même était romantique, avec l'air léger du
printemps, le parfum des jacinthes et des genêts, les
étoiles qui brillaient dans le ciel de velours noir.

Tina emmena Patrick admirer la mer du haut des
remparts, mais il fut un peu contrarié de constater que
sa dame de compagnie les chaperonnait. Il respirait
avec délices le parfum de Valentina tandis que, les cheveux au vent, elle contemplait le paysage.

— Il change tout le temps, expliquait-elle, grâce aux
marées et au brouillard.

— Magnifique... à couper le souffle, murmura-t-il à
son oreille.

Il glissait le bras autour de sa taille quand Ada s'approcha. Il se raidit mais, à son grand étonnement, Ada
suggéra :

— Pourquoi n'emmèneriez-vous pas Lord Hamilton
admirer les poiriers dans le verger, Valentina ? Il y a
tant de fleurs qu'on les croirait couverts de neige.

Elle sourit au jeune homme et ajouta :

— Si vous voulez envoyer votre compagnon ici, je

82

saurai le distraire afin que les deux prochaines heures ne lui semblent pas trop longues.

Patrick l'aurait embrassée! Elle l'autorisait donc à passer deux heures seul avec sa protégée! Celle-ci lui prit la main et ils descendirent. Il dit quelques mots à son second avant de se diriger avec Tina vers les jardins. Là, elle le lâcha et s'enfuit vers le verger, en lui lançant de petits coups d'œil provocants pour l'inviter à la rattraper, ce qu'il fit en trois enjambées.

— Je passe une merveilleuse soirée, dit-il. Me permettrez-vous de revenir?

Elle haussa une épaule.

— Peut-être.

Il avança d'un pas, et elle ne recula pas.

— Si je vous invite à Lanark, viendrez-vous?

— Peut-être, répéta-t-elle en passant une langue coquine sur ses lèvres.

Patrick entra bien vite dans le jeu.

— Si je vous embrasse, m'embrasserez-vous en retour?

— Peut-être, dit-elle avec une petite moue.

Il posa les mains sur sa taille fine et l'attira à lui. L'odeur des fleurs se mêlait à celle, délicate, de la jeune fille. Il avait douloureusement envie d'elle depuis qu'elle l'avait taquiné, et à présent le désir montait davantage, vibrant. Il prit ses lèvres et frémit lorsqu'elle ouvrit doucement la bouche sous son baiser.

— Lorsque vous dites «peut-être», ma chérie, voulez-vous toujours dire «oui»?

— Peut-être, murmura-t-elle.

Mais lorsqu'il voulut l'embrasser de nouveau, elle lui échappa et courut se réfugier sous une branche lourdement chargée de fleurs. Cette fois, il n'hésita pas à la serrer contre son corps, lui montrant la force de son désir.

— Petite chipie, vous savez parfaitement dans quel état vous me mettez!

— Pardon? demanda-t-elle, image même de l'innocence.

Patrick avait une longue expérience des femmes, et il

savait se conduire avec les jeunes filles de haut rang. Mais Tina la Flamboyante était différente. Plus qu'aucune autre, vierge ou non, elle donnait envie à un homme de l'emporter dans son lit.

Pour une fois, il renonça à son code de conduite.

— Vous êtes terriblement excitante, lui dit-il.

Tina se haussa sur la pointe des pieds pour lui répondre impudemment, tout contre son oreille :

— Vraiment ?

— Oh, oui ! Vous devez avoir beaucoup d'expérience. Est-il vrai que vous avez refusé six propositions de mariage ?

Elle éclata d'un rire léger.

— Oui, mais beaucoup plus encore de propositions déplacées !

Sa candeur le fit rire aussi.

— Vous savez comment mener un homme par le bout du nez. Vous refusez de l'épouser pour mieux le tenir…

— Je plaide non coupable, Patrick. Je ne voulais vraiment épouser aucun d'entre eux.

Il releva son menton et la regarda au fond des yeux.

— Et moi, Tina ?

— Vous avez des bras tout à fait confortables, monseigneur.

Il sourit. Elle voulait le pousser à s'exprimer plus clairement.

— Croyez-vous que Lady Kennedy pourrait devenir Lady Hamilton ?

— Je préfère être totalement honnête avec vous, Patrick. J'ai déclaré fermement à mon père que je ne voulais pas me marier, mais il a insisté. Il m'a conseillé de choisir pendant que j'en avais encore la possibilité. Sinon, c'est Archibald Kennedy ou le roi qui décideront à ma place.

C'était de loin la plus jolie femme qu'il eût tenue dans ses bras. De plus, elle était tellement sensuelle ! Comme ce serait merveilleux de l'initier aux plaisirs de la chair…

84

— Etes-vous en train de me dire que vous m'avez choisi, ma chérie ?

— Je suis en train de vous dire que je ne suis pas pressée de me marier, mais que j'accepterais de mieux vous connaître. Si nous nous aimons, peut-être pourrions-nous alors nous fiancer, ce qui, dit-on, conduit parfois au mariage.

Il prit de nouveau sa bouche, cette fois avec passion.

— Je ne suis pas sûr d'avoir le courage d'attendre si longtemps, Tina...

Le garde à la porte du château vit le cavalier solitaire en plaid sombre, et il leva la herse en ricanant : sans doute un nouveau soupirant de Valentina. On voyait, à la lueur des torches, la tête brune de l'homme et le vert sombre de son tartan. Un Campbell ou un Gordon, selon toute vraisemblance. Tous deux étaient héritiers de puissants comtés, et il aurait aimé voir la tête de celui-ci lorsqu'il s'apercevrait que le cousin du roi était déjà dans la place !

Ram Douglas franchit le pont-levis avec une froide détermination. Que Dieu protège quiconque se mettrait en travers de son chemin ! Un jeune palefrenier s'approchait pour prendre soin de son cheval, mais il s'arrêta net en voyant la taille de l'étalon, et courut se réfugier à l'intérieur de l'écurie.

Black Ram mit pied à terre et attacha Ruffian, puis il pénétra dans le château comme en terrain conquis. Personne n'envisagea de l'arrêter tant il dégageait de puissance et d'assurance. Il se dirigea droit vers la salle commune, et les domestiques s'effaçaient sur son passage.

— Donald Kennedy !

Sa voix était profonde, sonore, autoritaire.

Donald leva les yeux de sa chope, et Ram comprit qu'il l'avait reconnu. On ne pouvait confondre Black Ram avec personne.

Dieu, comment avait-il su ?

L'épée de Donald se trouvait à portée de main, mais il n'eut pas le temps de dégainer. Déjà Ram lui assenait un coup du plat de la sienne. Il s'effondra comme un cheval mort.

Duncan, qui arrivait au bout de la pièce, assista incrédule à la scène qui s'offrait à sa vue. Il vit son frère tomber et, même de dos, reconnut Douglas. Il sortit son poignard et se jeta sur lui.

Celui-ci avait les sens aiguisés d'un animal sauvage. Il n'eut pas besoin de se tourner pour sentir le danger. Son coude heurta l'estomac de Duncan, ce qui le plia en deux, puis il le frappa au menton de la garde de son poignard, lui faisant sauter une dent et se mordre la langue. Le sang gicla.

Davie était sur la terrasse en train de jouer du luth lorsqu'il entendit le bruit de la bagarre. Donald avait dû boire un peu trop et sans doute se querellait-il avec Patrick Hamilton. Pour ne rien perdre du spectacle, il se précipita vers la salle commune... et devint pâle comme la mort en voyant Black Ram. Celui-ci lui arracha le luth des mains et l'envoya s'écraser contre un mur.

— Espèce de petite ordure !

Malgré sa bouche meurtrie, Duncan avait appelé à l'aide, et des hommes accouraient de partout, mais personne n'osait approcher. Black Ram avait parfaitement calculé son attaque. Tout le monde avait trop bu, et aucun n'avait le courage de s'opposer à lui.

— Rendez-moi mon bétail, tonna-t-il sous les voûtes de pierre, ou vous verrez ce qui se passera ! Si vous voulez la guerre, vous l'aurez !

Il se détourna ensuite pour s'en aller, déçu que personne d'autre n'eût le courage de se battre avec lui. Sa rage n'était pas encore éteinte, et il lui fallait un exutoire. Comme il ouvrait à la volée la lourde porte, il entendit le petit rire de gorge d'une femme sûre de son pouvoir, et vit un couple s'embrasser avant d'entrer.

Il fixa Patrick Hamilton.

— Dieu du ciel ! jura-t-il, ses yeux gris brûlant de haine. Les pourris d'Hamilton sont donc en cheville avec ces lâches de Kennedy !

Il cracha à terre comme pour laver sa bouche des deux noms exécrés.

Patrick Hamilton ne savait absolument pas de quoi Douglas voulait parler, mais peu lui importait. Il s'agissait de son ennemi héréditaire. Leurs châteaux étaient voisins et les deux clans rivalisaient pour des histoires d'ambition, de territoire... A cause aussi du désir de puissance insatiable d'Archibald Douglas et de James Hamilton. Même le roi prenait soin de ne pas les envoyer patrouiller à la frontière en même temps, et il les suppliait de signer un traité d'amitié, ou au moins une trêve.

— Entre donc, invita Douglas.

— Espèce de brute, de grossier bâtard, comment oses-tu te conduire en sauvage devant une dame ? s'indigna Hamilton en sortant sa rapière. Tu es dans une demeure bénie de Dieu !

— Tu es tellement sûr de ton bon droit que je me demande comment ça ne t'étouffe pas ! Viens donc rejoindre tes chers partenaires, ajouta Ram en rentrant vers la salle commune.

Hamilton jeta un coup d'œil dans la pièce, incrédule.

— Où sont tes hommes ?

— Je suis venu seul !

— Ta vantardise me donne envie de vomir ! tonna Hamilton.

— Il faudrait avoir des tripes pour pouvoir vomir ! rétorqua Black Ram sur le même ton.

— Ça va me donner le plaisir de débarrasser la planète d'un ver de terre comme toi !

— Espèce de pou rampant ! cracha Ram.

Valentina les avait suivis, et elle se précipita vers Donald, le cœur serré. Elle le croyait mort, mais quand elle vit qu'il avait seulement perdu conscience, elle imagina qu'il était ivre.

Duncan, couvert de sang, essayait toujours d'endiguer le flot qui lui sortait de la bouche. David saignait aussi d'une blessure à la tête.

— Laisse-moi t'aider, Davie ! cria-t-elle.

— Fiche-moi la paix! gronda-t-il, furieux d'être traité comme un enfant.

Elle jeta un coup d'œil au coin de la grande salle où étaient massés les domestiques et les hommes du clan. Pourquoi restaient-ils là, pétrifiés, tandis que Patrick Hamilton et Ramsay Douglas se tournaient autour comme des bêtes furieuses?

Les battements de son cœur s'accélérèrent, et soudain elle n'eut plus peur. Elle éprouvait seulement une fantastique excitation à observer l'affrontement de ces deux ennemis mortels.

Patrick Hamilton avait fière allure, vêtu de noir avec son élégante chemise blanche. Grand et mince, il se mouvait avec la grâce féline d'une panthère. La rapière brillait dans sa main, et Tina savait qu'il possédait une allonge supérieure à celle de Ram.

Le plaid couvrait à peine la nudité de Black Ram, au contraire il rehaussait la splendide puissance de son torse, l'étonnante largeur de ses épaules.

Un instant, elle s'en voulut de prendre plaisir à ce spectacle, puis elle vit le sourire carnassier des deux hommes, et elle comprit qu'ils se réjouissaient encore davantage de la situation. Ils se lancèrent enfin l'un contre l'autre. Elle retint son souffle. Mais au lieu du sang attendu, il y eut le choc métallique de la rapière contre l'épée à double tranchant de Ram. La rapière vola, et Black Ram la rattrapa de la main gauche.

Hamilton, désarmé, arracha son pourpoint et défia Ramsay.

— Luttons à mains nues, si tu l'oses!

Si Douglas avait bien des défauts, la stupidité n'en faisait pas partie. Sans arme, il se verrait attaqué par tous les Kennedy. Il rengaina son épée et s'avança sur Patrick avec la seule rapière. Celui-ci eut le bon sens de reculer.

— Que tu aies volé mon bétail est déjà un crime, mais pousser les Kennedy à t'aider, menés par une garce aux cheveux roux, c'est vraiment indélicat de ta part!

L'accusation était totalement injuste, pourtant lors-

88

que Tina essaya d'intervenir, les deux hommes l'ignorèrent.

Douglas poussait sa victime vers le fond de la pièce. Du bout de la rapière, il déchira sa chemise et dessina un D sur le torse de son ennemi.

— Canaille! hurla Tina. Vous faites ça parce que je vous ai berné! Comment avez-vous appris mon nom, d'abord?

— Facile de vous suivre à la trace! Votre réputation de traînée n'est plus à faire!

Folle de rage, elle rétorqua :

— Vous grillerez en enfer, Ramsay Douglas!

— J'y compte bien, répliqua-t-il avec un salut moqueur.

Il balaya Patrick et les Kennedy d'un regard méprisant.

— Vous n'êtes pas dignes de décrotter mes bottes.

Puis il quitta la pièce, très droit, tournant hardiment le dos au groupe.

Valentina exhorta les hommes à faire quelque chose, mais ils étaient déjà en train de s'adresser des reproches les uns aux autres et de se battre entre eux.

Imprudente, elle sortit en courant derrière Ram qu'elle rattrapa au moment où il saisissait les rênes de son cheval.

— Lâche! hurla-t-elle.

— Vous vous trompez, madame. Ce sont les Kennedy, les lâches. Comme leurs femmes sont des catins.

Elle se jeta sur lui pour le frapper au visage.

— Vous n'aurez pas le courage de me rendre ce coup! Vous n'aurez pas le courage de vous battre contre une femme! Vous n'oserez pas lever la main sur moi!

D'un croche-pied, il la jeta à terre et elle se retrouva pour la première fois de sa vie dans cette position humiliante : étendue au sol, emprisonnée par deux cuisses musclées.

Ramsay avait bien envie de la barbouiller de boue, mais c'était indigne de lui. Son mépris suffirait à montrer sa supériorité.

— Avec combien d'hommes vous êtes-vous roulée dans l'herbe ? demanda-t-il en la libérant.

Il était en fait impressionné qu'elle eût montré plus de cran que ses gens. Néanmoins il lui jeta un dernier coup d'œil insolent avant de sauter sur sa monture.

Tina se remit sur pied. Folle de colère et de frustration, elle hurla :

— Un jour, les positions seront renversées, je le jure ! C'est moi qui aurai une arme, et croyez bien que je saurai m'en servir !

Lorsque Tina rentra au château, la bagarre battait son plein. Ada assistait à la scène, impuissante. Après une soirée délicieuse passée dans sa chambre avec le second de Patrick, elle se demandait pourquoi, chez les hommes, tout finissait toujours par des coups de poing.

Donald avait repris ses esprits, mais il ne comprenait pas bien ce qui était arrivé. Tina aperçut son luth réduit en miettes, et soudain elle fondit en larmes.

— Pourquoi faut-il qu'ils détruisent tout ce qu'ils touchent ? murmura-t-elle.

— Parce que ce sont des hommes, expliqua Ada, philosophe, en l'entraînant vers sa chambre.

Une fois seule, Tina se rappela la prévision de la vieille Meg.

Elle avait rencontré l'Empereur, l'homme sombre et autoritaire assis sur le trône aux béliers. Il était armé et il avait vaincu... Son esprit refusa d'aller plus avant. Tout cela n'était qu'histoires de bonnes femmes. Comment son avenir aurait-il pu être contenu dans les quelques cartes usées d'une vieille Gitane ?

9

Durant la semaine suivante, il y eut des raids incessants contre les Kennedy et les Hamilton. Bien sûr, Black Ram en fut le premier suspecté, mais certains doutaient qu'il fût possible à un seul homme d'attaquer autant de châteaux en si peu de temps.

Ramsay Douglas avait décidé d'entrer dans le jeu et d'enseigner à ses hommes comment on se vengeait. Il laissa du bétail appartenant aux Hamilton sur chaque terre des Kennedy, et inversement.

Cependant, le château de Doon ne fut pas touché ; au contraire, son cheptel augmentait mystérieusement. Le chef du clan Kennedy, Archibald, comte de Cassillis, était renommé pour la qualité de ses chevaux, soit originaires d'Écosse, soit importés. Il fournissait d'ailleurs les écuries royales de Stirling comme celles d'Edimbourg.

Ram Douglas, avec ses frères, vola tous les chevaux de Cassillis. Il fallait pour cela de la ruse, du courage, de la rapidité. Les bêtes, avec la complicité des cousins Douglas, se retrouvaient dans les écuries des Kennedy et des Hamilton.

Il y avait néanmoins une jument barbe dont Black Ram ne se serait séparé à aucun prix. Il cherchait depuis longtemps une partenaire digne de Ruffian. Elle était grande, avec de longues jambes racées, et il aimait son long cou gracieux, sa poitrine robuste, l'étonnante couleur prune qui la faisait paraître presque noire. Elle avait une tête exotique aux grands yeux, et si Ram ne se trompait pas, il lui manquait une vertèbre, ce qui lui donnait un port de queue exceptionnel.

Il la mit à l'écart dans un pré, veillée par son meilleur palefrenier, puis il eut une idée. Il était de notoriété publique que les riches Kennedy de Doon s'entendaient comme larrons en foire avec les Campbell d'Argyll, et que les clans seraient bientôt unis par un mariage.

Or il savait que les Campbell avaient choisi une soixantaine de taureaux de leur élevage pour les vendre à la foire de printemps à Glasgow. Ce fut un jeu d'enfant pour les Douglas de les subtiliser et de les déposer sur le seuil de Donald Kennedy.

A l'aube, le château de Doon fut en ébullition. Comment, par le Ciel, allait-on expliquer la présence de ce bétail ?

Chez les Douglas, l'atmosphère était toute différente. Bien qu'un orage menaçât, l'humeur était au beau fixe. Pour célébrer la fin d'une semaine particulièrement réjouissante, ils avaient invité les Gitans au château pour les divertir jusqu'au matin.

Son chien-loup sur les talons, Black Ram mena Ruffian vers la prairie où il gardait sa belle jument. L'étalon sentit de loin l'odeur de la femelle. Ramsay ne l'avait pas emmené dans ses raids : la haute taille du cheval le rendait trop facilement reconnaissable. Aussi l'animal était-il nerveux, ombrageux.

Ramsay lui laissa sa liberté et, d'une tape, le poussa vers l'enclos dont il referma soigneusement la barrière avant d'assister aux ébats des deux splendides animaux.

— Ce soir, tous les Douglas font la fête ! cria-t-il dans le vent.

Il rit en voyant la jument se cabrer et filer à travers la prairie comme si elle avait le diable aux trousses. Ruffian la poursuivait, les dents découvertes, les yeux exorbités.

— Tu as rencontré ta pareille, murmura Ram. Au matin, tu ne tiendras plus sur les jambes, mon garçon.

Quand il retourna au château, seulement accompagné de Pochard, les Gitans installaient leur attirail. Le grand chien-loup effraya une troupe de toutous savants et sema la pagaille parmi les poneys. D'un mot, Ram le rappela et monta avec lui dans sa chambre.

Comme il se changeait pour enfiler un pantalon de daim et une chemise en lin, le chien se roula sur le dos en signe d'affection. Ram lui ébouriffa la tête. Ce chien était une contradiction vivante ! Capable d'égorger le premier venu, il se transformait en peluche dès que Ram lui adressait un mot gentil.

— Ne t'inquiète pas, je ne le dirai à personne, promit-il, tout en se demandant si son chien lui ressemblait.

Mais il ne pouvait le savoir, puisque personne ne lui parlait tendrement...

Les Gitans s'étaient installés dans la cour intérieure et dans le château lui-même, sur des tapis vivement colorés. Ils vendaient de tout, des fleurs en papier jusqu'aux couteaux de Tolède. Ils étaient vivants, pittoresques, exotiques, et leurs étals plaisaient aux jeunes comme aux vieux.

Les enfants étaient attirés par les poupées de paille et les sifflets, les femmes par les rubans, les perles et les philtres d'amour, les hommes par les ceinturons de cuir, les poignards et les amulettes. La vitalité des Gitans, leur appétit de vivre étaient contagieux. Ils jouaient, sur leurs violons et leurs tambourins, une musique entraînante qui chauffait le sang et donnait envie de danser. Avec eux, l'air était plein de gaieté et de rires.

Ramsay envoya les domestiques chercher des tonnelets de bière et de whisky.

— Les moutons des Kennedy et des Hamilton sentent meilleur que les nôtres quand on les fait rôtir, dit-il à Gavin. Allons chercher le vieux Malcolm.

— Le fou ? s'étonna Colin. Il est mieux dans son lit !

— Sûrement pas ! Il est condamné à y passer le reste de ses jours depuis qu'il a perdu l'usage de ses jambes. Trouve-moi le fauteuil auquel nous avons fixé des roues l'année dernière, et je le porterai en bas.

— Il n'a pas perdu que ses jambes, sa tête aussi... Ce ne serait pas charitable.

— Ce qui ne serait pas charitable, ce serait de le tenir à l'écart des réjouissances comme un lépreux !

— Il ne t'en remerciera pas, intervint Cameron. Il n'a jamais su dire merci de sa vie, même avant.

— Il adore insulter tout le monde, mais ce ne serait pas un Douglas s'il n'appréciait un bon divertissement et quelques chopes de whisky. Je vais peut-être payer une fille pour le distraire au lit, ce soir.

— Et pourquoi pas une pour moi, tant que tu y es ? s'emporta Colin. Moi aussi, je suis infirme.

Gavin arrivait avec la chaise à roulettes.

— Que se passe-t-il ?

Colin se radoucit :

— Je suppose que je me suis aigri, toute cette semaine, à vous voir vous amuser sans moi.

Ram lui donna une bourrade sur l'épaule.

— Eh bien, rien ne t'en empêchera ce soir, mon ami. Il va y avoir des combats de coqs, des concours de lancer de couteaux… Ian, descends au village dire aux gens qu'ils sont tous invités… pas seulement les filles ! Je vais chercher Malcolm le Fou dans sa tour.

Il n'y avait pas une femme chez les Douglas qui n'eût envie de s'entendre dire la bonne aventure. Pas un homme qui n'attendît avec impatience le moment où les dames dignes de ce nom se retireraient et où les jeunes Gitanes à la peau brune danseraient à demi nues.

Deux jeunes garçons faisaient des acrobaties sur le dos d'une demi-douzaine de poneys blancs, tandis que des caniches avec des rubans autour du cou couraient dans leurs jambes. Ram se dirigea vers les poneys. Il mourait d'envie de s'y essayer. Il se rappelait les nombreuses heures qu'il avait passées à s'entraîner lorsqu'il était jeune.

Quand ses hommes parièrent quelques pièces d'argent qu'il tomberait en moins d'une minute, il n'hésita plus. Il choisit un poney de belle taille, au galop souple et régulier, et sauta sur son dos à califourchon, puis se redressa lentement et enfin lâcha les mains. Il fit quelques tours de piste debout, sous les applaudissements. C'était simple, en réalité. Une question d'équilibre et d'agilité… Ram sauta à terre, puis sauta de nouveau sur le dos du poney. C'était là tout le secret du succès, se disait-il, qu'il s'agît de la guerre ou d'un petit raid, il fallait seulement le courage d'y aller, et la confiance en soi. Cela marchait à chaque fois !

Les hommes installaient une cible pour le tir au couteau quand le premier coup de tonnerre éclata. De grosses gouttes vinrent s'écraser sur le sol dallé, et tout le monde se précipita à l'intérieur en une joyeuse bousculade.

Au début, Malcolm Douglas brandit sa canne, menaçant, à l'encontre de tous ceux qui approchaient de son fauteuil, mais à la longue, comme Colin veillait à ce que sa corne fût toujours pleine de whisky, le vieux patriarche s'en servit pour marquer la mesure.

Parfois une querelle s'élevait au sujet d'une fille, mais l'atmosphère générale était à la fête, et le problème ne dégénérait jamais. Gavin Douglas ne quittait pas des yeux une ravissante créature, jusqu'au moment où il s'aperçut que Jenna avait un faible visible pour un jeune Gitan. Elle le poussa à participer au concours de lancer de couteaux et, voyant que Gavin l'observait, redressa la tête d'un air de défi. Les hommes des Douglas étaient habiles au maniement de diverses armes, tandis que les Gitans utilisaient exclusivement les couteaux, ce qui les rendait fort adroits à ce jeu.

Pas un seul participant ne rata la cible, et nombreux furent ceux qui atteignirent le centre, représenté par l'œil d'un taureau. Mais quand on remplaça la cible par de petites étoiles, les rangs s'éclaircirent.

Heath possédait une panoplie de huit poignards qu'il utilisait lorsque la troupe allait divertir les nobles dans quelque château. Gavin était bien déterminé à se montrer aussi habile que lui, pour époustoufler la belle Gitane autant que Jenna. Il toucha chaque petite étoile, et fut récompensé par les vivats de ses hommes.

Heath eut son sourire éblouissant et, sur un signe, la jeune Gitane vint se placer devant la cible, bras et jambes écartés.

Tout le monde retint son souffle lorsque Heath prit le premier couteau par la lame et le lança. Il se planta dans le bois à quelques centimètres de l'oreille gauche de la jeune fille. Le second s'enfonça près de son oreille droite, les deux suivants entre ses doigts bruns. Ceux qui se plantèrent près de ses flancs étaient encore plus proches de sa peau, et un tonnerre d'applaudissements éclata. Le septième passa entre ses jambes, et les hommes y virent tous un symbole qui les excita grandement. Comme la dernière lame quittait la main de Heath, la jeune fille se pencha en avant et, sous les yeux de la foule émerveillée, le couteau alla se planter exactement là où s'était trouvée sa tête.

L'assistance, tendue, se tourna ensuite vers Gavin, mais avant qu'il pût relever le défi, la jolie fille leva les mains gentiment pour refuser d'être la cible du jeune Ecossais. Celui-ci souriait, soulagé, quand Jenna fit un pas vers lui.

— Je vais te servir de cible, Gavin, déclara-t-elle bravement.

Le jeune homme plongea dans son regard clair et se demanda ce qu'il avait bien pu trouver de séduisant chez la jeune Gitane !

— Je ne puis accepter, ma chérie, répondit-il. Mais j'ai d'autres armes à ta disposition, si tu le souhaites.

Il glissa le bras autour de sa taille en adressant à Heath un coup d'œil triomphant. Il avait perdu le concours, mais il avait gagné la récompense !

Ramsay Douglas s'avança pour relever le défi. Un éclat froid dans son regard d'acier, il fixa le beau visage de Heath.

— Je me servirai de tes couteaux, qui sont parfaitement équilibrés, dit-il de sa voix grave.

Les yeux de Heath se plissèrent légèrement.

— Je vous en prie... si toutefois vous trouvez quelqu'un qui ait le courage de vous servir de cible.

— Quelqu'un ici a suffisamment de courage, affirma Ram.

— Qui ?

— Toi.

Le sourire de Heath s'effaça tandis que les deux hommes s'affrontaient du regard. Le Gitan savait que Ram jouissait d'une solide réputation en ce qui concernait les femmes et la bagarre, mais il devinait aussi que sous la surface se cachait un homme intense, complexe, intelligent, fort. Les Gitans avaient le sang chaud et l'admettaient volontiers. Heath se demanda si Ram était froid, insensible, et il décida de trouver la réponse par lui-même.

Bravache, il alla nonchalamment se placer devant la cible après avoir tendu ses poignards à Ram. Celui-ci brandit le premier en fixant le Gitan d'un regard perçant. Ram ne lançait pas, et Heath comprit qu'il s'agissait d'une guerre des nerfs, Ram attendant de voir à quel moment il craquerait. Il en fut étonné. Il connaissait bien ce genre d'affrontement, mais l'enjeu était toujours une femme, or il ne pouvait s'agir de Zara. Douglas n'aurait pas été jaloux d'une prostituée.

Heath ne flancha pas lorsque les deux premiers poignards se plantèrent près de sa tête. Il fut soulagé d'avoir encore tous ses doigts après que Ram eut lancé les suivants.

Le sixième arriva si près de sa taille qu'il déchira sa chemise, rappel évident que Ram le tenait à sa merci, et Heath eut la gorge sèche à l'idée du suivant. Le Gitan priait pour que l'orgueil de Ram eût le dessus. Il serait si facile de l'émasculer et de crier ensuite à l'accident... Mais alors Ram aurait lui aussi perdu, d'une certaine manière.

Heath voulut lui adresser un sourire hautain, mais s'en trouva incapable, et ce fut Ram qui eut un sourire de loup tandis que le couteau venait se planter juste en dessous des testicules du Gitan.

Pour l'instant, Douglas avait gagné, tous deux le savaient. Cependant le véritable défi résidait dans le dernier poignard. Les deux hommes se fixaient comme s'ils étaient seuls au monde, chacun devait prendre une décision.

Ram viserait-il le cœur, ou lancerait-il le couteau au dessus de la tête de Heath? Le Gitan se pencherait-il en avant ou défierait il Ram en restant droit?

Ils ne se quittaient pas des yeux tandis qu'ils faisaient leur choix fatal. Et Heath s'aperçut que, finalement, il pouvait sourire. Il redressa fièrement la tête. A la dernière fraction de seconde, Ram sut qu'il ne se baisserait pas. La lame coupa une mèche de cheveux bruns avant de se planter dans le bois.

Une clameur s'éleva dans le clan Douglas, donnant clairement Ram pour vainqueur, mais les deux hommes savaient qui avait craqué au dernier moment. Pourtant, c'était une victoire morale pour Ram: il n'avait pas cédé à l'instinct meurtrier qui l'aurait ensuite fait passer pour un lâche à ses propres yeux...

Comme la soirée s'avançait, la musique se fit plus forte, plus folle. Les rires fusaient, les pieds battaient la mesure, les chiens aboyaient, affolés par le tapage. Ce qui fut consommé comme nourriture et comme boisson aurait entretenu une armée pendant une semaine, et le château tout entier résonnait de la joie débridée d'hommes et de femmes qui profitaient pleinement de cette nuit magique.

Le fantôme de Damaris était extrêmement agité, ce soir-là. Au début, elle demeura dans sa chambre, mais le joyeux brouhaha la poussa à descendre dans la salle commune. Comme elle aurait été choquée, si elle avait assisté à un tel spectacle la première fois qu'elle était venue au château ! A présent, après quinze ans passés à errer à travers les couloirs, elle avait compris que ces gens avaient un appétit énorme de la vie et de ses plaisirs. Elle soupira. C'était ce qui l'avait d'abord attirée chez Alexander...

Ramsay, quant à lui, dissimulait soigneusement son amour de la musique et sa passion pour la littérature. Il ressemblait tant à son défunt époux que c'en était effrayant. Ils étaient si austères, si graves en surface, alors qu'en réalité ils adoraient la vie !

Damaris écouta quelques Gitanes dire la bonne aventure à des jeunes filles du château. Tout ce qui les intéressait, c'était de séduire un homme. Damaris avait-elle été comme elles ? Certes, dès qu'elle avait posé les yeux sur Alexander Douglas, il était devenu sa seule et unique préoccupation. Elle avait grandi dans un clan où tout le monde était roux, et on la remarquait à cause de ses cheveux de lin et de son teint parfait. Alexander était l'homme le plus brun qu'elle connût. Si sombre qu'elle en avait encore des frissons... Et il était tout aussi attiré par sa pâleur. Quelle sottise de choisir le compagnon d'une vie sur un détail aussi insignifiant !

Valentina, quant à elle, était une créature de feu avec ses yeux dorés, ses cheveux flamboyants... Damaris avait craint que sa nièce et Ramsay ne soient irrésistiblement attirés l'un par l'autre, comme cela s'était produit pour elle et son époux. Heureusement, c'étaient des étincelles de haine qui avaient crépité entre eux, elle ne devait donc plus s'inquiéter à ce sujet.

Le spectre d'Alexander l'observait dans l'ombre. Comme elle était fragile, éthérée ! Il eut mal en se rappelant leur première nuit. Son corps si délicieusement pâle contrastait avec sa propre peau hâlée. C'était presque comme si un diable séduisait un ange. Pourtant une telle passion les avait emportés tous deux qu'il avait su qu'il devait l'épouser, pour pouvoir passer toutes les nuits de sa vie auprès d'elle.

Incapable de s'en empêcher, il s'approcha.

— *Damaris*, souffla-t-il.

La jeune femme s'évanouit dans les airs.

— *Damaris !* répéta-t-il.

Inutile. Elle ne voulait jamais reconnaître sa présence...

Ce fut la vieille Meg qui répondit :

— Qui est là ? Que voulez-vous ?

— *Je suis Alexander Douglas. Me voyez-vous ?*

La Gitane se leva, tâta l'air autour d'elle.

— *Vous ne pouvez me voir ni m'entendre, mais vous me sentez, n'est-ce pas ? Dieu, si seulement je pouvais communiquer avec vous ! Damaris est ma femme. Je ne l'ai pas tuée ! Venez avec moi, je vais vous montrer son portrait.*

Les yeux de Meg cherchaient quelque chose dans la pièce. Elle ne savait pas très bien quoi, et elle laissa son sixième sens la diriger. Elle fit lentement le tour de la salle, s'arrêta près de Malcolm le Fou qui brandit sa canne.

Elle s'éloigna, non par peur, mais parce que quelque chose de mauvais se dégageait de lui. Un très ancien souvenir lui revint. Elle avait involontairement participé à un empoisonnement ici, à Douglas. A cette époque, elle s'en était moquée. Elle n'avait aucune raison de se tracasser pour une Kennedy, après tout. Elle avait échangé le poison contre une énorme quantité de pièces d'argent mais, en bonne Gitane, n'en avait ressenti aucune culpabilité.

Alexander, à ses côtés, l'entraîna vers l'escalier.

A la porte de la chambre de sa femme, il s'arrêta. Il n'y était jamais entré depuis sa mort, il n'avait jamais violé son sanctuaire. Meg n'avait pas ces scrupules. Sa vieille main déformée leva le loquet, et elle pénétra dans la chambre pour se pétrifier devant le portrait de Damaris.

— *Le peintre a merveilleusement réussi la ressemblance, mais elle était belle aussi de l'intérieur*, dit Alexander.

— *Sors!*

Alexander fit volte-face, rayonnant.

— *Damaris... tu me vois! Depuis quinze ans que tu m'ignores, je n'ai jamais perdu espoir!*

— *En quinze ans, tu devrais avoir compris ce que je pense de toi, suppôt de Satan!*

— *Tu es en colère*, dit-il joyeusement.

— *En colère? C'est peu dire! Je te déteste, je te méprise, je te hais!*

— *Je t'aime, Damaris*, coupa-t-il.

— *Et moi je te maudis!* cria-t-elle avant de disparaître.

Meg effleura le portrait. La chambre était chargée de courants, d'émotions conflictuelles. Et la mémoire lui revenait. Ainsi, c'était la petite Kennedy qui avait épousé un Douglas — une union explosive, fatale. Les deux clans avaient un orgueil insurmontable.

— Ne touchez pas ce tableau, ou tous les diables de l'enfer vont se déchaîner, ordonna une voix implacable.

Ram Douglas se tenait sur le seuil, Zara à ses côtés. La jeune fille crut que Meg était prise en train de voler.

— Un double meurtre laisse sa trace jusqu'à ce que justice soit faite, dit la vieille.

— C'était un meurtre et un suicide. Justice a été faite. La garce était infidèle, et Alex Douglas s'est tué lui-même avant que les Kennedy ne puissent la venger. Maintenant descends, ou je te fais pendre pour vol.

Elle eut un rictus de mépris. Elle se rappelait avoir vendu le poison à l'homme arrogant qui se tenait devant elle, aussi clairement que si c'était hier. Il était alors un fougueux jeune homme de seize ans, mais peu après Lord Alexander avait été retrouvé mort, tandis que Black Ram devenait le nouveau seigneur et maître du château.

— Veillez plutôt sur vous, Ramsay Douglas. Les visiteurs de l'autre monde ont tant de pouvoir qu'ils risquent bien de vous abattre pour vos mensonges.

Ram eut un petit rire de dérision.

— Vas-y, appelle les morts ! Ordonne-leur de se matérialiser. Tes pouvoirs surnaturels ne m'impressionnent pas, la vieille !

— Je ne prétends avoir aucun pouvoir surnaturel, mais j'ai le don de double vue, dit-elle avec un petit coup d'œil vers Zara. Débauchez-vous tant qu'il fait encore nuit, Douglas, car c'est la dernière fois que vous pourrez en profiter.

Ram la considéra d'un air moqueur.

— Si tu sous-entends que je vais me retrouver pieds et poings liés à une épouse, tu te trompes, la vieille. Ton don de double vue ne fonctionne pas aussi bien que tu le penses. Maintenant, file avant que je ne me fâche !

Meg obtempéra. Il n'était pas prudent de contrarier cet homme. Il n'hésiterait pas devant un meurtre de plus.

10

Ram Douglas n'arrivait pas à dormir. Près de lui, Zara était roulée en boule comme un chaton repu.

Il grimaça dans le noir. La simple évocation d'un mariage lui avait ôté le sommeil.

Pour lui, les cloches de la noce sonnaient le glas de l'amour. D'ailleurs l'amour était un mythe, une invention des femmes et des poètes. Jamais il n'avait connu d'union heureuse. Lord Alexander et Lady Damaris avaient tout pour eux, et leur mariage avait duré... combien ? Douze jours ? Une quinzaine ?

Quant à ses propres parents... Ç'avait été une union infernale. Ils ne cessaient de hurler, de se chamailler. Combien de fois Ram avait-il consolé ses jeunes frères qui venaient en tremblant chercher refuge dans son lit, la nuit ? Sa mère rendait coup pour coup. Menaces, récriminations, trahisons, bagarres... Il avait dix ans lorsqu'elle les avait quittés, et Ram avait compris pour toujours l'hypocrisie du mariage.

Son esprit vagabonda et il songea au roi d'Ecosse. Jacques IV avait un faible pour les femmes. Dieu merci, car son père avait été un homosexuel qui mêlait ses petits amis aux décisions du royaume. Le roi actuel avait échappé au mariage jusqu'à l'âge de trente ans, moment auquel, pour le bien de l'Etat, il avait épousé la jeune princesse d'Angleterre Marguerite Tudor, alors âgée de quatorze ans.

Cette union était un cauchemar. La princesse avait un visage repoussant et un corps disgracieux, pourtant elle aimait le sexe. Le roi avait avoué un jour à Ram qu'il craignait de ne pouvoir remplir son devoir conjugal lorsqu'il dormait avec elle. Bien qu'ils soient mariés maintenant depuis plus de huit ans, presque toutes les grossesses s'étaient terminées par des fausses couches. La reine venait seulement d'accoucher d'un bébé chétif, aussi peut-être n'y aurait-il pas d'héritier pour le trône...

A trente ans néanmoins, il était du devoir de Ram d'engendrer un robuste Douglas pour préserver la puissance du clan. Un de ces jours, il devrait effectuer le grand plongeon. Il choisirait alors, avec sa tête et non avec son cœur, celle qui lui apporterait le plus de richesse et de pouvoir. Après tout, il existait des moyens de se débarrasser ensuite d'une femme trop encombrante...

La journée commença fort bien, pour Valentina Kennedy, par un petit déjeuner qu'Ada lui apporta au lit. Le pain fraîchement sorti du four sentait divinement bon, et elle dégusta les premières fraises de la saison.

— Je reste près de vous, dit Ada. Je ne supporterais pas un repas de plus en compagnie de vos frères. Ils sont d'une humeur épouvantable.

— N'est-il pas merveilleux que, pour une fois, je sois passée au travers des ennuis ?

Ada éclata de rire, mais elle était désolée pour les garçons.

— Les pauvres ! Comment vont-ils s'arranger pour dissimuler deux cents têtes de bétail au milieu de nos troupeaux qui n'ont pas la même robe ?

— C'est leur problème ! déclara légèrement Tina en repoussant les couvertures.

Ada poussa soudain un petit cri de terreur en voyant un homme se profiler devant la fenêtre ouverte.

— Heath ! Par le Ciel, tu m'as fait peur ! s'écria Tina.

— Menteuse ! dit-il dans un sourire en l'embrassant sur les joues. Pas un homme au monde ne pourrait t'effrayer !

Il s'assit sur le lit et saisit le plateau où Tina avait laissé du porridge et les œufs brouillés.

— Belle matinée pour une promenade à cheval ! déclara-t-il à Tina.

Elle pouffa de rire.

— Oh, tu l'as trouvée ? Tourne-toi pendant que je m'habille ! répondit-elle, tout excitée.

Quand il eut vidé le plateau jusqu'à la dernière miette, il enjamba de nouveau la barre d'appui de la fenêtre. Tina se préparait à le suivre.

— Prends l'escalier, ma Flamboyante. Tu es une dame, pas une Gitane.

— Ne l'oubliez surtout pas ! intervint Ada en levant les yeux au ciel.

Heath avait attaché la jument barbe près de la rivière, à l'écart du château. Jamais Tina n'avait vu plus beau spectacle. Des grives pépiaient dans les noisetiers et elle avançait sur la mousse, parmi les fougères, vers la jument qui pointait les oreilles en avant, la fixant intensément. Puis, acceptant l'odeur de la jeune fille, elle baissa la tête et vint chercher la main de Tina de ses naseaux de velours.

— Oh, elle est absolument magnifique! s'écria Tina, émerveillée. Où l'as-tu trouvée?

— A la foire de Paisley, répondit Heath en sortant un papier de sa poche. Tiens. Il est important que tu aies cette note pour prouver qu'elle t'appartient. Elle a déjà eu un ou deux propriétaires, récemment.

Elle parcourut le parchemin.

— Il faut que son nom s'harmonise avec la couleur extraordinaire de sa robe. Voyons... Je sais! Je l'appellerai Indigo.

Elle recula de quelques pas pour mieux admirer l'animal. Derrière Indigo, l'eau formait une mare entourée de soucis et de myrtes. Le soleil qui filtrait à travers les arbres nimbait le splendide animal de lumière, le transformant en une sorte de créature mythique sortie des contes orientaux.

Tina regarda de nouveau le papier.

— Tu l'as payée si cher?

Il sourit.

— Je l'ai gagnée à un concours de lancer de couteaux.

Il l'aida à monter sur le dos de la jument.

— Je sais que tu es trop impatiente de l'essayer pour prendre le temps de la faire seller aux écuries. Mais sois prudente. Et ne perds pas le papier!

Indigo avait la bouche sensible et répondait au moindre geste, mais si on la laissait aller, elle courait comme le vent.

Ils longèrent la rivière jusqu'au port d'Ayr. Tina voulait voir comment sa jument réagissait dans une bourgade.

Il y avait un attroupement sur le quai et, curieuse, Tina alla voir ce qui se passait. Soudain, un grand froid l'envahit. Le *Thistle Doon* était ancré, terriblement endommagé. Il n'avait plus que la moitié d'un mât, et ses lisses avaient été arrachées, sans doute par un boulet de canon.

Tina courut vers sa mère que l'on installait sur une litière.

— Mère! Que s'est-il passé?

— Tina, grâce au Ciel! tonna Rob Kennedy en l'entraînant un peu plus loin. Cette satanée femme va me rendre fou si on ne l'emmène pas!

Il était violet de colère.

— Qu'est-il arrivé?

— Ces sales Anglais! Ils ont attaqué mon navire, volé ma précieuse laine, ils ont failli nous envoyer par le fond. Je rentre tant bien que mal à la maison, et tout ce que cette bourrique sait faire, c'est pleurer! Je t'assure, petite, rien de bon ne peut venir d'Angleterre. Je t'en prie, débarrasse-moi d'elle.

— Je vais la ramener à la maison, promit Tina, attendrie par le désespoir de sa mère.

— C'est une malédiction d'épouser une femme dont il faut s'occuper sans cesse. J'ai envoyé chercher Archibald Kennedy, je dois prévenir le roi que les Anglais attaquent nos bateaux, et elle ne sait que gémir...

La litière progressait avec une lenteur exaspérante, et Tina mourait d'envie de galoper jusqu'au château pour prévenir ses frères que non seulement leur père était revenu, mais qu'ils devaient s'attendre à voir arriver le chef du clan.

Elle écouta patiemment les jérémiades de sa mère, l'aida à descendre de la litière et demanda à Duncan de la porter jusqu'à sa chambre. Là, elle lui baigna les tempes à l'eau de rose, lui ôta ses souliers et demanda gentiment:

— Avez-vous besoin de quelque chose?

— Appelle-moi Beth, dit Elizabeth d'un ton tragique. Tu n'es guère reposante pour une malade. Rien que de te regarder, avec ta flamboyante chevelure et ta vitalité, cela m'enlève le peu de forces qui me restent.

— Je suis désolée, murmura Tina, les yeux baissés pour masquer sa peine. Je vais chercher Beth et prier M. Burque de vous préparer de la camomille.

— Oui. Mais que ce soit Ada qui me l'apporte.

Lord Kennedy arriva si préoccupé à Doon qu'il ne remarqua rien d'anormal. Ses trois fils l'attendaient à la porte, et il leur raconta avec force jurons sa mésaventure maritime.

— Arran et Archibald Kennedy arriveront ce soir, conclut-il. Tina, dis donc à ton Burque de préparer un repas digne de deux comtes du royaume.

Tina vit ses frères échanger des coups d'œil inquiets.

— Qu'Elizabeth fasse préparer des chambres d'amis. Davie, assure-toi qu'il y a de la place aux écuries... Ils seront accompagnés d'une escorte.

David fila comme un rat qui abandonne le navire. Donald s'éclaircit la gorge, mais Tina le devança :

— Mère est au lit.

— Quelle plaie, cette femme ! Elle n'est vraiment bonne à rien !

— Je donnerai les ordres aux domestiques, ne vous inquiétez pas. Quant à M. Burque, il est toujours prêt, quel que soit le nombre de convives.

— Brave petite ! gronda Lord Kennedy, fier de pouvoir compter au moins sur un de ses rejetons. Je veux que tu soupes avec nous ce soir, et que tu te places entre James Hamilton et Archibald Kennedy. Tu sauras bien les convaincre de m'offrir tout leur soutien lorsque je porterai mes doléances devant le roi. Ni l'un ni l'autre ne savent résister à une jolie fille.

— Ça doit être contagieux, répliqua-t-elle.

Bien qu'il vînt de plus loin, Archibald Kennedy arriva le premier, accompagné d'une vingtaine d'hommes armés jusqu'aux dents. David eut la présence d'esprit de les tenir à l'écart des écuries en prenant leurs montures en charge dès leur arrivée.

Les genoux tremblants, Tina s'approcha pour offrir de la bière. Archibald Kennedy était si rustre d'apparence que Rob semblait presque raffiné à côté. Il avait dû être robuste autrefois, cependant avec l'âge, il avait acquis une bedaine qui paraissait trop lourde pour ses courtes jambes arquées, et on avait l'impression que sa tête couperosée était posée directement sur ses épaules.

Les hommes avalèrent leur bière, mais Archibald prit sa chope, renifla et en jeta le contenu au feu.

— Qu'est-ce que c'est que cette mixture, petite ? demanda-t-il en fixant Tina de son œil chassieux.

Rob s'approcha avec du whisky, et Tina se dit que sa séance de séduction n'était pas gagnée d'avance !

— Inutile de me raconter, reprit Archibald. Tu as été attaqué, Robbie. Chaque Kennedy l'a été, de Newark jusqu'à Portpatrick. Quand on trouvera les coupables, ce sera la plus belle bagarre du siècle. On les pendra tous ! Ces fils de chiens ont volé mes meilleurs chevaux, dont un destiné spécialement au roi !

Rob jeta un coup d'œil intrigué à Donald.

— Nous n'avons pas été pillés, que je sache.

Archibald plissa les yeux, soupçonneux.

— Vraiment ? Je ferais mieux d'aller voir par moi-même. Tes prairies m'ont en effet paru bien pleines, quand je les ai traversées.

Rob Kennedy devint rouge de colère, tandis que Donald pâlissait.

— Es-tu en train de m'accuser, moi, Rob Kennedy, Lord de Galloway, d'avoir volé du bétail à mes amis et à mon roi ?

— Nous verrons bien ! dit Archibald en saisissant sa cravache et ses gantelets.

Les deux Kennedy se dirigèrent de concert vers la porte qui, pour vaste qu'elle fût, ne leur permit pas de passer tous deux en même temps. Ce fut Archibald qui eut la préséance. Tina entendit Donald murmurer à Duncan :

— Dix contre un que ce sont les chevaux du comte !

Tina, incapable de résister à la curiosité, suivit les hommes. Rob Kennedy ouvrit de grands yeux en s'apercevant que chaque stalle abritait au moins deux chevaux. Les hommes d'Archibald et les paletreniers s'étaient massés pour assister à la scène.

— Espèces de malotrus ! Voici la preuve que ce sont

mes chevaux! Cette jument barbe était destinée au roi Jacques en personne!

Sans prévenir, Rob Kennedy assomma son fils Duncan, qui pourtant mesurait une tête de plus que lui, d'un violent coup de poing. Donald était prudemment resté hors d'atteinte.

— Mes propres fils sont une malédiction! tonna Rob. Qu'avez-vous fait? A la minute où j'ai le dos tourné, vous rôdez dans le voisinage, désobéissez à mes ordres, et maintenant vous volez les chevaux du comte! C'est mordre la main qui vous nourrit!

Tina finit par intervenir:

— Vous vous trompez sur cette jument, monseigneur, dit-elle en sortant le papier remis par Heath de la bourse qu'elle portait à la ceinture. Elle a été achetée à la foire de Paisley. Elle m'appartient. Elle m'a même, comme vous pouvez le constater, coûté une fortune.

Archibald lui arracha la feuille des mains, et sa rage redoubla.

— C'est une conspiration! Ta fille est la plus menteuse de tous!

— Sale bâtard aux jambes torses, rétorqua Rob, tu ferais mieux de surveiller ton langage quand tu parles de ma fille!

— Je suis le chef du clan Kennedy, misérable ver de terre. Je te ferai pendre avant la tombée du jour!

Un remue-ménage dans la cour intérieure mit une fin provisoire à l'algarade. C'était James Hamilton, comte d'Arran, grand amiral d'Ecosse, suivi de vingt de ses hommes. Il avait à peine mis pied à terre qu'il jurait comme un charretier:

— Par le sang du Christ, j'ai usé mes fesses sur ma selle à parcourir mes terres toute la semaine. Mon bétail a fondu comme neige au soleil, et voilà les coupables pris la main dans le sac!

Archibald Kennedy, également pair du royaume, décida de prendre ombrage de ces accusations.

— Tu ne veux pas sous-entendre que les Kennedy se

seraient sali les mains avec ta vermine de moutons, hein, Jamie ?

Arran était visiblement outragé. Ses yeux n'étaient plus que deux fentes, et ses lèvres avaient totalement disparu. Tina gémit intérieurement. Juste quand Patrick commençait à lui manger dans la main ! Elle se consola en se disant que si le jeune homme devait un jour ressembler à son père, il valait sans doute mieux ne pas l'épouser…

Rob tenta d'intervenir, mais Archibald le devança. Il agita le papier qu'il avait pris à Tina en hurlant :

— Tout ce qui marche à quatre pattes sur les terres des Kennedy a été acheté et honnêtement payé. Nous en avons les preuves, ce qui n'est pas toujours le cas pour toi, Hamilton ! Et pour parler franc, si nos têtes rousses nous font ressembler à des renards, nous sommes tous nés légitimement, ici. Nous ne traînons pas des centaines de bâtards derrière nous !

Tina frémit devant l'hypocrisie d'Archibald. Lui et Rob avaient aussi leur lot d'enfants illégitimes.

— Nous n'allons pas rester ici à nous laisser insulter ! cria Arran. Je vais à Edimbourg me plaindre devant le roi.

— Pendant que tu y es, intervint Rob, dis-lui que tu fais si bien ton travail d'amiral que ces sales Anglais ne cessent d'attaquer nos navires !

Arran mit pied à terre.

— J'ai vu ton bateau. Il me faut un rapport complet. Et ne nous laisse pas plantés là de cette façon. Ton hospitalité présente autant de lacunes que ton intelligence !

Valentina ferma les yeux, effondrée à l'idée de devoir souper entre ces deux ours mal léchés.

Dans la salle commune, les Kennedy firent bloc, comme n'importe quel clan digne de ce nom en période de crise. Les Kennedy de Cassillis et de Doon s'unissaient contre les Hamilton.

Les serviteurs venaient à peine d'apporter le premier plat dû au talent de M. Burque que l'on entendit des hurlements au-dehors. Archibald Campbell, comte d'Argyll, fit irruption dans la longue pièce, suivi de son escorte d'Highlanders à l'air sauvages. Campbell était rouge comme un coquelicot et lançait des insanités.

— Saloperies de voleurs !

Il cracha sur les dalles.

— Je viens pour signer un contrat de fiançailles, et je trouve le bétail qu'on m'a dérobé la semaine dernière ! Ainsi, les Hamilton et les Kennedy sont comme cul et chemise. Ça ressemble à une coalition pour s'annexer tout le Sud !

Sous des sourcils broussailleux, ses petits yeux transperçaient les convives. En apercevant Donald, il se rappela le but premier de sa mission.

— Espèce de débauché ! Tu n'auras jamais mon imbécile de fille.

Il eut un geste vers la porte. Donald et Tina comprirent que Meggie avait dû l'accompagner, et ils se précipitèrent pour la chercher.

— Tu as détroussé Argyll pour la première et dernière fois ! tonnait Campbell à l'intention de Rob. Je demanderai réparation au roi, et si ma Meggie porte un enfant, je pendrai ton fils aux tours de Doon !

Megan Campbell, morte de honte, se terrait à l'entrée de la pièce. Donald posa un bras autour de ses épaules, et elle se blottit contre sa poitrine protectrice.

— Ne vous inquiétez pas, Meggie. Je vais tout arranger, je dirai la vérité.

Tina lui lança un regard méprisant.

— Il faudra plus que la vérité. Tu devras trouver un somptueux mensonge. Ils l'avaleront bien plus facilement que la vérité.

Tremblante, Megan refusait d'entrer dans la salle commune, aussi Tina lui conseilla-t-elle d'aller se réfugier dans sa chambre.

— Dès que je pourrai m'échapper, je vous apporterai quelques fruits confits de la fabrication de M. Burque, promit-elle. Donald, reste près de moi, et ne me contredis surtout pas.

Devant la superbe créature qui, debout au milieu de la pièce, réclamait le silence, l'excitation se calma peu à peu.

— Messeigneurs, nous avons tous été victimes de pillards. Mes frères sont trop orgueilleux pour avouer qu'ils ont été roulés en l'absence de mon père, cependant vous connaissez tous le nom des voleurs de bétail qui sévissent aux frontières depuis des siècles. Leur clan s'efforce de nous dresser les uns contre les autres — ils veulent affaiblir le trône et le royaume pour leur plus grand avantage. C'est Black Ram Douglas qui nous a vendu les moutons des Campbell, ceux des Hamilton, les chevaux des Cassillis. Il savait que Donald voulait approvisionner le château Kennedy de Wigtown avant d'épouser Meggie Campbell.

Arran renchérit bruyamment et, pendant cinq bonnes minutes, la pièce retentit de jurons et du bruit des chopes que l'on cognait sur les tables.

Avant de quitter la salle commune, Tina fut surprise de voir que, pour une fois, tout le monde était d'accord. Ils iraient à Edimbourg exiger réparation contre les Douglas. Donald lança à sa sœur un coup d'œil inquiet, mais celle-ci haussa les épaules et prit une décision immédiate : elle ne resterait pas seule à Doon pour affronter la colère de Black Ram.

Aux cuisines, elle trouva Ada en train de confectionner un plateau pour Elizabeth.

— Bon sang, dire que j'ai manqué ça !

— Par Dieu, dit Tina, on se serait cru dans une maison pour aliénés. Vous m'avez mise en garde contre les hommes. Seuls ils sont déjà pénibles, mais ensemble, ils se montrent insupportables, déraisonnables, indisciplinés et répugnants. Quand Archibald Kennedy est arrivé, à côté de lui, père avait l'air civilisé. Et après l'irruption d'Archibald Campbell, tous les autres ressemblaient à des gentilshommes.

Ada se mit à rire.

— Quand j'aurai monté sa collation à votre mère, je la laisserai aux mains de Beth et de Kirsty, et je descendrai profiter un peu du spectacle.

— Si cela vous amuse… Moi, je vais aller essayer de calmer Meggie Campbell. Je ne m'étonne plus qu'elle ait envie d'épouser Donald. Il doit lui sembler un véritable prince, comparé à son père. Oh, Ada, avant que j'oublie... Je voudrais que vous persuadiez père de m'emmener à Edimbourg.

— Et comment suis-je censée m'y prendre ?

— Oh, vous trouverez bien un moyen, ma chérie... rétorqua Tina avec un sourire entendu.

Il était extrêmement tard lorsque Rob Kennedy parvint à monter à sa chambre. Dans le corridor, il eut le plaisir de rencontrer Ada devant la porte d'Elizabeth. Il dénoua les rubans de son corsage et caressa ses seins généreux.

— Oh, ma belle, j'ai tant besoin d'une véritable femme...

Elle glissa les bras autour de son cou et se frotta contre lui.

— Valentina aimerait que vous l'emmeniez à Edimbourg à la place de votre épouse.

— Elizabeth se remettra bien vite, s'il est question d'aller à la Cour.

Ada le serra plus fort.

— Je pourrais venir aussi pour m'occuper de Tina... et de vous, susurra-t-elle.

— Comment serait-ce possible ? Tu connais Elizabeth...

— Ordonnez-lui d'y aller et laissez-moi agir, dit Ada en rajustant sa robe avant d'ouvrir la porte.

Comme ils pénétraient à l'intérieur de la chambre, Elizabeth s'assit contre ses oreillers en soupirant :

— Rob, comment osez-vous me déranger à une heure pareille ?

— Ada est venue préparer tes bagages. Nous partons pour Edimbourg à l'aube.

Ada lui lança un coup d'œil faussement courroucé.

— Lady Elizabeth a besoin de repos après cet éprouvant voyage.

— J'ai besoin de l'influence d'une femme, à la Cour, insista-t-il.

— Il est grand temps que Valentina prenne quelques responsabilités, suggéra la gouvernante.

— Je pars avec Arran, Cassillis et Archibald Campbell. Ce ne sont pas des compagnons pour une jeune fille.

A ces noms, Elizabeth se sentit rechuter !

— Ce serait tout à fait convenable si je venais aussi ! affirma Ada, péremptoire.

— Oui, Rob, renchérit Elizabeth. Pour une fois, Valentina pourrait prendre ma place. Et cela me donnerait l'occasion de passer un peu de temps seule avec Beth.

— Je suppose que je m'en arrangerai, concéda Rob comme à contrecœur. Bon Dieu, femme, tu finis toujours par avoir le dernier mot !

Il sortit, suivi d'Ada à qui il murmura :

— Je monte te rejoindre plus tard ?

— Ça attendra Edimbourg, dit-elle fermement en repoussant ses mains indiscrètes. J'ai promis quelques divertissements à Archibald Kennedy. Cela lui fera peut-être oublier les chevaux, ajouta-t-elle avec un clin d'œil.

Il lui administra une claque sur les fesses et soupira.

— Tant que tu le fais pour moi... Mais que cela ne sorte pas du clan !

Ada lui envoya un baiser. Il n'avait rien à craindre : elle n'avait pas la moindre envie de câliner Archibald Campbell, comte d'Argyll !

11

Ramsay Douglas reçut le messager du roi avec une certaine résignation. Il aurait dû envoyer son rapport à Jacques au début du mois, mais il avait été fort occupé par la tonte des moutons, les chevaux sauvages, puis les différents raids. Or l'époque arrivait de la rencontre annuelle entre les Ecossais qui patrouillaient à la frontière et leurs homologues anglais, réunion où l'on traitait les grands problèmes et réglait les querelles. Le roi voulait certainement lui donner ses instructions à ce sujet.

Après avoir ordonné à ses serviteurs de préparer ses plus beaux vêtements pour le voyage à la Cour, Ram alla profiter de l'atmosphère de la campagne, qui contrastait tellement avec le tumulte d'Edimbourg.

En fait, il s'adaptait parfaitement à différents milieux, il prenait ce que la vie pouvait lui donner de meilleur...

Il jura en trouvant Ruffian tout seul dans l'enclos.

— Faut-il que tu sois brutal pour qu'elle ait sauté la haie afin de t'échapper ?

Il monta sur l'étalon et chercha la jument pendant plus d'une heure, en vain. Il était furieux de sa disparition, car il avait déjà imaginé quels magnifiques poulains elle pourrait lui donner !

Edimbourg ne se trouvait qu'à une cinquantaine de kilomètres à vol d'oiseau, cependant Douglas et la principale ville d'Ecosse étaient séparés par les arides Pentlands. Ram et ses quarante hommes, armés jusqu'aux dents, chevauchèrent sans encombre. Personne ne se serait risqué à les importuner !

Ils pénétrèrent dans la capitale fortifiée par la porte ouest, passèrent devant Saint-Gilles où se tenait un engin qui était l'ancêtre de la guillotine. C'était une superbe machine, dont la lame acérée était contrebalancée par un lourd poids. Cette vue sembla donner soif aux hommes, car ils se réfugièrent ensuite dans la taverne du coin.

Un malheureux consommateur, à l'intérieur, portait un plaid bleu et rouge qui ressemblait au tartan des Hamilton. Deux des soldats de Douglas l'empoignèrent et le jetèrent à la rue sans autre forme de procès.

Ram leur accorda une heure de détente avant de les rappeler. Il n'eut aucune pitié pour celui de ses hommes qui venait de renverser une serveuse sur un coin de table. Il n'avait qu'à s'y prendre plus tôt !

Dans la longue rue animée qui menait au château, Ram remarqua de nombreux membres du clan Hamilton. Cependant il ne s'en inquiéta pas : le roi avait dû les convoquer aussi.

Son sourire de loup sur le visage, il s'adressa à ses hommes :

— Qu'en pensez-vous, les gars ? Si on se frayait un passage ?

Il y eut un cri de joie suivi de :

— Place pour les Douglas ! Libérez le chemin !

C'était le cri de guerre depuis trois siècles, poussé avec un enthousiasme à faire frémir les plus vaillants.

Les Hamilton se défendirent comme des lions et, quand les hommes de Douglas franchirent la porte du château, il n'y avait pas un soldat, de quelque clan qu'il fût, qui n'eût un œil au beurre noir, une lèvre fendue ou les phalanges sanglantes. Et tous, évidemment, étaient ravis de l'échauffourée...

Baigné et rasé de près, resplendissant dans son pourpoint de velours, Ram Douglas se joignit à la foule d'ambassadeurs, diplomates, évêques et courtisans qui demandaient quotidiennement audience à Jacques Stuart.

Le roi était encore beau et athlétique, malgré ses quarante ans. Sa chevelure auburn tombait sur ses épaules, et son regard noisette était amical, chaleureux, bien qu'extrêmement avisé. Il n'aimait guère s'asseoir sur son trône, et préférait se mêler à ses gens, que ce fût à la Cour ou dans les rues de la cité. Capable de soigner les malades, de plaisanter, de prendre part aux tournois avec ses chevaliers, il était adoré de son peuple.

Jacques vit tout de suite Ramsay, avec son teint basané, pas très loin de Patrick Hamilton. Il fut modérément surpris de constater que ces deux-là s'ignoraient, puis il discerna le nez enflé d'Hamilton et le bleu sur la pommette de Douglas, et fronça les sourcils. Il était temps de mettre fin à ces querelles incessantes.

Il renvoya tous les courtisans pour ne garder près de lui que les deux seigneurs de la frontière, qui continuaient à ne pas se regarder. Jacques caressa pensivement sa moustache tombante.

— Asseyons-nous, dit-il en désignant des chaises groupées autour d'une table sculptée.

— Je préfère rester debout, sire, répliqua Douglas.

— Asseyez-vous! insista le roi, autoritaire.

Ram obéit, tournant le dos à Patrick.

— Du vin? offrit Jacques en les servant lui-même.

Hamilton secoua la tête. Il refusait de boire avec Douglas.

Jacques explosa:

— Bon sang, arrêtez vos gamineries! Les querelles entre clans sont une plaie! Un mal que je veux supprimer!

Les deux hommes n'étaient pas matés, mais en tout cas ils étaient prévenus. Le roi était réputé pour ses brusques accès d'humeur qui se terminaient aussi vite qu'ils avaient éclaté, non sans avoir assaini l'atmosphère.

— Gardez votre agressivité pour vos ennemis. Vous m'êtes tous deux indispensables à la frontière. A la minute où vous avez quitté votre poste, ajouta-t-il à l'intention de Douglas, un garde écossais a été tué par un garde anglais.

— Quoi?

— Kerr. Assassiné par Heron de Ford.

— Les Kerr et les Heron vivent à un jet de pierre les uns des autres, de chaque côté de la frontière. Des ennemis héréditaires... Cela devait arriver. Je détruirai Heron, sire.

Le roi frappa du poing sur la table.

— Pas question! C'est un problème qui doit être résolu devant le Conseil. Vous y assisterez et réglerez la querelle.

— S'il y a peu d'ennuis, quand je patrouille à la frontière, sire, c'est parce que je dispense la justice, pas la pitié.

— Quand le vieil Henri Tudor était roi d'Angleterre, sire, intervint Hamilton, nous pouvions espérer parfois réparation. Ce n'est plus le cas depuis que l'enfant gâté a pris sa place sur le trône.

— Inutile de me préciser les tares de Tudor. J'ai

116

épousé sa sœur, et ils sont comme des pois jumeaux dans une cosse pourrie. Superficiels, avides, vaniteux, immatures, irritables et exigeants. Voilà ce qu'ils sont.

Black Ram eut un sourire mauvais.

«Par le sang du Christ, pensa Jacques, si je l'envoyais à Whitehall, il ferait peut-être mourir le petit monarque de peur!»

Patrick ouvrit la bouche pour parler, mais le roi l'en empêcha d'un geste.

— Nous porterons ce cas devant le Conseil, dit-il avant de poursuivre sur un autre sujet. Ce soir, nous avons des musiciens, et demain soir des jongleurs viendront nous distraire. Veillez à laisser vos épées dans leurs fourreaux et assurez-vous de bien contrôler vos hommes.

Ramsay permit à ses soldats d'aller passer la soirée en ville, sachant que si ceux d'Hamilton logeaient au château, les couteaux sortiraient rapidement de leurs gaines.

Un instant, il les envia. Les rues de la cité étaient sombres, sales, sentaient l'urine et la pourriture, mais dans les tavernes, l'atmosphère était gaie et chaleureuse.

Ram entra dans la longue salle des banquets du château d'Edimbourg. Il y faisait sombre, car elle n'était éclairée que par de petites fenêtres étroites et hautes. Le sol dallé, inégal, était traversé par un profond caniveau qui servait autrefois d'urinoir. La fumée qui montait des cheminées était si dense qu'il fallait repeindre chaque mois le plafond entre les poutres. Cependant, tout avait été fait pour rendre cette pièce confortable : des tapisseries des Flandres couvraient les murs, les sols étaient ornés de tapis persans, les cheminées de velours français. Les tables étaient richement couvertes d'argenterie et de cristaux. Tout au fond, dominant la salle, se dressait une immense bannière portant le Lion rouge d'Ecosse sur champ d'or.

Janet Kennedy remarqua le beau Ramsay, vêtu d'un pourpoint de velours noir brodé du Cœur sanglant des

Douglas. Elle s'approcha et effleura la blessure sur sa joue.

— Voilà ce qui arrive lorsque l'on a les pommettes acérées comme des sabres, murmura-t-elle.

Il avait des épaules si larges que l'on aurait pu croire à un rembourrage, mais Janet savait qu'il n'en était rien. Elle l'avait vu un jour se baigner nu dans la mer à Tantallon, fief d'Archibald Douglas. Elle n'ignorait pas que son oncle préférait Ram à son propre fils et qu'il aurait aimé l'avoir pour héritier. Janet s'offrit le plaisir d'imaginer Black Ram nu et se rappela comment les gouttelettes ruisselaient sur son corps puissant. Mais c'était autre chose qui faisait battre son cœur plus vite. Le danger. Ses yeux d'acier disaient que les femmes étaient vaines, futiles, et que si elles tentaient de le séduire, elles obtiendraient une séance érotique, rien de plus.

— Bonsoir, Janet, dit-il avec un regard insolent à son décolleté.

A cet instant, le roi, qui adorait les femmes, et particulièrement les rousses comme Janet, passa derrière Ram en murmurant :

— Je croyais avoir demandé que les épées restent dans leurs fourreaux !

Puis il se dirigea vers la table d'honneur, où pour sauver les apparences, il soupait près de la reine avant d'aller se livrer à d'autres plaisirs.

Janet se mit à rire. Ram et elle se connaissaient bien, car elle avait été des années la maîtresse d'Archibald Douglas. Elle était superbe, ce soir. Pourtant Ram constata qu'elle lui rappelait Valentina Kennedy, ce qui assombrit son humeur.

— Je me suis élevée dans le monde, depuis notre dernière rencontre, dit-elle légèrement.

— Vraiment ? Pour moi, passer d'un Douglas à un Stuart est plutôt descendre d'un cran.

— Dieu ! Vous êtes le bâtard le plus arrogant d'Ecosse !

Il porta la main de la jeune femme à ses lèvres.

— C'est sans doute votre langage châtié qui a plu au roi, dit-il avant de s'incliner et de s'éloigner.

Il évita délibérément la comtesse de Surrey, qui était venue d'Angleterre avec Marguerite Tudor. Lady Howard avait six filles à la Cour, demoiselles d'honneur de la reine, et elle semblait toujours en chasse d'un mari pour l'une d'elles. Ramsay n'avait aucune indulgence envers une femme assez sotte pour imaginer qu'il pût épouser une Anglaise. Les Kennedy avaient peut-être cédé sur ce point, les Stuarts aussi, mais le sang des Douglas était le plus pur d'Ecosse !

Il ne put toutefois ignorer la reine, qui lui fit signe dès qu'elle l'aperçut. Elle avait seulement quatre centres d'intérêt dans la vie : les bijoux, les vêtements, la nourriture et le sexe... pas forcément dans cet ordre de préférence d'ailleurs. Elle était totalement disponible pour un galant et ne prenait même pas la peine de s'en cacher, puisque le roi se montrait fort complaisant à ce sujet.

Ramsay accepta gracieusement de s'asseoir près d'elle au souper et surprit un coup d'œil amusé de Jacques. La voix enfantine de Marguerite aurait peut-être eu du charme chez une très jeune fille, mais elle paraissait beaucoup plus que son âge, et sa silhouette était alourdie par une nourriture trop riche.

Elle parla longuement de mode, critiquant les toilettes des femmes présentes. Quand elle en eut fini, elle avait épuisé non seulement le sujet mais ceux qui étaient obligés de l'écouter.

Ramsay parcourut la grande salle du regard, remarquant toutes les jolies femmes, dont la plupart avaient été maîtresses du roi. Marion Boyd était la mère du premier fils illégitime de Jacques, Alexander.

Isobel Stuart, cousine du roi, lui avait donné une fille du nom de Jane. Il avait encore d'autres bâtards — Catherine, James — et Ram se rappelait un bébé aux cheveux tout noirs que Jacques avait eu avec sa bien-aimée Margaret Drummond. Cette jeune personne avait été le grand amour de sa vie. On murmurait même qu'ils s'étaient mariés en secret. Elle était d'une extrême beauté, avec ses cheveux bruns et son teint de lis. Cynique, Ram se demanda combien de temps cela aurait duré si la jeune femme n'avait été empoisonnée. Le roi en avait eu le cœur brisé, pourtant il n'avait pas tardé à se consoler avec de multiples courtisanes, dont Janet Kennedy...

Ram sentit soudain une main se poser sur son genou, remonter le long de sa cuisse. Incrédule, il se tourna vers Marguerite. Un instant il fut tenté de la laisser constater l'humiliante vérité — elle le laissait de glace —, mais il trouvait ce contact si détestable qu'il saisit la main grassouillette de la reine pour la remettre sur ses genoux à elle. Elle lui lança un regard blessé. Sans la quitter des yeux, il pressa alors sa main sur le centre de sa féminité et se servit des doigts de la jeune femme pour exacerber son désir. Lorsqu'il la sentit palpitante, les pupilles dilatées, il la lâcha et se remit à manger. Trente secondes plus tard, Marguerite se levait de table. Elle était pressée de terminer ce que Ram avait commencé.

Celui-ci se rapprocha de Jacques, avec qui il avait beaucoup plus en commun. Le roi était intelligent, vif, chaleureux et généreux. Il pouvait parler bateaux, commerce, art, politique ou alchimie. Sa dernière passion en date était la marine.

— Ram, je voudrais vous suggérer de mettre des canons sur vos vaisseaux de commerce, afin de les transformer en navires de guerre.

— Mes bateaux sont déjà armés, sire.

Le roi haussa les sourcils.

— Sans mon autorisation ?

— J'ai des lettres de représailles contre les Portugais. Il faut que mes navires puissent se défendre lorsque je vais vendre ma laine en Flandre.

— Ainsi donc, il est possible de convertir des bateaux de commerce ? Les deux tiers de la flotte d'Ecosse appartiennent à mes sujets. Nous fournissons des denrées à l'Angleterre, à la France, à la Flandre et aux Pays-Bas. Combien de navires possédez-vous ?

— Seulement trois, sire. L'un à Leith, les deux autres à l'estuaire de la Dee.

— Vous mènent-ils jusqu'à votre château ?

— Seulement le plus petit, répondit Ram. Angus a aussi des vaisseaux.

— Armés ?

— Mieux vaudrait le lui demander.

— Réponse de Normand ! dit le roi en souriant.

Le second personnage du pays était Archibald Douglas, comte d'Angus. Lorsque Jacques était malade, c'était lui qui jouait le rôle de régent.

— Je l'attends demain, dit le roi.

Il sourit devant l'expression de Ram et poursuivit :

— Les Douglas sont tous des sauvages, pourtant je sais qu'Archibald vous aime plus que les autres, et qu'il souhaite le meilleur pour vous.

— Ou le meilleur pour lui, ce qui n'est pas toujours la même chose, sire, précisa Ram.

Le lendemain ne vit pas seulement arriver Archibald Douglas et son fils, accompagnés de deux cents hommes, mais aussi une véritable horde de nobles ombrageux qui ne cessaient de se quereller.

Le roi les reçut d'abord tous ensemble, puis il se rendit compte de son erreur et les renvoya pour les convoquer un par un. Cela n'améliora guère leur humeur et ils se montrèrent encore plus agressifs.

Lorsque Jacques manda son amiral, James Hamilton, en premier, Archibald Campbell en fut vert de rage.

Le roi interrogea Hamilton sur l'état de son navire commandant, le *Great Michael*, puis il lui dit qu'il avait l'intention de faire gréer de nouveaux vaisseaux. L'amiral se demanda si Rob Kennedy lui avait déjà parlé de l'attaque de son bateau par les Anglais, mais il se garda bien d'aborder le sujet et préféra se plaindre du vol de son bétail. Jacques haussa les sourcils et lui assura qu'il récupérerait son bien dès qu'il aurait le fin mot de l'histoire.

Puis ce fut le tour d'Archibald Campbell, toujours

grossier avec son langage et ses manières de soudard. Quand il le vit cracher sur les tapis d'Orient, Jacques dut se souvenir qu'il lui avait rendu d'inestimables services pour ne pas le prier de sortir.

— Je ne suis pas enchanté que ce fils de garce d'Hamilton ait eu la préséance sur moi, Jacques! protesta le vieux seigneur.

— Il n'est pas question de préséance, Archibald! Je vous tiens en haute estime. N'êtes-vous pas maître de la Maison royale?

— Misérable titre, sire, comparé à celui de grand amiral! grommela Archibald avant de cracher de nouveau.

Jacques soupira. Campbell était un vieux rusé, avide de nouvelles terres. Les autres seigneurs craignaient qu'il n'annexât toutes les Highlands de l'Ouest. Cependant, Jacques souhaitait le garder comme loyal allié.

— Gouverneur, dit-il. Gouverneur général du Nord-Ouest. Qu'en pensez-vous?

Le vieux chef marmonna sa satisfaction, faillit cracher encore, vit le regard réprobateur que lui adressait le roi et y renonça.

— Gouverneur général, répéta-t-il, rayonnant. Ça, c'est un poste presque royal!

— Maintenant, Archibald, de quoi veniez-vous porter doléance?

— Ces vauriens de Kennedy ont volé mes meilleurs moutons! Je demande la permission de les pendre haut et court à leurs propres arbres!

Cette suggestion n'amusa pas le roi.

— Je croyais votre fille fiancée à Donald Kennedy... Je suis tout à fait favorable à cette union.

— Que la fille d'un gouverneur général s'allie à un de ces pourris de Kennedy? s'indigna Archibald. Pas question.

Le roi perdit quelque peu patience.

— Si cette nomination vous monte à la tête, Archibald, je la supprime dans la minute!

— La tête ou le titre? demanda Campbell, dans une lamentable tentative d'humour.

— Par le Christ ! Les Kennedy et les Hamilton se battaient déjà, maintenant ce sont les Kennedy et les Campbell ! Arrangez-vous pour régler vos différends, mon ami. Vous signerez un contrat de mariage et de bonne entente avant de quitter ce château.

Archibald comprit qu'il était inutile de discuter.

— Lorsqu'une fille Campbell se mariera, il faudra que ce soit dans la capitale. Les Highlands sont trop loin de la noblesse écossaise, déclara-t-il néanmoins, entêté.

Jacques secoua la tête, stupéfait par l'audace de Campbell.

— A Stirling, dit-il. Nous la marierons dans la chapelle royale. Vous reconnaîtrez, j'espère, que c'est une marque d'honneur... Vous n'avez rien d'autre à vous mettre sur le dos que des peaux de bêtes ? ajouta-t-il d'un air dégoûté.

Campbell se redressa fièrement.

— C'est tout ce que j'ai, Jacques. Et la nuit, ce sont des peaux d'ours !

Levant les yeux au ciel, le roi le congédia pour recevoir le noble suivant.

Archibald Kennedy, comte de Cassillis, mit tous les crimes du monde sur les épaules des Hamilton et des Campbell avant de s'attaquer au clan Douglas.

— Dieu tout-puissant ! s'exclama le roi. Maintenant, vous y mêlez un autre clan. Assez d'accusations en l'air, Archibald. Il me faut des preuves !

— La jument que je vous réservais a été montée jusqu'à Edimbourg par ma nièce Lady Valentina. Black Ram Douglas la lui a vendue, avec une note en bonne et due forme. Je vous montrerai le cheval, sire, il est dans vos écuries.

Le roi plissa les yeux.

— Ecoutez-moi bien, Cassillis, je n'autoriserai pas de querelles de clans. Si je découvre que vous êtes mêlés à cette histoire de raid, je vous ferai tous pendre. A présent, vous pouvez dire à Rob Kennedy d'entrer, ajouta-t-il dans un soupir.

Il fut suffoqué quand Rob lui raconta l'attaque dont

123

son bateau avait été victime. Les Anglais avaient commis un acte de guerre...

— Dommage que je n'aie pas eu le bon sens de vous convoquer en premier, Rob. Mon amiral et mon gouverneur général se disputent pour quelques têtes de bétail alors que des navires écossais sont détruits. Lorsque mes frontières et mes vaisseaux sont menacés, j'ai besoin d'unité parmi les miens, or vous avez tous horreur de l'unité !

Il frappa violemment du poing sur la table.

On disait souvent que le roi avait un don de double vue, d'ailleurs lui-même le pensait. Il avait armé trois navires, et il ressentait maintenant le besoin d'agrandir sa flotte et son équipe de marins.

— Merci d'être venu en personne me parler de ce problème, Rob. Il n'y a décidément rien de bon à tirer de l'Angleterre, ajouta-t-il en pensant à son épouse, tandis que Rob pensait à la sienne. J'ai entendu dire que Lady Valentina vous accompagnait. Je serai enchanté de faire sa connaissance.

— Merci, Votre Grâce, répondit Rob, qui commençait à regretter de ne pas avoir laissé sa fille à la maison, à l'abri des regards concupiscents du roi.

— Janet sera ravie de voir sa parente, conclut celui-ci. On raconte que les femmes Kennedy sont les plus belles d'Ecosse, avec leur chevelure de flamme.

— Ouais, ma Tina est vraiment flamboyante, sire.

— Nous aurons des jongleurs, ce soir. J'espère que vous et votre fille me ferez le plaisir d'assister au spectacle.

12

La Flamboyante avait la respiration coupée tandis qu'Ada serrait impitoyablement les lacets de son corset. Bien qu'étant à la Cour depuis moins de vingt-quatre heures, elles étaient conscientes du contraste entre les toilettes de Tina et les costumes des courtisans.

Les pourpoints des hommes étaient rembourrés aux épaules, les manches à crevés laissaient apparaître des chemises de soie. Quant aux robes des femmes, elles étaient surpiquées, brodées, celles de la reine ornées de joyaux. Les corsages étaient décolletés de façon presque indécente alors que le col, derrière, remontait si haut qu'il encadrait le visage.

Tina était tombée amoureuse de la mode des froncés plissés portés en fraise sous le menton. Ada avait profondément agrandi le décolleté d'une robe de velours vert émeraude et, tandis qu'elle fixait la fraise et brossait en arrière son opulente chevelure, Tina priait pour ne pas paraître trop gauche.

La jeune fille partageait sa chambre avec Megan Campbell. Quand elles pénétrèrent toutes deux dans la vaste salle de banquet, elles furent soulagées de voir Donald et Patrick Hamilton se diriger vers elles. Megan s'accrocha comme une noyée à la main de Donald et ils se mirent à la recherche d'un endroit calme où s'installer.

Tina offrit à Patrick son plus beau sourire.

— J'ignorais que vous étiez à Edimbourg, dit-elle, sincèrement ravie.

Le regard admiratif du jeune homme parlait pour lui. Il se félicita que son nez eût désenflé. Tina posa la main sur son bras et se pencha pour lui confier :

— Votre père a fait irruption à Doon pour nous accuser de voler son bétail, et le mien lui a alors reproché de mal surveiller les mers. C'était un vrai cirque ! Finalement, ils se sont tous les deux précipités chez le roi pour qu'il règle le différend. Je craignais que nous n'ayons plus jamais le droit de nous voir.

— J'en mourrais, ma douce, affirma Patrick en couvrant sa petite main de la sienne.

Elle lui assena une tape joueuse.

— Flatteur !

Soudain, elle se sentit nerveuse. Beaucoup d'hommes présents appartenaient au clan Douglas, aisément reconnaissables à leurs tartans sombres ornés de l'écusson au Cœur sanglant. Deux d'entre eux la fixaient ouvertement, et elle rougit lorsque Patrick leur lança sèchement :

— Regardez donc ailleurs.

— On dirait que ces horribles individus sont partout ! murmura-t-elle.

— Le comte est arrivé cet après-midi. Apparemment, il a peur de se déplacer sans ses deux cents hommes !

Elle eut l'air amusée, mais avertit son compagnon :

— Tenez votre langue, Patrick. Le comte d'Angus est tout-puissant et sans scrupules.

— Je ne crains pas Archibald Douglas ! déclara-t-il par bravade.

Tina frémit.

— Archibald est un prénom maudit, qui transforme les hommes en monstres !

— Où est Megan ? intervint une voix tonitruante.

C'était justement un Archibald — Campbell, celui-là — qui fixait Tina de son regard perçant, et elle ne put mentir.

— Avec mon frère, monseigneur, dit-elle d'une petite voix.

— Tant mieux, grommela le comte d'Argyll. Je n'aimerais pas la savoir seule au milieu de tous ces hommes.

La moralité qu'il imposait à sa fille ne s'appliquait évidemment pas à lui, car il loucha dans le décolleté de Tina.

— Vous savez échauffer le sang d'un vieil homme, maugréa-t-il avant d'assener une bourrade à Patrick. Attention qu'elle ne vous fasse pas porter des cornes, mon garçon ! ajouta-t-il en s'éloignant.

— Quel vieux débauché ! s'indigna Patrick, tandis que Tina devenait cramoisie.

— Vous voyez ce que je voulais dire au sujet du prénom d'Archibald ? Meggie Campbell est généralement cloîtrée chez elle. Alors que moi je…

— Alors que vous attirez tous les hommes de seize à soixante ans, termina Patrick à sa place. Bon sang, il y a du monde, ce soir ! Dès qu'on annoncera le repas, ce sera la ruée pour les places. Je ferais mieux de m'occuper tout de suite de nous trouver des sièges, sinon nous serons relégués en bout de table.

— Ce qui serait indigne d'un fils d'amiral, dit-elle en riant.

— Et de sa fiancée, ajouta-t-il à voix basse.

Elle haussa les sourcils, en le regardant s'éloigner, mais au fond elle était ravie qu'il se déclarât.

Soudain, elle se raidit tandis que des mains possessives lui enserraient la taille, et une voix grave déclara derrière elle :

— Eclipse-toi avant la fin des divertissements, ma belle, et je viendrai te retrouver dans ta chambre.

Elle fit volte-face, une réplique cinglante aux lèvres, pour se trouver devant un fort bel homme aux cheveux auburn. Les yeux noisette du roi s'écarquillèrent quand il constata qu'il n'avait pas affaire à sa maîtresse, Janet Kennedy.

— Je vous demande pardon, madame. Je vous ai confondue avec une autre.

L'autre en question, resplendissante, apparut à côté de lui, et la ressemblance était telle qu'ils éclatèrent tous de rire.

— Vous ne pouvez être que Lady Valentina Kennedy, dit Jacques en lui baisant la main.

— Et vous le roi, répondit-elle en plongeant dans une révérence avant d'ajouter, faussement innocente : Cela signifie-t-il que votre invitation ne tient plus, Votre Grâce ?

Une lueur admirative passa dans les yeux du roi.

— Pas du tout. Cette invitation est illimitée dans le temps.

Jacques présenta les deux jeunes femmes l'une à l'autre. Janet avait la taille un peu plus épaisse que Tina, mais on voyait surtout ses petits seins, fardés de rouge comme deux cerises bien mûres. Jacques ne tarda pas à s'excuser pour rejoindre la reine, non sans avoir murmuré à Janet :

— A plus tard...

Un regard d'acier avait observé la scène, de l'autre bout de la pièce. Ram avait vu le roi poser ses mains familièrement sur Tina, et cela confirmait ce qu'il avait toujours pensé : les femmes Kennedy étaient des catins. Comme Patrick escortait la jeune fille, Ram ressentit une sorte de pitié pour son ennemi. Il serait trompé avant même le mariage...

Janet demeura près de sa cousine et de Patrick, s'étonnant que Rob Kennedy eût une fille aussi ravissante.

— Le contraste qui existe entre les hommes et les femmes, au sein du clan Kennedy, ne cesse de me surprendre, déclara-t-elle à Tina.

La jeune fille laissa errer son regard sur son frère Donald, trapu, avec ses cheveux rares, puis sur la silhouette massive de son père, avant de s'arrêter à Archibald, comte de Cassillis. Elle réprima un frisson et sourit à la radieuse Janet.

— Je me rappelle votre tante Damaris le jour de son mariage, reprit celle-ci. C'était encore une très jeune fille, mais je lui enviais follement sa délicatesse... et le si bel Alex Douglas.

Tina faillit se lancer dans une diatribe contre les Douglas, mais elle s'arrêta à temps : Janet avait été la maîtresse de leur chef de clan. Elle frissonna.

Patrick passa un bras autour de ses épaules.

— Vous n'avez pas froid, j'espère, au milieu de cette foule ?

Elle lui lança un regard hautain, choquée par sa familiarité, et il retira sa main en marmonnant une excuse. Il n'était pas question qu'il la traitât comme une de ces jeunes femmes faciles de la Cour.

Janet et Tina devinrent bien vite des amies, sans la moindre idée de rivalité. Janet renseigna sa cousine sur les habitudes de la Cour.

— Est-il vrai que le roi porte une ceinture de fer pour expier la mort de son père dont il se sent responsable ? demanda Tina.

Janet pinça les lèvres.

— C'est exact. Je déteste cet objet obscène. Il est si

lourd que personne d'autre ne pourrait marcher avec! J'essaie de le persuader de l'enlever au lit, ajouta-t-elle sur le ton de la confidence. Bon sang, c'est déjà suffisamment faire pénitence que de vivre au château d'Edimbourg près de Marguerite Tudor!

Après le repas, comme tout le monde restait assis à table, la pièce de théâtre commença. Valentina était émerveillée par ce divertissement nouveau. Soudain le vieil Argyll, vêtu de sa peau d'ours, se précipita au milieu des acteurs et se mêla à l'action. Le roi et les courtisans n'en pouvaient plus de rire, jusqu'au moment où il devint évident qu'Argyll allait blesser les artistes.

Le comte d'Angus ordonna à son fils — nommé Archibald Douglas comme son père — d'aller expliquer à Argyll qu'il s'agissait d'un spectacle. Tâche ardue! Cependant le jeune homme y parvint et l'assemblée l'applaudit chaudement.

— Ils sont superbes, ces Douglas, murmura Janet.

Elle parlait sans aucun doute d'Archibald père, le comte le plus haut placé du royaume. Visiblement, elle était encore à moitié amoureuse de lui. Elle soupira en se levant.

— Il est temps que je me retire. Je serai ravie de vous revoir demain. Peut-être pourrions-nous faire une promenade à cheval?

Tandis qu'on repoussait les tables pour laisser la place à la danse, Patrick présenta Tina à la reine. Si celle-ci était plutôt laide et simplette, sa robe ne l'était pas. Le velours noir était entièrement rebrodé de roses dont le cœur était formé de diamants, perles et rubis. Elle observa Tina, ne vit sur elle aucun joyau et décida qu'elle ne pouvait représenter une rivale.

— Quelle délicate attention, Lady Valentina, de porter les couleurs des Tudors, le vert et le blanc... Il est vrai que votre mère est Anglaise, c'est pourquoi vous avez de si bonnes manières et une expression si raffinée. Voici Nan Howard, poursuivit la reine en présentant une jeune fille qui semblait sortie tout droit d'une roseraie.

Elle était toute en douces courbes, blonde avec un regard très bleu, mais l'expression de ce regard n'était pas vraiment amène. Valentina crut comprendre pourquoi lorsqu'elle la vit jeter un coup d'œil de reproche à Patrick Hamilton.

Tina haussa une épaule et se tourna vers le père de la jeune fille, Lord Howard, comte de Surrey, qui était l'ambassadeur anglais en Ecosse. Proche de la reine, il jouait le rôle d'intermédiaire secret entre elle et son frère, le roi d'Angleterre.

Howard porta la main de Valentina à ses lèvres. Il était vêtu à la pointe de la mode mais avec un goût parfait. Le contraste entre lui et les Ecossais montrait son origine plus raffinée. Ce n'était toutefois pas un bellâtre. C'était un militaire, qui avait commandé l'armée du temps du vieux roi Tudor.

— Puis-je vous dire, Lady Valentina, que vous êtes encore plus belle que votre mère ? Lorsque j'étais jeune homme, son mariage avec Rob Kennedy m'a brisé le cœur.

Tina le gratifia d'un sourire. Comme il aurait été agréable d'avoir un père aussi élégant !

— M'accorderez-vous une danse, milady ? Je vais leur damer le pion, à ces jeunes gens !

A l'autre bout de la pièce, Ramsay Douglas félicitait Archibald pour son intervention lors du spectacle.

— Il fallait du cran et de la diplomatie, disait-il.

— Cela m'a fait plaisir de dominer Argyll, ne serait-ce qu'une seule minute, répliqua le jeune homme.

Ram ne fit pas de commentaire, pourtant il trouvait déplacé de faire ainsi étalage de son goût du pouvoir. Mais avec un père aussi autoritaire… Malgré son âge, Angus menait encore tout le clan Douglas d'une main de fer.

Les musiciens accordaient leurs instruments, et Ram se pencha vers son cousin.

— La reine s'approche. J'aimerais mieux éviter ses avances.

— Que veux-tu dire, vieux ?

Ram fit la grimace.

130

— Elle semble avoir un goût prononcé pour les Douglas.

— Par Dieu, je l'aurai! déclara le jeune Archie, agressif.

Ram frémit. Il fallait une bonne dose de courage ou d'ambition pour monter la vieille jument! Obéissait-il aux ordres de son père? Et — pensée plus cynique encore — Angus n'avait-il pas poussé lui-même Janet dans les bras du roi à des fins peu avouables?

Patrick Hamilton entraîna Valentina dans une lente et sensuelle pavane. Tina s'appliqua à suivre les pas sophistiqués de Patrick, qui de toute évidence n'en était pas à sa première danse à la Cour. Elle ne voulait surtout pas paraître gauche au milieu de toutes ces élégantes. Au bout d'un moment, elle prit confiance en elle et se laissa aller au plaisir de la musique.

Comme les hommes et les femmes changeaient de partenaire, elle se trouva soudain face à l'insolent regard d'acier de Ramsay Douglas.

Il était bien différent de l'homme qu'elle connaissait, dans son pourpoint brodé. Elle rougit et faillit en mourir de honte! Toute sa belle assurance fondit comme neige au soleil. Elle se sentait jeune, maladroite, provinciale, face à cet individu élégant, arrogant, sûr de lui. Elle se rappela comment il l'avait maîtrisée dans l'herbe, et se dit qu'elle ne pourrait supporter qu'il la touchât une fois de plus.

Relevant les épaules, puis le menton, elle lui tourna le dos et quitta fièrement la salle de danse.

Ram serra les dents sous l'insulte. Son orgueil profondément blessé, il avait envie de la suivre et de tordre son joli cou.

Il était tellement furieux que, sourd aux avances des autres femmes, il ne tarda pas à quitter la pièce et ce soir-là alla se coucher seul...

Patrick se précipita à la poursuite de Valentina qu'il trouva dehors, dans le froid de la nuit.

— Tina, vous ne vous sentez pas bien?

— J'avais besoin de prendre l'air.

— Il est vrai que la fumée des candélabres est suffo-
cante, mais il fait froid, ici.

Il passa un bras réconfortant autour de ses épaules.

— J'ai quitté la salle de danse parce que mon prochain partenaire allait être Ram Douglas, avoua-t-elle.

Elle sentit le jeune homme crisper les poings.

— Il ne vous a pas fait d'avances, j'espère ?

— Non, non. Nous ne nous supportons pas, dit-elle
en frissonnant.

Il l'attira plus près contre lui.

— Laissez-moi vous réchauffer.

Le vent de la mer lui apportait le parfum de la jeune
fille et une mèche de cheveux vint effleurer sa joue,
éveillant aussitôt son désir. Il l'embrassa passionné-
ment avant de murmurer à son oreille :

— Tina... Tina, venez dans ma chambre...

— Patrick, vous savez que c'est impossible.

Il la désirait tant qu'il ignora son refus.

— Nous serons bientôt fiancés, Tina, laissez-moi
vous aimer.

Il la serrait contre lui sans équivoque.

Valentina n'était pas prête. La Cour était peut-être
amorale, mais pas elle.

— Laissez-moi, Patrick. Nous savons tous les deux
ce qui se passera si je vous accompagne dans votre
chambre.

Dieu, il l'imaginait dans son lit, nue sous lui ! Le sang
courut plus vite dans ses veines. Elle détacha ses mains
de ses hanches.

— Au matin, je me détesterais, et je vous détesterais
aussi. Je dois trouver Meggie Campbell et me retirer.

Patrick réprima un gémissement. Donald était sûrement en train de faire l'amour à Megan, mais évidemment, il ne pouvait le dire à Valentina. Et il lui fallait la
laisser rentrer seule car il était bien incapable de marcher, pour l'instant !

Nan Howard vit Valentina pénétrer seule dans la
salle. Elle prit la main de sa sœur Kat et sortit retrouver Patrick Hamilton. Elle ne tarda pas à repérer sa
haute silhouette dans la nuit et s'approcha, laissant sa

132

sœur en retrait. Elle était plus petite et plus ronde que Tina, mais tellement plus consentante !

— Patrick, dit-elle d'une voix de toute petite fille, m'éviteriez-vous ?

— Bien sûr que non, répondit-il. Je n'aime pas danser, c'est tout.

Elle eut un rire cristallin.

— Kat et moi non plus ! affirma-t-elle. Pourquoi ne pas vous joindre à nous ? Je suis sûre que vous sauriez nous distraire.

Elle prit ses mains et les porta à sa bouche pour les caresser de la langue. Il vit un instant la peau fraîche et rose de la jeune fille et se demanda comment ils pourraient se débarrasser de Kat.

— La distraction à laquelle je pense se joue mieux à deux, dit-il d'une voix un peu rauque.

— Les jeux qui se jouent à deux sont encore plus drôles à trois, objecta-t-elle. Sauf si on a une nature de moine.

Hamilton ouvrit de grands yeux. Il savait les sœurs Howard portées sur le sexe, mais là... Cependant, Tina l'avait laissé dans un tel état qu'il était prêt à tout.

— Il se trouve justement que j'ai dans ma chambre un flacon d'eau-de-vie qui ne demande qu'à être goûté, dit-il avec un clin d'œil.

Tina fut accostée par Lord Howard dès qu'elle revint dans la pièce. Elle poussa un petit soupir de soulagement : elle serait en sécurité, avec lui... Elle se laissa entraîner pour une danse, puis se crut le jouet de son imagination en sentant ses gestes plus insistants sur sa taille. Enfin elle se rendit à l'évidence : il la caressait, et ses mains descendaient doucement vers ses reins. Pour ne pas faire une nouvelle scène, elle se contenta de dire :

— Voici Lady Howard. Vous devriez danser avec votre épouse.

Il se mit à rire.

— Mon épouse accorde toute son attention à de plus jeunes hommes, dans l'espoir de trouver un époux pour nos six filles. Cependant, les jeunes gens n'ont pas le talent et l'expérience des hommes mûrs. Nous faisons de bien meilleurs amants, ajouta-t-il à son oreille.

Il se prenait de passion pour cette jolie rousse. Il aurait volontiers imité le roi en prenant une Kennedy comme maîtresse !

— J'ai promis de veiller sur Meggie Campbell, dit Tina. Je dois aller la retrouver.

Il eut un regard indulgent.

— Quel imbécile je fais ! Vous hésitez parce que vous êtes encore vierge, n'est-ce pas ?

Choquée, Tina s'écria :

— Oui, je le suis !

Il posa un baiser sur ses lèvres.

— Je vous tiens quitte pour cette fois. Mais lorsque vous aurez perdu votre petit trésor, revenez voir l'oncle Howard. Il vous enseignera tous les raffinements de l'amour.

Cette fois, Tina quitta la salle en courant. Les hommes ne pensaient-ils donc qu'à ça ? Apparemment, les Anglais ne valaient pas mieux que les Ecossais !

Le lendemain matin, Valentina, qui avait compris qu'il était préférable de ne pas rester seule, se joignit à un joyeux petit groupe pour une promenade à cheval. L'air frais lui ferait du bien, après la nuit passée dans la sombre chambre de l'ancienne forteresse.

Le roi rejoignit Janet et Tina aux écuries et insista pour seller lui-même leurs montures. Il caressa Indigo.

— Elle est d'une rare beauté ! s'extasia-t-il.

— Merci, sire.

Il l'aida à se mettre en selle, et Tina fut extrêmement flattée de cette marque de galanterie. Comme Janet montait sur sa jument, la jeune fille soupira :

— Ma tenue est tout à fait démodée, comparée à la vôtre.

Janet releva le bas de la jupe de Tina et en déchira la couture, de façon à montrer audacieusement ses bas de dentelle et ses jarretières.

— Voilà! Maintenant, vous êtes à la dernière mode! déclara-t-elle.

Toutes deux éclatèrent de rire. Elles étaient bien du même sang!

— Ah, vous voilà, Patrick, dit soudain Tina. Je craignais que vous ne restiez au lit toute la matinée. Sa Majesté a dû seller ma jument!

Le jeune homme rougit en marmonnant une excuse. Tina sortit des écuries pour laisser de la place aux autres. Elle n'avait pas fait trente mètres qu'elle se trouva face à Ramsay Douglas.

Il pâlit en voyant la jument sur laquelle il avait jeté son dévolu montée par l'enfant gâtée des Kennedy... La rage l'aveugla un instant. Il savait exactement comment elle était arrivée en sa possession. Le Gitan, tout de suite après le concours de lancer de couteaux, était allé la lui voler pour l'offrir à sa maîtresse. Il saisit la bride de l'animal et ordonna d'une voix coupante:

— Descendez!

La queue de la jument se dressa et elle se mit à danser nerveusement. Tina leva sa cravache, prête à frapper Ram.

D'un geste vif, ce dernier la lui arracha.

— Enlevez vos sales mains de mon Indigo! cracha la jeune fille.

— Votre Indigo? répéta-t-il avec un regard méprisant. Ce cheval est à moi, il m'a été volé par votre amant, le Gitan.

Il lança la cravache et tendit la main pour la faire descendre.

La cravache heurta par un total hasard Archibald Kennedy, qui tonna:

— C'est toi qui as volé mon bétail, fils de garce! Je te suspectais depuis le début, maintenant j'ai la preuve que je cherchais!

Jacques Stuart, Janet Kennedy et Patrick Hamilton sortirent des écuries alors que Valentina se tenait entre les deux hommes qui semblaient près de s'entre-tuer. Lorsque Ram la repoussa, Patrick bondit, la rapière brandie. Douglas dégaina aussitôt son épée.

135

Le comte de Cassillis prit par la bride Indigo qui commençait à s'affoler et expliqua :

— Voici la jument barbe exceptionnelle que je vous réservais, sire. Mais ce voleur de Douglas me l'a subtilisée.

Le roi était furieux contre ces ombrageux nobles. Du regard, il imposa à Hamilton et à Douglas de ranger leurs armes. Il se refusait à les morigéner devant les dames — mais ils ne perdaient rien pour attendre. Il calma l'animal d'une main ferme et d'une voix douce puis redonna les rênes à Tina.

— Acceptez ce cadeau de ma part, Lady Valentina. Personne ne serait plus en harmonie avec cette superbe créature que vous, ma chère.

Puis il se tourna vers Janet :

— Allez donc en promenade, mes amies. Une affaire urgente m'attend.

Comme les jeunes femmes s'éloignaient, le roi tourna les talons et rentra vivement au château. Les trois autres hommes restèrent plantés là, le sang échauffé, impuissants.

Une heure plus tard, Hamilton et Douglas reçurent l'ordre de rassembler leurs hommes et de se rendre au Conseil. Tous deux savaient qu'ils avaient mérité la colère de leur monarque et qu'ils devraient accomplir une excellente tâche lorsqu'ils rencontreraient leurs homologues anglais. Ils n'avaient pas été punis pour leurs raids, mais cela attendrait leur retour du Conseil, dans une semaine ou deux.

Rob Kennedy, assis dans son lit, se réjouissait du spectacle. Ada avait enlevé sa sage robe grise de dame de compagnie pour révéler des dessous rouges affriolants.

— Viens ici, petite, supplia-t-il.

Ada lui permit de défaire les rubans de son corset pour libérer ses seins voluptueux. Il gronda de plaisir lorsque, ses cheveux bruns dénoués, elle se pencha pour lui donner un baiser passionné.

La jeune femme ne se sentait aucunement coupable.

Elizabeth aurait été horrifiée si elle l'avait su, mais l'amour physique était pour elle une corvée, qu'elle évitait autant que possible.

Rob était stupéfié par les différences entre ces deux femmes. Ada avait le même âge que son épouse, jamais elle n'avait été gâtée par la vie, pourtant elle l'excitait plus que n'importe quelle courtisane.

— J'aimerais que nous restions ensemble un mois entier, petite, dit-il d'une voix un peu voilée. Mais c'est impossible.

— C'est notre dernière nuit?

— Oui. J'ai fait mon devoir en informant Jacques de l'attaque de mon bateau, aussi je n'ai plus de raison de m'attarder. Cassillis m'a pratiquement ordonné de rentrer. Le roi déteste nos querelles de clans, et notre chef semble penser que Tina pousse les hommes à la violence.

— Il vaut mieux que nous partions, en effet. Le roi a un faible pour les rousses, et cela nuit à la réputation de Tina d'être vue en compagnie de Janet.

— Grands dieux, sa mère deviendrait folle si elle l'apprenait!

— Cesse de t'inquiéter, elle n'en saura rien. Tina ne prononcera jamais le nom de Janet devant sa mère!

Rob oublia bien vite Elizabeth en caressant le corps généreux de sa maîtresse.

Dans le lit royal, Jacques Stuart murmurait le nom de Janet comme une litanie. Il aimait toutes les femmes, et celle-ci en particulier. Malgré sa quarantaine, il avait la carrure d'un athlète. D'ailleurs il se maintenait en forme en montant tous les jours — le plus souvent possible — des chevaux et des femmes. Sa prédilection pour les rousses tournait au fétichisme, à l'obsession.

— Jacques, chuchota Janet, je crois que je porte votre enfant.

Il releva la tête pour la fixer, enchanté. Il adorait tous ses enfants.

— Jan, c'est merveilleux! Ce sera un petit rouquin, comme nous!

— Vos cheveux sont auburn, beaucoup plus beaux que les miens, protesta-t-elle.

— Pas pour moi, murmura-t-il, le visage contre son mont de Vénus.

Elle aussi était ravie à la perspective d'avoir un bébé. Le roi s'occuperait d'elle désormais jusqu'à la fin de sa vie, comme il l'avait fait pour toutes les mères de ses enfants.

Un peu plus tard, alors qu'ils étaient étendus devant le feu, sur le sol, Jacques lui caressa distraitement les cheveux.

— A quoi pensez-vous? demanda-t-elle en effleurant le cercle glabre à l'endroit où il portait le cilice de fer.

— A mes Ecossais. Les querelles de clans... C'est seulement par l'union que nous pourrons tenir les Anglais en respect. Or les Ecossais se sont livrés de nouveau à leur passe-temps favori: les raids...

— Les Campbell et les Hamilton?

Il lui mordilla l'oreille.

— Tes satanés Kennedy ne valent pas mieux que les autres!

— Ah? Et les Douglas?

Le roi secoua la tête.

— Black Ram part en raid juste pour le plaisir d'exaspérer les Hamilton. Et il a failli y avoir une nouvelle querelle entre les Campbell, les Kennedy et les Douglas. J'ai ordonné à Campbell de donner sa fille à Donald Kennedy et de signer un pacte d'amitié. J'ai même accepté que le mariage ait lieu à Stirling.

— Et pourquoi pas une union entre ma cousine et Douglas?

— Ce ne serait pas le premier mariage entre un Douglas et une Kennedy, rappela le roi.

— Le premier n'aurait pas dû mal tourner, c'était une bonne idée.

— Parfaite, renchérit Jacques. Leurs arrière-grands-pères avaient tous les deux épousé des filles du roi Robert III. Bon sang, j'aimerais bien qu'il y ait une alliance entre les Douglas et les Kennedy. Comme entre les Hamilton et les Douglas, mais il n'y a que des fils, chez ceux-là.

— J'ai la solution! Rob Kennedy a deux filles. Mariez-en une chez les Hamilton, une autre chez les Douglas, ainsi ils seront tous alliés.

Le roi sourit.

— Ah, Jan, c'est si simple quand tu en parles! Mais Black Ram ne se laissera pas dicter le choix d'une épouse!

— Il a plus de trente ans! Il est temps qu'il ait un héritier.

— C'est l'un de mes meilleurs guerriers, Jan. Je compte sur ses navires pour harceler les Anglais s'ils continuent à nous pirater. Je ne voudrais pas qu'il me lâche sous prétexte que je l'ai obligé à se marier.

Elle se glissa contre lui, provocante.

— Vous n'êtes pas assez pervers, mon roi, murmura-t-elle contre sa bouche. Convoquez les comtes et ordonnez-leur de mettre un terme à leurs querelles. Même Ramsay Douglas n'oserait défier son chef de clan.

Elle avait raison. Archibald Douglas ne supportait pas la désobéissance de la part de ses gens.

Et tandis qu'il pénétrait le délicieux corps de Janet, le roi se demanda une fois de plus pourquoi Angus avait laissé une telle merveille lui filer entre les doigts.

13

Jacques Stuart convoqua trois de ses comtes — Cassillis, Arran et Angus — à une réunion privée où il adopta une attitude froide, implacable.

Bien que les Hamilton et les Douglas soient ennemis jurés, jamais Arran et Angus ne perdaient leur civilité l'un envers l'autre.

Le roi les regarda d'un air vaguement méprisant.

— Devenez-vous trop vieux pour contrôler vos clans ?

Ils furent immédiatement sur la défensive... ce que souhaitait le roi. Il poursuivit en leur reprochant d'être incapables de faire cesser les raids.

— Je demande — non, j'exige que vous mettiez un terme à ces expéditions. C'est la dernière fois que je vous le dis, je ne tolérerai plus ça !

James Hamilton tenta de dire qu'il y aurait des querelles de clans tant qu'il resterait deux Ecossais en vie, mais Jacques assena un formidable coup de poing sur la table de chêne.

— Silence ! Dois-je vous détailler les moyens dont vous disposez ? Des accords seront signés, et s'ils ne sont pas respectés, ce sera la pendaison !

Cassillis avala sa salive. Les Kennedy adoraient les raids... Arran ne se sentait pas très fier non plus. Le seul à rester imperturbable fut Archibald Douglas. Le roi avait une idée derrière la tête, et il attendait, les yeux plissés, de savoir de quoi il s'agissait.

Jacques se tourna vers Archibald Kennedy :

— C'est grâce à vous, Cassillis, que l'affaire se réglera. Les liens du sang sont les plus efficaces pour préserver la paix. J'ai déjà parlé à Argyll, et je veux que Donald Kennedy épouse la petite Campbell immédiatement. D'autre part, vous avez deux nièces. Il faut que l'une épouse un Arran et l'autre un Douglas.

Le comte d'Arran savait que Patrick voulait Valentina Kennedy, aussi acquiesça-t-il de la tête. Toutefois, Angus n'ignorait pas que Ramsay n'accueillerait pas un mariage de gaieté de cœur. Il ouvrait la bouche pour protester lorsque Jacques poursuivit :

— Vous savez combien c'est important, Angus. Depuis que votre fils a épousé la fille des Bothwell, la paix règne entre vos clans.

Archibald Douglas dut bien reconnaître que son clan avait besoin d'un héritier.

— Il serait dommage que le sang le plus pur d'Ecosse reste stérile, alors que tant d'autres en tireraient profit, dit-il avec un regard de mépris aux autres.

Le roi se leva, signifiant que l'entretien était terminé.

— Occupez-vous-en, conclut-il.

Arran et Cassillis prenaient congé quand le roi ajouta :

— Encore un mot, Angus.

Archibald Douglas s'arrêta, se demandant ce que lui voulait Jacques.

— Vos bateaux sont tous armés, je suppose ?

Douglas hocha prudemment la tête.

— Si nécessaire, je veux que vous les mettiez à la disposition de Ramsay. Cela lui plairait sûrement de montrer aux Anglais ses talents de pirate.

— Arran est votre amiral, sire, fit remarquer Angus.

Jacques leva les yeux au ciel.

— Je le sais, mon vieux. Cela vous étonne-t-il que j'aie besoin de l'aide d'un Douglas ?

Ramsay Douglas et ses hommes portaient habituellement des vêtements de cuir brut et patrouillaient aux frontières armés jusqu'aux dents. Les autres années, il assistait au Conseil ainsi vêtu et considérait avec mépris l'élégance des Anglais.

Cette fois, cependant, il décida d'arriver en grande pompe.

Il fit son entrée à Berwick on Tweed dans une demi-armure noire bordée d'or, une plume noire à son heaume. Les plastrons de ses hommes brillaient au soleil. Quatre hérauts menaient la cavalcade, suivis par deux porte-drapeaux brandissant la bannière d'Ecosse. Puis venait un joueur de cornemuse vêtu du tartan Douglas, et derrière lui un homme portait le Cœur san glant.

Ramsay mit pied à terre, repoussa sa cape doublée d'écarlate, redressa fièrement la tête.

Lord Dacre, le chef anglais garant des frontières, avait reçu de nouveaux ordres de son roi mégalomane, Henri VIII. Il avait pour mission de pénétrer en Ecosse aussi loin qu'il le pourrait. Henri avait l'ambition démesurée de prendre le contrôle de ce pays et il utiliserait tous les moyens pour atteindre son but —

conquête, meurtre, corruption, intrigue avec sa sœur Marguerite.

Jacques savait que Henri guignait son royaume, mais il n'avait aucune idée des proportions que cela pouvait prendre.

Les petits clans de la frontière ne posaient pas de problèmes à Dacre. Ils n'étaient ni assez riches ni assez puissants pour l'inquiéter. En revanche, les clans importants, comme celui des Hamilton, étaient plus menaçants. Il redoutait aussi les Douglas, bien sûr, la famille la plus éminente d'Ecosse — en tout cas, ils avaient la plus grande armée — et de loin la plus riche.

Dacre arrivait à la réunion avec ses drapeaux et ses hérauts, mais pour une fois, les Anglais étaient battus à leur propre jeu. Dacre en fut si vexé qu'il prit un air dégoûté chaque fois qu'il adressait la parole à un Ecossais, comme s'il sentait mauvais...

Lord Ramsay Douglas, le seigneur du rang le plus élevé, présidait l'assemblée avec Dacre. Il y avait des juges représentant les deux côtés de la frontière, ainsi qu'un jury choisi parmi des familles écossaises et anglaises.

Ram lut la liste habituelle des cas à traiter — vols, raids, disparition de bétail et de marchandises diverses. On parlait aussi de deux viols, mais Ram ne voyait pas le cas qui l'intéressait le plus : Kerr contre Heron. Il le fit remarquer à Dacre.

— Foutaises! Heron n'a jamais tué d'Ecossais! affirma l'Anglais.

— Peut-être, dit Ram en s'efforçant de garder son calme. Mais il est accusé de meurtre, et nous devons l'entendre devant cette cour.

— Oseriez-vous défier ma parole ?

— C'est vous que je vais défier, si vous avez le courage de sortir avec moi!

— Vous voudriez finir ce Conseil en bagarre générale, je vois! C'est sans doute ce tempérament qui vous a valu votre surnom d'Eclair.

Douglas lui lança un regard noir.

— Non. On m'a appelé ainsi à cause de notre devise :

142

« Jamais derrière. » Je suis un meneur, toujours le premier sur le champ de bataille et ailleurs. Le premier à imposer la vérité, à punir une injustice. Nous allons sommer Heron de se présenter sous vingt-quatre heures.

Acculé, Dacre acquiesça.

Le lendemain, comme Heron ne s'était pas montré, Dacre se défendit :

— On ne l'a trouvé nulle part.

Ramsay le fixa, sceptique. Il y avait des moyens de faire apparaître un homme invisible. Le menacer de torturer ses enfants, par exemple. Ram avait envie d'aller le chercher et de le pendre à un arbre, mais le roi avait insisté pour que l'affaire fût réglée légalement...

Dans l'après-midi, on l'informa que des gens s'étaient groupés au bord de la Tweed. Ils avaient des doléances, mais ne voulaient pas mettre le pied en Angleterre. Ram traversa le pont pour aller leur parler.

— Ces canailles ont brûlé notre village ! déclarèrent-ils. Les femmes et les enfants ont cherché refuge dans les écuries, mais ils y ont mis le feu aussi !

Ram les interrogea afin d'essayer de deviner qui étaient les coupables. Apparemment, il s'agissait de soldats en uniforme, qui avaient volé les bêtes et les réserves de nourriture. Ramsay promit son aide à tous ces gens qu'il connaissait bien — les Bruce, les Scott, les Armstrong. C'était son peuple.

Une fois de plus, Ramsay s'en prit à Dacre, et une fois de plus celui-ci se montra dédaigneux.

— On ne peut controler tout ce qui se passe à la frontière, mon cher.

Douglas en resta presque sans voix.

— Je n'ai aucun mal à tenir mes hommes, et je plains celui qui ne possède pas la poigne nécessaire pour diriger les siens.

Ils faillirent en venir aux armes, mais un coup d'œil à Patrick Hamilton poussa Ram à se contenir. Il aurait été trop content d'aller tout raconter au roi !

Cette nuit-là, dans son lit, Ram réfléchit aux paroles

de Dacre. Certes il était difficile de contenir les marau-deurs qui écumaient les frontières. Mais n'était-ce pas là le véritable talent d'un chef? Lui-même obéissait à Angus et au roi... Il ignorait que cette obéissance allait bientôt être mise à rude épreuve.

Le Conseil prit fin une semaine plus tard, quand tous les cas eurent été traités, cependant la réunion n'avait pas du tout été satisfaisante, et Ramsay s'apprêtait à faire son rapport au roi dans ce sens. Il faudrait exiger des compensations et la cessation immédiate des hosti-lités. Si cela ne suffisait pas, il y avait une autre solu-tion : que Jacques fermât les yeux pendant que les Dou-glas utiliseraient leurs propres méthodes pour faire régner l'ordre.

En quittant Edimbourg, les Campbell et les Kennedy voyagèrent ensemble jusqu'à Glasgow. Quand Argyll aurait vendu son bétail, il se rendrait à Stirling pour attendre le fiancé.

A contrecœur, Argyll dit à Donald, son futur gendre, que puisqu'il avait conduit les moutons des Campbell de Glasgow à Doon, il pourrait aussi bien continuer et conduire le bétail jusqu'au château Kennedy de Wig-town.

Donald faillit protester qu'il n'avait pas volé les ani-maux, mais il se contenta de remercier chaleureuse-ment Argyll. Inutile de contrarier ce vieux démon.

Megan chevauchait avec Valentina et Ada, immensé-ment soulagée que le mariage n'eût pas été annulé. Un bébé de Donald grandissait en elle, et elle était terrori-sée à l'idée que son père l'apprît.

Tina veillait sur elle comme une sœur, et quand les hommes menaient une allure trop rude, elle n'hésitait pas à se plaindre à son père et à Argyll, amusée des regards concupiscents dont la couvait le vieux comte.

Une fois à Doon, Rob annonça à Elizabeth que le roi offrait de célébrer le mariage de Donald à Stirling. Elle en fut enchantée, cependant elle refusa tout net la date fixée, moins de deux semaines plus tard.

— Impossible! Il y aura la moitié de l'Ecosse! Tina

et Beth auront besoin de robes de demoiselles d'honneur. En fait, il faudrait changer toute la garde-robe de Beth. Deux mois suffiraient à peine, alors deux semaines!

Rob ferma les yeux pour s'exhorter à la patience, et murmura à Ada :

— Arrange-toi pour la convaincre. Nous ne pouvons faire attendre Argyll, et encore moins le roi!

— Les ragots iraient bon train si nous nous précipitions ainsi, insista Elizabeth.

— Les ragots iront bon train si nous ne précipitons pas ce mariage, suggéra doucement Tina.

Quand sa mère comprit la signification de ces paroles, elle resta un instant bouche bée avant de déverser sa colère sur sa fille :

— Tu n'as pas honte! Ce ne sont pas des choses à dire de la part d'une fille à sa mère. Ada, tu as fait d'elle une créature éhontée et immodeste, avec tes idées modernes.

— C'est possible, répondit Ada avec humour, mais elle ne commettra pas l'erreur de porter un enfant avant d'être mariée!

Elizabeth pinça les lèvres, et se garda de poursuivre la querelle. Il fallait parer au plus pressé.

On envoya le jour même des messagers avec les invitations. Il ne fallait oublier personne, et Elizabeth dut s'en remettre à son époux pour la liste. Il y avait ces insupportables Gordon, puis les Erroll, les Montrose, et tous leurs clans de sauvages.

Pour leur simple famille, il y avait une vingtaine d'invitations à envoyer, et Elizabeth fut mortifiée de voir qu'il y avait plus encore de Douglas.

Naturellement, ne furent pas invités les clans qui n'étaient pas en odeur de sainteté auprès d'Argyll ou du roi — les MacDonald, les MacLean et les Cameron.

Toutes les femmes du château se mirent à l'ouvrage pour confectionner les robes des demoiselles d'honneur : une nouvelle toilette pour Tina et toute une garde-robe pour Beth. La timide Meggie avait avoué que sa couleur préférée était le bleu ciel, et bien qu'elle trouvât cette teinte insipide pour une blonde, Tina choisit d'en porter, sachant que cela ferait ressortir à merveille sa propre chevelure de feu.

Valentina avait horreur de tenir une aiguille, mais elle dut elle-même transformer ses robes, agrandir ses décolletés, car Ada n'en avait pas le temps. Il lui fallait assez de toilettes pour en changer tous les jours, en plus de la tenue d'équitation dans laquelle elle arriverait.

Comme elle faisait l'inventaire de ses robes, elle tomba sur une création tout à fait originale qu'elle n'avait encore jamais portée. Elle était d'un tissu changeant sur un fond de robe noir qui la faisait ressembler à la peau d'un animal. Impulsivement, elle décida de l'emporter.

Aux cuisines, M. Burque mélangeait habilement les cassis, les raisins et les fruits confits avec la juste quantité de liqueur pour les gâteaux de mariage. Il se rendrait à Stirling avec la famille afin de réaliser les desserts et bien d'autres mets délicats pour le banquet.

Rob alla chercher sur un de ses navires qui venait d'arriver à Ayr les épices et les noix dont M. Burque avait besoin. Il emporta les amandes que le Français voulait pour la frangipane, la cannelle et la muscade, mais il ne parvenait pas à se rappeler le nom de l'autre épice demandée par Burque.

Quand il revint de son expédition, il trouva sa fille perchée sur un coin de table, comme elle adorait le faire lorsque la cuisine était pleine de bonnes odeurs. Il remit les épices au cuisinier avant d'ajouter :

— Je n'ai pas pu me souvenir du nom de l'autre…

— *Merde !* jura le cuisinier en français.

— Oui, c'est ça, merde ! s'écria Rob, qui ignorait le sens de ce mot.

Valentina se mit la main sur la bouche pour réprimer son fou rire… Rob, écœuré, quitta cet endroit. La vie domestique n'était vraiment pas son élément !

Lady Valentina décida de partir à cheval avec ses frères, plaignant la malheureuse Ada qui devrait voyager dans l'immense et inconfortable chariot avec sa mère, Beth et Kirsty.

Tina avait carrément refusé de faire le trajet avec elles et affirmait qu'elle serait parfaitement en sécurité avec Donald et les hommes.

Duncan et Davie asticotaient sans cesse leur frère sur la lourdeur des chaînes du mariage, mais Donald le prit avec philosophie. Il savait tout au fond de lui que cette jeune fille était celle qui lui convenait.

Tina était d'accord avec ses plus jeunes frères, mais elle se garda bien d'en rajouter, sachant qu'elle aussi ne tarderait pas à franchir le cap du mariage.

Ils passèrent devant les tours que les seigneurs construisaient à intervalles réguliers pour se défendre contre les envahisseurs anglais. Ils longèrent de profonds ravins, d'une beauté à couper le souffle avec leurs cascades et leurs mares.

Devant eux s'enfuyaient les pinsons, les corbeaux et les coqs de bruyère, ainsi que de petites bêtes à fourrure qui disparaissaient dans leurs terriers avant d'être identifiées.

Tout au fond, Tina sentait une fantastique excitation monter en elle. Elle était en route pour une aventure où elle aurait la possibilité de désobéir et de mal se tenir !

La ville de Stirling se trouvait sur la rivière Forth, avec les remparts immenses des Highlands juste derrière ses rues étroites et tortueuses. Le soleil se couchait lorsqu'ils atteignirent le château, citadelle perchée sur une colline, à divers niveaux, avec des tours et des chemins de ronde. Des pelouses en terrasses avec escaliers d'accès servaient de jardins.

Ils contournèrent la bâtisse pour se diriger vers les écuries. Valentina expliqua à un palefrenier du roi que sa jument était inestimable, et que l'on devait la tenir à l'écart des étalons. Un peu plus tard, elle pouffa en imaginant la tête de sa mère si elle l'avait entendue tenir ces propos !

La reine et sa cour étaient déjà là, projetant des réjouissances pour chaque soirée que les invités passeraient dans ce château, infiniment mieux conçu pour les fêtes que la sombre forteresse d'Edimbourg. Il y aurait deux jours de divertissements et de jeux, puis le mariage serait célébré, et avant que tout le monde se quittât à la fin de la semaine, la reine donnerait un grand bal costumé.

C'était déjà une distraction en soi que de regarder les invités arriver. Tina était stupéfaite qu'un mariage attirât autant de monde! Elle n'avait jamais vu un tel nombre de tartans, de devises et d'écussons de toute sa vie.

Avant l'arrivée du reste de sa famille, Tina s'acheta des perles de Lazare pour conjurer le diable. La reine et ses dames d'honneur trouvaient amusant et tellement dans le vent de pratiquer la magie!

Lorsque sa sœur et ses cousines Kennedy arrivèrent, Valentina avait déjà organisé sa propre cour, avec des jeunes filles de province qui la trouvaient à la pointe de la mode et de la sophistication! Elle s'amusait énormément.

Elle eut plus que son lot de regards enflammés de la part des hommes, et elle aimait cela, mais se gardait bien de leur répondre. Néanmoins, elle en riait avec ses cousines.

— Celui-là n'a ni titre ni virilité, deux qualités essentielles pour un homme! déclarait-elle sur l'un ou sur l'autre.

Cependant, lorsqu'elle vit Colin entrer en claudiquant dans la pièce avec Black Ram et ses frères, elle eut un élan du cœur. Elle se dirigea vers l'infirme et le salua gentiment.

— Bienvenue au mariage, Colin.

— C'est un plaisir, Lady Kennedy, répondit-il sur le même ton, légèrement amusé.

— Si je vous appelle Colin, vous devez m'appeler Tina.

Gavin lui baisa galamment la main en murmurant:

— Vous êtes encore plus belle que lors de notre dernière rencontre, Tina.

Elle haussa les sourcils.

— Colin s'est montré bon envers moi dans une situation difficile, cela ne veut pas dire que j'apprécie tous les Douglas! déclara-t-elle, hautaine, avant de tourner les talons.

— Tu n'es que de la boue sous ses souliers, lança Cameron.

— Je préférerais être sous sa jupe! rétorqua Gavin. Je suis étonné que Ram ne la supporte pas! Elle ferait damner un régiment de saints!

Ramsay Douglas s'était imaginé qu'il pourrait se dispenser de se rendre au mariage Campbell-Kennedy. Après avoir remis son rapport au roi, il lui semblait judicieux de retourner à la frontière. Mais Jacques et Angus considérèrent comme normal qu'il les escortât avec ses hommes à Stirling, et il céda sans protester.

Jacques Stuart et Archibald Douglas comptaient l'un sur l'autre pour aborder avec Ramsay le sujet du mariage. Néanmoins, quand Angus comprit que la tâche lui reviendrait, il se promit d'attendre que les festivités soient terminées. Du diable s'il voulait encourir la mauvaise humeur de Black Ram!

Il faisait un temps radieux — ce qui était rare dans cette région inhospitalière — et tout le monde, jeunes et moins jeunes, était dehors pour jouer au palet, aux quilles ou admirer la ménagerie d'ours. Toutefois, les plus jeunes et les plus hardis étaient rassemblés sur le flanc nord-est, où une longue pente herbeuse menait à la vallée, afin de disputer un hurly-hackit, jeu qui consistait à glisser sur l'herbe accroché à un crâne de bœuf, en utilisant les cornes pour se diriger.

Evidemment, Tina fut la première femme à se mesurer aux hommes. Elle battit aisément Duncan grâce à sa légèreté. Mais Davie était rusé : il lui coupa la route, la déséquilibra, et elle perdit la course. Ce qui ne fit que l'exciter davantage. Elle finit par adopter ses tactiques et par le battre à son propre jeu. Jamais elle n'avait autant ri de sa vie !

Gavin Douglas se joignit à eux. Il descendit la pente avec une telle insouciance qu'il se retrouva par terre avant d'avoir atteint le bas. Son grand corps passa au-dessus des cornes et il se retrouva en travers du chemin de Tina. Elle hurla lorsque son crâne de bœuf heurta celui de Gavin et qu'elle fut projetée droit sur lui. Ils se regardèrent un instant, horrifiés, avant de partir d'un grand éclat de rire à l'idée du spectacle choquant qu'ils devaient offrir, ainsi emmêlés.

Ramsay assistait à ce jeu stupide, sans pouvoir quitter des yeux la chevelure flamboyante de la petite Kennedy. Elle était d'ailleurs le centre de l'attention générale, avec sa jupe tachée d'herbe qui volait dans tous les sens. Il serra les dents en la voyant heurter Gavin et se mettre à rire comme une folle.

Tandis qu'ils se relevaient, elle vit le crâne de bœuf de Gavin et se remit à rire.

— Espèce de brute ! Vous avez écrasé votre crâne !

Faussement inquiet, il porta la main à sa tête, et Tina rit encore :

— Je crains que votre cerveau ne se situe plus bas !

Il se frotta l'arrière-train. Soudain, ils se calmèrent devant l'expression de Ramsay Douglas, qui ne semblait pas amusé le moins du monde. Ils parvinrent à rester sérieux quelques secondes avant de se mettre à rire de plus belle.

— Vous n'avez pas la moindre dignité ! lança Ram durement, reléguant Tina au rang de ces écervelées qui ne pouvaient être tenues pour responsables de leur stupidité.

Il se tenait devant le soleil, grand, sombre, menaçant.

— Vous êtes si vieux et desséché que vous avez oublié ce que sont les distractions innocentes ! Vous devriez vous faire moine, mon ami.

Un instant, une violente colère flamba entre eux, et tout le monde comprit pourquoi elle était surnommée la Flamboyante et lui l'Éclair...

14

Bien que la chapelle royale de Stirling fût de belle taille, il n'y avait pas assez de place pour les membres de tous les clans. L'évêque Kennedy s'était déplacé de Saint-Andrew pour célébrer le mariage, et les premiers rangs étaient pleins de têtes rousses.

Archibald Cassillis, le comte de Kennedy, observait sa famille. Avant longtemps, les filles de Rob seraient mariées, elles aussi. Ram Douglas et l'héritier d'Arran étaient des partenaires rêvés pour ses nièces, pourtant il n'avait pas encore abordé le problème avec Rob, car il savait qu'Elizabeth n'accepterait pas de gaieté de cœur de donner sa chère petite à Ramsay. Certes, l'empoisonnement de Damaris était une sale histoire, mais il fallait que cette satanée femme apprît à oublier, à pardonner. Il avait reçu ses ordres du roi, et les Kennedy de Doon prenaient les leurs de lui-même. Pourtant, il attendrait d'être rentré pour en parler.

Megan, très pâle, remontait la nef à côté de son père. Elle ravalait péniblement le sanglot qui lui montait à la gorge. Comme elle aurait aimé que sa mère, défunte depuis longtemps, fût à ses côtés !... ou au moins sa sœur aînée, Elizabeth. Elle frissonna. C'était impossible, puisque Elizabeth avait épousé ce traître de Lachlan MacLean. Sans doute ne la verrait-elle plus jamais...

Megan aperçut soudain Donald, tout droit devant l'autel, et elle n'eut plus peur. Contrairement au sauvage MacLean, Donald l'aimait vraiment. Dans un univers où les femmes choisissaient rarement leur sort, Megan se sentait privilégiée.

Les six demoiselles d'honneur étaient toutes des cousines Campbell, sauf Tina et Beth.

La petite mariée portait le tartan des Campbell drapé sur une épaule, et elle écouta, dans le plus profond recueillement, le sermon de l'évêque Kennedy qui prêchait la modestie et l'humilité.

Tina observait l'assemblée, les têtes fièrement dressées, et se dit que l'évêque pouvait bien parler pendant des heures : il ne supprimerait jamais le péché d'orgueil chez les Ecossais. L'homme d'Eglise fustigeait à présent la lascivité des femmes et la débauche des hommes. Il abordait l'adultère et la fornication lorsque le roi toussota en lui lançant un regard noir. Aussitôt, l'évêque demanda :

— Qui donne cette femme à cet homme ?

Argyll, vêtu d'une peau de loup argenté, fit un pas en avant. De sa poigne rude, il plaça les doigts de Meggie dans la main de Donald, puis les vœux furent échangés.

Le banquet commença à deux heures, et il devait se prolonger durant douze heures entières. La viande, le gibier, le poisson ne manquaient pas, bien sûr, mais le clou fut le gâteau de mariage de M. Burque. La couche supérieure représentait les vagues de la mer d'où émergeait un dauphin, emblème des Kennedy, qui sortait de l'eau dans un bond magnifique.

Au début, l'ordre régna, mais à mesure que le temps passait, les hommes s'enivrèrent. Le roi et la reine avaient à présent des centres d'intérêt différents, et Jacques dansait sans relâche avec Janet Kennedy.

Quant à la reine, elle n'avait d'yeux que pour Archibald Douglas, ambitieux jeune homme à qui son père avait dit que le pouvoir était tout ce qui comptait au monde.

Les autres Douglas avaient préféré la chasse au banquet. Pour Colin, danser était un cauchemar, tandis qu'il se sentait à l'aise sur une selle. Quant à Ram, il détestait l'atmosphère des mariages. Ils lui donnaient la nausée… Gavin et Cameron jouèrent avec leurs cousins à qui prendrait le plus de gibier.

Tous savaient qu'à leur retour ils trouveraient de la bière, des rôts, des distractions et un château plein de jeunes épouses aux maris ivres morts.

152

Valentina avait tant de soupirants qu'elle négligea tout à fait Patrick Hamilton. Cela le punirait de n'être pas arrivé plus tôt dans la semaine.

A des lieues à la ronde, la foule s'assemblait pour allumer des feux de joie, danser, chanter, se battre et faire l'amour en groupe, tout cela au son de la cornemuse.

A l'intérieur, l'atmosphère était carrément à la débauche. Les matrones étaient horrifiées par la grossièreté des hommes, et elles se retiraient dans leurs chambres en compagnie de leurs plus jeunes filles. Le banquet tournait à la bacchanale. Les chansons devenaient paillardes et s'accompagnaient de gestes obscènes, les serveuses s'asseyaient sur les genoux des invités, les jupes remontées sur leurs cuisses rebondies. Le vacarme était assourdissant. Surtout lorsqu'on se mit à taper sur les tables avec les gobelets en exigeant:

— Un baiser! Un baiser! Un baiser!

Sa petite épouse étant de plus en plus nerveuse, Donald céda aux injonctions de la foule, tandis qu'Archibald Campbell et Archibald Douglas, fin soûls, lutinaient chaque femme qui passait à leur portée.

Valentina restait seulement pour protéger Meggie. Quand les convives se mirent à réclamer que la jeune mariée se déshabillât, Tina sut qu'il était temps de l'accompagner à la chambre nuptiale. Elle la prit par la main, mais cela donna le signal qu'attendaient les joyeux noceurs.

Les femmes — la reine et les sœurs Howard en tête — se jetèrent sur Donald pour le dévêtir, tandis que des hommes arrachaient Meggie à Valentina pour la porter en triomphe, déchirant sa robe et son voile.

La jeune femme cria, son petit visage tout pâle au-dessus des trognes rougeaudes, pendant qu'on la portait vers la chambre nuptiale.

Tina suivit, impuissante. Elle avait déjà bien du mal à se débarrasser des mains indiscrètes qui se promenaient sur sa propre personne!

Les jeunes mariés étaient entièrement nus lorsqu'ils arrivèrent devant le lit, et Tina, scandalisée, vit la foule pousser le jeune homme sur son épouse en larmes et l'encourager à remplir son devoir conjugal.

Ramsay Douglas apparut à cet instant. Il parcourut la chambre d'un regard voilé, jeta un coup d'œil dégoûté à Tina. Elle était au cœur de l'aventure, comme de coutume !

Meggie était bouleversée, et Donald, à travers un brouillard, comprit que la plaisanterie avait assez duré. Il chercha de l'aide autour de lui. Mais Duncan, Patrick Hamilton et Davie étaient complètement ivres. Quant au père de Meggie, trop éméché pour pouvoir monter l'escalier, il n'était pas là. Inutile de compter sur les femmes qui le caressaient sans vergogne. Il appela enfin le roi :

— J'ai besoin de votre aide, sire !

Jacques s'approcha du lit.

— Tu veux que je lui fasse l'amour à ta place, petit ? plaisanta-t-il avant de s'apercevoir que la jeune mariée était en état de choc.

Il prit la situation en main. D'un ton sans réplique, il ordonna à tout le monde de sortir. Les hommes obéirent, se soutenant l'un l'autre. Les plus soûls proposèrent d'aller visiter d'autres chambres.

Meggie sanglotait, le visage enfoui dans l'oreiller, et Donald essaya maladroitement de la consoler, mais elle le repoussa. Elle ne voulait plus jamais être touchée par un homme.

Puis elle sentit une main qui lui caressait doucement les cheveux, tandis qu'une voix murmurait :

— Ne pleure pas, ma chérie.

Elle sut alors que Donald serait désormais sa seule source de force, de tendresse, d'amour. Aveuglée par les larmes, elle se tourna vers lui et posa la tête contre son épaule. Ils avaient besoin l'un de l'autre...

Ram décida de repartir chasser le lendemain matin, laissant ses frères et ses cousins cuver leur vin. Dans les écuries royales, la belle jument qu'il considérait comme sienne avait disparu, et il s'étonna que quelqu'un d'autre fût aussi matinal que lui.

En un rien de temps, il se retrouva au plus profond de la dense forêt qui entourait Stirling. Tous ses sens en alerte, il perçut un beuglement et, tandis qu'il chevauchait vers une clairière, il sut ce qu'il allait découvrir. Il s'agissait d'un taureau sauvage, relique d'une race qui avait vécu autrefois dans cette région.

Un taureau était bien plus passionnant à chasser qu'un sanglier ou un cerf, car il était imprévisible et chargeait tout ce qui passait à sa portée.

Ram tenta de le pousser vers le couvert des arbres, mais l'animal était trop rusé pour tomber dans le piège. Ram regretta que ses frères, ou même Pochard, ne l'aient pas accompagné pour lui prêter main-forte.

La bête était énorme, d'un blanc sale, avec un cou puissant et de longues cornes acérées. Une fraction de seconde, Ram se demanda s'il avait raison de vouloir le chasser seul, mais le défi était trop tentant. Le taureau, malin, fonça vers la clairière, d'où il pourrait charger plus facilement.

Ram scruta la pente herbeuse, bornée par une saillie de pierres derrière laquelle tombait un à pic. Il lui faudrait éviter cet endroit, mais le reste du terrain n'était pas trop mauvais.

Le taureau la vit avant lui... Ses yeux rouges roulant dans les orbites, il gratta le sol du sabot, et chargea dans un grognement sauvage.

Valentina avait aperçu Ramsay Douglas bien avant qu'il émergeât de la forêt et, interloquée, elle le vit agiter les bras en criant :

Allez-vous-en ! Bon Dieu, partez !

Il était presque trop tard quand elle discerna enfin l'affreux animal qui fonçait sur elle, soulevant des mottes de terre dans sa course folle. Elle éperonna violemment sa jument pour éviter le coup de corne.

Sans perdre une seconde, Ram tenta de faire diversion en se mettant dans le champ de vision du taureau. Dégainant son poignard, qui était plutôt une épée à courte lame, il poussa le cri de guerre des Douglas et fonça vers l'arrière-train du taureau.

Ram aperçut Tina, aussi blanche que sa tenue de

cavalière, les cheveux dans le vent. Puis il n'eut plus le temps de penser à rien, car le taureau avait pivoté sur ses pattes avant, changeant de cible.

Ram aurait pu sauver sa peau en sautant à terre, mais il aurait laissé son cheval exposé aux cornes meurtrières. Sa décision fut prise en un éclair. Il se jeta sur le dos de la bête.

Aussitôt l'animal rua, et Ram dut s'accrocher de toutes ses forces à la crinière pour éviter de passer par-dessus sa tête. Puis, les mollets et les cuisses bien serrés autour du ventre du taureau, il lui planta son épée dans le cou. L'animal lançait la tête à droite puis à gauche, et il atteignit la jambe de Ram avec une de ses cornes.

Ram était aussi enragé que lui, à présent. Il plongea de nouveau son épée dans le corps de la bête, qu'il sentit se convulser. Il n'avait pas encore atteint le cœur. En désespoir de cause, il sortit son poignard et le planta à côté de l'épée. Le taureau vacilla mais ne tomba toujours pas. Fou de douleur, il se mit à galoper. Ram tenta de récupérer ses armes pour frapper de nouveau, tandis que la bête se précipitait vers les arbres derrière lesquels Tina était abritée.

Ram la fixa, horrifié, mais soudain le taureau trébucha et s'effondra, mort...

La jument tremblait et Tina tentait de l'apaiser.

— Elle est presque folle de peur, dit-elle d'une voix rauque.

Il lui lança un regard meurtrier. Aucune panique ne se lisait dans les yeux dorés, malgré le carnage auquel elle venait d'assister.

Une colère noire s'empara de Ram. Ses vêtements de cuir étaient déchirés, il était couvert du sang du taureau. Il se jeta sur Tina et la secoua violemment.

— Vous avez le chic pour vous attirer des ennuis, et vous vous moquez bien d'en attirer aux autres! cria-t-il. Vous êtes donc complètement inconsciente? Cette forêt est dangereuse, les bêtes sauvages et la mort guettent au détour de chaque arbre. Vous êtes stupide de vous promener seule!

156

Si Ram ignorait la peur, c'est pourtant ce qu'il avait ressenti en voyant la jeune fille sur le point d'être éventrée. Il avait fait un effort surhumain pour la sauver, et à présent il se libérait dans un immense accès de rage.

Les yeux de Tina lancèrent des éclairs.

— Vos mains sanglantes salissent ma tenue, dit-elle.

Il resta un instant bouche bée. Elle pensait à sa robe ! N'importe quelle autre femme serait tombée en sanglotant dans ses bras, mais celle-ci ne montrait pas la moindre gratitude.

Il arracha ses armes du corps du taureau et saisit le bas de sa jupe blanche pour les essuyer.

— Salir ? gronda-t-il. Ça va être bien pire encore !

Elle recula, mais son visage exprimait plus de défi que de crainte.

— Est-ce ainsi qu'un chevalier aide une demoiselle en détresse ?

Il rougit légèrement. Pourquoi fallait-il qu'elle éveillât le pire en lui ? Il était capable de charmer n'importe quelle femme, sauf celle-ci.

Il la lâcha et nettoya son épée dans l'herbe, un peu calmé. Il ne lui serait pas difficile de la dominer physiquement, mais quel intérêt ? Mieux valait se battre avec ses propres armes : les mots.

Des nuages au fond de ses yeux gris, il répliqua sèchement :

— Je l'ai fait pour sauver la vie de la jument, pas la vôtre, aussi n'êtes-vous pas obligée de me remercier.

— Vous aimeriez surtout me voir ramper devant vous et vous lécher la main comme un bon chien. N'y comptez pas !

«Toutes les femmes sont des catins», pensa-t-il. Mais celle-ci le mettait hors de lui. En outre, il ressentait un violent désir, si intense qu'il retint son souffle. Dieu, il l'avait dans la peau ! Il l'aurait volontiers prise là, sur la mousse.

Une flamme dans les yeux, la voix rauque, il s'approcha en murmurant :

— Je vais vous mater.

Elle leva sa cravache et lui assena un coup cinglant

sur la joue. Aussitôt, il saisit la main qui l'avait frappé et tordit méchamment le poignet jusqu'à ce qu'elle flanchât. Puis il tourna les talons et, ignorant le sang qui coulait de sa jambe, il se remit en selle et partit au galop sans un regard en arrière.

Le soir, Valentina avait presque oublié ses aventures de la matinée, tant elle était préoccupée par d'autres sujets. C'était la dernière nuit à Stirling, celle du bal costumé de la reine. Elizabeth, épuisée par le mariage, avait décidé de ne pas y assister et elle voulait que ses filles y renoncent également. Cependant, devant l'air déçu de Beth, elle céda et leur permit d'y aller à condition qu'Ada et Kirsty restent près d'elles.

Aussitôt, les quatre femmes se précipitèrent dans la chambre des jeunes filles pour régler le problème de leurs toilettes.

— Elles n'ont qu'à mettre leurs robes de demoiselle d'honneur ! dit Kirsty sèchement. Elles ont demandé tant de travail... ce serait dommage de ne les porter qu'une seule fois.

— Pas question ! protestèrent d'une seule voix Ada et Tina.

— Alors des costumes convenables pour de modestes jeunes filles. Par exemple, des bergères... Je porterai mon uniforme gris, évidemment.

— Quelle sottise ! rétorqua Ada.

— Eh bien, madame, que me suggérez-vous ?

— Un habit de nonne, peut-être ?

Kirsty pinça les lèvres.

— Beth portera simplement le tartan des Kennedy ! décida-t-elle, avant d'entraîner la jeune fille vers la chambre de sa mère afin de rassembler les accessoires nécessaires.

— Je ne me risquerais pas à vous conseiller, dit Ada à Tina. Tout ce que vous porterez sera splendide. Je mettrai une robe décolletée et un loup pour que l'on me prenne pour une comtesse.

Tina avait une idée... une idée très audacieuse. Evidemment, pour réaliser son plan, il lui faudrait un complice masculin. Elle renonça d'office à Patrick Hamilton, qui n'aimerait pas voir sa future fiancée se donner en spectacle. Dommage que Heath ne fût pas là! Par élimination, elle se retrouva avec le seul Davie. Cela pourrait aller, si elle lui insufflait un peu de courage, ou peut-être en l'achetant de quelque manière.

Elle prit un collier en or dans sa cassette à bijoux et se précipita chez le forgeron du château. D'un sourire radieux, elle le persuada d'attacher une longue chaîne au collier.

Un peu plus tard, elle se tenait devant le grand miroir d'acier poli pour constater l'effet qu'elle donnait en animal de la jungle. Bien qu'elle n'en eût jamais vu, elle pensait ressembler à une tigresse, dans sa robe orange et fauve sur fond noir.

Elle portait sa chevelure dénouée et s'était tracé des lignes noires des yeux vers les tempes. David était allongé sur son lit, vêtu du vert des chasseurs, son arc et ses flèches à côté de lui.

Comme elle attachait le collier à son cou, elle lui rappela :

— Après m'avoir conduite jusqu'à la reine, n'oublie pas de me détacher. Tu ne dois pas m'offrir comme un cadeau, seulement montrer la proie que tu as capturée.

Valentina n'avait pas dîné dans la salle de banquet, aussi put-elle faire son entrée directement dans la grande salle du trône.

Les costumes étaient étonnamment inventifs, compte tenu du fait que les invités n'avaient été prévenus que quelques jours auparavant. Il y avait des marins et des jongleurs, des Gitans et des bergères, des magiciens et des Vikings... mais une seule tigresse.

Il y eut un murmure dans la foule quand le jeune chasseur amena sa proie vers les trônes où siégeaient le roi et la reine. Tina la Flamboyante! Le nom était sur toutes les lèvres.

Beth et Kirsty eurent un haut-le-corps, d'autres sifflèrent, d'autres encore applaudirent.

— J'aimerais la percer de ma flèche! dit un homme.

Davie, qui n'agissait jamais totalement innocemment, mena Tina droit vers le roi. Elle tenta de se diriger plutôt vers la reine, mais il la tenait par la chaîne, et elle dut céder, les yeux brillants de rage. Lorsque Davie remit l'anneau de la chaîne au roi, tout le monde pensa qu'il venait de lui offrir une nouvelle concubine.

Jacques Stuart la détacha aussitôt et, galamment, l'invita à danser.

— Le ravisseur devient le captif ! s'exclama-t-il.

Black Ram se tenait à l'autre bout de la pièce, devant la cheminée. Comme le couple s'approchait en tournoyant, les flammes jouèrent dans la chevelure de la jeune fille, et il se dit qu'il n'avait jamais rien vu de plus beau. Le désir s'empara de lui à nouveau, exigeant, impérieux.

A la fin de la danse, la reine demanda à Tina où elle pourrait se procurer la même robe, et la jeune fille fut soulagée que Marguerite ne lui en voulût pas d'avoir ouvert le bal avec le roi.

Elle leva les yeux en sentant une main d'acier saisir son poignet.

— Non merci, je ne danse plus, dit-elle froidement.

Les yeux gris de Ram s'obscurcirent.

— Vous me *devez* une danse, séductrice, lança-t-il d'une voix cinglante en resserrant la pression de ses doigts.

— Vous me faites mal !

— Je l'espère bien.

— Espèce de chien !

— Peut-être est-ce le chien en moi qui attire la chienne ?

— Oh !

Il l'entraîna dans une pavane langoureuse, tandis qu'elle cherchait en vain une réplique aussi outrageante que la sienne. Une flamme dangereuse dans son regard indiqua à Ram qu'elle attendait l'occasion de lui échapper, aussi la maintint-il fermement. Tina détestait être forcée ! Elle faillit faire semblant de s'éva-

160

nouir, mais pensa aux ragots que cela déclencherait et y renonça.

Alors, avec son plus beau sourire, elle murmura :

— Si vous utilisez encore la force avec moi, je vous ferai une scène dont vous vous souviendrez toute votre vie !

Ram eut son sourire de loup. Il la lâcha et lui tourna simplement le dos, quittant la salle de danse exactement comme elle l'avait fait l'autre fois à Edimbourg.

Quel individu sans scrupules ! C'était le rôle d'une femme de rejeter un homme ! Se voir ainsi repoussée publiquement l'humiliait au plus profond d'elle-même. Il ne s'en tirerait pas ainsi ! Elle ne lui était pas indifférente, elle s'en rendait compte. Était-ce grâce à sa beauté, ou parce qu'elle représentait un défi à son orgueil de mâle ? Quelle qu'en fût la raison, elle avait bien l'intention de s'en servir, et de lui prouver qu'une Kennedy était plus forte qu'un Douglas.

15

Le lendemain matin, Angus et son escorte étaient prêts à partir quand il envoya un message à Ramsay pour le prier de voyager avec lui. Cependant, il apprit que l'Eclair était parti la nuit précédente avec ses hommes, ne laissant derrière lui que ses frères et Colin.

Gavin vint le trouver.

— Pouvons-nous vous aider, monseigneur ?

— Je dois rentrer avec Arran et ses satanés Hamilton sur ordre du roi, afin de réparer quelques-uns des désordres que vos raids ont provoqués. Dis à Ram que je veux le voir demain soir !

Patrick Hamilton se dirigeait résolument vers les écuries. Il ne voulait pas faire attendre son père, qui était obligé de chevaucher avec les Douglas pour montrer leur bonne entente.

Nan Howard l'appela, et il alla lui parler sur la pelouse. Il n'avait pas vu Kat, penchée pour cueillir une fleur. Quand elle se releva, il eut l'impression qu'il s'agissait d'une sorte de confrontation.

— Il n'y a pas vingt façons d'enrober la nouvelle, Patrick, dit Nan. Je vais avoir un enfant.

Il avala sa salive. Le piège se refermait.

— Dieu, tu ne m'accuses pas d'être le père, tout de même !

Elle avait les yeux pleins de larmes, et Kat parla pour elle :

— Tu ne peux le nier. Tu as couché avec elle, j'en suis témoin.

— J'ai couché avec vous deux !

Quel imbécile il avait été ! Rien n'était plus pervers qu'une garce... sinon deux garces !

— Je suis fiancé à Lady Valentina Kennedy, déclara-t-il, raide.

— Non, pas encore, rétorqua Nan.

— Et tu ferais mieux d'y renoncer, dans ton propre intérêt, renchérit Kat. La reine sera furieuse si tu déshonores l'une de ses dames.

— Débarrasse-t'en ! s'écria-t-il avant de comprendre que c'était le moyen qu'avait trouvé Nan pour épouser l'héritier du comté d'Arran.

Tina rentra à Doon de fort bonne humeur. Le mariage célébré à Stirling avait représenté une expérience tout à fait distrayante. Les jeunes mariés étaient partis pour le château de Wigtown, avec une partie des serviteurs des Campbell et de ceux des Kennedy. Certains des fermiers de Doon s'installeraient également près du couple.

Archibald, comte de Cassillis, chevauchait avec eux, et Rob, toujours inquiet, se demandait s'il avait une idée derrière la tête. Dieu merci, Tina n'avait pas conscience de ce qui se tramait et qui allait transformer sa vie à jamais.

Elle se sépara de Meggie en lui promettant de venir

très bientôt lui rendre visite, et partit au grand galop sur sa jument pour être la première arrivée à Doon.

L'allusion vint d'abord d'Ada, qui rangeait les affaires de Tina dans sa garde-robe.

— Il se passe quelque chose. Dès que nous sommes arrivés, Archibald s'est retiré avec votre père. Quand Rob est sorti, il était plus sombre que jamais. Il a appelé votre mère, l'a emmenée dans leur chambre dont il a claqué la porte, et ils y sont encore en ce moment.

— Ça devait être urgent. Le premier soin de père quand il arrive ici est de déguster l'un des festins de M. Burque.

Tina se tapota le menton, pensive.

— Le mariage s'est déroulé sans incident, et les jeunes mariés sont en route pour Wigtown. Donc il ne peut s'agir d'eux...

— Le comte a l'air bizarre depuis que nous avons quitté Stirling. Il a quelque chose sur l'estomac et...

Il y eut un grand bruit dans la cour, et elles se précipitèrent à la fenêtre.

— Cassillis! Il s'en va!

Tina sentit ses cheveux se dresser sur sa tête, comme si une menace pesait sur elle.

En effet, un jeune serviteur vint frapper à la porte pour les informer que Lord Kennedy voulait les voir toutes les deux dans l'instant.

Le valet les accompagna jusqu'à la pièce que Rob utilisait pour régler ses affaires, et Tina chercha aussitôt sa mère des yeux. On aurait dit qu'on l'avait frappée sur la tête. Peu après, la porte s'ouvrit sur Beth et Kirsty.

Dès qu'Elizabeth vit sa fille cadette, elle fondit en larmes. Ada fit un pas vers elle mais Rob intervint:

— Laisse-la. Tu auras plus d'une femme hystérique sur les bras quand nous en aurons fini. Asseyez-vous, toutes, cela vaut mieux.

Quand les femmes furent installées en demi-cercle autour de lui, il lança à sa famille un regard autoritaire, indiquant qu'il ne tolérerait pas d'interruption dans son discours.

— La peste soit de mes bâtards de fils ! J'ai nourri des vipères dans mon sein. A la minute où j'ai eu le dos tourné, c'était la catastrophe ! Ne me remerciez pas pour ce que vous allez entendre… remerciez-en vos frères !

Elizabeth sanglotait bruyamment, et Rob lui lança un coup d'œil exaspéré.

— Ces fils de garce sont partis en expédition, réveillant les anciennes querelles entre les Kennedy, les Campbell, les Hamilton et les Douglas. Or le roi ne le supporte pas. Si nous ne signons pas des traités de bonne entente et des contrats de mariage, il pendra les rebelles. Le mariage Kennedy-Campbell n'est qu'un début. Nous devons procéder à deux autres, et sans délai.

Il se tourna vers Tina.

— Attends-toi à une demande de la part de Patrick Hamilton d'un moment à l'autre. Tu accepteras et, tant que tu y es, tu peux remercier tous les saints du pays pour avoir tiré le bon numéro avec l'héritier du comté d'Arran.

Tina rougit de rage. Elle ne tolérait pas de recevoir des ordres. Elle ouvrait la bouche pour protester quand Ada posa une main apaisante sur son bras. Un regard à son père lui montra qu'elle avait raison. Il était purement et simplement cramoisi, et on avait l'impression que la suite de ce qu'il avait à dire allait l'étrangler.

— Notre plus jeune, notre douce petite fille, notre bébé, doit être donnée, le pauvre agneau… à Black Ram Douglas.

Beth eut un haut-le-corps, Kirsty s'étouffa, Elizabeth sanglotait de plus belle. Puis Beth se mit à crier, hystérique, tandis que Kirsty semblait avoir envie d'arracher les yeux de Rob, et qu'Elizabeth bredouillait :

— Je l'emmènerai à Edimbourg, je la cacherai. Ce n'est qu'une enfant, bien trop jeune pour se marier, surtout avec ce dégénéré de Douglas !

— Suffit, femme ! rugit Rob. Nous n'avons pas le choix. Le chef du clan a décidé, sa parole a force de loi. Nous sommes en Ecosse, je te le rappelle. Tu as vécu assez longtemps ici pour connaître nos coutumes !

Tina trouva enfin le courage de s'exprimer :

— Black Ram Douglas n'arrivera pas le chapeau à la main avec une demande en mariage. Ce n'est pas son genre.

— Tu oublies qu'Archibald Douglas lui en aura donné l'ordre. Imagines-tu un être vivant qui refuserait d'obéir au puissant comte d'Angus ?

Il fallut les bons soins d'Elizabeth, de Kirsty et d'Ada pour ramener dans sa chambre une Beth éplorée. Rob, l'air plus sombre que jamais, ordonna d'un ton menaçant à Tina :

— Tu peux dire à tes frères de présenter leurs misérables carcasses devant moi immédiatement.

Celle-ci obéit avant de retourner se jeter sur son lit pour digérer les révélations de son père. Elle avait bien de la chance d'épouser Patrick Hamilton... Surtout si on comparait son sort à celui de sa malheureuse sœur. Il était inconcevable d'offrir l'innocente petite Beth en pâture à Black Ram Douglas ! Il n'en ferait qu'une bouchée. Elle frissonna.

Le Prince des Ténèbres lui-même n'était pas plus sombre, plus effrayant ! Elle comprenait la détresse de sa mère à voir son enfant favorite confiée à un Douglas. Dieu, c'était comme si l'histoire se répétait ! Quand une fille Kennedy épousait un Douglas, seule une tragédie pouvait en résulter.

Le lendemain après-midi vit arriver Patrick Hamilton en compagnie de son père, le comte d'Arran. Tina ne tenait pas en place tandis qu'Ada mettait la dernière touche à sa coiffure. Elle était résignée à ce mariage et déterminée à se conduire en adulte lorsqu'elle serait convoquée devant les hommes qui allaient décider de son avenir.

Enfin on vint l'avertir que le jeune Lord Hamilton l'attendait au jardin. Elle fut heureuse qu'il eût pensé à lui parler en privé, même s'il s'agissait d'une simple formalité.

Comme elle avançait vers lui, elle eut l'impression qu'il venait d'entendre sa propre condamnation à mort. Il lui prit les mains et scruta son visage. Comment atténuer le choc?

— Tina, ma douce, vous savez que je souhaite vous épouser plus que tout au monde...

— Oui, Patrick, dit-elle en souriant, encourageante. Je sais ce que vous ressentez.

— Je dois cependant me marier avec Nan Howard la semaine prochaine, sur ordre de la reine.

Tina ouvrit de grands yeux.

— Pourquoi? Je croyais que le roi avait ordonné que nos deux clans soient unis!

Patrick avait vraiment l'air mal.

— Je... elle... Nan Howard est enceinte, murmura-t-il, malheureux.

— De vous? demanda doucement Tina.

— Non... Je l'ignore. Peut-être, avoua-t-il enfin. Les dames de la reine sont de telles catins que je ne le saurai sans doute jamais, ajouta-t-il, amer.

Tina dégagea ses mains. Elle eut un petit coup d'œil vers le bureau de son père, où Arran et lui devaient avoir une conversation similaire. Son orgueil était blessé car Patrick avait eu une liaison alors qu'il la courtisait, mais elle garda ses remarques acerbes pour elle. Après tout, c'était lui le plus malheureux! D'une certaine manière, elle se sentait soulagée. Elle effleura son bras.

— Je suis navrée, Patrick.

— Dieu, comment pouvez-vous vous montrer si indulgente, alors que je me suis conduit comme un porc et un imbécile?

Elle ne pouvait le lui expliquer. La vie avait de ces détours... Elle ne s'était certes pas attendue à cela, mais que dire de plus?

— Nous resterons amis, promit-elle avant de tourner les talons, incapable de supporter l'expression désespérée du jeune homme.

Avant qu'elle pût expliquer à Ada ce qui s'était passé, elles étaient toutes les deux priées de se présenter dans la pièce de travail de Rob. Apparemment, le comte d'Arran était déjà parti, et Tina vit que sa mère avait encore les yeux rouges. Elle s'en voulut de lui causer indirectement un chagrin supplémentaire.

Elle s'assit, les mains sur les genoux, et dut rassembler tout son courage pour lever les yeux vers le visage furibond de son père. En fait, elle se sentait coupable : Patrick avait le cœur brisé, ses parents étaient bouleversés, et elle avait l'impression d'être libérée.

— Les clans des Kennedy et des Hamilton ne seront pas unis par les liens du mariage, déclara Rob abruptement. Arran vient de me dire que son fils devait épouser une dame d'honneur de la reine, Nan Howard.

— Pourquoi ? demanda Elizabeth, déconcertée.

— Parce qu'il lui a mis un gamin dans le ventre ! répondit-il crûment.

— Je suis désolée, mère, dit doucement Tina. J'aurais préféré pour vous qu'on annule l'autre mariage plutôt que celui-ci.

Le visage d'Elizabeth s'éclaira d'un rayon d'espoir.

— Oh, Rob, peut-être est-ce la réponse à mes prières ? Valentina est de nouveau libre de se marier, et ce Douglas pourrait bien décider de la choisir au lieu de Beth...

Tina ne parvenait pas à y croire. Elle avait reçu un coup à l'estomac. Il était impensable qu'elle épousât Black Ram Douglas, mais plus impensable encore qu'Elizabeth eût une telle préférence pour sa fille cadette !

— Ce serait une union parfaitement assortie, insista-t-elle, sarcastique. Oui, oui, Rob ! Ne voyez-vous pas que Valentina conviendrait bien mieux à cette brute de Douglas ?

Ada posa une main consolante sur le bras de la jeune fille qui sentit ses yeux s'emplir de larmes.

— Rob, promettez-moi de vous en occuper immédiatement, avant qu'il ne soit trop tard, supplia Elizabeth.

Rob Kennedy regarda sa fille, sa superbe Flamboyante, le cœur serré. Si seulement Elizabeth lui avait parlé en privé ! Cette femme était un monstre de se comporter ainsi !

167

— Ce sont les comtes qui décideront, répondit-il enfin.

Elizabeth avait sauté sur ses pieds. Elle ne pouvait attendre pour annoncer la bonne nouvelle à Beth. Tout espoir n'était pas perdu! Ada la suivit hors de la pièce.

Tina n'avait pas bougé, et son père lui dit d'une voix bourrue :

— Désolé, petite. Elle a raison. Si quelqu'un peut tenir tête à Douglas, c'est bien toi.

— Je ne veux pas de pitié, c'est insultant, déclara-t-elle, crispée.

Le cœur gros, il la vit hausser les épaules avant de quitter le cabinet.

Elle arpentait sa chambre, laissant libre cours à sa colère.

— Ce n'est peut-être pas si terrible, la consolait Ada. Le mariage change bien des gens, vous savez.

— Non! déclara Tina avec force. Cela ne fait que les rendre un peu plus eux-mêmes. Maudits soient les hommes! Tous les hommes!

— On les manipule facilement, avec un peu d'intelligence.

Inutile de leurrer Tina, songeait Ada. Ce qu'il lui fallait, c'était une aide, des conseils, la vérité.

— Qu'entendez-vous par intelligence? demanda la jeune fille en s'arrêtant net.

— Une femme, une vraie femme dispose d'armes capables de vaincre n'importe quel homme, un seigneur, un comte, même un roi.

Tina s'assit, attentive.

— Vous voulez parler de ma beauté?

Ada secoua la tête.

— La beauté n'en est qu'une partie. Elle n'est pas indispensable, même si elle aide souvent. Je parlais de la sensualité. La plupart des femmes ne s'en servent jamais, l'ignorent totalement. Comme votre mère.

Tina réfléchit un instant.

— Ma mère arrive à ses fins en pleurant.

— Oui... et, mon Dieu, comme son mari le lui reproche !

— Ainsi, il ne suffit pas de se marier et de porter des enfants pour avoir de la sensualité ?

— Non. Elle se voit à la façon dont vous vous habillez pour attirer un homme, pour lui plaire, pour stimuler son imagination et éveiller son désir. Elle est dans les yeux d'une femme lorsqu'elle regarde un homme, étincelle qui promet le paradis. Les yeux sont importants, mais pas autant que la bouche. Les lèvres sont faites pour l'amour, pour prononcer les paroles qu'un homme meurt d'envie d'entendre. Des paroles douces, qui charment, qui réconfortent. La bouche est aussi faite pour manger et, croyez-moi ou non, la façon de le faire peut être sensuelle. Et n'oubliez jamais, surtout jamais, qu'une bouche sert à rire. Les hommes aiment rire. Une vive intelligence comme la vôtre est un cadeau de Dieu.

— Mais je n'ai aucune expérience sexuelle, Ada...

— Je sais, pourtant cela ne durera pas. Rappelez-vous que l'organe sexuel le plus important est votre tête, pas ce que vous avez entre les jambes.

Tina, rouge d'embarras, était néanmoins reconnaissante à sa gouvernante de lui parler avec franchise.

— Ce que j'ai entre les jambes n'est donc pas important ?

— Oh, si, ma chérie ! Réfléchissez : les hommes et les femmes sont différents à cet endroit-là et par les seins. Or les hommes ne s'en lassent jamais. Votre corps tout entier est votre arme. Votre peau de velours, vos cheveux de soie. Un homme véritable veut tout d'une femme, il veut la sentir, la goûter.

Tina ouvrait de grands yeux innocents.

— Pour l'instant, votre sensualité inconsciente attire les mâles comme un aimant. Avec l'expérience, vous prendrez confiance en vous. Vis-à-vis des hommes en général, vous aurez une sensualité subtile ; avec votre époux, elle sera éclatante. La chose la plus importante que vous devez apprendre — bien des femmes n'y parviennent jamais —, c'est aimer le sexe. Vous ne pouvez feindre, c'est impossible. Il faut vous abandonner entièrement à un homme et vous réjouir de tout ce qu'il vous fait. Apprenez à être sensuelle, consentante, et vous le tiendrez au creux de votre main. Ramsay Douglas est un homme puissant, et si vous possédez du pouvoir sur lui, ce sera la plus merveilleuse expérience de votre vie.

Tina éclata brusquement de rire au souvenir de leurs dernières rencontres. Quand ils avaient roulé dans l'herbe, elle savait qu'il avait envie de lui barbouiller le visage. Elle se rappelait exactement comment ses yeux gris étaient devenus presque noirs lorsqu'elle l'avait frappé de sa cravache. Mais la scène la plus nette dans son esprit était lorsqu'il l'avait plantée là dans la salle de danse, la chassant de son existence.

— Par Dieu, j'aimerais voir sa tête quand on lui annoncera qu'il doit épouser Tina Kennedy la Flamboyante !

— Notre destin est écrit dans les étoiles. Nous n'y pouvons rien…

Ada partie, le rire de Tina se transforma en sanglots et elle se jeta sur son lit pour pleurer toutes les larmes de son corps.

Elle maudit Meg, la vieille Gitane, qui lui avait prédit son sort. Elle croyait encore entendre ses paroles : « *Tu seras unie à un homme dont le symbole est le bélier. Il te dominera.* »

Elle se fit une promesse à haute voix :

— C'est moi qui le dominerai !

16

Le comte d'Angus n'était pas très content, malgré le whisky que lui servait généreusement Ramsay. Celui-ci engloutit le sien d'un trait.

— La réponse est non.

— Par le sang du Christ, j'ai ravalé mon orgueil et

signé un traité d'amitié avec ces crétins d'Hamilton. Je sais agir au mieux pour le clan, et j'entends qu'il en aille de même pour toi, un point c'est tout!

— Epouser une sale Kennedy juste parce que Jacques en a décidé ainsi? protesta Ram.

— Ce n'est pas seulement le roi. Moi aussi, j'ai décidé que tu devais avoir un héritier.

— La petite Hepburn a-t-elle donné un enfant à ton fils? Et Marguerite, qui a fait trois fausses couches depuis son mariage...

— Tu peux discuter tant que tu veux, il faudra que tu épouses une Kennedy.

Colin frappa à la porte. C'était le seul dans tout le château qui eût le courage de déranger les deux Black Douglas.

— Tu ne vois pas que nous sommes occupés? tonna Angus.

— Si. Mais Lord Rob Kennedy est en bas, et malgré l'épaisseur des murs, il entend que vous avez une légère altercation.

— Fais-le monter, ordonna Angus. Ça le concerne.

Colin se tourna vers Ram qui déclara:

— Je suis encore maître chez moi, même si Angus semble l'avoir oublié. Fais-le monter.

Damaris sentit la présence de son frère dès qu'il franchit les portes du château. Elle sortit de sa chambre alors qu'il grimpait l'escalier.

— *Robert! Oh, Robert! Je ne t'ai pas vu depuis si longtemps...*

Elle se mordit la lèvre en constatant à quel point les années l'avaient changé.

— *Oh, Rob, tu ne m'entends pas?* s'écria-t-elle doucement en effleurant sa manche. *Que viens-tu faire ici?*

Il ne pouvait lui répondre, mais elle avait un moyen de savoir. Lorsque Colin ouvrit la porte des appartements privés, elle se glissa à l'intérieur et alla s'asseoir sur un gros coussin dans l'embrasure de la fenêtre.

Le visage encore plus rouge que ses cheveux, qui grisonnaient à présent, Rob Kennedy était vêtu de son tartan. Il inclina respectueusement la tête devant Angus avant de saluer Ram.

— Asseyez-vous, mon cher, l'invita Angus. Nous n'avons jamais été ennemis malgré ce qui s'est passé voilà quinze ans.

Rob saisit la balle au bond.

— Vous êtes rentré en compagnie d'Arran, aussi savez-vous probablement qu'il n'est plus question du mariage Hamilton-Kennedy ?

— Comment ça ? Cette union ne peut être annulée, puisque les chefs l'ont décidée.

— Je viens de recevoir la visite des Hamilton. Patrick a luttiné l'une des dames de la reine, et celle-ci exige qu'il l'épouse.

Ramsay fut heureux d'apprendre la mésaventure survenue à son ennemi.

— Hamilton a le cerveau au-dessous de la ceinture, observa-t-il, méprisant.

— Cette petite garce d'Anglaise ! rugit Angus. Howard lui aura dit de coucher avec Patrick pour établir un lien avec l'amiral d'Ecosse !

Ram avait fait l'amour à toutes les sœurs Howard, à un moment ou à un autre, et il se félicita qu'elles n'aient pas jeté leur dévolu sur lui...

Rob s'éclaircit la gorge. Il aurait eu bien besoin d'une gorgée de whisky pour se donner du courage ! Il fixa le jeune homme sombre avant de lâcher :

— Comme ma fille aînée, Valentina, est libre de nouveau, je vous prie de la prendre, elle, au lieu de Beth.

Ram Douglas était stupéfait.

— Vous avez un certain aplomb, Kennedy, si vous imaginez que je veux de l'une ou de l'autre.

— Prenez un whisky, ami ! intervint Angus en donnant une claque dans le dos de Rob.

Celui-ci avala le contenu de son gobelet comme s'il s'agissait d'eau et reprit :

— Bien sûr, je suis prêt à vous récompenser généreusement si vous prenez Valentina.

— Combien ? demanda Angus.

Ram croisa les bras, appuyé au dossier de son fauteuil, tandis que les deux hommes discutaient de son avenir.

— Je lui donnerai une dot de cinq mille.

Si Angus fut impressionné, il n'en montra rien.

Une importune image de Tina la Flamboyante s'imposa à l'esprit de Ram. Il la revit montée sur sa belle jument, avec la fente de sa jupe qui montrait trop ses jambes, sa superbe chevelure cascadant sur ses épaules. Au souvenir de ses yeux dorés, de sa bouche sensuelle, il sentit le désir le tarauder. C'était une magnifique catin, il ne pouvait le nier !

Il se demanda combien d'hommes avaient ainsi eu envie d'elle simplement en la voyant. Patrick Hamilton, le Gitan, ses propres frères... Même Angus avait avoué qu'elle l'excitait. Tout le monde la courtisait, les Campbell, les Gordon, les Stuarts... avant qu'elle fixât son choix sur l'héritier de l'amiral d'Ecosse, l'ennemi juré de Ram.

Soudain, il comprit qu'il porterait un coup mortel à Patrick s'il acceptait la femme qu'il n'avait plus le droit d'épouser. Cette idée le fit sourire.

Il leva les yeux vers les deux hommes.

— Doublez la dot !

Rob sentit la victoire proche.

— Accepté !

Ram leva la main pour indiquer qu'il n'en avait pas encore terminé.

— Propriété ?

Tandis que Kennedy passait mentalement en revue ses terres, Angus se détendit et laissa Ramsay prendre les rênes. Son neveu n'était pas un imbécile !

— J'ai des terres à Kirkcudbright, juste de l'autre côté de la Dee par rapport au château Douglas. J'en fais don à Valentina et à ses héritiers.

Ram admira l'habileté de l'homme qui n'avait pas parlé de mettre la propriété à son nom.

— Cela ne me tente pas vraiment, pour l'instant, dit-il.

Rob ouvrit la bouche pour protester, mais Ram ajouta négligemment :

— J'ai besoin de navires.

— Dieu, vous êtes dur en affaires! gronda Rob qui tenait par-dessus tout à sa flotte marchande.

A contrecœur, il offrit son plus petit bateau, le *Scotia*. Ram hocha la tête, pensif.

— Il y en a un... Il est ancré au Solway. J'en ai envie chaque fois que je le vois lors de mes patrouilles.

Kennedy serra les dents. C'était l'un de ses plus splendides vaisseaux. Le silence s'étira. Ram semblait parfaitement indifférent à l'issue de la discussion, et la tension montait dans la pièce. Enfin Kennedy, au bord de l'apoplexie, céda.

— Vous avez gagné, bon Dieu! J'ajoute le *Valentina*.

— Je réfléchirai, dans ce cas...

— Quand me donnerez-vous la réponse? demanda Rob avec colère.

— Lorsque j'aurai pris ma décision.

Rob Kennedy, furieux et impuissant, quitta brutalement la pièce. Damaris le suivit, épouvantée. Elle ne pouvait communiquer avec son frère, mais il fallait qu'elle agît, absolument!

— Tu es plus pervers que moi, observa Angus, admiratif.

— J'en doute...

— Tu es une drôle de canaille d'oser réclamer des bateaux en plus de l'argent et des terres, d'autant que tu n'as pas d'autre choix que de te marier!

— Je n'aurais pas mon mot à dire en ce qui concerne ma vie? s'écria Ram, soudain furieux.

— La décision est prise. Tu épouseras une Kennedy, que tu le veuilles ou non.

— C'est ce que nous verrons, répliqua Ram à voix basse.

Damaris regarda son frère quitter le château au triple galop. Il devait être fou de rage à l'idée de donner sa fille à un Douglas! Comment pouvait-il le permettre, sachant ce qui était arrivé à sa propre sœur? Damaris était épouvantablement frustrée de ne communiquer avec personne, et d'être incapable d'influencer le cours des événements. Pourtant, une autre âme pouvait la voir, l'entendre : Alexander. Balayant tous ses principes, elle alla le trouver.

— *On arrange un mariage entre ma nièce Valentina et Ram Douglas. Mon frère est venu ici, mais je n'ai pu entrer en contact avec lui. Bon sang, Alex, il faut mettre un terme à cette affaire!*

— *Je suis au courant. Valentina Kennedy est exactement la femme qu'il faut à Ram.*

— *Va au diable, Alex! Je les ai entendus. Il ne veut même pas d'elle. Mon frère a proposé de l'argent, des terres, et même deux de ses bien-aimés bateaux, et Ram était à peine tenté. Aide-moi à empêcher ce mariage!*

Alex sourit.

— *Il la veut, au contraire, autant que je t'ai voulue. Rien ne m'aurait arrêté, Damaris, et rien ne l'arrêtera. Tu connais les Douglas!*

— *Oui, pour mon plus grand désespoir, espèce de canaille, vaurien, brute!*

Alex renversa la tête en arrière et partit d'un grand rire joyeux.

— *Que trouves-tu de si drôle?* demanda-t-elle, indignée.

— *Tu me parles, ma chérie!*

Elle levait la main pour le gifler, mais il lui saisit le poignet et l'attira à lui.

— *Peu importe que nous nous disputions. Après quinze ans de silence, j'adore ça! Je t'aime...*

Il la serra plus fort contre lui et prit ses lèvres. Damaris s'évanouit dans les airs, mais pas avant d'avoir longuement profité de ce baiser.

Quand Rob Kennedy rentra à Doon, toute la maisonnée était avide de savoir ce qui s'était passé chez Douglas. Elizabeth fut la première à l'apprendre.

— Rassurez-moi, monseigneur... A-t-il insisté pour avoir Beth?

— Non.

Elizabeth se laissa tomber sur le lit, les larmes aux yeux.

175

— J'espère que tu es contente, femme. J'ai sacrifié Tina pour sauver ta précieuse Beth. C'est un homme dur, elle ne pourra plus faire tout ce qu'elle veut !

— C'est peut-être mieux ainsi. Elle a toujours eu besoin d'être matée. Ce que Kirsty raconte à son sujet me fait dresser les cheveux sur la tête.

— Cette vieille fille ratatinée est jalouse de ma petite ! Même dans une pièce pleine de jolies femmes, on ne remarque que ma Tina.

Elizabeth ne perdit pas une minute pour annoncer la bonne nouvelle à sa fille cadette, qui retrouva ses couleurs. Ada s'excusa et alla retrouver Tina qui rentrait d'une promenade à cheval. Tout en l'aidant à se dévêtir, elle lui donna son avis :

— Lorsque Douglas viendra se déclarer, portez votre plus jolie robe. Vous devez lui faire sentir la valeur de ce qu'il obtient. Surtout taisez-vous et soyez toute douceur et soumission. Un homme se sent plus viril en présence d'une femme docile. Il ne servirait à rien de crier et de protester. Au contraire, vous devez commencer à l'enchaîner dès le début.

— Vous vous y connaissez en hommes, Ada. Je suivrai vos conseils.

Ada saisit son ouvrage, qui consistait en une transparente chemise pour la nuit de noces.

Tina eut soudain l'impression que ses jambes se dérobaient sous elle.

— Je n'y arriverai jamais sans vous, Ada. Accepteriez-vous de quitter Doon pour m'accompagner à Douglas ?

— Avec plaisir, si vous persuadez votre mère de me laisser partir.

— J'y vais tout de suite. Je ne le lui demanderai pas, je l'en informerai. Et tant que j'y suis, je lui dirai que j'emmène aussi M. Burque. C'est elle qui a déclaré que nous devions tous faire des sacrifices !

Pendant trois jours, la robe de soie abricot fut prête à être rapidement enfilée dès que Douglas se présenterait. Et, bien qu'il prît tout son temps, il finit par venir.

176

Après avoir attaché les petits boutons de nacre du corsage, Ada fit asseoir la jeune fille pour tresser des perles dans ses boucles relevées en chignon. Valentina avait confiance en elle : jamais elle n'avait été plus jolie.

Comme elle approchait de la pièce où devait avoir lieu la rencontre, elle entendit la voix profonde de Ram :

— Faites-la venir, que je la voie.

Le porc arrogant ! On aurait dit qu'il s'agissait d'acheter une jument ! Tina compta jusqu'à dix, se rappela les conseils d'Ada et ravala sa colère. Puis, après une profonde inspiration, elle baissa les yeux et entra.

Sa beauté le prit au dépourvu, pourtant il n'en laissa rien paraître. Les yeux gris la fixèrent si longtemps qu'elle sentit sa belle assurance se dissoudre. Le visage de l'homme était dur, sa mâchoire volontaire, sa bouche sensuelle... et l'orgueil transparaissait dans toute son attitude.

Valentina était confrontée à son destin. « Rappelle-toi les yeux, rappelle-toi la bouche », se dit-elle.

— Quel âge avez-vous ? demanda-t-il froidement.

— Dix-sept ans et toutes mes dents, ne put-elle s'empêcher de répondre. Je vois que pour faire la cour comme pour faire la guerre, les chevaliers se montrent expéditifs, ajouta-t-elle, mielleuse.

— Faire la cour ? (Il éclata de rire.) Soyons francs. Nous avons deux personnalités tout à fait incompatibles. Vous êtes hardie, vive, futile et gâtée, peu habituée aux hommes. De plus, on dit que toutes les femmes Kennedy sont légères.

— Vous êtes dur comme une trique, l'ami, protesta Rob.

Tina eut un sourire désarmant.

— Les Douglas sont réputés pour leur ambition, leur orgueil, leur avidité, leur perfidie...

— Et leur valeur, ajouta Ram.

— Vous êtes monstrueusement imbu de vous-même, monsieur !

— Oui, les Ecossais sont comme ça !

— Voici la plus étrange demande en mariage que j'aie entendue, dit-elle, les yeux plissés en deux fentes dorées.

Il se détourna pour s'adresser directement à Rob Kennedy :

— Je n'offre pas le mariage. Pas pour le moment. Il s'agit de concubinage. Les deux parties seront libres de se dégager si l'union n'est pas satisfaisante.

Valentina eut l'impression d'être frappée par la foudre. Quant à Rob, cramoisi, il ouvrit la bouche pour protester, mais Ram le devança :

— Evidemment, je signerai un papier pour m'engager à l'épouser si elle attend un enfant de moi.

L'atmosphère était pleine d'étincelles.

— Laissez-moi lui parler seul à seule, poursuivit Ram. C'est elle qui décidera.

Abasourdi, Rob sortit à regret.

— Vous n'êtes pas connue pour votre chasteté, reprit Ramsay. Heureusement, vos parents sont prêts à payer une fortune afin de se débarrasser de vous.

Tina était folle de rage. Cet homme la prenait pour une catin ! Et ses parents le payaient ! A travers une brume de haine, elle vit l'écusson portant le Cœur sanglant des Douglas, et elle se jura que son cœur ne saignerait jamais, mais celui de Ram, si ! Ce serait le défi de sa vie.

— Un concubinage me convient parfaitement, monsieur. Vous avez eu raison de le proposer, ainsi le roi et les comtes seront satisfaits, et nous pourrons nous libérer l'un de l'autre dans quelques mois.

— Alors, c'est décidé.

Ce n'était pas une question, mais ses paroles suivantes le furent :

— Ils sont vrais ?

— Quoi ?

— Vos seins. Ils vous appartiennent, ou ce sont des rembourrages ?

En deux enjambées il fut sur elle, déboutonna les boutons de nacre et glissa la main dans son corsage.

Elle en resta un instant interdite, les yeux grands ouverts de stupéfaction et d'indignation.

Immédiatement, Ram sentit son sexe grandir et il ne fit rien pour le dissimuler.

Tina baissa les yeux vers sa virilité évidente.

— Est-ce à vous, ou est-ce du rembourrage ? demanda-t-elle en posant une main hardie sur son pantalon.

Le désir de Ram s'intensifia, et Tina sut que son audace l'avait mise en danger. Dieu du Ciel, pourquoi se montrait-elle si impulsive, sans songer aux conséquences de ses paroles et de ses actes ? Elle avait affaire à un homme qui prenait ce qu'il voulait, quand il voulait, or ce qu'il désirait était clair... Elle devait se débrouiller pour en sortir indemne. Au moment où sa bouche s'abattait sur la sienne, elle le mordit violemment de toute la force de ses petites dents. Ram jura, et elle courut vers la porte en rajustant l'ordonnance de sa toilette.

— Père, je crois que nous sommes arrivés à un accord ! annonça-t-elle en ouvrant à Rob.

Celui-ci entra dans la pièce, tandis que Ram s'en allait sans un regard en arrière.

Tina eut un petit sentiment de triomphe. Ada avait raison, elle avait des armes. Si elle apprenait à bien s'en servir, elle le vaincrait.

— Tu es sûre de toi, petite ? demanda Rob. Je vais aller voir le roi. Je lui dirai que c'est une union impossible.

— Non, non, cela me convient.

Elle haussa les épaules.

— Nous nous connaissons mieux que vous ne le pensez, père. Pendant que vous étiez en mer, je lui ai rendu visite chez lui. Nous avons une affaire à terminer.

Lord Kennedy n'était qu'à demi surpris. Il les avait vus ensemble à Stirling et savait que c'était une combinaison explosive. En ce moment, ils étaient esclaves de leur haine réciproque, mais si cette haine se transformait en passion...

— S'il te blesse d'une façon quelconque, tu me promets de rentrer à la maison ?

Elle acquiesça.

— As-tu besoin de plus de temps ? Samedi sera bientôt là...

— Samedi me semble aussi bien qu'un autre jour. Les dés sont jetés. Et pensez au soulagement que vous ressentirez tous à vous dire que je vais semer la pagaille au château de Douglas au lieu d'ici !

Le vendredi soir, tout était prêt. Rien que les robes de Tina emplissaient dix malles, sans compter son linge de maison, son argenterie et les divers objets hérités tant de la famille de sa mère que des Kennedy.

Le matériel de M. Burque tenait dans deux chariots.

Tina avait décidé qu'elle occuperait l'ancienne chambre de Damaris, et n'emportait donc pas son lit, seulement les draperies, qui avaient été soigneusement nettoyées et pliées, et dont le damas d'Orient représentait des dauphins d'argent sur fond de ciel. Et sa baignoire, peinte à la main de délicats coquillages, en forme de coquille Saint-Jacques.

En plus d'Indigo, elle emmenait sa jument alezane. Elle avait failli renoncer à prendre Indigo, pour ne pas la mettre dans les écuries de Ram, puis elle s'était dit qu'il serait furieux chaque fois qu'il la verrait monter la belle jument dont il avait tant envie.

Elle avait fait ses adieux à sa mère qui, feignant une nouvelle maladie, s'était couchée pour ne pas avoir à accompagner sa fille à Douglas.

Beth avait voulu la remercier de l'avoir sauvée, mais elle l'avait arrêtée d'un geste insouciant et lui avait conseillé de prendre Lord Andrew Kennedy dans ses filets avant qu'on lui imposât un fiancé.

Néanmoins, maintenant, assise devant la cheminée avec Ada, elle sentait toute sa belle énergie lui échapper.

Elle finit par avouer en soupirant :

— Je me suis conduite épouvantablement, lorsque Douglas est arrivé avec sa proposition insultante.

180

— Le concubinage n'est pas une insulte, Tina. C'est une coutume écossaise. Comme des fiançailles qui vous donnent un an pour décider si vous êtes faits l'un pour l'autre ou non. Au bout de cette période, le mariage devient légal et permanent. Dans votre cas, il a promis de vous épouser avant si vous êtes enceinte. On vous accordera la place d'honneur dans tous ses châteaux. Vous serez comme mari et femme, on vous appellera Lady Douglas.

— Je ne veux pas de ce satané nom! Je hais Ram Douglas! C'est une canaille! Je veux le rabaisser... non, pire, je veux le briser.

— Il existe un seul moyen d'avoir prise sur lui, Tina.

— Je sais. Je vais tenter de le faire tomber amoureux de moi. S'il en arrive au point de ne pouvoir vivre sans moi, je lui rirai au nez et je mettrai un terme à cette histoire!

— Pour y arriver, il vous faudra le rendre esclave de votre sensualité.

— Je sais qu'il me désire, dit Tina en rougissant légèrement. Il veut toujours me toucher. Il a défait mon corsage sous prétexte de voir si je portais des rembourrages.

Ada haussa les sourcils.

— Avec votre père derrière la porte? Comment avez-vous réagi?

— Je... j'ai touché son sexe en lui demandant si c'était un rembourrage.

— Ô mon Dieu, Tina! Vous êtes impossible!

— Maintenant, j'ai un problème... Il est sûr que j'ai de l'expérience.

— Je me demande bien pourquoi, plaisanta Ada.

— En réalité, je suis totalement ignorante de ces choses. Comment pourrais-je dans ce cas le manipuler?

— Ram Douglas vous enseignera bien vite tout ce qu'il y a à apprendre, ma chérie. Il a une réputation d'amant magnifique. Son surnom d'Éclair... vous comprenez bien qu'il a une connotation sexuelle.

— Non, je n'y avais pas pensé... J'ai peur, Ada. J'ai

vu des juments hurler quand on les montait pour la première fois...

— Oh, ma douce, ne vous arrêtez pas à cette première fois. Vous aurez mal, vous saignerez, mais ne vous bloquez pas, comme trop de femmes. Laissez-le vous donner du plaisir. Rien n'est comparable à cette jouissance. Si vous vous laissez aller, vous connaîtrez la joie, l'extase, le paradis.

Tina la dévisagea, étonnée.

— Cela semble presque mystique.

— Ça l'est ! Et plus il verra que vous y prenez plaisir, plus il en prendra aussi, plus il voudra vous en donner toujours davantage à chaque fois. Ne croyez pas que les hommes soient seuls à ressentir du plaisir. Ils considèrent l'amour comme une conquête jusqu'à ce qu'ils se rendent compte du bonheur qu'ils peuvent apporter à une femme. Séduisez-le de cette façon, et bientôt il vous sera attaché à jamais.

— Il m'intimide affreusement, Ada.

Celle-ci prit la jeune fille dans ses bras.

— Allez dormir, maintenant. J'ai toute confiance en vous. Vous êtes passionnée dans la vie, vous le serez aussi au lit.

17

Valentina Kennedy chevauchait entre son père et Archibald Kennedy, comte de Cassillis. Ses frères Duncan et David, ainsi que d'autres hommes du clan, menaient la marche, et les chariots la fermaient. En plus de M. Burque et d'Ada, son père avait insisté pour qu'elle emmenât son palefrenier, et sa mère lui avait confié une des servantes du château, prénommée Nell.

Tous les hommes portaient le tartan vert et rouge des Kennedy. Même Tina avait un plaid drapé sur l'épaule de son costume d'équitation.

Les paroles d'Ada résonnaient dans la tête de la

jeune fille. En tant qu'Anglaise, sa gouvernante avait une vision lucide des Ecossais :

— L'Ecosse est une terre brutale, sauvage, sans compromis. Et ses hommes en sont le reflet exact, Tina. Forts, arrogants, à peine civilisés. Ils ne peuvent survivre qu'avec une loyauté entière à leur clan.

» Le sang gaélique a rendu les Ecossais plus fiers que n'importe quel peuple. Vous vous ressemblez beaucoup, Ram Douglas et vous. Vous êtes tous deux gouvernés par la passion et la fureur. Vos tempéraments vifs ont créé une querelle personnelle où vous prenez plaisir à vous combattre. Si vous avez l'intention d'être la meilleure, n'essayez jamais la force, car il est plus fort que vous. Vous ne gagnerez que par la ruse. Prenez un gant de velours, mouchetez votre épée. Plaisantez, riez ensemble, faites l'amour avec lui. Et quand il sera le plus vulnérable, frappez, frappez-le au cœur...

En approchant du château des Douglas, elle se rappela le jour où elle avait feint un accident de cheval. Elle frissonna, bien qu'il fît chaud à présent. Elle ouvrit le col de sa veste, caressa les perles de Lazare qu'elle portait pour éloigner le diable...

Le son des sabots des chevaux sur le pont-levis était sinistre, menaçant. Lorsqu'ils atteignirent la herse, elle vit que les préparatifs pour la journée à venir allaient bon train. Des légumes colorés débordaient de grands paniers, des cagettes d'huîtres et de crabes étaient rangées le long des murs.

Dans la cour, deux bœufs tournaient sur des broches, surveillés de près par un Pochard affamé.

Les palefreniers des Douglas se précipitèrent pour accueillir les invités. Le comte d'Angus reçut cérémonieusement le comte de Cassillis tandis que Lord Ramsay Douglas congratulait Lord Rob Kennedy de la façon la plus formelle, avant même de jeter les yeux sur Valentina.

M. Burque, qui avait monté la jument alezane de Tina, mit rapidement pied à terre et s'approcha, bousculant les palefreniers. Ram plissa les yeux en voyant cet homme grand, mince, élégant. Il avait été en partie élevé à Paris, et n'avait jamais vu d'hommes aussi séduisants qu'en France. Ses soupçons se virent confirmés lorsque le galant tendit les bras à Tina :

— Permettez-moi, ma chérie.

Tina se pencha vers le Français avec son plus beau sourire et descendit de cheval dans un envol de jupons.

— Vous me soulagez de mes devoirs, marmonna Ram.

— M. Burque m'est indispensable, monseigneur, dit-elle, tout sucre.

— Dans quelle spécialité ? demanda-t-il froidement.

— M. Burque est mon chef.

— Votre chef ? Vous croyez que nous n'en avons pas, ici ?

Elle éclata de rire.

— Ah, monsieur, vous pouvez avoir des quantités de cuisiniers et de garçons de cuisine, mais personne qui puisse se comparer à M. Burque. C'est le meilleur chef d'Ecosse, et il est à moi.

Le Français s'excusa pour aller surveiller le déchargement de ses précieux ustensiles.

— Il est trop beau pour être honnête, maugréa Ram.

Elle rit de nouveau, pour lui montrer qu'elle appréciait sa remarque.

Il porta la main aux perles qu'elle avait au cou.

— Vous voulez conjurer le démon ? demanda-t-il, ironique.

Le comte d'Angus approchait, et elle répondit vivement :

— On dirait que cela marche : voici Archibald en personne.

Cette fois, ce fut lui qui éclata d'un grand rire. Elle lui lança un regard langoureux entre ses cils.

— Voilà. Nous nous sommes fait rire l'un l'autre. Que demander de plus ? Hormis de l'argent, de la terre et des bateaux, évidemment, ajouta-t-elle méchamment.

— Connaissant les femmes, d'ici le crépuscule, vous aurez exigé d'autres faveurs de ma part.

La repartie était plus habile qu'elle ne s'y attendait,

et elle décida que ce jeu l'amusait. Fixant la bouche de Ram de ses grands yeux, elle murmura :

— Je ne suis pas sûre, monseigneur, de pouvoir attendre le crépuscule. Si nous montions maintenant ?

— Vos désirs sont des ordres.

— Parfait. Alors vous ne verrez sûrement pas d'inconvénient à ce que j'occupe la chambre de ma tante Damaris.

Comme elle se tournait pour appeler Ada, elle aperçut Gavin.

— Ada, faites porter mes malles dans la chambre de Damaris, je vous prie.

Puis elle s'adressa de nouveau à Ram, les yeux pétillants de malice :

— Voici une autre personne qui va vous relever de vos obligations. Je suis certaine que Gavin se fera un plaisir de m'accompagner à l'étage, le temps que je me familiarise avec les lieux.

Elle prit le bras du jeune homme à qui elle adressa un regard langoureux.

— Que ferais-je sans votre aide, monsieur ? Il faut que je me débarrasse au plus vite de cette tenue de voyage et que je plonge dans un bain.

Gavin eut un sourire ravi. Et l'agacement de son frère n'y était pas étranger.

Les comtes étaient impatients d'en finir avec cette union, et les quatre hommes se retirèrent dans la salle d'armes où se traitaient depuis toujours les affaires du clan.

Ram leur offrit de la bière que Rob fut seul à accepter. Cassillis et Angus préféraient visiblement du whisky, qu'il leur servit avant de s'asseoir avec eux autour d'une vaste table.

Kennedy signa d'abord la donation de sa terre de Kirkcudbright, avant de remettre les papiers des bateaux, qui vogueraient à présent avec l'équipage de Douglas.

En retour, Ram s'engagea à épouser Lady Valentina Kennedy si elle attendait un enfant. Le concubinage ne requérait pas de contrat, seulement une déclaration verbale en présence des deux familles — formalité qui aurait lieu plus tard dans la journée. Vint enfin le traité de bonne entente entre les clans Kennedy et Douglas que signèrent les deux comtes. La cire fut chauffée et les quatre hommes apposèrent les sceaux de leurs chevalières sur les parchemins.

Enfin, Rob Kennedy remit une lettre de crédit de dix mille livres écossaises à Ramsay Douglas. Ils terminèrent en portant un toast.

Tina montait le grand escalier entre Ada et Gavin lorsque Colin vint à sa rencontre.

— Bienvenue à Douglas, Lady Kennedy. Vous aurez grand besoin d'un ami, dans ce château, et je serais ravi de remplir ce rôle.

— Tout l'honneur sera pour moi, monsieur, dit-elle, pleine de gratitude.

Il l'attira à lui pour un chaste baiser sur le front, et Ada vit qu'ils se serraient les mains pour conclure leur pacte.

— Je vais m'installer dans la chambre de Damaris, ajouta la jeune fille.

— Je m'en doutais, dit-il, une étrange lueur dans les yeux, avant de la conduire vers une porte qu'il ouvrit.

Tina désigna le portrait à Ada qui s'écria :

— C'est exactement elle. Cet artiste est un maître !

— Merci, dit calmement Colin.

— C'est vous qui avez peint ce tableau ? s'étonna Tina.

— Je plaide coupable. C'est la beauté de la femme que vous admirez. Pas mon modeste talent.

Dans un coin de la pièce, Damaris rougit. Elle se rappelait parfaitement les séances de pose, et savait que Colin éprouvait pour elle plus qu'une affection fraternelle.

— Je vous laisse avec nos servantes. Si l'une d'entre elles ne vous satisfait pas pleinement, faites-le-moi savoir.

Damaris vit une douzaine de domestiques charrier les malles, le tapis, les tentures de lit, la baignoire.

Après quinze ans de relative solitude, quel changement pour elle !

Un jeune serviteur apporta des gâteaux et du vin mais Tina n'en avait pas envie. Ada demanda de l'eau chaude pour un bain.

— Avez-vous mangé quelque chose, aujourd'hui ? interrogea-t-elle devant la pâleur de sa jeune maîtresse.

Tina plissa son petit nez.

— Je n'ai pas faim.

— Eh bien, dans ce cas, je ne vous laisserai pas boire de vin sans rien dans l'estomac, cela vous rendrait encore plus hardie que de coutume !

Il fallut deux longues heures pour que Valentina fût baignée, coiffée, vêtue de sa robe de satin crème au corsage rebrodé de perles. Le décolleté en était fort sage, et une collerette bordée de perles ornait son long cou, tandis que sa chevelure tombait librement sur ses épaules comme il convenait à une jeune fille.

Son père l'accompagna en bas de l'escalier, mais Ram n'était pas là pour l'accueillir. Ce fut le comte d'Angus qui glissa un bras possessif autour de sa taille en déclarant :

— Elle appartient aux Douglas désormais, Rob. Laissez-moi la regarder tout mon soûl avant que Ram nous l'enlève.

Il se pencha sur elle, et elle fut incommodée par les relents de whisky.

— Accompagnez-moi dans la pièce commune, petite. Tous les Douglas de la région sont venus vous voir et vous voler un baiser.

Il repoussa Gavin qui s'approchait.

— Non, gamin. Laisse un vieil homme profiter de cette rare occasion.

Dans la vaste pièce, il y avait une foule incroyable de visages bruns. Tout le monde criait, jurait, buvait, riait, discutait. Tina eut mal au cœur à cause de l'odeur mêlée de la sueur, de la fumée, des mets que l'on commençait à apporter sur les tables. Elle s'accrocha un peu plus au bras d'Archibald Douglas et lui adressa un sourire désarmant. Il plongea dans son décolleté.

— Vous avez des seins ravissants, petite !

Tina rougit délicatement. Ce lui fut presque un soulagement de voir Ram se détacher d'un groupe pour se diriger vers elle. Archibald la tourna vers les longues tables.

— Par le diable, les cuisiniers se sont surpassés ! Regardez, petite !

Une truie avait été rôtie entière, ainsi que ses douze petits que l'on avait disposés artistiquement près de son ventre comme s'ils tétaient. Valentina, habituée aux présentations raffinées de M. Burque, n'avait jamais rien vu d'aussi obscène... Elle sentit la tête lui tourner et s'évanouit.

Tout le monde se massa autour d'elle, et Angus repoussa la foule.

— Bande de brutes ! Laissez-la respirer !

Tina reprenait ses esprits.

— La petite a faim ! D'ailleurs j'ai moi aussi l'estomac qui gargouille ! s'écria Angus. Ramsay, bon sang, où es-tu ? Il faut nourrir cette enfant !

Sans aucune douceur, Ram prit la main de Tina et l'entraîna vers le dais qui avait été installé près d'une grande cheminée. Un cri d'allégresse parcourut la salle.

Tina leva les yeux vers Ram et vit la colère sur son visage. Il avait été contraint à cette union et elle sentait sa rage. Elle eut envie de crier qu'elle aussi avait été forcée. Ce n'était pas sa faute !

Ramsay, en effet, n'était que haine. Une haine noire comme ses cheveux, comme son pourpoint qui ne laissait apparaître du blanc qu'au col et aux poignets. Il avait vu Tina s'évanouir... Comment osait-elle venir à lui en portant l'enfant d'un autre ? Si le coupable était Patrick Hamilton, il le tuerait... et il la tuerait aussi. Il tordrait ce joli cou fragile de ses propres mains.

Il s'arracha à elle, scruta la foule des visages masculins. Tous exprimaient le désir. Elle les avait séduits, cette catin, par sa grâce, par sa beauté. Et Ramsay ne voulait à aucun prix montrer qu'il était séduit, lui aussi.

Il la saisit brutalement au poignet et leva sa main bien haut avant de s'emparer d'un gobelet de cristal et de prononcer les paroles qui les unissaient en concubinage.

La période traditionnelle était d'un an. Au bout de ce temps, soit ils seraient mariés, soit ils se sépareraient.

Valentina prit son gobelet et répéta les paroles de Ram. Ensuite ils burent et ils jetèrent leurs verres dans la cheminée où ils explosèrent en milliers d'éclats. La foule était au comble du ravissement. Ramsay, toujours brutal, obligea la jeune fille à subir un baiser.

Ce baiser était surtout destiné à montrer aux Douglas qu'il la dominait, mais elle s'en tint à son plan initial et, à force de volonté, elle s'abandonna, féminine et soumise.

Tina n'avait pas faim. Le vin lui avait échauffé le sang, et elle se sentait presque prête pour Ramsay. Mais elle remarqua qu'il buvait plus qu'il ne mangeait, et elle se dit que s'ils étaient ivres tous les deux, rien de bon n'en sortirait.

Quand quelques Douglas commencèrent à plaisanter avec lui, il se leva et se dirigea vers eux, riant pour la première fois de la journée. Un peu perdue, Tina chercha du réconfort autour d'elle. Mais Duncan était tellement ivre qu'il tenait à peine sur ses jambes.

— Où est Davie ? demanda-t-elle.

— Il lutine les servantes, répondit Duncan avec un sourire complice.

Tina se figea. Pourquoi les hommes étaient-ils si grossiers, toujours ?

— Venez, petite... Les villageois se sont massés à l'extérieur depuis des heures juste pour vous apercevoir.

Curieusement, son salut vint d'Archibald Douglas, qui lui offrait son bras. Pas un homme en Ecosse n'avait aussi mauvaise réputation que le comte d'Angus. Tout le monde le craignait, même le roi.

Il fallait reconnaître qu'il tenait bien l'alcool, car il n'avait cessé de boire du whisky mais semblait en pleine possession de ses moyens. Elle fut secrètement amusée de le voir son allié. Certes, Janet Kennedy avait été sa maîtresse, et elle lui ressemblait fort. Quoi qu'il en fût, elle ne laisserait pas passer l'opportunité de se pavaner à son bras. Si le clan Douglas voyait qu'elle avait l'approbation du chef, il lui témoignerait affection et respect. Son influence était toute-puissante, et le pouvoir n'était pas une chose à négliger, se dit-elle.

Ils déambulèrent pendant une heure durant laquelle Tina déploya des trésors de charme. Elle se montrait aimable envers tous, princes ou paysans, et Angus apprécia la façon élégante dont elle acceptait les hommages. Quant à elle, elle était suspendue à ses lèvres. Personne ne connaissait la région en général et les Douglas en particulier aussi bien que le vieux comte.

Il venait de lui présenter un nouveau Lord Douglas quand elle protesta en riant :

— Pitié, monseigneur ! Je ne les distingue plus les uns des autres. On dit qu'il y a des quantités de moutons en Ecosse, mais je crois qu'il y a encore plus de Douglas !

Il fit une grimace qui pouvait passer pour un sourire.

— Venez avec moi, petite, je veux vous montrer quelque chose.

Elle hésita un instant devant la salle d'armes. Pouvait-elle lui faire assez confiance pour rester seule avec lui ?

Il la mena fièrement vers une immense carte qui ornait le mur. Une large partie était colorée en vert, et elle pensa qu'il s'agissait des forêts, mais il la détrompa : c'étaient les terres des Douglas.

— Cela vous donne une idée de notre force et de notre pouvoir. Nos propriétés s'étendent d'ici jusqu'à la côte, bien au-delà du Midlothian et du Lothian.

— Vous possédez tout ce qui se trouve autour d'Edimbourg, à des centaines de lieues à la ronde, dit-elle, impressionnée.

Archibald grimaça de nouveau.

190

— Pourquoi croyez-vous que l'on ait transféré la capitale de Stirling à Edimbourg ?...

— Parce que certaines terres autour de Stirling n'étaient pas contrôlées par les Douglas, répondit-elle, bonne élève.

Il lui adressa un clin d'œil pour la féliciter de sa vivacité d'esprit.

— Les deux garçons que vous venez de rencontrer sont Douglas de Kilpendie et Douglas de Longniddy. Nous avons plus de châteaux que vous ne pourriez en compter sur les doigts de vos deux mains : Tantallon, Dunbar et Aldbar sont des garnisons. Voici la forteresse Douglas, notre joie et notre fierté, au confluent de la rivière Dee et du fleuve. C'est là que sont enterrés les cœurs de tous les seigneurs Douglas.

— Les cœurs seulement ?

— Parfois, c'est tout ce qui reste, après la bataille. Le premier comte a ordonné que son cœur fût placé dans un coffret et enterré sous l'autel dans la chapelle du château. Depuis lors, notre emblème est un cœur sanglant. Nous avons la réputation de vivre des existences plutôt agitées, ajouta-t-il avec son semblant de sourire.

Valentina effleura du doigt le château Douglas, puis fronça les sourcils.

— Votre carte est fausse, monseigneur. Kirkcudbright appartient aux Kennedy.

— Non, petite. C'est une partie du prix que votre père a payé à Ramsay.

— Par le Ciel ! Ainsi c'est vrai ? Mon père l'a payé pour qu'il me prenne !

— Il n'y a pas de honte à ça, petite, dit-il, compatissant devant son angoisse. Avez-vous une idée de la somme effarante que Henri Tudor a donnée à Jacques pour qu'il épouse Marguerite ?

Tina eut un soudain élan de pitié pour la reine. Maudits soient les hommes ! Jamais les femmes n'auraient dû être traitées comme du bétail.

Archibald s'éclaircit la voix.

— Ram s'est fait tirer l'oreille pour accepter cette

union. C'est pourquoi il s'est montré négligent et insolent envers vous, aujourd'hui. Je compte sur vous pour ramener votre époux à la raison, petite.

— Ce n'est pas mon époux ! protesta-t-elle vivement.

— Il faut y remédier. Il a besoin d'héritiers légitimes, de fiers et robustes Douglas pour hériter de tout cela, conclut-il en balayant la carte d'un grand geste. Vous ne le dominerez jamais, mais c'est là la mesure de son courage. Il a des qualités de chef qui manquent à mes propres héritiers. Les fils que Ram aura avec vous fourniront à l'Ecosse la force dont elle a besoin pour l'avenir.

Elle faillit s'écrier qu'elle n'était pas une jument reproductrice, mais jugea plus avisé de se taire.

— Il a suffisamment semé de bâtards, continuait le patriarche. Oh, cela ne me dérange pas, nous avons le sang le plus pur d'Ecosse, et cela fait du bien aux autres clans. Vous n'êtes pas femme à vous en formaliser, n'est-ce pas ?

Elle haussa une épaule indifférente.

— Non, laissons-le s'amuser.

— Brave petite ! Je suis sûr qu'il ne vous ignorera plus, une fois entre les draps. Et quand il aura goûté à vos charmes, j'espère que vous saurez le détourner des autres.

Elle ouvrit la bouche, la referma. Dieu du Ciel, la croyait-il si expérimentée ?

— Eh bien, petite, vous n'échapperez pas à son tempérament vif, mais j'espère que le vôtre sera à la hauteur.

— Je vous le promets, dit-elle.

Quand ils revinrent dans la grande salle, elle fut assourdie par le vacarme. Les Douglas pariaient avec Ram sur le nombre de tavernes qui se trouvaient entre le château et Glasgow.

— Dungavel, Strathaven, Eaglesham, Coatbridge, Hamilton et Killbride, déclara Cameron avec autorité.

— Tu oublies celle du village de Douglas, rétorqua Drummond, le capitaine d'un des navires du clan.

— Ça fait seulement sept, grommela Gavin. Pas de quoi prendre une bonne cuite !

— Il y en a neuf ! rectifia Ram, les yeux brillants. Il faut compter Stonehouse et Blackwood. Dieu, je les connais, j'y suis allé assez souvent !

— Ce sont des bordels, pas des tavernes, précisa Greysteel Douglas.

— Cela te dérange, vieux ?

— Non, non, je suis prêt.

— Ne te vante pas ! Allons, les garçons, partons boire sur la route de Glasgow !

Lorsque Lady Valentina se retira dans le sanctuaire de sa chambre, personne ne lui prêta attention. Toutes les femmes décentes évitaient la proximité des hommes après la tombée de la nuit. Pochard suivit la jeune fille dans l'escalier, s'arrêta devant la chambre de Ram puis, la voyant continuer son chemin, poussa un aboiement.

— Tu as peut-être envie de dormir avec lui, mais pas moi, dit-elle.

Le chien-loup, sur ce qui ressemblait fort à un soupir, la suivit à contrecœur.

Nell et Ada l'attendaient dans sa chambre. Les oreilles dressées, Pochard refusa d'y pénétrer, et Tina se rappela que ce n'était pas la première fois.

Nell poussa un cri d'horreur en voyant l'énorme créature, mais Tina la rassura :

— Il n'entrera pas. La pièce est hantée.

Nell leva au ciel des yeux effarés, et Ada se mit à rire.

— Allons, ma fille, c'est l'heure d'aller te coucher. Tu peux dormir dans ma chambre, si tu veux, ajouta-t-elle en ouvrant la porte d'une petite pièce adjacente. Il sera temps demain d'aller rejoindre les quartiers des domestiques.

Quand elles furent seules, la gouvernante aida Tina à se déshabiller.

— Vu les circonstances, vous vous êtes admirablement comportée, la félicita-t-elle.

Tina releva le menton, arrogante.

— Je ne pleurerai pas, si c'est ce que vous craignez. Cet immonde individu ne m'arrachera pas une larme.

— Bravo ! La dernière Kennedy à occuper cette chambre en a certainement versé suffisamment pour deux, et cela ne lui a rien apporté de bon.

Damaris sursauta.

— *C'est faux ! Alex Douglas et moi, nous nous aimions, et nous avons beaucoup ri ensemble. Je n'ai jamais pleuré jusqu'à ce jour fatal...*

Si son mari l'avait traitée comme Ram traitait Tina, elle aurait été bouleversée. Le jour de son mariage — et la nuit — avait été le plus beau de sa vie.

Ada saisit la chemise de nuit de soie spécialement brodée pour l'occasion.

— Inutile... peut-être demain...

— Peut-être pas ! protesta Tina avec énergie.

Ada était d'accord.

— Faites-les toujours attendre ! Un jour, j'ai fait attendre un homme jusqu'à ce que nous soyons tous les deux entièrement déshabillés.

Tina éclata de rire.

— Oh, Ada ! Que ferais-je sans vous ?

— Je préfère vous entendre rire. Bonne nuit, ma chérie. Demain, si je ne me trompe, vous allez nous bouleverser tout ce satané château !

Ada partie, Tina se rendit à la fenêtre et regarda au-dehors d'un œil distrait.

— Je ne veux pas pleurer ! dit-elle à haute voix.

Cependant, les larmes qu'elle retenait depuis le matin débordèrent de ses yeux dorés et roulèrent sur ses joues.

18

Epuisée, Tina s'endormit tout de suite, mais elle se réveilla vers quatre heures du matin et se mit à réfléchir à la situation. Sa résolution s'affermit. Ainsi, les Douglas étaient fiers de leur sang ? Eh bien, elle leur montrerait ce qu'était la véritable fierté ! Si Black Ram espérait l'intimider, il en serait pour ses frais !

Enfin elle se vêtit d'une élégante robe de soie noire, releva ses cheveux en chignon et ouvrit la porte de sa chambre. Dehors, Pochard grogna puis se rendormit. Elle l'enjamba, descendit l'escalier pour se rendre aux cuisines.

Elle s'attendait à ce qu'il y eût des étincelles lorsque M. Burque prendrait possession des lieux. Mais au lieu du tumulte, elle s'aperçut qu'il s'était installé dans le plus grand calme. Le personnel était presque exclusivement féminin, et les galanteries du Français avaient fait merveille.

Il avait expliqué que les cuisines devaient être impeccablement tenues. Les cuisinières ne pourraient exercer leur art que lorsque le plancher, les tables et le moindre ustensile seraient parfaitement propres.

Tina le prit à part.

— Bravo ! Autant mettre tout de suite les choses au point. Hier, j'ai trouvé le repas immangeable. L'aspect, l'odeur… ! Les habitants du château peuvent bien avaler de la pâtée pour cochons, je m'en moque, mais Lord Douglas et moi ne mangerons que ce que vous aurez préparé.

— Avec plaisir !

Elle jeta un coup d'œil aux femmes qui regardaient bouche bée le beau Français, et se mit à rire.

— Séducteur !

Colin pénétra à cet instant dans la cuisine et lança à la jeune femme un regard compatissant.

— Je tiens à m'excuser pour la conduite impardonnable de Ram hier soir, dit-il.

Elle fit une petite grimace.

— Je crains qu'il ne soit obligé de le faire lui-même. Néanmoins, je suis heureuse de constater que j'ai un allié dans le camp Douglas. J'aurai besoin de votre aide.

Il s'inclina aimablement.

— Que puis-je pour vous ?

— Dites à la personne qui est responsable des

hommes d'armes que je la verrai d'ici un quart d'heure dans la pièce commune.

Avant qu'il pût l'interroger sur cette étrange requête, elle se dirigea vers la porte de service. Elle informa le régisseur aux yeux chassieux, un certain William Douglas, qu'elle lui donnerait des instructions pour ses subordonnés un peu plus tard dans la grande salle. En attendant, il pouvait ouvrir toutes les fenêtres pour aérer un peu.

Tina fut soulagée en voyant le second de Ram approcher. Les soldats, quand ils n'étaient pas en service, avaient tendance à se montrer paresseux, grossiers, et elle s'était demandé s'il se rendrait à sa convocation. Elle respira profondément. Encore un satané Douglas, à en juger par son teint basané. Mais c'était un homme et elle le séduirait par tous les moyens.

Elle lui offrit son plus éblouissant sourire, laissa errer un regard admiratif sur ses larges épaules.

— Asseyez-vous, je vous en prie. Si vous restez debout, je vais attraper un torticolis.

— Madame...

Dieu, cette femme savait rendre un homme conscient de sa virilité !

— La plupart des hommes d'armes sont des balourds, des lourdauds, mais on m'a dit que ceux des Douglas étaient différents. Ils ont plus d'orgueil et de discipline que dans les autres clans. Dites-moi, certains de vos soldats sont-ils capables de tenir debout, ce matin ?

Il eut un petit sourire.

— Une demi-douzaine de vétérans et quelques autres plus jeunes, oui.

— Choisissez-en trois ou quatre — des hommes comme vous, qui se tiennent droits. Dites-leur de se laver, de se raser et d'être en selle dans une demi-heure. Je veux qu'ils ramènent Lord Douglas au château.

— Où est-il, madame ?

— Vous le trouverez dans une taverne ou une maison close quelque part entre ici et Glasgow, dit-elle

196

d'un ton indifférent. Je suis certaine qu'il appréciera l'appui de ses meilleurs hommes, ce matin, ajouta-t-elle avec un clin d'œil complice avant de se diriger vers le régisseur.

Ce fut bientôt celui-ci qui eut le bénéfice de son sourire.

— Le mobilier de ce château est superbe, il est vraiment dommage qu'il soit si mal entretenu. Je ne vous le reproche pas, William, c'est souvent le cas quand un lieu est principalement occupé par des hommes. Si vous voulez bien diriger les domestiques pour moi, nous y remédierons rapidement.

Elle sourit de nouveau, baissa les paupières, puis les ouvrit, et il fut littéralement subjugué par ses yeux dorés.

— Je veux qu'on enlève toute la paille des sols et qu'on les nettoie à fond. Mes servantes vous donneront des plantes odorantes à mélanger à la paille neuve. Je veux aussi que tous les meubles soient traités à la cire d'abeille et à la lavande. Si vous n'en avez pas, envoyez quelqu'un en chercher à Doon. Il pourra aussi rapporter quelques chandelles décentes jusqu'à ce que l'on ait appris à en fabriquer ici. Il est impossible de continuer avec ces choses répugnantes qui dégoulinent de graisse. Je veux également que toutes les vitres soient nettoyées, et que des servantes aillent cueillir des fleurs. Nous laisserons le battage des tapis pour un autre jour.

L'homme jeta un coup d'œil au sablier. Bon sang, il était à peine plus de six heures ! Tous les domestiques ronflaient encore, après les agapes de la veille...

Quand les hommes d'armes réveillèrent Ram — qu'ils trouvèrent sous une table dans une taverne —, il eut l'impression qu'on lui enfonçait les tempes à coups de marteau.

— Où suis-je, Jock ? demanda-t-il.

— Vous êtes arrivé jusqu'à Hamilton, répondit Jock, admiratif.

— Ô mon Dieu, je me souviens, maintenant, gémit-il

en tâtant la bosse due au tabouret lancé par un Hamilton.

Le bar était plein de blessés gisant parmi les meubles brisés. Ram se releva péniblement.

— Cherchez Gavin et Drummond.

Le tenancier vivait un cauchemar. Sa taverne se trouvait sur le territoire des Hamilton, pourtant il avait affreusement peur de contrarier les Douglas. Il hocha la tête, soulagé, quand Ramsay déclara :

— Nous paierons les dégâts si vous oubliez que vous nous avez vus cette nuit.

Ram sortit se plonger la tête dans l'abreuvoir. Drummond avait repris ses esprits, mais on dut hisser Gavin en travers de sa selle.

— Où sont Cameron et les autres ? demanda Ram en s'essuyant d'un revers de manche.

— Ils ne sont pas allés plus loin que Shirley Blackwood, dit Jock en regardant les Hamilton qui gisaient dans la cour. Et la trêve ?

— Au diable cette satanée trêve ! marmonna Ram.

Il ne sauta pas sur le dos de son cheval, ce matin-là. Lorsqu'il vit l'air apitoyé de ses hommes, il grommela un « merci » entre ses dents.

— Remerciez plutôt votre femme, rétorqua gravement Jock. C'est elle qui nous a envoyés.

— Vraiment ? dit Ram, les yeux plissés dans le soleil. Tina la Flamboyante est prête au combat. Cela tombe bien, moi aussi !

Toutefois, quand il arriva aux écuries, on l'informa que Lady Kennedy était partie se promener à cheval.

— Ces bois sont dangereux ! tonna-t-il.

— Elle est accompagnée de deux hommes et de Pochard, répondit le palefrenier.

Lorsqu'il pénétra dans le château, tout était rutilant, sentait le frais, et il y avait des bouquets sur chaque meuble.

— Il faut vraiment que les femmes se mêlent de tout ! maugréa-t-il avant de se rendre dans sa chambre.

Tandis qu'il prenait un bain, il se félicita que Tina ne l'eût pas vu dans ce triste état.

Une fois rasé et vêtu de propre, il avait un peu meilleure allure, mais il gardait la bouche pâteuse et savait qu'il ne supporterait pas la vue ni même l'odeur de la nourriture.

L'esprit d'Alexander arpentait nerveusement la pièce.

— *Espèce de fieffé imbécile! Tu es en train de gâcher ta chance! Une union entre les Kennedy et les Douglas est la meilleure chose qui puisse arriver à l'Ecosse en général, et à toi en particulier! Bon Dieu, tu me ressembles tellement que j'ai envie de te donner des coups de pied dans le derrière. Tu te prends pour un grand séducteur, alors qu'en réalité tu es terrifié par une toute petite jeune femme! Sa beauté et sa vivacité t'angoissent parce que tu as peur de tomber amoureux. Et alors, qu'en serait-il de ta réputation, l'Eclair? Je te jure que s'il arrive de nouveau du mal à une Kennedy dans cette satanée demeure, je te pends par les parties viriles!*

Comme Ram se brossait les cheveux devant son miroir, il remarqua une fois de plus sa ressemblance avec Alexander... S'il ne mettait pas un frein à son tempérament coléreux, il finirait par commettre un meurtre, lui aussi...

Il avait repris son masque d'indifférence lorsqu'il sortit de ses appartements. Il partit à la recherche de son régisseur afin de lui demander combien d'invités séjournaient encore au château. Il fut soulagé d'apprendre que la plupart l'avaient quitté, dont Angus — sans doute pour aller remettre son rapport au roi. Drummond descendait, pas encore rasé.

— Comment va Gavin?

— Il survivra, répondit Drummond, laconique.

— Tant mieux, nous avons beaucoup à faire. Tu l'emmèneras avec toi à Edimbourg demain. Il y a une cargaison de peaux tannées, ainsi que de la laine. Il croit tout savoir au sujet de la navigation, mais tu pourrais lui en apprendre encore pas mal. J'ai deux nouveaux navires, aussi aurons-nous besoin de plus de capitaines, dans la famille.

Ils discutèrent une bonne heure de la livraison de la

marchandise en Flandre, puis Drummond rappela à Ram qu'il était temps de souper.

— Tu as un estomac à toute épreuve! s'exclama ce dernier, admiratif. Avant que tu t'embarques, j'aimerais te rappeler de prendre garde aux vaisseaux anglais. Surtout, pas de risques. Si l'un d'eux s'approche, fais donner le canon!

Ram avait le ventre vide, pourtant il évita la salle commune à l'heure du repas, sachant que les odeurs lui retourneraient le cœur. Il se dirigeait vers la porte quand il se trouva face à Valentina, qui avait relevé sa jupe sur des bottes à hauts talons afin de mieux courir.

Elle lui offrit un ravissant sourire.

— Pardonnez-moi, je vous en prie, monseigneur, dit-elle, un peu hors d'haleine. Je suis en retard... J'espère que vous avez dîné sans moi.

— Non, répondit-il sèchement.

Elle était plus petite que dans son souvenir, mais ô combien plus jolie! Il eut du mal à détacher les yeux de sa poitrine haletante et de sa taille fine.

— Oh, monseigneur, c'est fort aimable à vous de m'avoir attendue, mais...

— Je suis rarement aimable, coupa-t-il.

Pourquoi ne lui posait-elle pas de questions acides sur sa nuit? C'est lui qui aurait dû s'excuser. Il s'interrogea sur sa sincérité, chercha en vain une insolence cachée dans ses paroles.

Elle passa une main dans sa chevelure désordonnée, comme pour se faire pardonner à la fois son comportement et son apparence négligée. Son attitude était tellement gracieuse, tellement féminine qu'il éprouva un désir immédiat, suivi aussitôt par un sentiment de colère. Il fallait qu'il trouvât quelque chose à lui reprocher. Il désigna les fleurs.

— Vous n'avez pas tardé à apporter des changements au château.

— Oh, vous les aimez, monseigneur? J'en suis enchantée. Pardonnez-moi si vos appartements ne sont

pas nettoyés, mais je n'ai pas osé, en votre absence...
D'ailleurs je ne les ai jamais vus.

— Je suis heureux que vous ayez compris qui est le
maître ici, dit-il dans l'espoir de la voir se jeter sur lui
toutes griffes dehors.

Mais il obtint juste un nouveau sourire désarmant.

— Si vous vous montrez patient, j'apprendrai à agir
selon vos désirs, monseigneur. Je promets de m'effor-
cer de vous plaire.

— Si vous êtes curieuse de voir ma chambre, venez
dit-il.

— Accordez-moi le temps de me changer, et je vous
rejoins, répondit-elle gaiement.

Les jupes relevées jusqu'aux genoux, elle grimpa l'escalier en courant.

Elle l'avait un peu désorienté. Il s'était attendu à des
récriminations, ou à une froide indifférence, or elle
avait été charmante. C'était une comédie, certainement. Cette petite teigne avait une idée derrière la tête.

Lorsqu'elle avait choisi de s'installer dans la chambre de Damaris, il avait supposé qu'elle refuserait de
partager son lit. A présent, elle semblait en avoir envie.
Essayait-elle de le séduire ? Eh bien, si elle avait le pro-
jet de passer la nuit avec lui, elle allait être déçue.

Tandis qu'il l'attendait, il tenta de voir sa propre
chambre d'un œil féminin. Les meubles étaient lourds,
sombres, massifs, les tentures bordeaux foncé, et le sol
couvert de peaux de mouton brutes. Au mur étaient
accrochées ses armes favorites, épées, poignards. Un
feu, dans la pièce voisine, pétillait joyeusement dans la
cheminée...

Bon sang, que fabriquait-elle ? Il attisa les braises,
agacé. Il n'avait pas l'habitude qu'une femme le fît
attendre. Prenait-elle le temps de se vêtir d'un déshabi-
billé affriolant dans le but de le séduire ? A bout de
patience, il partit à sa recherche.

Il levait le poing pour frapper à la porte de sa
chambre quand il entendit à l'intérieur un rire léger.
Elle parlait à un homme. Il ouvrit le battant à la volée
pour tomber sur une scène tout à fait intime.

Ce satané Français lui tendait une cuiller, et elle goûtait quelque chose.

— Désolé de vous déranger, lança-t-il, sarcastique. Elle feignit de ne pas saisir l'ironie.

— Vous ne nous dérangez pas, répondit-elle, toute douce. Vous arrivez juste à temps pour apprécier la délicieuse cuisine de M. Burque.

Le chef s'inclina avant de se retirer, et Tina confia à Ram :

— Il me gâte outrageusement. C'est d'ailleurs la raison pour laquelle je l'ai amené.

— Ne me rappelez pas à quel point vous êtes gâtée, madame. Je faisais les cent pas pendant que vous receviez votre bellâtre.

Elle portait une stricte robe de soie noire, et ses cheveux étaient noués en un chignon sévère. Quant à l'arôme qui se dégageait du plateau, il lui faisait monter l'eau à la bouche. Pervers, il regretta de ne pas avoir mal au cœur.

— Qu'est-ce que c'est ? demanda-t-il en désignant le plat.

— Un nectar ! répondit-elle dans un sourire. Non, pas vraiment. C'est une simple soupe. Quelques champignons, un peu de crème, du vin... Suis-je parvenue à vous tenter ?

Il jeta un coup d'œil sur ses lèvres pulpeuses. Il était tenté, en effet...

— Non, bien sûr que non ! reprit-elle en riant. Vous préférez de grosses tranches de bœuf ou de mouton. Je vais mettre la cloche d'argent dessus pour la tenir chaude jusqu'à mon retour. Enfin... si l'invitation à visiter votre chambre tient toujours.

Elle jouait avec lui ! Sans un mot, il passa devant elle et alla jusqu'à sa chambre sans se retourner. Pourtant il sut qu'elle était entrée derrière lui et avait doucement refermé la porte.

— Je connais ton secret. Tu n'es qu'un lâche.

Il fit volte-face, une réplique cinglante aux lèvres, pour s'apercevoir qu'elle parlait à Pochard.

— Lâche ? Je l'ai vu déchiqueter la gorge d'un homme.

202

Elle haussa les épaules.

— Tout ce qui mange de la viande est capable de tuer.

Etait-ce une menace voilée ?

— Néanmoins, c'est un lâche, poursuivit-elle. Il perd tous ses moyens devant un fantôme.

— Un fantôme ?

— L'esprit de Damaris, qui hante ma chambre. C'est vous-même qui me l'avez dit. Vous vous souvenez ?

Ramsay connaissait ce phénomène, il vivait avec depuis quinze ans. Mais les autres ne croyaient pas aux fantômes. Se moquait-elle de lui, ou était-elle sincère ? Soudain, il n'eut plus envie qu'elle partît. S'ils se faisaient apporter le plateau ici, ils pourraient deviser tout en soupant. En général il prenait ses repas seul, mais parfois il avait envie d'une compagne, quelqu'un avec qui discuter... Il la vit inspecter la chambre.

— Cela vous plaît ?

— Dieu du ciel, Douglas, je n'irais pas jusque-là ! répondit-elle, légère. Mais cet endroit vous va bien. Pour mon goût, c'est trop sombre, trop grand, trop rude, ajouta-t-elle comme si elle le décrivait, lui. Ce qui le sauve, c'est le balcon qui donne sur la rivière et la campagne.

Sa vanité piquée, il lui prit les poignets.

— Et moi, quelque chose me sauve ?

Sans le quitter des yeux, elle murmura :

— Je l'espère, monseigneur. Je prie, dans notre intérêt à tous les deux, pour que vous ayez le sens de l'humour.

Il la lâcha.

— Nous partons pour l'autre château Douglas après-demain. Peut-être ma chambre là-bas vous plaira-t-elle davantage...

— Peut-être... commença-t-elle doucement en baissant ses longs cils.

Bon sang, ils s'observaient comme deux scorpions qui cherchent le point vulnérable où frapper !

— Peut-être resterai-je ici, termina-t-elle.

— Vous ferez ce qu'on vous dira, madame !

Elle éclata de rire.

— Je vois que vous avez effectivement le sens de l'humour! déclara-t-elle.

C'était une franche insolence! Par le Ciel, s'il ne la dominait pas tout de suite, il était perdu! Il saisit durement son menton dans une main. Elle ouvrit les yeux au moment où il prenait sauvagement sa bouche. Se rappelant ses bonnes résolutions, elle se fit docile et soumise. Lorsqu'il releva enfin la tête, elle souffla:

— Peut-être viendrai-je finalement, Douglas.

Elle avait la fâcheuse manie de l'appeler par son nom de famille. Il se jura de lui faire murmurer un jour «Ram». Il ne trouverait pas la paix avant de l'avoir possédée, il le savait.

Elle était consciente de son désir pour elle... et du sien. Elle ressentait une incroyable attirance physique pour cette brute.

— Votre repas refroidit. Vous feriez mieux de retourner dans votre chambre, dit-il.

Elle fit une révérence comme pour le remercier de sa considération, puis lui jeta un coup d'œil qui promettait le paradis, avant de se retirer vivement.

Il poussa un juron, enfila son manteau de cuir et se dirigea vers les écuries. Il savait de quoi il avait besoin. En outre, un bon galop le calmerait. Cependant, lorsqu'il arriva à la vallée de Galloway, il s'aperçut que les Gitans étaient partis. Jurant de nouveau, il fit mentalement le tour des femmes susceptibles de l'accueillir par cette nuit d'été étoilée. Malheureusement, aucune ne trouva grâce à ses yeux: celle qu'il voulait se trouvait dans son propre château.

Tina était assise dans son lit, les genoux remontés sous le menton.

— Il a dit: c'est moi le maître ici, raconta-t-elle en riant à Ada. Je m'attendais presque à ce qu'il m'ordonne de lui retirer ses bottes.

— Les hommes pensent toujours qu'ils aiment les femmes soumises, mais si vous l'étiez il se lasserait de vous au bout d'une semaine.

— Il a tellement envie de me dominer! Et chaque fois qu'il imagine avoir réussi, je lui montre le contraire...

— Les femmes commettent l'erreur fatale d'aimer les hommes dominateurs. A la minute où elles tombent amoureuses, on les rejette comme de vieilles chausses.

Damaris, assise au pied du lit, était fascinée par la conversation. Elle était tellement soulagée que Tina n'eût pas l'intention de se conduire en mouton que l'on mène au bourreau! Avec l'aide d'Ada et sa propre intuition, elle se montrait fort avisée.

— J'ai déjà découvert une chose: quand je le repousse, il ne peut me résister, mais quand je tente de le séduire, il me repousse.

— Tout cela risque de changer lorsque vous serez intimes. Les hommes, même les plus agressifs, adorent que les femmes prennent l'initiative, de temps en temps. Et ce qu'ils détestent par-dessus tout, c'est la froideur au lit. Tous ceux que j'ai connus se plaignaient amèrement de leurs épouses glaciales. Il y en a tant qui restent passives comme des bûches...

Tina se demandait comment «cela» pouvait bien être. D'après ce qu'elle avait vu, les hommes n'en avaient jamais assez. Pour les femmes, c'était différent. Certaines aimaient ça, d'autres détestaient, mais il devait y avoir une infinité d'émotions entre les deux. Quant à la défloration, c'était une sorte de cataclysme qu'elle appelait et redoutait à la fois.

— Lorsqu'il m'a embrassée hier soir, Ada, mon esprit le détestait, mais mon corps lui répondait avec plaisir.

— Voilà, c'est exactement comme ça. Lui non plus ne peut rien contre la façon dont il réagit. C'est un pouvoir que vous partagez. Si vous faites preuve d'intelligence, bientôt vous aurez la haute main sur lui. Arrangez-vous pour que la puissance de l'amour soit plus forte que l'amour de la puissance...

Il était fort tard dans la nuit lorsque Ram rentra à Douglas, aussi fut-il surpris en voyant de la lumière dans la chambre de Tina. Ce scintillement le narguait, l'attirait. Devait-il céder et aller prendre ce qui lui revenait de droit ? Il en avait douloureusement envie.

Comme il levait une dernière fois les yeux en sortant des écuries, la lumière s'éteignit. Il se mordit la lèvre. Tina était tellement vaniteuse qu'elle se croyait irrésistible. Mais il lui montrerait qu'elle ne l'était pas pour lui !

Il se rendit à la cuisine, déserte, et eut la surprise de la trouver impeccablement rangée. Il alla fouiller le garde-manger et y découvrit la soupe de M. Burque qu'il décida de faire chauffer dans la cheminée de sa propre chambre. Une miche de pain sous le bras, il saisit la marmite et monta l'escalier à pas de loup.

19

— Je suis désolée, Nell, de t'avoir dit de défaire tous mes bagages, puisque nous allons déjà repartir pour le château Douglas.

— Oh, madame, ne vous inquiétez pas pour moi. C'est ce pauvre M. Burque que je plains, dit la servante d'un ton convaincu.

Dieu, encore une victime du charme français ?

— Aujourd'hui, je vais porter la robe turquoise, et demain la tenue d'équitation gris perle gansée de noir. Emballe tout le reste.

Ada montra la ravissante chemise de nuit qui n'avait encore jamais servi.

— Je la laisse sur votre oreiller, au cas où…

Tina posa sa brosse à cheveux.

— Je n'ai pas encore vu la moitié de ce château, mais je vais y remédier dès que j'aurai pris mon petit déjeuner.

Dans la salle commune, elle apprit que Ramsay était levé depuis l'aube pour préparer les chevaux sauvages au voyage vers la place forte de la frontière. Bien qu'ils ne soient pas encore assez dociles pour être montés, il acceptaient la bride.

Le régisseur lui fit visiter la chambre de Nell dans les communs, puis il sourit, ironique.

— Et voici celle qu'a choisie votre fameuse «cuisinière», dit-il, faisant allusion à M. Burque.

Tina ne prit pas la peine de répondre. Ce type ravalerait ses sarcasmes le jour où Burque lui volerait sa femme!

— Merci, ce sera tout, dit-elle en relevant ses jupes pour grimper un escalier de pierre.

— Où allez-vous? demanda-t-il.

Elle se retourna, souriante.

— Où il me plaît.

— Excusez-moi, madame, je ne voulais pas me montrer grossier. Malcolm le Fou vit là-haut, et je ne me fierais pas à lui, si j'étais vous.

Cette fois, elle rit carrément.

— Je ne suis pas assez stupide pour me fier à un Douglas, quel qu'il soit.

Elle avait entendu parler du vieil homme, et elle voulait se rendre compte par elle-même.

Et en effet, il avait bien l'air d'un fou dans son lit à colonnes, les cheveux en bataille, avec son visage d'oiseau de proie. Il était en train d'écrire dans un grand livre qu'il cacha aussitôt sous son oreiller. Ils se regardèrent un long moment, puis la jeune femme murmura:

— Vous devez être Malcolm.

— Vous voulez dire Malcolm le Fou?

Elle sourit.

— Si vous y tenez...

Elle vit le flacon de whisky à côté de lui et se demanda s'il était vraiment fou ou simplement ivre en permanence.

— Et vous, reprit-il, vous êtes la concubine de Ram.

— Je suis Valentina Kennedy.

— La petite Kennedy... Prenez garde!

Il la confondait sûrement avec Damaris.

— Vous allez être empoisonnée, dit-il. Mais pas par votre mari Alex... par l'autre jeune salaud.

Elle devina qu'il parlait de Ram.

— Comment le savez-vous ? demanda-t-elle.

— J'écris une histoire de la maison Douglas. Tout est là-dedans !

Colin, qui arrivait avec un plateau, eut l'air inquiet en découvrant Tina seule avec le vieux seigneur.

— J'allais partir, expliqua-t-elle. Au revoir, Malcolm. Je reviendrai vous voir à mon retour du château Douglas.

Colin la suivit hors de la chambre.

— Il est parfois violent, Tina.

— Je serai prudente, le rassura-t-elle. Peut-être irait-il mieux s'il ingurgitait un peu moins de whisky...

— Le pauvre vieux, il n'a plus guère de plaisirs dans la vie, dit Colin, compatissant.

— Vous avez raison... C'est très gentil de lui porter ses repas vous-même au lieu de laisser ce soin à des serviteurs.

Colin haussa les épaules.

— Il ne reçoit presque pas de visites, et les domestiques seront les seuls à venir le voir, quand nous serons absents.

— Oh, je suis ravie que vous veniez, Colin. Peut-être pourrai-je vous persuader de faire mon portrait, si vous en avez le temps et l'envie.

Il rougit, et Tina se reprocha de jouer avec ses sentiments...

Elle se rendit à la cuisine, où elle pria M. Burque, avec tous les ménagements possibles, de remballer son matériel.

— Et comment vais-je préparer vos repas aujourd'hui ?

— Oubliez cela. Gardez vos petits plats pour quand nous serons installés à la frontière. Les cuisiniers d'ici peuvent bien nous nourrir un jour de plus.

Valentina mit un point d'honneur à ne pas arriver en retard au souper. Elle fut amusée de constater que Cameron et son cousin s'étaient assis près d'Ada et de

Nell. Il ne semblait pas y avoir de tables réservées aux domestiques, et les Douglas se mêlaient aux hommes d'armes et aux serviteurs. On n'était pas très cérémonieux, dans cette demeure masculine, et même Lord Douglas se présenta avec ses guêtres de cuir.

Il jeta sur la jeune femme un regard brûlant. Dans sa robe verte, elle était aussi raffinée que pour un repas avec le roi, et il se demanda si elle se donnait ces airs d'élégance pour se moquer de leur simplicité.

Elle lui adressa un lumineux sourire qui ne fut pas payé de retour. Le visage de Ram était sombre, indéchiffrable, noirci de barbe. Elle ne put s'empêcher de remarquer sur sa pommette la trace du coup de cravache.

Avec un air de défi, il découpa le gigot qui se trouvait devant lui et en servit à Tina une part égale à la sienne, puis il prit des navets avant de lui passer le plat. Il mâcha une bouchée, fit la grimace.

— Je croyais que votre chef était un génie ?

— Oh, il l'est, monseigneur.

Il avala une gorgée de bière et reprit, agressif :

— Celui qui a rôti ce mouton aurait bien besoin de quelques leçons d'art culinaire !

Elle ouvrit la bouche pour abonder dans son sens, puis la referma. Il ne voulait pas qu'elle fût d'accord avec lui, il préférait visiblement une confrontation. Aussi répliqua-t-elle :

— Ce n'est pas si mauvais. Les navets sont bien cuits.

— Pas mauvais ? Cette mixture est à peine mangeable ! On devrait pendre ce Français pour gâcher de la si bonne nourriture.

Il était prêt pour la bagarre, et Tina prit un malin plaisir à désamorcer le sujet :

— Désolée de vous décevoir, Douglas, mais c'est votre chef qui a préparé ce repas. M. Burque a passé la journée à charger ses ustensiles pour le voyage de demain.

Ramsay plissa les yeux.

— Qui diable lui a permis de se joindre à nous ?

— Vous venez vous-même de dire que cette nourriture est immangeable, Douglas. Lorsque vous aurez goûté la cuisine de M. Burque, vous vous croirez au paradis!

Il avait envie de la gifler. Elle était si belle, si troublante! Et elle le savait. «Eh bien, madame, je ne vous courrai pas derrière comme un bon chien», se promit-il. Il la vit adresser un sourire radieux à Colin et en fut fou de rage.

Lorsqu'elle se tourna vers lui, elle lut sur son visage l'expression du désir à l'état brut et baissa modestement les cils. S'il la touchait, elle aurait l'impression d'être frappée par la foudre...

Mais il ne la toucha pas. Il n'osait pas. Il s'était construit une muraille, une muraille qu'il sentait s'effriter. Il se leva pour s'éloigner d'elle. Il voulait conserver son air d'indifférence à tout prix.

Ada les observait en silence. Ramsay Douglas ne résisterait pas longtemps à Tina. Il avait des droits, il exigerait son dû. Lorsqu'il regardait la jeune femme, on aurait dit un aigle tournoyant autour de sa proie.

Tina se rendait-elle compte de sa séduction?

Douglas se déplaçait dans la grande pièce comme un loup à l'affût. Il revint vers Tina qui, bien qu'elle ne le regardât pas, était intensément consciente de sa présence.

— Nous partons à l'aube, déclara-t-il. Il vaudrait mieux que je prévienne vos servantes. J'ai horreur d'attendre.

— Elles prennent leurs ordres de moi, répondit-elle fermement.

— Pourquoi?

— Pour mon amour-propre.

— Vous en avez déjà beaucoup trop, lui reprocha-t-il.

Cette remarque sembla faire plaisir à la jeune femme. Ram, les dents serrées, tourna les talons et quitta la pièce. Tina alla aussitôt rejoindre Ada.

— Ouf, bon débarras! soupira-t-elle.

— Si je connais un peu les hommes, vous n'êtes pas près de vous débarrasser de celui-ci!

210

Valentina frissonna.

Elle monta à la chambre qu'elle s'imaginait partager avec Damaris, et ouvrait la porte quand elle aperçut un chat qui bondissait du lit pour disparaître aussitôt. Bizarre… Comment était-il entré ici ?

— Viens, petit, viens me voir… appela-t-elle.

Mais l'animal refusa obstinément de se montrer.

Nell avait préparé les malles, et Tina ordonna qu'on les descendît devant la porte, puisque le « maître » n'aimait pas attendre. Elle vit le chat filer entre les jambes du serviteur et soupira. Elle aurait bien aimé un peu de compagnie, ce soir.

Elle fit sa toilette, chercha une chemise de nuit, mais la seule qu'elle trouva fut celle si amoureusement brodée par Ada pour sa nuit de noces. Haussant les épaules, elle l'enfila, puis se mit à imaginer la vie au château Douglas…

Ram arpentait sa chambre. Tout était prêt pour le voyage, et il savait que ses hommes étaient aussi heureux de partir que lui. Il était de fort mauvaise humeur, ces temps-ci. Il avait donné ses ordres d'un ton sec, impératif, et ses gens les avaient écoutés les yeux baissés, de peur de le contrarier. Même Colin l'évitait.

Ram avait les yeux rougis par le manque de sommeil, et son corps, qui n'avait pas connu de femme depuis des semaines, criait sa frustration. Il parla si méchamment à la servante qui vint lui apporter ses vêtements de nuit qu'elle en resta muette et put à peine répondre à Cameron quand il lui demanda ce qui n'allait pas. Le jeune homme alla trouver son frère.

— Puisque Gavin n'est pas là, je vais te parler moi-même. Par le Dieu tout-puissant, tu es insupportable en ce moment, tout le monde te fuit comme la peste. Tu ressembles à une tête de mort, et je sais ce qui te ronge, si toi tu l'ignores !

— Vraiment ? demanda Ram, doucereux. Et de quoi s'agit-il ?

— Tu as besoin de coucher avec ta nouvelle femme,

pour qu'elle chasse tout ce qu'il y a de mauvais dans ton sang.

Ramsay lui lança un regard tellement noir qu'il recula d'un pas. Puis il revint à la charge :

— Tu ne tenais pas à être enchaîné, nous le savons, le monde entier le sait. Mais as-tu pensé qu'elle y a été obligée, elle aussi ?

— Sors !

Cameron obéit, heureux de s'en tirer à si bon compte.

Ramsay était furieux. Aucune femme n'avait jamais eu de véritable importance dans sa vie, cela n'allait pas changer ! Il s'assit sur son lit pour retirer ses bottes. Certes, il aimerait la mater, celle-ci. Ce serait amusant. Il sentit le désir l'envahir et lança ses bottes à travers la pièce. Pochard, prudent, battit en retraite vers la porte.

Ram décida qu'il avait tout simplement besoin de dormir. Sans prendre la peine de se dévêtir, il s'étendit sur le lit, les bras croisés sous la tête. Mais le sommeil refusa de venir. Il s'imagina entrant dans la chambre de Valentina, vit son expression triomphante quand elle constaterait qu'il ne résistait pas à son extrême beauté. Elle faisait tout son possible pour le tenter, et elle y parvenait à merveille, la catin ! Dieu, n'était-ce pas l'excuse d'Adam au jardin d'Eden ? Cette femme m'a tenté... Eh bien lui, il résisterait à la tentation.

Il bourra son oreiller de coups de poing, tandis que le sang coulait plus vite dans ses veines. Plus il résistait, plus il la désirait. Mais s'il cédait, s'il allait la voir... elle triompherait.

Il se leva, agité comme un fauve en cage, et tout aussi dangereux. Il irait la retrouver, il la ferait descendre de son piédestal. Il était temps qu'elle apprît que sa place dans la hiérarchie des Douglas n'était pas tellement élevée. Il la prendrait sans préambule, sans mots d'amour, sans compliments. Jusqu'à présent, on lui avait certainement adressé des poèmes flatteurs qui parlaient d'amour éternel et de bêtises du même genre. Jamais il n'agirait ainsi. Il la pénétrerait dans le noir, et elle ne serait qu'une femme comme les autres. **Puis** il la quitterait. Il ne passerait pas la nuit avec elle.

Il ouvrit la porte de sa chambre à la volée, sous le regard réprobateur de Pochard, pour se diriger vers la chambre de Damaris d'un pas si décidé que les torches vacillèrent dans leurs supports. Il heurta rapidement le battant de bois avant d'ouvrir.

Tina n'avait pas du tout l'air triomphante. Elle se pétrifia sur place, terrorisée, vêtue de la chemise de soie blanche brodée de papillons. La chandelle qu'elle tenait coula sur sa main, et elle la posa dans un chandelier avant de demander, d'une voix à peine audible :

— Que faites-vous là ?

— Ça me paraît évident, rétorqua-t-il sèchement.

— Vous avez l'intention de dormir ici ?

— Pas vraiment dormir, rectifia-t-il avec un rire cynique.

— Vous êtes venu réclamer vos privilèges ?

— Privilèges ? répéta-t-il, méprisant. Vous voulez dire : mes droits. Le roi et les chefs désirent que s'établisse un lien de sang entre nos clans. Le seul moyen, c'est que je vous fasse un enfant.

Damaris était consternée. Elle ne pouvait tout de même pas rester là pour assister au spectacle !

Tina frémit en s'entendant traiter comme une jument reproductrice. Elle aurait pourtant juré qu'elle lui plaisait...

Ram sentit le désir l'aiguillonner. Qu'elle soit maudite ! Il avait tellement envie d'elle qu'il allait devenir fou.

— Couchez-vous ! ordonna-t-il, cruel.

Si elle désobéissait, la frapperait-il ? Il en était capable.

Il souffla les bougies afin qu'elle ne pût voir le désir qui hantait son regard. Tina atteignit le grand lit et s'allongea sous les couvertures dans le noir. Ramsay vint l'y rejoindre.

Elle était la proie d'émotions contradictoires : peur, curiosité, dégoût... Elle allait expérimenter toute la violence des hommes. On allait prendre la belle virginité qu'elle gardait pour son époux, elle était un cadeau, une offrande aux dieux païens de la passion...

Ramsay se tenait immobile entre les draps. C'était une femme comme les autres ! Mais la chemise de nuit chuchotait une invitation, le subtil parfum qui se dégageait d'elle lui montait à la tête, sa peau était de velours et sa chevelure de feu. Il avait un besoin irrépressible de la dominer.

Elle tressaillit quand deux grandes mains se posèrent sur elle. Les Douglas possédaient la moitié de l'Ecosse ; cette nuit, elle deviendrait une nouvelle possession du clan.

Ram regrettait à présent d'avoir éteint les chandelles. Cela le privait du plaisir de sa beauté, or il avait envie de voir ses yeux s'emplir d'admiration devant la vigueur de son corps. Il aurait aussi voulu les voir s'assombrir de désir tandis qu'il vaincrait ses dernières résistances, se fermer de sensualité quand il lui ferait l'amour. Il mourait d'envie de la regarder, tout entière. Il se traita d'imbécile.

Il l'attira à lui et la serra intimement. Elle demeura immobile, raidie, et il prit cela pour un rejet dont il fut offensé. Jamais une femme ne l'avait repoussé, elles avaient toutes été plus que consentantes, au contraire. Il refusa de penser à ceux qui l'avaient précédé. Il montrerait à Tina qu'il était le meilleur des amants.

Il prit ses lèvres dans un baiser passionné, s'attendant à ce qu'elle s'ouvrît pour lui, pour le jeu délicieux des langues d'où il sortirait vainqueur. En vain.

Tina, crispée de peur, ne parvenait plus à penser raisonnablement. Que devait-elle faire ? S'abandonner, oui, c'était cela ! Devenir souple et féminine. La dernière fois qu'il l'avait embrassée, elle s'était faite douce, et elle avait senti le bout de sa langue lui caresser les lèvres, mais maintenant c'était presque du viol, et elle ne lui rendit pas son baiser. Ce qu'il prit pour une insulte.

Comme elle ne faisait pas mine de se déshabiller, il releva le léger vêtement pour avoir accès au cœur de sa féminité. La tête enfouie dans sa chevelure, il était

214

grisé par son parfum, enivré par son contact. Il fallait qu'il agît vite, avant de se laisser aller à prononcer des mots d'amour...

Tina se prépara à endurer la douleur qui ne tarderait plus maintenant, et elle se mordit les lèvres. Elle ne devait rien dire.

Ram avait tellement envie d'elle qu'il craignait de jouir trop vite s'il ne la possédait pas immédiatement. Comme elle se moquerait ensuite de son manque de maîtrise de soi! Il l'attrapa aux hanches et plongea brutalement en elle. Elle ne put retenir un cri, et pourtant il n'était pas entré profondément, il le savait.

— Tina, ouvre-toi...

— Je ne peux pas!

— Dis plutôt que tu ne veux pas! cria-t-il en s'enfonçant sauvagement, les yeux fermés de plaisir.

Elle était si délicieusement étroite, chaude, sensuelle! Il voulait tant éveiller une réponse chez elle qu'il accéléra le rythme et ne tarda pas à trouver l'assouvissement...

Honteux, il se reprocha sa rapidité. Elle ne l'avait pas touché, pas caressé, elle n'avait pas noué les bras autour de son cou. Pas un soupir, pas un murmure, pas un cri de plaisir n'avait franchi ses lèvres. Elle était demeurée indifférente, froide.

Il se retira et se leva brusquement, la laissant étendue sur le lit, muette et choquée. Il était fou de rage.

— Nous partons à l'aube. Soyez prête! ordonna-t-il.

La porte de la chambre claqua derrière lui, et Tina fondit en larmes.

Ada, de la pièce voisine, entendit ses sanglots. Elle savait que Ramsay était venu rendre visite à Valentina, qu'il était resté peu de temps et qu'il était parti furieux. Elle soupira. Tina apprendrait-elle un jour à tenir sa langue?

Elle ouvrit doucement la porte de communication, vit que la chambre était sombre et se hâta d'allumer des bougies. Elle retint un petit cri devant la scène qui s'offrait à elle.

— Grands dieux! Jamais je n'aurais cru qu'il avait

eu le temps de consommer votre union ! Vous avez mal, ma douce ?

L'esprit de Damaris s'approcha du lit. Elle était déchirée par la douleur de la jeune femme.

Tina regarda sa chemise tachée de sang et se couvrit vivement du drap. Elle avait une horrible impression de trahison, qui incluait Ada. Elle lui avait dit qu'elle devait aimer l'acte sexuel : c'était impossible. Elle lui avait dit qu'il y aurait du désir, puis du plaisir et un accomplissement : elle avait menti.

— Je vous ai prévenue, il faut aller au-delà de la première fois. Mais je n'aurais jamais pensé qu'il serait si brutal, ma chérie.

Tina reporta toute son indignation contre l'homme qu'elle haïssait. Elle se rappela les conseils d'Ada : « Si vous voulez gagner, utilisez la ruse. »

— Vous aviez raison, Tina, continuait la gouvernante. Il vous a crue expérimentée. Quelle a été sa réaction quand il s'est aperçu qu'il vous avait déflorée ?

Tina ravala ses larmes.

— Il n'a rien vu. Il avait soufflé les chandelles.

— Si vous voulez mon avis, ma chérie...

— Merci, Ada. Je veux que vous retourniez vous coucher. Je vous verrai demain, et rappelez-vous que nous partons à l'aube.

Comme un petit animal blessé, Tina préférait soigner son mal toute seule. Mais aucune force au monde ne l'empêcherait de prendre sa revanche. La vengeance allait devenir sa raison d'exister.

Elle rejeta les draps et saisit son déshabillé rose dans la garde-robe presque vide. Ses mains tremblaient, et elle s'efforça de respirer profondément pour se calmer, alors qu'elle avait envie de sauter sur Ram toutes griffes dehors et de lui arracher les yeux, ou mieux : de lui plonger son poignard dans le ventre. Elle s'exhorta à la patience. Il était beaucoup trop fort pour elle, physiquement. Dans cette bataille des sexes, elle devait porter des gants de velours. La victoire ne serait pas immédiate, mais elle serait totale, complète, se promit-elle.

Elle frappa doucement à la porte de Ram avant d'entrer et surprit son air étonné, qu'il se hâta de masquer. Avant qu'il pût la questionner, elle déclara, gentiment mais fermement :

— Je crois, monseigneur, que je suis libre de me retirer de cette union à tout moment. Or je le souhaite à présent. Demain, je retournerai à Doon.

— Il n'en est est pas question ! Un concubinage est un mariage à l'essai. J'entends qu'il dure au moins six mois.

— Je ne le supporterais pas six jours, monseigneur, insista-t-elle calmement.

Il la fixa, incrédule. Imaginait-elle combien elle était belle, dans sa tenue rose, les larmes perlant encore au bord de ses cils ?

— Il n'est pas envisageable de mettre maintenant un terme à cette union, grommela-t-il. C'est ridicule.

Les jambes flageolantes, elle s'assit au bord du lit.

— On m'avait dit, monseigneur, que faire l'amour était paradisiaque. Entre nous, c'est l'enfer. Vous disiez vrai : nous avons deux tempéraments incompatibles, ajouta-t-elle d'une toute petite voix.

— Vous n'avez pas apprécié ? demanda-t-il, piqué au vif.

Elle ouvrit de grands yeux.

— C'est la déception de ma vie ! déclara-t-elle solennellement.

Comment ? Elle osait le critiquer ? Lui dont la réputation en tant qu'amant était connue par tout le pays ?

Elle le laissa bouche bée. Quand elle ouvrit la porte de sa chambre toutefois, il était derrière elle. Elle recula vers le lit dont les draps tachés parlaient d'eux-mêmes.

Le regard noir de Ram alla du lit au visage de la jeune femme. Quel tour était-elle encore en train de lui jouer ? Soudain, empli d'horreur, il écarta les pans du déshabillé rose. A travers la chemise de nuit en lambeaux, il aperçut ses cuisses maculées de sang.

— Pourquoi ne m'avez-vous pas dit que vous étiez vierge ? tonna-t-il.

— Vous étiez si sûr du contraire, vous ne m'auriez pas écoutée.

Par Dieu, elle avait raison ! songea-t-il, torturé. Il l'avait violée ! Pas étonnant qu'elle eût envie de le fuir à présent... Mais, à sa décharge, il était rare à cette époque qu'une jeune fille arrivât pure au mariage. Il se traita de tous les noms. Il aurait donné cher pour effacer cet acte abominable, mais c'était impossible ; il pouvait seulement tenter de panser ses blessures. Et, pour commencer, il devait la supplier de lui pardonner.

— Je vous demande humblement pardon, Tina, dit-il doucement.

Elle haussa les épaules.

— Ce n'est pas la première fois que vous me faites mal, répliqua-t-elle sans se fâcher.

Il se souvint de l'avoir jetée sur sa selle comme un sac de grain. Il se rappela le jour où il avait eu envie de la barbouiller de boue. A chacune de leurs rencontres, il s'était efforcé de la rabaisser, et il lui avait finalement infligé l'ultime humiliation pour une jeune fille bien née : le concubinage au lieu du mariage ! S'il le lui proposait maintenant, elle l'enverrait promener... et comment s'en étonner ?

— J'ai honte de mon comportement, reprit-il. Je suis capable de tendresse, contrairement à ce que vous pouvez croire.

Elle l'avait mis en position d'infériorité, ce qui ne devait pas lui arriver si souvent, se dit-elle avec une certaine jubilation.

— De la tendresse ? répéta-t-elle.

— Laissez-moi vous prendre dans mes bras, vous faire oublier la douleur...

Elle releva la tête, orgueilleuse.

— Ce n'est pas nécessaire, monseigneur. Je guérirai toute seule, et je survivrai.

Plein d'admiration pour son courage, il se félicita qu'elle n'eût pas connu d'autre homme avant lui. Dieu, il l'avait même soupçonnée de porter l'enfant de son ennemi !

— Nous allons recommencer au début, suggéra-t-il.

Elle serra davantage son déshabillé autour d'elle en secouant tristement la tête.

— Rien n'est possible, entre nous. Nos personnalités sont en désaccord... même nos corps ne peuvent s'adapter l'un à l'autre, ajouta-t-elle en rougissant.

Ces paroles étaient un défi à la virilité de Ram.

— C'est faux! Donnez-moi une autre chance, et je vous jure de faire preuve de douceur, madame. Même les baisers ont leur préambule.

Il sentit une imperceptible hésitation et poussa son avantage :

— En toute bonne foi, ni vous ni moi ne pouvons dissoudre notre union si vite. On nous accuserait de n'avoir même pas essayé.

Ils entendirent du bruit à l'extérieur, et Ram ouvrit la porte pour voir qui venait les déranger. Pochard se précipita alors dans la pièce à la poursuite du chat.

— Il va le tuer! cria Tina.

— Qui?

— Le chat! Oh, où est-il passé?

Ram la fixa droit dans les yeux pour observer sa réaction :

— Il ne le tuera pas. C'est un fantôme.

Elle eut l'air un instant déconcertée, puis très vite son visage s'apaisa. Elle ne rejetait pas son explication, elle ne le prenait pas pour un fou...

— Cette chatte appartient à Damaris. Elle s'appelle Folie.

Damaris, dans un coin de la pièce, serrait son chat contre elle. Elle était heureuse qu'ils acceptent la possibilité de son existence, pourtant elle était une fois de plus frustrée de ne pouvoir communiquer avec Tina, la protéger contre Ram.

Pochard, qui s'était enfin aperçu de l'endroit où il se trouvait, geignait devant la porte.

— Laissez-moi, je vous prie, dit Tina. Je dois prendre un bain.

— Je vous envoie tout de suite une servante, proposa gentiment Ram, qui n'espérait pas de remerciement, mais souhaitait au moins qu'elle renonçât à partir pour Doon le lendemain.

Damaris alla chercher Alexander, qu'elle trouva dans la chambre de Ram.

— *Il l'a violée, Alex!*

— *Ce fils de garce!* jura Alex avec colère. *Si j'étais en vie, je le battrais comme plâtre! Sale individu!*

— *Oh, Alex! Tout va recommencer! L'un d'eux va tuer l'autre...*

— *Bon sang, femme, une fois pour toutes: je ne t'ai pas tuée!*

— *Ne recommence pas! Oh, comme je regrette qu'ils partent pour le château Douglas! Ici, je pourrais peut-être l'aider... Elle sent ma présence, il me semble.*

— *Je crois qu'il nous est possible de changer de résidence. Il faut pour cela s'attacher à un être vivant, et il nous emmènera avec lui. Noue ce lien avec Tina et moi, j'en ferai autant avec Ramsay, juste le temps du voyage.*

— *Crois-tu vraiment que je puisse me fier à toi? D'autre part, jamais je ne quitterais Folie,* dit Damaris pour dissimuler la crainte qu'elle avait de sortir de la demeure où elle vivait depuis quinze ans.

— *Emmène-la avec toi.*

— *Non, j'aurais trop peur de la perdre. Elle sera plus en sécurité ici, et moi aussi d'ailleurs.*

— *Chérie...*

— *Pas de ça avec moi! Tu n'es qu'un satané Douglas, et tu n'y peux rien changer.*

Elle disparut aussitôt de la chambre.

20

Si l'eau chaude apaisa le corps meurtri de Tina, elle n'empêcha pas ses pensées d'aller bon train. Ramsay Douglas était une force de la nature, un orage, un ouragan. Elle devait se montrer très intelligente pour rester à son niveau, et plus encore pour avoir la haute main sur lui. Pas étonnant que le nom de Douglas déclenchât la peur ! Elle était mieux placée que quiconque pour le comprendre !

Elle finit par se coucher, mais le sommeil la fuyait. Lorsqu'elle ne bougeait pas, elle n'avait plus mal, pourtant elle était si nerveuse qu'elle ne cessait de se retourner. Black Ram Douglas était tellement… quoi ? Pas grossier vraiment, comme Angus. Mais si viril, si masculin qu'elle en frémissait.

Elle essayait de toutes ses forces de ne plus penser au moment où il s'était allongé nu près d'elle, où il l'avait pénétrée. En vain. Elle avait vu son vaste torse, mais le reste de son corps restait un terrifiant mystère pour elle.

L'aube se leva sans qu'elle eût fermé l'œil, et elle était épuisée avant même le début de la journée.

Tandis qu'une Ada inquiète finissait de l'aider à se préparer, Nell apporta un plateau de petit déjeuner. Comme Tina ne voulait rien manger, Ada lui tendit un gobelet de bière légère qu'elle avala avec reconnaissance.

Cependant, lorsqu'elle sortit dans la cour et vit Indigo, tenue par son palefrenier, elle eut un instant de panique. Dieu, elle avait bien trop mal pour pouvoir monter ! Mais Ram et ses hommes, déjà en selle, l'attendaient.

Black Ram, bien qu'il prît soin de ne rien montrer, était soulagé qu'elle acceptât de l'accompagner au château Douglas. Il la vit grimacer quand elle se mit en selle, puis redresser fièrement le dos. La tenue grise rehaussait le lustre de sa chevelure mais augmentait la pâleur de son visage et les cernes délicats sous ses yeux.

Sa conscience le taraudait, cependant il se promit de se racheter. Il ne parvenait pas à croire à sa chance. On ne pouvait dire que Valentina était innocente — elle avait été beaucoup courtisée — mais elle n'avait aucune expérience, grâce à Dieu. S'il lui enseignait toutes les subtilités de l'amour charnel, elle deviendrait un véritable enchantement. Certes, il avait pris un mauvais départ, mais s'il s'attachait à lui plaire... Pas une femme au monde ne résistait à son charme.

Il était hors de question qu'elle passât la journée en selle, vu son état. Cependant elle était aussi fière et têtue que lui, et s'il lui proposait de la prendre sur son cheval, elle refuserait. Il fallait trouver une façon plus subtile de l'aider.

Ramsay feignit de l'ignorer pendant le début du voyage, puis il s'approcha d'elle lorsqu'ils arrivèrent au comté de Dumfries.

— Je me trompe peut-être, mais il me semble que votre jument boite légèrement.

Elle n'avait rien remarqué, pourtant elle était trop lasse pour discuter.

— Laissez-moi jeter un coup d'œil, insista-t-il.

Il mit pied à terre et souleva la patte d'Indigo.

— Hum, c'est bien ce que je pensais. Son fer ne tient pas bien.

Tina lui en voulut de se préoccuper davantage du bien-être de la jument que du sien, mais elle se sentit également coupable d'avoir monté Indigo dans de telles conditions.

— J'ai une autre monture, dit-elle, arrogante.

Il lui sourit.

— C'est votre précieux M. Burque qui l'utilise. Vous voudriez que je le prenne en croupe devant tous mes hommes ?

Elle ne put s'empêcher de rire à cette idée saugrenue, et s'avoua que ce serait un soulagement de ne plus avoir à se tenir à califourchon.

Au début, elle demeura toute raide, distante, mais Ramsay ne tarda pas à mener son étalon dans un galop souple, long, et elle se détendit au point de s'assoupir.

Il était terriblement conscient de son contact, de son odeur, et le désir l'étreignit à nouveau. Comme il s'agitait légèrement sur la selle, gêné, elle ouvrit les yeux et se redressa. Mais la fatigue ne tarda pas à l'emporter. Elle se laissa aller contre lui tandis qu'il l'encerclait d'un bras d'acier pour l'empêcher de glisser.

Elle dormait tout à fait à présent, et il la tourna légèrement pour mieux la voir. Comme elle était petite, fragile entre ses cuisses !

Dieu, qu'il avait envie d'elle ! Jamais plus il ne lui ferait l'amour dans le noir…

Valentina ne put admirer la beauté du paysage sauvage qu'ils traversaient. Ce n'étaient que précipices, grottes, marécages aux profondes ornières. Puis ils passèrent devant l'un des endroits favoris de Ramsay : une splendide cascade au pied de laquelle il avait l'habitude de se baigner nu. Ce jour-là pourtant, il s'aperçut qu'il aimait mille fois mieux être à cheval, sa femme endormie contre lui.

Alors qu'ils approchaient du château Douglas, les hommes accélérèrent l'allure. Même les yeux bandés, Ram aurait su qu'il arrivait chez lui, car l'odeur de la mer remontait le long de la Dee jusqu'aux fondations de l'ancienne forteresse. Ruffian s'arrêta net devant la herse, et Tina ouvrit les yeux sur les murs sombres. Elle se rendit compte qu'elle avait dormi la plupart du trajet tout contre Ram. Celui-ci lui adressa un sourire ravi, et elle sentit ses joues s'enflammer. Si elle le laissait la dominer ainsi et jouait les faibles créatures, il était satisfait, songea-t-elle.

Ram était un peu étonné. Tout au long du chemin, son jeune frère et ses cousins s'étaient chargés de la horde de chevaux sauvages, et les hommes s'étaient occupés des chariots qui se prenaient sans cesse dans les ornières, afin qu'il pût se consacrer à sa propre tâche : veiller sur sa femme. Et même maintenant qu'ils étaient arrivés, ils continuaient à tout régler, de sorte qu'il fut libre de montrer à Tina sa demeure favorite.

Il mit pied à terre et lui tendit les bras. Elle le fixa, hésitante, puis prit une décision : elle allait faire le premier pas sur le chemin de la séduction. Elle se laissa doucement glisser contre lui, dans un bruissement de jupons. Ils restèrent un instant l'un contre l'autre, et elle ne fit rien pour se dégager.

Enfin, il la souleva de terre et lui fit franchir la porte du château avant de la poser au sol pour lui offrir son bras, non sans avoir longuement plongé dans son regard qui l'intriguait, qui l'invitait et en même temps le tenait à distance. Il lui prit la main.

— Cette fois, vous ne pourrez me reprocher de ne pas vous montrer ma chambre… notre chambre, rectifia-t-il en observant sa réaction.

Comme elle demeurait silencieuse, il la guida vers le grand escalier de pierre.

Tina fut agréablement surprise par la pièce, qui était splendide. Un des murs était entièrement occupé par une immense cheminée, le sol recouvert de peaux de moutons noirs, et sur le lit était jetée une grande fourrure de lynx. Quant aux murs, ils étaient de granit rose poli, presque aussi doux que du marbre.

Ramsay lui adressa son premier compliment :

— Cette chambre noire et rose met parfaitement en valeur votre teint.

— Flatteur ! Auriez-vous pris des leçons d'Angus ? demanda-t-elle.

Il éclata de rire, et ils s'écrièrent en même temps :

— Au moins, vous avez le sens de l'humour !

Il l'emmena ensuite sur les remparts qui dominaient l'embouchure de la Dee et la mer. Les mouettes piaillaient au-dessus d'eux quand il murmura :

— Partagerez-vous cette chambre avec moi, si je promets de ne plus vous brutaliser ?

Elle le fit attendre une longue minute avant de répondre :

— Vous promettez de vous montrer civilisé ?

— Pas exactement. Mais la prochaine fois, j'essaierai de vous séduire…

— Jamais encore je n'ai succombé à une tentative de séduction.

— Parce qu'elles ne venaient pas de Black Ram Douglas, rétorqua-t-il, arrogant.

Elle leva ses yeux dorés vers lui.

— Cette nuit, j'aimerais dormir, monseigneur.

— Comme vous voudrez, dit-il solennellement, une petite étincelle au fond des yeux. Cela vous donnera des forces pour le combat de demain soir…

Elle plongea dans une révérence dont il la releva en portant ses mains à ses lèvres avant de s'éloigner. Elle le regarda partir. Après une bonne nuit de repos, il verrait à qui il avait affaire. Elle commençait à apprendre quelques ruses féminines, et avec l'aide des petits plats mitonnés par M. Burque, il verrait bien qui séduirait l'autre…

Dans la vaste entrée, elle trouva Ada en train de parler avec le régisseur, tandis que Nell s'était perchée sur une des malles.

— Où dois-je faire porter vos bagages ? demanda Ada.

— Dans la chambre de maître, évidemment, répondit Tina en jetant un coup d'œil au régisseur. Je suis la maîtresse, ici.

Elle le pria ensuite de lui faire faire le tour du propriétaire et le complimenta sur la bonne tenue du château.

Aux cuisines, le chef de Douglas avait accueilli plutôt froidement M. Burque, et à présent ils en étaient aux insultes. L'Écossais traitait de dégénéré, d'homosexuel et de bellâtre le Français qui mijotait quant à lui une vengeance plus raffinée. La première assistante du chef était son épouse, une petite personne toute ronde aux joues roses, qui ne pouvait quitter M. Burque des yeux. Son regard caressant et ses clins d'œil par-dessus la tête du mari indiquaient clairement qu'il avait un goût prononcé pour le sexe opposé, et quand il lui baisa la main, elle se sentit fondre.

Le régisseur présenta le chef à Tina.

— Au lieu de perdre votre temps à lancer des épithètes variées, vous feriez mieux de concentrer votre énergie sur le repas de ce soir, conseilla-t-elle. S'il me plaît, peut-être vous garderai-je aux cuisines…

Le dénommé Burns en resta bouche bée.

Tina pria le régisseur d'attribuer des chambres confortables à Ada et à Nell, puis elle se rendit aux écuries, où elle tança son palefrenier qui n'avait pas vérifié les sabots d'Indigo avant le voyage. Le garçon se défendit en lui montrant les pieds intacts de la jument, et Tina eut un petit sourire secret. Ram l'avait-il prise sur sa selle pour lui éviter la fatigue du trajet... ou pour se faire plaisir ?

Elle visita les communs, la laiterie, la forge, les quartiers des hommes d'armes, construits contre le mur d'enceinte, et la buanderie où on lavait le linge du château. Il y avait aussi des entrepôts pour la laine, et une tannerie où étaient traitées les peaux de vaches et de daims avant d'être envoyées de l'autre côté de la Manche.

Les ombres s'allongeaient, annonçant un crépuscule somptueux, quand elle se dirigea vers les rives de la Dee. Elle sursauta en découvrant un homme, nu jusqu'à la taille, qui se tenait au milieu de la rivière. Il se tourna en l'entendant approcher : Ramsay était en train de pêcher.

— Je ne voulais pas vous déranger, Douglas.

« Vous me dérangez tout le temps, pensa-t-il, que vous soyez là ou pas. Je rêve même de vous la nuit... »

— Venez, je vais vous apprendre à pêcher. C'est un loisir des plus reposants pour un homme.

— Je suis une femme, répliqua-t-elle en s'approchant de la rive.

— J'avais remarqué. Vous ne serez sans doute pas très douée. Les femmes détestent accrocher des vers aux hameçons.

— J'essaie toujours tout au moins une fois.

— Plus que cela, j'espère, dit-il, la voix chargée de sous-entendus. Asseyez-vous sur le bord et prenez ma canne. Je vais m'en fabriquer une autre, ajouta-t-il en sortant de l'eau.

Bien vite, il eut coupé une nouvelle branche à laquelle il fixa une ficelle noire.

— Où est votre ver ? demanda-t-elle.

— Les poissons préfèrent les mouches. Ils arrivent à la surface de l'eau, là où les insectes rôdent, et d'un coup ils sautent pour les attraper.

Elle fut stupéfaite de voir qu'il avait confectionné une sorte de mouche en tissu.

— Je vais vous apprendre à pêcher...

226

— Non, répondit-elle en secouant la tête. Je regarde, et quand j'aurai compris le secret, je serai aussi bonne que vous.

Il croisa longuement son regard.

— Il y a un secret pour tout... Je l'ai toujours su, mais la plupart des gens l'ignorent. Vous êtes très intelligente. Peut-être avons-nous plus de points communs que nous le supposons.

Elle rougit et s'en voulut aussitôt. L'animal! Il passait son temps à l'embarrasser de la sorte.

Il revint vers le milieu de la rivière et lança patiemment sa ligne à plusieurs reprises.

Tina, le dos tourné, se débarrassa de ses souliers et de ses bas. S'il imaginait qu'elle allait rester sur la rive comme une poule mouillée, il se trompait! Elle n'hésita qu'une seconde avant d'ôter sa robe et, relevant son jupon dans sa ceinture, entra dans l'eau.

Ram ouvrit la bouche, stupéfait, mais elle posa un doigt sur ses lèvres pour lui imposer le silence. Elle prenait cette partie de pêche très au sérieux...

Ram l'avait jugée vaniteuse dans ses élégantes toilettes, mais il s'apercevait qu'il avait fait fausse route : c'était un vrai garçon manqué, prêt à relever tous les défis. Voilà sans doute ce qui lui valait sa réputation de jeune fille hardie.

Il avait bien du mal à s'arracher à la contemplation des ravissants sous-vêtements qu'avait cachés la tenue d'équitation. Ses seins étaient diablement tentants, sous sa chemise!

Il essaya de se concentrer sur sa ligne. Soudain, la surface de l'eau frémit, puis un poisson argenté bondit hors de l'eau.

— Je vais l'attirer un peu plus loin, près des rochers, avant qu'il ne se dégage de l'hameçon! cria Ram.

Il arriva à l'entraîner en eau moins profonde, mais soudain le poisson fila, et Ram se lança à sa poursuite.

— Je viens vous aider!

Tina se précipita derrière Ram, se laissa tomber à plat ventre dans l'eau, mais la bête lui fila entre les doigts.

Enfin Ramsay parvint à l'attraper et le sortit de l'eau, triomphant.

— C'est un saumon! s'écria joyeusement Tina.

— Evidemment! Pensiez-vous que je pêchais des poissons rouges?

Il s'aperçut soudain qu'elle était trempée.

— Nous ferions mieux de rentrer, vous allez prendre froid.

— Pas question! protesta-t-elle. Pas avant que j'aie attrapé *mon* saumon!

— Dans ce cas, éloignons-nous de cet endroit. Vous ne prendrez rien après vous être démenée comme une furie.

— Moi? Et vous alors, Douglas?

— Moi, je me fonds dans le décor, alors que votre chevelure et votre tenue sont tellement agressives que vous faites peur aux poissons.

Elle réprima un sourire. C'était Black Ram Douglas qui était pris à l'hameçon. Il ne lui restait plus qu'à le ramener à la maison, ôter les arêtes et le découper en filets...

Quand ils rentrèrent au château, nantis de deux gros saumons, ils avaient retrouvé une tenue tout à fait digne. Seules les petites flaques qui dégoulinaient sous la stricte robe grise de Tina pouvaient donner à penser qu'il s'était passé quelque chose.

La grande pièce du château Douglas regorgeait de monde. Tous, hommes, femmes, enfants, s'étaient assemblés pour apercevoir Lady Valentina Kennedy, la concubine de leur seigneur.

Tina fit une entrée royale dans sa robe de soie jaune. La tête haute, elle marcha droit vers Lord Douglas qui était assis sous le dais, ses cheveux noirs se détachant sur le Cœur sanglant de la bannière derrière lui.

«Ah, monseigneur, votre emblème est un présage, même si vous l'ignorez encore», se dit-elle.

Il se leva dès qu'il la vit et vint à sa rencontre avec une grande courtoisie. Comme il tenait la chaise de bois sculpté pour elle, il lui murmura à l'oreille:

— Je serais désolé de vous imposer d'être en représentation ce soir, si je ne savais que vous adorez attirer tous les regards.

Elle sourit, tout miel.

— Vous aimez tellement cet endroit que vous devez enrager d'être chassé de votre piédestal.

— Vous ne doutez guère de vous !

Elle reprit ses propres paroles :

— Que voulez-vous, peut-être avons-nous plus de points communs que nous ne le pensons ?

Quand les carafes furent remplies, Ramsay se leva de nouveau et tendit les mains pour imposer le silence. Il n'eut pas besoin de citer le titre de Tina, ni même son nom de famille, car tout le monde savait exactement qui elle était.

— Portons un toast. Voici Valentina, ma nouvelle compagne. Si elle se montre aussi féconde qu'elle est belle, il est fort possible que je la garde.

Des étincelles de rage éclairèrent les yeux dorés.

— Mufle ! souffla-t-elle. Je vais porter mon propre toast et leur dire que si vous êtes impuissant, je ne *vous* garderai pas !

— Si vous faites ça, je vous frappe, répondit-il avec colère.

Elle leva sa coupe :

— Un toast !

Ramsay serra les dents.

— Voici Douglas, mon nouveau seigneur, clamat-elle. S'il se montre aussi chevaleresque qu'il est courageux, il est fort possible que je le garde.

Comme des vivats s'élevaient dans la pièce, elle vit qu'il plissait les yeux pour s'empêcher de rire.

Il avait parlé de sa nouvelle compagne, et elle se demanda combien de femmes avaient occupé cette place. Elle en ressentit un pincement — non, sûrement pas de jalousie... — de mépris pour la façon dont il courait les filles. Une chose en tout cas était certaine : peut-être ces Douglas ne l'aimaient-ils pas, mais ils ne l'oublieraient jamais, surtout Ramsay !

On apporta à Ram un baron d'agneau qu'il découpa.

Il était savoureux, la peau dorée, saignant à l'intérieur. M. Burns s'était surpassé !

Ram ne quittait pas Tina des yeux, et elle se sentait brûler sous son regard. Il rayonnait de sensualité à l'état pur.

Il ne put s'empêcher de l'imaginer nue et se rendit compte aussitôt que c'était une erreur... Le désir en devenait gênant, presque douloureux. Il saisit sa chope de bière pour se rafraîchir.

— Avez-vous fini de me regarder ? lança-t-elle.

Il secoua la tête.

— Je ne m'en lasserai jamais. A la lumière des torches, vous n'êtes qu'or et ombre, votre chevelure flamboie.

Ainsi, il commençait à la courtiser, se dit-elle, regrettant presque d'avoir accepté de partager sa chambre. Il la caressait intimement du regard, et elle s'aperçut qu'une sorte d'excitation grandissait en elle.

— Pourquoi me fixez-vous de façon si... intime ? demanda-t-elle, image même de l'innocence.

— J'essaie d'imaginer les sous-vêtements que vous avez choisi de porter ce soir.

— Vous êtes l'homme le plus exaspérant que je connaisse !

— J'espère bien !

Une fois de plus, il se félicita d'avoir coiffé Patrick Hamilton au poteau.

Il avait accepté de la laisser dormir cette nuit-là, mais pas une minute Tina ne croyait qu'il tiendrait sa promesse.

Soudain deux hommes firent irruption dans la salle commune en criant :

— Les feux d'alarme sont allumés !

Ramsay bondit sur ses pieds et courut chercher sa cotte de mailles et son épée sans un regard en arrière.

21

Le village de New Abbey, à une quinzaine de kilomètres vers l'est, avait été attaqué par des maraudeurs
anglais, mais lorsque Ram et ses hommes arrivèrent,
les pillards s'étaient enfuis. Ils avaient dévasté tous les
bâtiments — y compris l'église —, volé le bétail et les
réserves de nourriture, tué les hommes, violé les
femmes et mis le feu aux toits de chaume avant de s'en
aller.

Un autre feu de détresse brillait sur une colline
proche, et Ram savait que les Anglais étaient en train
de faire la même chose au village de Kirkbean, à
quelques kilomètres de là. Fou de rage, il laissa la moitié de ses hommes aider les victimes de New Abbey, et
partit avec les autres pour Kirkbean.

Il avait l'intention de capturer vivants quelques-uns
des bandits afin d'apprendre d'où ils venaient, de qui
ils recevaient leurs ordres, mais il s'aperçut qu'ils
étaient trois fois plus nombreux qu'eux. Ce fut une lutte
à mort qui s'engagea.

Quelques minutes plus tard, douze Anglais gisaient,
morts, alors que quelques hommes de Douglas seulement étaient blessés. Ram lui-même avait à la cuisse
une longue estafilade sanglante, qu'il savait sans gra-
vité. Les autres pillards avaient fui.

Les villageois l'informèrent que trois femmes avaient
été emportées avec le bétail, et Ram jura de les ramener avant de partir au triple galop en direction de la
côte. De nouveau, ils arrivèrent trop tard. Un navire
venait de lever l'ancre, un autre disparaissait déjà vers
les rivages d'Angleterre.

Se sentant poursuivis, les Anglais avaient pourtant
laissé les femmes derrière eux... mais la gorge tran-
chée. Ramsay, Jock et Cameron mirent pied à terre
près du corps des malheureuses, le cœur au bord des
lèvres.

— Depuis quand les Anglais utilisent-ils des bateaux ? demanda Jock à Ramsay.

— Ces fils de chien ont reçu leurs ordres d'une haute autorité : Dacre — ou peut-être même le roi Henri. Demain, nous armons nos vaisseaux. La plupart d'entre vous connaissent déjà la navigation, les autres devront se dépêcher d'apprendre.

— Je retourne à Kirkbean, proposa Jock, le premier lieutenant de Ram. Rentrez au château soigner votre blessure.

— Non. J'ai promis de ramener les femmes, je dois passer par Kirkbean. Ça va, Cameron ? demanda-t-il à son jeune frère.

Le garçon était complètement bouleversé, et Ram regrettait de ne pas l'avoir laissé à New Abbey.

Ada et Tina bavardaient depuis deux bonnes heures dans la superbe chambre de maître, tandis qu'Ada brodait une soie arachnéenne vert pâle qu'elle ornait de cœurs rouges.

— Sa Seigneurie n'imaginera pas que nous nous moquons du Cœur sanglant des Douglas, j'espère ? dit-elle à Tina.

La jeune femme secoua la tête en riant.

— Peu importe... Douglas a le sens de l'humour.

Elle-même brodait l'initiale de Ram sur une chemise de lin blanc. Un D, bien sûr, puisqu'elle refusait de l'appeler par son prénom.

Enfin Tina bâilla, et elles posèrent leurs ouvrages.

— On dirait que je vais avoir la chambre pour moi toute seule cette nuit, remarqua Tina, rêveuse.

Ada lui lança un rapide coup d'œil. Avait-elle perçu une ombre de déception ?

Tina posa un déshabillé rouge sombre au pied du lit, au cas où Ramsay rentrerait au milieu de la nuit. Elle avait besoin d'une protection contre son regard si intense.

Elle dormit profondément pendant deux heures, puis elle se réveilla, constata qu'il n'était pas rentré, et s'agita dans son lit, en proie à des sentiments imprécis mais désagréables.

Ce n'était pas de l'inquiétude, certainement pas. Plutôt une impression de malaise…

A l'aube, elle entendit les sabots des chevaux qui pénétraient dans la cour, et elle ne put rester davantage au lit.

Vêtue du déshabillé, elle saisit une torche dans le corridor, et descendit l'escalier en courant. Quand elle vit que personne ne franchissait la lourde porte de bois, elle s'impatienta. Elle aimait être au cœur des événements au lieu d'attendre sagement à l'arrière.

Elle finit par sortir pour se diriger vers les écuries, mais elle trouva tout le monde réuni près de la forge. Ramsay, qui avait perdu beaucoup de sang, était un peu étourdi et il vacillait en mettant pied à terre. Il dut s'appuyer lourdement sur Jock pour marcher jusqu'à la forge, et Tina arriva à temps pour voir deux de ses hommes l'allonger sur un établi. Quand il aperçut sa chevelure flamboyante, il cria :

— Faites-la sortir !

Cameron posa la main sur l'épaule de la jeune femme.

— Il faut cautériser la blessure. Retournez vous coucher.

— Il n'en est pas question !

— Je vous en prie, murmura Cameron. Il va hurler quand on appliquera le fer brûlant sur la plaie.

— Arrêtez tout de suite, espèces de sauvages ! Jock, portez-le dans notre chambre !

— Il faut stopper l'hémorragie, rétorqua sèchement Ram. Ne vous mêlez pas de ça.

— Je peux le faire en recousant la plaie, affirmat-elle.

— Vous ?

— Oui, moi !

Ramsay grimaça un sourire.

— Vous ne vous évanouirez pas à la vue du sang ?

— Je m'en réjouirai plutôt ! Portez-le en haut ! répéta-t-elle.

Pour Ramsay, tout cela était nouveau. Que sa compagne se levât au milieu de la nuit afin de voir comment il allait et proposât de le soigner elle-même était incroyable ! Presque miraculeux !

Jock et Cameron obéirent à la jeune femme, et elle leur ordonna de poser Ramsay sur le drap. Armée de ciseaux, elle entreprit de couper les guêtres de cuir.

— Ne restez pas planté là à ne rien faire, dit-elle à Cameron. Allez chercher de l'eau chaude.

Le jeune homme partit en courant, et Jock demanda :

— Voulez-vous que je le tienne, madame ?

— Je ne bougerai pas ! gronda Ram. Etes-vous sûre d'avoir le courage de me soigner, jeune fille ?

— Je parie que ma main tremblera moins que votre jambe, rétorqua-t-elle.

Ram plissa les yeux et ordonna à Jock de sortir. Lorsque Cameron revint avec l'eau, il lui dit :

— Va t'occuper des autres blessés. Nous voulons être seuls.

Ses chausses étaient imbibées de sang, et Tina les coupa également. Elle rougit en s'apercevant que la blessure remontait du genou à l'aine. Il ne broncha pas lorsqu'elle lava la plaie, mais fronça les sourcils en la voyant s'approcher munie d'une aiguille. Elle sourit.

— Je vais vous recoudre avec du fil de soie, et ensuite je ferai un joli nœud, plaisanta-t-elle avant de prendre une profonde inspiration et de planter son aiguille.

— Inutile de faire des points si délicats, dit-il.

— Vous êtes assez laid comme ça, inutile que vous ayez en plus d'affreuses cicatrices.

— Il est trop tard pour ça ! Quand vous me verrez nu, vous tournerez de l'œil.

— Ça m'étonnerait ! Je ne m'évanouirai jamais devant quelques cicatrices...

— Ce n'est pas ça qui vous fera perdre l'esprit, promit-il en souriant.

— Oh ! vous avez la tête enflée !

— Oui, entre autres...

Elle arrivait tout près de ses parties intimes, et se

234

rappelant combien il lui avait fait mal, elle piqua un peu plus fort.

— Désolée...

— Vous ne l'êtes pas, sorcière. Vous êtes au contraire ravie de me tenir sous votre coupe.

Les lèvres serrées, elle s'appliquait à faire le nœud final.

— Voilà. Désirez-vous autre chose ? demanda-t-elle.

— J'ai terriblement soif.

— Pardonnez-moi, j'aurais dû y penser. C'est tout ce sang que vous avez perdu...

Elle appela un laquais et l'envoya chercher une pinte de bière.

— Peut-être auriez-vous préféré du whisky ?

— Non, c'est parfait.

Il but toute la chope avant de se laisser aller contre l'oreiller. C'était la première fois que Tina le voyait fatigué, et elle tira la fourrure de lynx sur lui. Il saisit sa main.

Merci. Je vous promets que nous aurons de meilleures nuits, dit-il, une étincelle au fond des yeux.

Au début de l'après-midi, quand Tina vint s'enquérir de sa santé, elle eut la surprise de le trouver debout, habillé, en train de rédiger du courrier.

— Vous devriez être allongé !

Il la fixa pour essayer de deviner si elle était sincère ou si elle feignait la sollicitude. Il se moquait pas mal de sa blessure mais l'attention de Tina le touchait profondément.

— Je dois m'occuper de certaines affaires. Les Anglais ont réalisé leur raid par bateau. Tous les villages, villes et fermes de la côte seront vulnérables, désormais.

— Donald et Meggie sont au château Kennedy, au bord de la mer ! Il faut les prévenir !

— J'enverrai un message, si cela peut vous rassurer, mais ils n'attaqueront pas s'ils savent que les Kennedy sont là.

— Les hommes d'armes de Donald ne sont pas aussi aguerris que les vôtres, Douglas.

— Il y en a peu comme les miens. Les Anglais se sont risqués aussi près parce qu'ils nous croyaient encore dans le Nord, ce qui aurait été le cas un jour plus tôt.

Il fronça les sourcils. Avaient-ils été trahis ? Méfiant, il soupçonnait tout le monde, y compris les membres de sa propre maison.

— Je vais demander à Angus de nous envoyer encore une cinquantaine d'hommes, reprit-il. Vous serez en sécurité, ici.

Elle haussa les épaules.

— Ce ne sont pas les Anglais qui me font peur.

— Ni moi, j'espère. Je suis blessé, inoffensif.

— Aussi inoffensif qu'un scorpion !

Il se leva, leurs regards se croisèrent et l'atmosphère se chargea de sensualité. Il saisit une boucle rousse, la porta à son visage et en respira l'odeur :

— Hmm… Chèvrefeuille…

Il la fixait avec une intensité qui lui fit baisser les yeux, et elle remarqua la barbe naissante sur ses joues.

— Je vais me raser pour vous, dit-il.

Elle le regarda, surprise. Lisait-il dans ses pensées ? Il caressa doucement son cou, et les yeux de Tina s'emplirent d'appréhension. Il pourrait si facilement lui briser les vertèbres ! Instinctivement, elle porta la main vers sa blessure, prête à y planter les ongles si la pression sur son cou devenait plus forte.

— Ma sorcière, souffla-t-il en couvrant sa main de la sienne.

Ces doigts, il les voulait sur lui, sur sa virilité, mais il fallait que le geste vînt d'elle. Il effleura doucement ses lèvres.

— Un souper ici avec moi, ce soir ?

C'était plus une proposition qu'un ordre. Ses yeux gris ne la quittaient pas, inquisiteurs, et elle rassembla tout son courage pour répondre :

— Comment pourrais-je vous résister, monseigneur ?

Il demeura impassible, pourtant elle aurait juré que

236

ses paroles lui plaisaient. Quand il quitta la pièce, elle se laissa tomber sur le lit, molle comme une poupée de chiffon.

— Je vous hais, et je vous haïrai toujours, dit-elle dans un souffle aussi doux qu'un baiser.

Elle appela Ada pour la prier de ranger la chambre puis elle descendit aux cuisines.

— L'agneau d'hier soir était parfait, monsieur Burns, dit-elle au cuisinier. J'espère que c'est la règle plutôt que l'exception, et que votre talent ne s'exerce pas seulement sur les gigots. Sinon, M. Burque vous donnera quelques idées de recettes.

Valentina entraîna le Français à l'écart.

— Lord Douglas et moi dînerons en privé, ce soir. J'aimerais un menu spécial.

— Le saumon que vous avez pêché?

— Oh, oui, cela lui fera plaisir. Et n'oubliez pas de vous surpasser pour le dessert.

Colin les rejoignit, l'air inquiet.

— La blessure de Ram est-elle grave?

— Pas trop. Elle a énormément saigné, mais elle cicatrisera rapidement, assura Tina.

Colin demanda à une servante de la buglosse et de la liqueur de pavot.

— D'autres blessés? s'enquit Tina.

— Rien de trop important.

Mais quand on lui dit qu'il n'y avait plus de pavot, Colin se mit en colère.

— Il en restait la dernière fois que je suis venu. Il manque toujours quelque chose, ici!

— Ce sont peut-être les fantômes, plaisanta Tina.

— Des fantômes! Les adultes ne croient pas à ces sornettes!

— Ramsay, si. Il est persuadé que l'esprit de Damaris rôde toujours.

— Il prend ses désirs pour des réalités! marmonna Colin. Il s'est toujours cru amoureux de Damaris. Alex et lui en sont venus aux mains plus d'une fois, à ce sujet!

Il s'interrompit brusquement, comme s'il en avait trop dit.

— Peut-être votre précieux M. Burque pourrait-il nous fabriquer un remède contre la douleur, reprit-il.

— C'est un vrai sorcier! Un jour il m'a guérie d'une affreuse rage de dents...

Elle remonta vers la chambre, soucieuse. Qu'avait dit Malcolm le Fou? Qu'Alex n'avait pas empoisonné Damaris? «*C'est l'autre jeune salaud*»... Quel âge avait Ram au moment du drame? Dix-sept ou dix-huit ans, se dit-elle, le cœur battant soudain d'appréhension.

Ada apportait le déshabillé vert d'eau qu'elle avait fini de broder.

— Vous devriez le porter ce soir, sous une robe de chambre, évidemment.

Tina secoua la tête.

— Il me l'enlèverait et le déchirerait en moins de cinq minutes. Non, je serai vêtue de pied en cap.

Elle choisit une robe rose et tous les dessous assortis, jusqu'aux jarretières, ainsi qu'une collerette de la même couleur. L'effet était presque théâtral, dans la chambre rose et noire.

Tina entendait Ram bouger dans la pièce adjacente qui lui servait de garde-robe.

— Laissez-moi, dit-elle à Ada. Il sera là d'un moment à l'autre.

A peine se fut-elle parfumée qu'il entrait sans frapper, entièrement vêtu de noir, et Tina se dit qu'ils devaient ressembler à deux acteurs costumés.

— Comment se porte la jambe de Douglas?

Elle était prête à la bagarre, constata-t-il.

— Je vous la montrerai si vous me montrez la vôtre, plaisanta-t-il pour détendre l'atmosphère.

— Dois-je en conclure que nous n'éteindrons pas les chandelles, cette nuit?

Elle le provoquait, pourtant Ram se domina. Bien qu'il n'eût dormi que quelques heures, toute trace de fatigue avait disparu de son visage; il éclatait de vie. Il se dirigea vers la cheminée et y mit une bûche qu'il poussa du pied. Sans doute posait-il ainsi sa botte sur ses ennemis, se dit-elle. Il se débarrassait impitoyablement de tout ce qui se mettait en travers de son chemin. Avait-il supprimé Alexander? Elle repoussa aussitôt cette idée. Jamais elle ne parviendrait à faire l'amour avec cet homme si elle le considérait comme un meurtrier.

Elle ressemblait à un petit animal sauvage, prêt à fuir devant le chasseur. Pourtant il n'avait aucune intention de blesser, seulement de capturer, d'apprivoiser.

— J'aurais aimé que vous portiez vos cheveux défaits, dit-il d'une voix profonde, un peu rauque, qui la fit frissonner.

Ainsi, il aimait ses cheveux... Elle saurait s'en souvenir.

— Je les ai relevés pour que vous ayez le plaisir de les libérer vous-même, répondit-elle doucement.

Cette fois, ce fut lui qui frissonna. Elle était vêtue pour qu'il eût le loisir de la déshabiller. A l'idée de ses délicats sous-vêtements, il frémit de nouveau. Il ne parvenait pas à détacher d'elle son regard fiévreux.

— Je demanderai à Colin de faire votre portrait, reprit-il.

Avait-il demandé aussi à son cousin de peindre Damaris? Elle chassa cette pensée troublante. Sous le regard intense de Ram, elle s'alanguissait.

Ram, au contraire, brûlait de force, d'énergie. Elle était l'objet exclusif de ses attentions, de son désir, c'était une véritable obsession.

Il la prit tendrement dans ses bras et fixa du regard longuement sa bouche avant de se pencher vers elle. Il voulait la caresser, l'éveiller, en prélude à ce qui allait suivre...

Quand on frappa à la porte, Tina fut extrêmement soulagée. Ram avait fait naître en elle d'étranges sensations qui la laissaient un peu étourdie. Il ouvrit la porte à M. Burque qui apportait leur souper. Ramsay l'accueillit en français :

— Un moment, dit-il en prenant la table sur laquelle il travaillait pour la mettre devant le feu.

Le chef posa le lourd plateau.

— Bon appétit.

— Je vous remercie, répliqua Ram dans sa langue.

M. Burque adressa un discret clin d'œil à Tina, qui lui répondit par un sourire.

— J'ignorais que vous parliez français, s'étonna la jeune femme après le départ du chef.

— Vous le parlez aussi ?

— Malheureusement, je n'en connais que quelques mots. Lingerie, déshabillé…

Il haussa les sourcils.

— Curieux choix !… Que nous a-t-il mijoté ? ajouta-t-il en tendant la main vers la cloche d'argent.

Elle le précéda pour soulever le couvercle.

— Permettez-moi, Lord Douglas. Saumon au fenouil et beurre blanc.

L'odeur était littéralement divine, et les yeux de Ram brillaient de plaisir. Il aimait les mets raffinés, contrairement à beaucoup de ses compatriotes aux goûts plus rustiques.

Il y avait quelques crudités pour commencer, ainsi qu'un perdreau farci de raisins et parfumé au cerfeuil. M. Burque leur avait choisi un vin blanc sec, et bien que Ram préférât la bière ou le whisky, il savait que cette boisson accompagnerait délicatement leur délicieux souper.

Il offrit un siège à Tina et effleura ses cheveux d'un baiser en murmurant :

— Je croyais avoir faim d'autre chose que de nourriture, mais j'avoue que votre Français a su me tenter.

— N'est-ce pas ce qu'Eve a dit à Adam ?

Il éclata de rire, et elle lui lança un coup d'œil taquin.

— Vous ne riez pas assez souvent.

— Parce que j'ai appris à masquer mes émotions.

— Vous avez une parfaite maîtrise de vous.

— Pour certaines choses, oui. Pour d'autres, non.

— Par exemple ?

— Le désir, avoua-t-il franchement. Je me crois maître de moi, et puis il y a le bruissement de votre jupe, ou votre haussement d'épaules, ou encore le rayonnement de votre chevelure, et je souffre le martyre.

Etait-il sincère ? Ou s'agissait-il de paroles que tous les hommes disaient aux femmes avant de leur faire l'amour ?

Il goûta le saumon dans son beurre blanc et ferma les yeux.

— C'est si bon que c'en est presque décadent, soupira-t-il.

Elle acquiesça, émerveillée elle aussi par la finesse du plat.

— Une femme qui apprécie la gastronomie aime généralement les autres plaisirs de la vie.

Elle sourit.

— Puisque vous insistez pour être mon éducateur, dites-m'en davantage à ce sujet.

— La pratique est plus efficace que la théorie. Mieux vaut les actes que les mots.

— Dites-moi tout de même les mots, ou je vais me sentir frustrée, Douglas !

D'un bond il fut à son côté, incapable de rester une seconde de plus éloigné d'elle.

— Vous ne m'appelez jamais Ram, lui reprocha-t-il.

— Je n'aime pas ce nom. Je ne le prononcerai jamais.

— Si ! protesta-t-il en baisant doucement sa nuque.

— Douglas, il y a le dessert !

— Je sais...

— Regardez, insista-t-elle en soulevant un couvercle d'argent. Cela s'appelle un « gâteau d'amour ».

C'était une véritable œuvre d'art. La pâtisserie aux amandes était ornée d'un écusson dont le cœur écarlate était composé de compote de fraises, et accompagnée d'une crème au caramel dans laquelle Tina plongea le doigt avant de le présenter à Ram. Il le lécha et souffla :

— C'est à mourir d'extase.

Elle lui tendit une cuiller et tous deux goûtèrent l'exquise création, mais Ram en eut bien vite assez. D'autres appétits réclamaient leur assouvissement.

Soudain, il n'y eut plus de mots pour gâcher la magie

de l'instant. Les lèvres de Ram commençaient leur lente séduction. Il baisa les tempes de Tina, son front, ses paupières. Il mordilla doucement le lobe de ses oreilles, puis dessina le contour de sa bouche avec sa langue.

Une à une, il retira les épingles de ses cheveux avant de défaire la collerette pour goûter la peau de son cou.

Ses doigts experts ouvrirent bien vite les boutons de la robe rose, mais il ne chercha pas tout de suite la partie la plus sensible des seins de la jeune femme. Il les effleura tendrement, faisant monter en elle des sensations inconnues.

Lentement, comme le soleil se lève à l'aube, elle prenait conscience de ce qui lui arrivait. Lovée sur les genoux de Ram devant la cheminée, ses mains sur elle, ses lèvres sur elle, elle s'éveillait au désir. Il prenait un tel plaisir à la caresser qu'elle se rendait compte de la puissance de sa féminité. Ada avait raison finalement… On pouvait aimer le plaisir pour le plaisir, même si on haïssait l'homme qui vous le donnait.

Il était hardi, dominateur, et il apprendrait tous les secrets de son corps, mais jamais il ne connaîtrait ceux de son cœur.

D'une main tendre mais ferme, il repoussa la robe sur ses épaules et la souleva pour la faire glisser sous elle.

Elle respirait fort, gonflant ses seins au-dessus de la soie rose du corset, et elle sentait la virilité de Ram sous elle. Enfin elle fut nue, à l'exception de ses bas et de ses jarretières.

Ram s'interdisait de penser plus loin. Il exerçait un contrôle d'acier sur sa sensualité, car il voulait tout de Tina. Son corps et son âme. Il l'enflamma davantage encore en lui murmurant des mots osés à l'oreille, en cherchant de la main le cœur de sa féminité.

Avec un murmure de protestation, elle ferma les jambes, se refusant à lui.

— Chut, amour. Habitue-toi d'abord à ma main, dit-il en la forçant doucement. Sais-tu combien de fois j'ai rêvé de cet endroit caché sous tes dentelles ?

Elle enfouit le visage contre son épaule, sachant qu'il adorait la voir rougir. Enfin il glissa un doigt en elle et elle poussa un petit cri.

Elle avait un peu honte, cependant elle céda. De toute façon, Black Ram Douglas prenait toujours ce qu'il désirait. Mais — et c'était le pire — elle se rendait compte qu'elle aimait ça !

— Arrêtez, murmura-t-elle.

— Non. Si j'arrêtais, tu demeurerais insatisfaite. Ton corps a ses exigences, comme le mien. Ce petit jeu est destiné à augmenter notre envie l'un de l'autre. Fais-moi confiance, et je te guiderai sur les routes du paradis.

Elle releva la tête, le regarda dans les yeux et se vit, tout au fond. « Je suis déjà une partie de lui, se dit-elle. Il a besoin de moi, et je dois lui devenir indispensable. Ainsi lorsque je m'en irai, il en mourra. »

En même temps, une nouvelle certitude s'imposait à son esprit. Elle ne céderait pas trop vite, pas trop facilement, mais quand elle s'y déciderait, elle se donnerait tout entière. Ce serait une reddition sans condition, une sorte de cataclysme...

Il se leva pour la porter jusqu'au lit où il l'allongea sur la couverture, puis il resta là, debout à la contempler, si douce sur la fourrure.

Il lui enleva un bas avant de jouer de nouveau avec sa féminité, jusqu'à ce qu'elle se cambrât sous sa main sans pouvoir s'en empêcher. Elle se retourna sur le ventre, caressa son pubis contre la fourrure. Son comportement si libre le rendait fou. Il arracha ses vêtements.

A cheval sur elle, il releva sa somptueuse chevelure pour déposer de petits baisers sur sa nuque, son dos.

— Tourne-toi vers moi, demanda-t-il en prenant ses seins.

— Non, dit-elle, joueuse. Ta toison est moins douce que la fourrure.

Elle remua les hanches contre lui, suggestive, et l'entendit gémir. Son pouvoir sur lui s'affirmait...

— As-tu peur de me voir nu ? murmura-t-il.

— Je le crois, avoua-t-elle. Je ne suis pas encore prête à aller plus loin.

— Je veux seulement t'embrasser...

Elle céda enfin et le dévora des yeux. Sa peau était lisse, cuivrée, et une toison brune couvrait son torse. Comme elle n'osait descendre plus bas, elle noua les bras autour de son cou.

Les baisers de Ram se firent plus passionnés, plus exigeants, presque sauvages, et elle lui répondit de la même façon. Sa langue plongeait en elle, et elle s'ouvrait pour lui, toute raison oubliée. Tremblante sur la fourrure, Tina n'était plus que sensualité, plaisir brut.

Incapable de se maîtriser plus longtemps, il la caressa un instant avant de la pénétrer, et il vit ses yeux se dilater dans un mélange de douleur et d'extase.

Elle cria, mais de joie, cette fois. Ils étaient comme le feu et la glace, l'amour et la haine, la vie et la mort. Seules leurs sensations comptaient, et ce fut une véritable tempête, un ouragan.

Les vagues du plaisir les emportaient, les rejetaient sur le rivage, les emportaient encore. Leurs cris, leurs bouches, leurs souffles se mêlèrent en une explosion sauvage, intense, dévorante...

Lorsque ce fut terminé, Tina fondit en larmes, et Ram, confus, la berça contre lui.

— Ma douce, ma chérie, je t'ai fait mal ?

— Oui... non.

Il caressait tendrement ses cheveux, son dos.

— Je suis désolé. Etait-ce encore la plus grande déception de ta vie ?

Elle releva la tête et chercha son regard. Elle avait les cils mouillés et sa chevelure en désordre encadrait son petit visage déconcerté.

— Non, c'était comme... une révélation.

Il la serra plus fort, partit d'un rire heureux, et soudain Tina se mit à rire avec lui à travers ses larmes, sans bien savoir pourquoi. Peut-être parce que, dans ce combat qu'ils se livraient, elle ne se sentait plus la victime mais le vainqueur...

Comme il ne voulait pas la lâcher, elle se roula en

boule contre lui sous la couverture. Elle avait une folle envie d'explorer son corps, mais elle garderait cela pour la prochaine fois, quand sa timidité aurait un peu disparu.

Il l'embrassa en murmurant :

— Séductrice...

Elle se raidit. Il l'avait déjà appelée ainsi une fois, avec mépris.

— *Ma* séductrice, précisa-t-il en la serrant plus fort.

Dieu, il avait de nouveau envie d'elle ! Mais il ne voulait pour rien au monde gâcher l'instant qu'ils venaient de vivre, aussi se domina-t-il.

— Demain, nous irons à Solway Firth, et je ferai de toi un marin, promit-il.

22

Quand elle se réveilla dans le grand lit, elle était seule. Elle cligna des yeux, incrédule. Déjà le matin ? Comment avait-elle pu dormir si profondément aux côtés d'un homme ? Un homme qui était son ennemi, de surcroît !

Elle se sentit soulagée que Ram ne fût pas là pour la regarder se lever, pourtant elle en était étrangement frustrée. Lorsqu'elle repoussa la fourrure de lynx, elle rougit en s'apercevant qu'elle portait un seul bas. C'était encore plus choquant que d'être entièrement nue !

Ada lui avait préparé un bain.

— Vous allez bien, Tina ? demanda-t-elle, anxieuse. Je vous ai entendue crier, cette nuit, mais je n'ai pas osé intervenir.

— Crier ? répéta Tina avant de rougir violemment au souvenir de leur passion effrénée.

Quand elle sortit du bain, elle dit à Ada :

— Il a envie d'aller à Solway, aujourd'hui. Sans

doute pour voir la terre qu'il a volée aux Kennedy et en faire des gorges chaudes !

Gavin et Drummond étaient rentrés dans la nuit, et s'étaient amarrés sur la Dee, à quelques kilomètres de Solway.

Tina prit son petit déjeuner seule, espérant qu'elle faisait attendre Ramsay, mais quand elle sortit enfin dans la cour, il ne montrait aucun signe d'impatience. Sous son regard, elle se sentit belle.

Un palefrenier lui amena sa jument, et elle fut surprise de la voir galoper nez à nez avec Ruffian, un animal superbe mais vicieux, sauf sous la main de son maître.

— Vous aviez raison au sujet de votre chef français, dit Ram. Jamais je n'avais goûté un saumon aussi délicieux.

Elle lui lança un regard de biais.

— Et moi, j'ai trouvé le dessert spectaculaire.

Il lui adressa un coup d'œil si intense qu'elle comprit immédiatement que ce qui se passait dans leur chambre ne devait pas en franchir le seuil, surtout en public.

Elle s'éclaircit la gorge et changea de sujet :

— Indigo semble s'être prise d'affection pour Ruffian.

— Quand je l'avais, il l'a montée. Elle est peut-être grosse.

Tina fut instantanément folle de rage. L'étalon avait brutalisé sa ravissante jument, et Ram en semblait enchanté !

Elle chevaucha en silence, boudeuse, jusqu'à ce qu'ils arrivent en vue de la terre qu'il avait extorquée à son père, de l'autre côté de la rivière.

— *Vos* terres sur l'autre rive sont beaucoup plus belles que celles-ci.

— Là-bas, c'est encore une terre Kennedy, rectifia-t-il. Je l'ai mise à votre nom jusqu'à ce que nous soyons mariés.

« Nous ne serons jamais mariés », se jura-t-elle en silence.

Le bâtiment dont Drummond était le capitaine, l'*An-*

246

tigone, avait jeté l'ancre dans la baie de Kirkcudbright. Lorsqu'ils y arrivèrent, Ram dit à Tina :

— Montez à bord, madame, et choisissez un cadeau parmi ce qu'on a rapporté de Flandre.

Tina adorait tout ce qui touchait aux bateaux, mais n'avait jamais été autorisée à assouvir cette passion, bien que son père possédât une importante flotte marchande.

Ram l'aida à monter à bord, puis la confia à Colin pendant qu'il s'entretenait avec Gavin et Drummond. Tina fut enchantée des trésors qu'elle découvrit dans la cale. Il y avait les tissus les plus fins, des tapisseries dont l'une eut aussitôt sa préférence. Elle représentait un lynx de couleur fauve, avec de longues pattes et une collerette soyeuse. Ce serait superbe au-dessus du lit au château Douglas.

Colin la lui emballa. Lui-même était heureux que Drummond eût rapporté du matériel pour sa peinture : tubes et toiles de Hollande.

Quand ils remontèrent sur le pont, elle vit Ram en grande conversation avec ses hommes. Malgré sa curiosité, elle s'abstint de questionner Colin. Elle ne voulait pas paraître indiscrète.

Elle sentit soudain une odeur d'épices. M. Burque ne le lui pardonnerait jamais si elle n'en prenait pas un peu. Colin lui expliqua qu'elles venaient des Antilles et qu'ils se les étaient procurées par l'intermédiaire des Hollandais. Il y avait de la muscade, du poivre qui faisait éternuer, ce fameux clou de girofle, si précieux contre les maux de dents. Et aussi de la cannelle, du gingembre...

Après avoir fait son choix d'épices, elle passa aux parfums. Ils avaient été distillés à partir de plantes exotiques mélangées à du pavot, du freesia et du lis. Tina en sélectionna un à base d'épices et de freesia, avec une pointe de musc.

Enfin Ram fut prêt à descendre à terre. Drummond restait à bord, ainsi que quelques hommes, mais Gavin les accompagnait.

Après être monté en selle, Ram s'approcha de la jeune femme :

— Avez-vous trouvé quelque chose qui vous plaise ?

— Tout ! J'ai sélectionné un velours magnifique et M. Burque pourra nous faire du pain d'épices, dorénavant.

— Vous a-t-il déjà confectionné un bonhomme en pain d'épices ? demanda-t-il, attendri.

— Oh oui, ce sont les meilleurs des hommes : silencieux, gentils, et si jamais ils vous ennuient, vous leur mordez la tête !

Il éclata de rire. Il commençait à apprécier ses petites piques. Il y avait d'ailleurs bien des choses qu'il commençait à apprécier chez elle, des choses qui l'avaient agacé naguère. Mais c'était avant qu'elle ne fût sienne.

A présent, il admirait sa façon de se tenir en selle, le fait qu'elle chevauchât au lieu de suivre dans un chariot. La manière dont elle laissait le vent ébouriffer ses cheveux, dont elle portait bijoux et toilettes raffinées... Mais plus que tout, il se réjouissait de son enthousiasme lorsqu'elle faisait l'amour... Cependant, une petite voix le narguait : *Ne la laisse pas deviner qu'elle te tient...*

Ils se rendirent ensuite à la baie de Wigtown, où plusieurs navires étaient amarrés. Parmi eux, le *Valentina* se détachait comme un pur joyau. Fait pour la vitesse, il possédait des lignes fines et racées, tout blanc et or, brillant dans la lumière vive de l'après-midi.

Tina était la proie d'émotions contradictoires. Elle était fière du navire qui portait son nom, pourtant elle en voulait à son père de l'avoir donné à Ramsay. Et si elle en voulait à son père, c'était de la haine qu'elle ressentait pour Black Ram, à cet instant.

Il admirait le vaisseau avec le même regard possessif que lorsqu'il la contemplait. Ce bateau n'avait jamais appartenu à Tina, cependant elle eut envie d'essayer son pouvoir sur Ram.

— J'aimerais que vous me fassiez encore un cadeau, aujourd'hui, dit-elle, câline.

— Parlez...

— Le *Valentina*.

Le visage de Ram se ferma.

— Pour une fois, votre sens de l'humour ne m'amuse pas. Venez, je vous emmène à bord.

— Attendez! cria-t-elle alors qu'il s'éloignait. Il appartient encore aux Kennedy, jusqu'à ce que je vous l'aie remis officiellement. C'est *moi* qui vous emmène à bord!

Il haussa un sourcil mais ne protesta pas.

Ils prirent place dans un long canot et s'assirent à la place des rameurs. Solennel, Black Ram lui dit:

— Allez-y.

Elle hésita, désolée à l'idée de gâcher sa jolie tenue d'équitation bleu ciel, mais en voyant Ram échanger un clin d'œil complice avec ses hommes, elle enfila ses gants.

— Allez au diable! lança-t-elle en attrapant la rame.

Il ne s'attendait pas à cette réaction. En riant, il protesta:

— Je plaisantais... Donnez-moi votre place.

Elle plissa ses yeux dorés.

— Je conduirai ce damné canot, dussé-je en mourir!

— Vous êtes presque aussi têtue que moi...

Elle ne fut pas d'une grande aide aux rameurs, mais lorsqu'ils abordèrent la silhouette gracieuse du *Valentina*, vingt mains se tendirent pour l'aider à grimper l'échelle de corde.

L'équipage Kennedy était réduit sur le *Valentina*, et Tina reconnut tout de suite certains hommes de son frère Donald.

— Allez me chercher le journal de bord, ordonna-t-elle tandis que le vent jouait magnifiquement dans ses cheveux et ses jupes.

Pendant qu'on lui obéissait, elle se tint fière et droite devant Ram, le regard flamboyant. Les minutes passaient, et les marins se réjouissaient de l'affrontement. Lorsqu'on lui apporta enfin le livre de bord, elle le remit cérémonieusement à Ram.

— Ce bâtiment est à vous, Lord Douglas. Bien qu'il

ait des lignes magnifiques, il n'est pas aussi facile à manier que vous le présumez, précisa-t-elle, triomphante.

Personne ne put se tromper sur le sous-entendu.

— En tant que nouveau maître de ce navire, je vous promets que le *Valentina* ne pouvait tomber entre de meilleures mains, affirma-t-il.

Elle se mordit la lèvre. Fallait-il toujours qu'il eût le dernier mot?

— J'espère que vous savez prévoir les tempêtes.

— Quand il y a une tempête en mer, je suis dans mon élément, rassurez-vous.

Avec un haussement d'épaules et un petit sourire contraint, elle déclara:

— Votre sens de l'hospitalité est pris en défaut. Vous me laissez là, à prendre froid…

— Descendons, et je vous réchaufferai, murmura-t-il à son oreille.

Elle se tourna vers le marin de son frère.

— Auriez-vous l'amabilité d'aller remettre un message de ma part à Donald et à sa jeune épouse?

— Dépêchez-vous, intervint Ram. J'ai l'intention de lever l'ancre et de passer la journée en mer.

Tina faillit sauter de joie à cette perspective.

— Je n'écrirai pas, finalement, décida-t-elle. Donald n'aime pas trop le courrier. Transmettez-leur ma tendresse et dites-leur que j'irai leur rendre visite un de ces jours.

Ram l'accompagna en bas, se réjouissant du raffinement de son nouveau bateau. Il ouvrit la porte de la cabine du capitaine et la fit entrer. Mais dès qu'il eut refermé la porte, il se jeta sur elle pour la dévorer de baisers.

— Bon Dieu, dit-il enfin, je meurs d'envie de vous goûter depuis ce matin, pour voir si vous êtes aussi savoureuse que cette nuit.

— Et c'est le cas? demanda-t-elle, provocante.

— Hum… Un peu plus acide, peut-être, plaisanta-t-il, faisant allusion à son humeur.

Il s'assit au bord de la table, l'attira entre ses jambes

250

puissantes et déboutonna son corsage avant qu'elle sût ce qui lui arrivait. Il caressa ses seins du bout de la langue.

— Non... gémit-elle.

Il la serra davantage contre son sexe, puis jeta un coup d'œil à la couchette.

— Elle est assez grande pour deux...

— Si l'un se tient sur l'autre.

— A tour de rôle, si vous voulez?

Elle tenta de se dégager.

— Vos hommes attendent des ordres.

— Ils ne pensent sûrement pas me voir remonter de sitôt. Tous vous ont entendue m'inviter à vous réchauffer dans la cabine.

— C'était pour que vous vous absteniez de déchirer mes vêtements devant tout le monde, espèce de fou!

— Oui, fou! répéta-t-il en laissant courir ses lèvres sur le visage de Tina. Après une journée en mer, votre peau aura le goût du sel.

Elle frémit.

— Et si vous êtes bien sage, poursuivit-il, je vous permettrai de me goûter aussi.

Il ne put retenir un rire de gorge en la voyant rougir, puis il reprit son sérieux et referma le haut de sa robe.

— J'aimerais tellement vous faire l'amour, ma chérie, mais je sais combien vous seriez gênée ensuite, en revenant devant tous ces hommes. Je me contiendrai jusqu'à l'heure d'aller au lit.

Il repoussa quelques mèches de son front et lui baisa doucement la tempe.

— Venez, allons faire un tour sur la mer d'Irlande...

Tina se tint à la proue pendant que Ram donnait ses ordres. Il était à la barre, entre Jock et Gavin.

— Il va nous falloir un canon.

— Où l'achèterons-nous? demanda Gavin.

— L'acheter? Nous le prendrons comme nous prenons le bétail... Première mission pour demain: capturer un vaisseau anglais. Nous partons en reconnaissance maintenant. Ouvrez l'œil.

Tina assistait aux manœuvres du départ. Comme elle

aurait aimé être un homme, posséder un navire avec tous ses marins, crier les ordres depuis la passerelle de commandement!

Après avoir longuement regardé la mer et le ciel, écouté les mouettes piailler au-dessus de sa tête, elle chercha Ram. Il parlait avec les hommes, leur accordant son entière attention, un geste amical pour chacun. Les femmes entre elles ne connaissaient pas cette simple camaraderie. Deux femmes pouvaient être amies, comme Ada et Tina, mais en groupe elles devenaient plutôt ennemies, ou rivales.

Penser à Ada lui rappela ses conseils. Elle avait commis une erreur en laissant parler sa colère. Elle aurait dû attendre d'être au lit pour demander le *Valentina* à Ram Douglas. Elle frissonna. C'était un homme dangereux. Il ne devait jamais deviner qu'elle agissait dans le but de se venger plus tard...

En fin d'après-midi, il vint près d'elle au bastingage et passa un bras possessif autour de sa taille. La boule rouge du soleil ne tarderait pas à sombrer dans la mer.

— J'espère que ce bol d'air vous a ouvert l'appétit...

— Je suis morte de faim! acquiesça-t-elle en s'appuyant à lui, la docilité personnifiée.

— Parfait! On nous a préparé un véritable festin. Pas aussi somptueux que ceux de M. Burque, mais il y a des coquilles Saint-Jacques, des huîtres et de grosses crevettes. Nous souperons tous sur le pont, si vous êtes d'accord.

Elle en fut ravie. Elle adorait être considérée comme faisant partie de l'équipage, et ils prirent leur repas assis en tailleur, leurs assiettes de fruits de mer sur les genoux.

Le vent tomba comme ils arrivaient à l'embouchure de la Dee, et on affala les voiles. Ram voulait savoir jusqu'où le navire pourrait approcher du château Douglas.

— Si nous restions à bord cette nuit? suggéra-t-il. Demain, je dois repartir patrouiller à cette satanée frontière, et Dieu sait quand j'aurai la chance de passer de nouveau une nuit avec vous...

Elle céda volontiers. Elle avait décidé de ne rien lui refuser.

Dans la petite cabine, elle se laissa déshabiller, vérifiant toutefois qu'il ôtait bien ses deux bas. Il se dévêtit rapidement et l'attira vers l'étroite couchette.

— J'ai besoin de vos bons soins, dit-il en lui tendant son poignard acéré tandis qu'il ouvrait les jambes.

Elle le fixa, stupéfaite, ne comprenant pas à quel jeu sadique il voulait se livrer.

— Coupez les points de suture, expliqua-t-il. Bon Dieu, femme, à quoi pensiez-vous ?

— Vous êtes fou de faire confiance à une Kennedy armée, plaisanta-t-elle en effleurant son ventre de la pointe de la lame.

« Je pourrais le mutiler à vie, se dit-elle. Certes, j'en mourrais, mais il serait châtré… » Puis elle pensa au plaisir qu'il savait lui donner et reconnut que pour rien au monde elle n'aurait fait une chose pareille.

Elle approcha la lanterne, dessinant des ombres sur le corps magnifique de Ram. Lui-même se repaissait du spectacle qu'elle offrait, nue dans la lumière tamisée, tandis que le bateau roulait doucement.

La blessure avait cicatrisé remarquablement vite, et elle ôta les fils, fière de son travail.

La virilité de Ram réagissait à la proximité de ses mains.

— Restez tranquille, murmura-t-elle.

— Ce n'est pas ma faute, c'est vous…

— Menteur ! Ce sont vos pensées impures qui vous mettent dans cet état.

— Vous êtes là, nue près de moi, je ne sais plus si vous êtes ange ou démon, et vous m'accusez d'avoir des pensées impures ? Mais elles sont pires que ça, ma sorcière !

— Vous êtes un dépravé, Douglas, ronronna-t-elle, un petit bout de langue entre les dents, tandis qu'elle s'appliquait à ôter un dernier fil.

N'y tenant plus, il l'attira entre ses jambes et prit sa bouche. La pointe du poignard le blessa légèrement, le sang perla, mais il ne s'en souciait guère, fou de désir comme il l'était. Il la souleva pour embrasser ses seins, les mordiller, les caresser.

Puis il promena ses lèvres sur son ventre, la faisant crier de plaisir, avant de la retourner pour se trouver au-dessus d'elle sur la couchette, sa chevelure de cuivre répandue sur l'oreiller.

Il embrassa l'intérieur de ses cuisses, et elle frémissait sous la caresse de ses cheveux contre sa peau sensible. Enfin elle comprit où il allait et poussa un cri de protestation, les joues en feu. Mais ce cri se transforma bien vite en gémissement de plaisir quand sa langue atteignit la rose de sa féminité.

Les doigts crispés dans la chevelure de Ram, elle sentait le plaisir s'intensifier, et c'était tellement exquis qu'elle aurait été bien incapable de lui dire d'arrêter. Elle avait l'impression qu'elle allait exploser, et quand il plongea la langue en elle, elle hurla son prénom. C'était la première fois qu'elle le prononçait...

Il revint à ses lèvres, et son propre goût sur les siennes fut une expérience bouleversante pour Tina.

Enfin il se tint un instant au-dessus d'elle, puissant, les yeux embrasés. Une seconde avant qu'il la pénétrât, elle vit le sang couler de sa blessure.

Avec toute la fougue de sa passion, il commença à bouger en elle. Le sang coulait toujours, d'abord sur la cuisse de Tina, puis sur son ventre, et elle en ressentit une excitation supplémentaire. Elle releva la tête pour chercher ses lèvres, et ils ne firent plus qu'un, mus par le même rythme, la même ardeur. Ils franchirent ensemble la frontière du précipice infini. Etait-ce le chant de la vie, ou la danse de la mort? Ils s'en moquaient...

Longtemps après, Tina murmura:

— Vous saignez. Les draps doivent ressembler à un champ de bataille.

— C'est ce qu'ils sont... Tu m'as simplement éraflé. Ce sera guéri demain.

— Et si cela s'infecte? demanda-t-elle, inquiète.

— Pas de danger. Les blessures cicatrisent vite au

grand air... Mais dis-moi, tu te tracasses pour la moindre de mes égratignures? C'est tout nouveau pour moi.

Elle eut un bref remords. Elle agissait ainsi uniquement pour le rendre vulnérable et pouvoir lui assener le coup fatal.

Il montra une carafe.

— Passe-moi le whisky.

Comme elle retournait vers le lit, elle surprit sur son visage une expression infiniment fragile, bien vite masquée. Joueuse, elle secoua la tête.

— Laissez-moi faire. J'adore vous faire souffrir.

Elle versa une bonne rasade d'alcool sur la plaie, et il poussa un cri de douleur feinte. Elle constata avec horreur l'état de la couchette, trempée de sang et de whisky.

— Il faudra brûler les draps avant que quelqu'un les voie. On dirait les restes d'une orgie!

— Que connais-tu des orgies, ma séductrice? demanda-t-il en s'étendant de tout son long, les bras croisés derrière la tête.

— Bien moins que vous, je parie, dit-elle en posant la main sur son ventre plat.

La réaction ne se fit pas attendre, et elle eut une délicieuse impression de puissance.

— Quelle arme curieuse. Je suis épouvantablement ignorante, Douglas.

— Appelle-moi Ram, comme tout à l'heure.

— Jamais de ma vie je n'ai prononcé ce nom!

— Mais si, tu l'as dit. Dans la folie de la passion.

— Pas du tout! mentit-elle. Je m'en souviendrais.

En un clin d'œil il la saisit et l'allongea sous lui.

— Je sais exactement quoi faire pour que tu recommences, gronda-t-il, joignant le geste à la parole.

— Ram! Ram! Non! cria-t-elle, déjà perdue.

— Si!

Quand elle ouvrit les yeux, aux petites heures du matin, elle se trouva à demi couchée sur le corps magnifique de son compagnon, et se répéta qu'elle agissait seulement pour se venger. Mais en était-elle certaine?

Après s'être habillés et restaurés, ils montèrent sur le pont.

— Nous ne sommes qu'à quelques kilomètres du château Douglas, dit Ram. Colin va vous raccompagner, il est parti chercher les chevaux. Je serai de retour ce soir, demain au plus tard. Je pense qu'Angus enverra les cinquante hommes demandés.

Son visage était fermé, et Tina eut l'impression qu'il était déjà loin d'elle.

Lorsque Colin arriva, Ram demeura sur le pont et elle parla doucement à Indigo en la caressant. Elle ne se retournerait pas !

Elle le fit pourtant, une centaine de mètres plus loin, et elle reçut un choc. Le navire n'était plus blanc et or... Il avait été repeint en gris durant la nuit, et le nom *Valentina* avait disparu, remplacé par... *Revanche*.

Elle était pétrifiée d'horreur. Avait-il deviné ses intentions ?

Peut-être ne lui pardonnait-il pas de lui avoir été imposée, peut-être voulait-il avoir sa vengeance, à son heure et selon sa manière.

Elle pensa à sa tante Damaris et fut glacée jusqu'aux os.

23

— Maintenant que j'ai de la peinture, je vais pouvoir vous fixer sur la toile, dit Colin afin de briser le silence tandis qu'ils chevauchaient vers le château Douglas.

— Oui, répondit distraitement Tina.

— Attention aux taupinières, lui fit-il remarquer.

— Je suis désolée... j'étais dans la lune. Pardonnez ma grossièreté. Comment vous y prenez-vous pour faire un portrait ?

— Un après-midi, nous irons nous promener. J'emporterai mon carnet de croquis afin d'essayer d'attraper différentes attitudes au fusain. Ensuite, je choisirai la meilleure et je peindrai à partir de là.

— Donc je n'aurai pas besoin de rester des heures immobile ?

— J'ai une excellente mémoire visuelle, cela m'aide.

— Nous le ferons avant l'automne, promit-elle. La bruyère tourne déjà au roux...

— Les frontières sont superbes, à cette époque de l'année. Mais nous voici presque arrivés, le château est juste derrière cette colline.

Avant qu'ils atteignent les portes du château, l'œil de Tina fut attiré par une fleur de papier rouge sur un buisson. Les Gitans ! Elle avait sûrement été posée là par Heath. Elle laissa tomber son gant et, en mettant pied à terre pour le ramasser, saisit la fleur. Il y avait un message : « *Prairie d'Urr.* »

Une fois dans la cour, elle ordonna à un écuyer de porter les tissus et la tapisserie à Ada, tandis qu'elle se rendait à la cuisine remettre elle-même les épices à M. Burque.

Lorsqu'elle arriva dans sa chambre, Ada lui avait fait préparer un bain. Tina versa dans l'eau quelques gouttes de son nouveau parfum.

— Ce velours émeraude est le plus beau que j'aie vu. Il vient certainement de Veere, n'est-ce pas ?

— Vous savez tout, Ada ! J'espère qu'il y en a assez pour une robe et une cape.

— Je ne sais sûrement pas tout, rectifia Ada en la regardant entrer dans la baignoire, mais je vois que vous avez l'air d'un chaton bien portant.

— C'est que je me suis gavée de crème, murmura Tina en se laissant glisser dans l'eau avec un soupir de béatitude.

Ada sourit.

— Quand une femme devient consciente de sa sensualité, même l'eau de son bain lui procure du plaisir.

— Comme vous connaissez bien les femmes, ma chère Ada... Au fait, j'aimerais vous poser une question, mais je crains qu'elle ne vous paraisse... indécente.

— Quelque chose que vous a fait Black Ram, je suppose ?

— Ada... Il a mis sa bouche... là.

— Je vous envie ! rétorqua carrément Ada.

Tina rougit.

— Je... j'ai bien aimé, mais comment a-t-il pu... ?

— Certains hommes le font ; ils sont rares. Ne vous inquiétez pas, vous êtes jeune, fraîche, tendre. Si vous ne me croyez pas, glissez votre doigt et goûtez vous-même.

— Dieu, Ada, je ne pourrais jamais ! s'indigna-t-elle.

— Une femme sensuelle est capable de tout...

Tina sortit de la baignoire en forme de coquillage et se frictionna vigoureusement.

— Vous n'avez jamais eu envie de le goûter, lui ? poursuivit Ada.

Tina mit un moment à comprendre, et l'idée de la gouvernante la choqua au plus haut point. Elle changea vivement de sujet.

— Avez-vous eu le temps de fendre une de mes jupes d'équitation ?

— Je l'ai fait sur deux d'entre elles, afin que vous puissiez monter à califourchon. Vous avez l'intention de sortir ?

— Oui. Les Gitans campent non loin d'ici, près de la rivière Urr.

Tina partit avec son palefrenier personnel pour seule escorte. Elle ne tenait pas à ce que l'on rapportât son escapade à Ram Douglas.

Elle discerna tout de suite la haute silhouette de son Gitan préféré lorsqu'elle pénétra au galop dans le campement.

— Heath ! Heath !

Il l'enleva de sa selle, la fit tournoyer et l'embrassa avant de la poser à terre pour scruter son visage.

Il avait été furieux en apprenant qu'on l'avait forcée à devenir la concubine de Black Ram Douglas. Il tenait à entendre de sa bouche qu'elle n'était pas maltraitée, sinon il était capable de commettre un meurtre.

— Regarde, je vais très bien, dit-elle.

— Physiquement, oui. Mais comment te sens-tu à l'intérieur ?

Ils s'assirent sur les marches de sa caravane pour partager les cuisses d'un lapin qu'il venait de faire rôtir au feu de bois.

— Tu es sûr qu'il ne s'agit pas d'un hérisson ? plaisanta-t-elle.

Il la considérait avec une tendresse non dissimulée, et elle sut qu'elle pouvait lui confier ses pensées les plus intimes, comme elle l'avait toujours fait. Elle secoua la tête.

— Je pensais que tout était bien organisé, dans ma vie. J'allais me marier avec Patrick Hamilton mais le destin en a décidé autrement.

— Il n'a pas épousé Nan Howard, l'informa Heath. Quand nous étions à Edimbourg, la vieille Meg lui a donné un abortif.

Tina lui lança un petit coup d'œil curieux. Il était au courant de toutes les affaires de la Cour !

— Alors... Patrick est toujours libre ?

— Mais pas toi.

— Je *suis* libre ! déclara-t-elle avec fougue. Je vais être libre, rectifia-t-elle. Je ne suis pas mariée à Douglas.

— Et s'il y a un enfant ? Il s'est engagé à t'épouser.

— C'est ma vengeance. Ma vengeance pour tout. Ils ont emprisonné Davie et l'ont horriblement brûlé. Après que je l'ai libéré, Black Ram Douglas est venu nous menacer à Doon. C'était l'expérience la plus humiliante pour les Kennedy, mais ce n'est pas tout. Lorsque le roi a ordonné qu'un lien unisse nos clans, mon père a dû *payer* pour qu'il m'accepte. Et même alors, il n'a pas voulu m'épouser. Jamais je ne lui pardonnerai cette injure.

— Tu joues un jeu dangereux, Valentina. Meg m'a dit que c'était elle qui avait fourni la potion qui a empoisonné Damaris, il y a quinze ans. Elle m'a avoué aussi à qui elle l'avait remise.

Tina retint son souffle. Elle avait envie de crier que c'était faux, mais elle murmura :

— Ramsay ?

Heath acquiesça.

Elle jeta son os de lapin et courut vers la rivière. Les paroles de Malcolm le Fou résonnaient dans sa tête : « *C'est l'autre jeune salaud...* »

Heath ne tarda pas à la rejoindre.

— Il y a encore une chose contre laquelle je dois te mettre en garde, Tina. Les frontières ne sont pas sûres. Les Anglais organisent des raids sur les contreforts de l'Est.

Elle haussa une épaule.

— Les raids et le vol de bétail font partie de la vie quotidienne.

— Il ne s'agit pas de ça. Les Anglais commettent les crimes les plus atroces. Ils pillent, ils brûlent, ils violent, ils tuent. Promets-moi de ne plus jamais t'aventurer seule comme aujourd'hui.

Elle se rappela le raid qui avait eu lieu peu après son arrivée. Ram ne lui en avait guère parlé, mais elle imaginait le pire...

— Et toi, supplia-t-elle, promets-moi de faire attention.

— Nous passons généralement l'hiver en Angleterre, mais cette année nous resterons près de Dumfries au moins jusqu'à la fin de l'automne.

— Il vaudrait mieux que je rentre avant la nuit, je suppose, reprit Tina.

— Je te raccompagne.

— Mais où est passé mon palefrenier ?

— Je vais le chercher, répliqua Heath, sûr que le jeune homme était allé conter fleurette à Zara.

Ce soir-là, tandis qu'elle dînait avec Ada, Tina lui raconta ce qui était arrivé à Nan Howard. Elle lui parla aussi des raids anglais mais ne rapporta pas les paroles de Heath au sujet de Ram Douglas.

Après le repas, toutes deux accrochèrent la superbe

tapisserie au-dessus du grand lit de maître. Elle complétait magnifiquement la décoration de la chambre.

Une fois couchée, Tina se souvint de l'exiguïté de la couchette sur le *Valentina*. Agitée, elle repassa ensuite dans son esprit tous les événements qui s'étaient déroulés depuis le raid fatal de ses frères chez les Douglas. Elle se tournait, se retournait, refusant de s'avouer que le lit lui paraissait bien vide.

D'abord, elle eut froid, puis chaud ; elle finit par ôter sa chemise de nuit et sombra dans un sommeil léger.

Peu avant l'aube, Ram vint la rejoindre. Epuisé, il se déshabilla dans le noir et se glissa à côté de Tina.

Il était allé à l'extrême limite de ses forces. Avec son bateau non armé, il était parvenu à capturer un navire anglais et avait pratiquement porté les lourds canons d'un pont à l'autre. Il avait débarqué l'équipage ennemi sur l'île de Man avant de remorquer le bateau anglais, puis une tempête s'était levée sur la mer d'Irlande : il avait dû lutter contre les éléments déchaînés durant trois heures. Cela n'avait pas été une mince affaire que de ramener les deux navires à bon port !

Et comme si cela ne suffisait pas, en passant devant Gretna, il avait aperçu un feu de détresse. Il avait débarqué avec ses hommes et ses chevaux pour aller mettre un terme au raid anglais.

Une fois de plus, ils étaient moins nombreux, mais tellement enragés que l'ennemi n'avait pas tardé à s'enfuir, après avoir subi de lourdes pertes. Du côté de Ram, on déplorait deux morts et un blessé grave.

Ce qu'ils avaient trouvé là dépassait l'imagination. Les femmes et les enfants s'étaient réfugiés dans l'église, mais les Anglais y avaient mis le feu, et les corps calcinés gisaient près de l'autel...

Au château Douglas, dans la pièce qui servait aux ablutions des chevaliers, l'eau coulait rouge du sang de ses nombreuses blessures. Pourtant, lorsque toutes furent soignées, Ram trouva encore la force de monter à sa chambre... retrouver sa femme.

Bien qu'il fût physiquement recru de fatigue, son esprit fonctionnait, il revoyait inlassablement les ima-

ges atroces de la nuit. Il avait fourni du travail aux fos-
soyeurs, une fois de plus ! Mais son âme était damnée,
il le savait. Il avait tellement tué ! Et puis il y avait le
rôle qu'il avait joué dans la mort de Damaris...

Tina bougea dans son sommeil, et Ram parvint à
chasser ses pensées noires. Il l'attira à lui, et l'avoir nue
entre ses bras lui apporta enfin la paix.

Elle se réveilla en sentant des baisers légers sur son
front, ses cheveux. Elle eut du mal à croire qu'il s'agissait de l'homme qui lui avait fait fougueusement
l'amour la veille.

Il était si doux, si tendre... Et il tremblait.

— Prends-moi, murmura-t-il d'une voix rauque.

Elle se serra plus fort contre lui et sentit ses muscles
noués se détendre.

— Prends-moi, répéta-t-il.

Et, incroyable, elle comprit ce qu'il souhaitait.

Elle se souleva au-dessus de lui et se laissa glisser sur
sa virilité. Il se mit à bouger lentement en elle, le visage
enfoui parmi ses cheveux, merveilleusement reposé
tout à coup. Il avait trouvé son sanctuaire.

Tina s'éveilla de bonne heure. Elle était encore dans
les bras de Ram qui dormait profondément. Il avait du
sang coagulé dans les cheveux, et son visage était
ombré de barbe naissante, mais dans son repos, il
paraissait plus jeune. S'il n'était pas né Douglas, si une
partie de lui n'avait été entachée par la haine et le
meurtre, qui serait-il ? s'interrogea-t-elle.

En soupirant, elle enfila un déshabillé et se rendit
chez Ada.

— Demandez aux serviteurs de préparer un bain, s'il
vous plaît. Et vous seriez un ange de prier M. Burque
de nous confectionner un léger repas pour deux. Des
céréales avec du sirop d'érable et de la crème, des
fruits, du filet de bœuf... pas d'agneau, surtout.

Une petite heure plus tard, Tina s'approchait du lit
avec le plateau, et l'arôme de la nourriture réveilla
Ram qui se redressa. Elle s'assit près de lui, le plateau

sur leurs genoux, et Ram sourit. C'était une nouveauté, pour lui, de déjeuner au lit.

— Que faites-vous ? demanda-t-il.

— Vous étiez épuisé, cette nuit. Il faut vous redonner des forces. Je vais vous nourrir.

Il trempa un doigt dans le pot de sirop et le lécha. Elle lui donna une tape sur la main puis en versa un grand trait dans le plat de porridge fumant avant d'ajouter de la crème.

— Ouvrez la bouche ! ordonna-t-elle.

Ils dévorèrent tout ce que M. Burque avait préparé.

— Dieu, c'est presque aussi bon que l'amour ! déclara Ram.

— Meilleur, plaisanta-t-elle.

Il allait l'envelopper dans ses bras quand on frappa à la porte. C'étaient les serviteurs avec l'eau chaude.

Ram s'appuya aux oreillers, se réjouissant de voir Tina au bain, mais lorsqu'ils furent de nouveau seuls, elle sourit.

— Je vais vous laver, maintenant.

Il plissa les yeux. Elle était tellement prévenante... Que voulait-elle ? Elle avait sûrement une idée derrière la tête. Il décida de la laisser venir.

Ram grimpa dans la ravissante baignoire de Tina et se laissa aller au plaisir de l'eau parfumée. Elle éclata de rire. Il était si grand que l'eau lui arrivait à peine au-dessus des hanches. Elle s'agenouilla près de lui et attrapa l'éponge.

— Je serai votre femme de chambre, monseigneur.

— Vous rêvez de faire partie d'un harem ? la taquina-t-il.

— Ah, je ne vous révélerai certainement pas mes rêves secrets. Tout mon mystère disparaîtrait.

Elle lava soigneusement son dos, sa poitrine dont la toison était comme de la soie.

— Il y a des aspects de vous que je découvre seulement maintenant, murmura-t-elle.

— Je possède de multiples aspects, vous savez ? Certains plus proéminents que d'autres...

Elle baissa les yeux sur son sexe qui affleurait, et y passa doucement le doigt. Il frémit.

La gorge sèche, elle se leva vivement pour chercher une serviette. Il la suivit des yeux un instant avant de regarder la tapisserie. La ressemblance était frappante : les yeux dorés, l'allure féline... Tina avait un côté sauvage, insaisissable, qui l'enchantait. Pour rien au monde il ne l'aurait voulue différente.

Elle surprit son regard chargé de désir, mais l'empêcha de sortir du bain.

— Vos cheveux sont pleins de sang.

Elle prit un broc.

— Vous savonnez et je rince.

Il se frotta énergiquement la tête et elle le rinça à l'eau froide, mais il ne fut pas calmé pour autant. Elle lui tendit une épaisse serviette.

— Voilà. Mais vous n'aurez le droit de vous raser qu'après m'avoir fait l'amour, ronronna-t-elle en se débarrassant de son déshabillé.

Il la prit dans ses bras et la porta jusqu'au grand miroir d'argent poli.

— Regarde... tu ressembles à un chat.

C'était vrai, elle avait l'air d'un petit animal sauvage... Elle griffa le dos de Ram, le mordit à la base du cou. Dans un gémissement, il l'allongea sur la fourrure.

Ils firent l'amour avec une passion proche de la folie. Tina n'aimait pas Ram, mais Dieu, qu'elle aimait ce qu'il éveillait en elle ! Elle était consciente d'exister de la tête aux pieds, du bout de ses doigts à celui de ses seins, et elle se demanda comment il pouvait avoir tant d'effet sur elle. Elle connaissait la réponse : c'était le danger, la violence qui l'attiraient.

Ils atteignirent l'extase au même moment et furent secoués de spasmes qui n'en finissaient plus. Elle adorait jusqu'à son poids sur elle avant qu'il se retirât.

Ram avait l'impression de revivre, ce matin-là. Il était plein de vigueur, d'énergie, et il le devait à cette incroyable créature. Valentina lui avait redonné la force. Il baisait doucement ses seins lorsqu'il entendit

264

des chevaux dans la cour. Il se précipita à la fenêtre, puis sauta dans ses vêtements.

— Angus est déjà là! J'ai trop traîné. Désolé, c'est vous qui le recevrez, ajouta-t-il avec un regard d'excuse. Je dois partir immédiatement. Si je peux, je reviendrai cette nuit, mais fort tard.

— Voulez-vous que j'attende pour me coucher?

— Non. Je veux vous trouver au lit, répondit-il d'une voix enrouée de désir.

Après son départ, elle pensa à Damaris. Il ne fallait pas croire ce que racontait la vieille Meg... Elle disait n'importe quoi. Mais Heath avait affirmé que c'était Ram qui avait reçu le poison, or Heath ne lui mentait jamais. Malcolm avait sous-entendu la même chose, et Tina n'était pas du tout convaincue de sa folie. Douglas était parfaitement capable de tuer une femme, finalement. Avec du poison? Elle frissonna. Si on se mettait en travers de son chemin, il utiliserait n'importe quelle arme.

Elle décida de découvrir ce qu'Angus connaissait du passé. Certes il était trop loyal pour trahir Ramsay, mais en se montrant habile... Et si elle n'apprenait rien d'Archibald, elle essaierait avec Colin.

24

Elle alla sur le parapet regarder partir Ramsay et ses soldats. C'était un spectacle grandiose: ces hommes sombres, puissants, montés sur leurs robustes chevaux. Environ soixante-dix individus aux visages basanés, qui riaient et juraient dans le vent. Aucun d'eux ne portait le tartan du clan, et c'était délibéré.

Pour accueillir Angus, elle choisit une robe bleu pâle au profond décolleté. Ada leva les yeux au ciel en la voyant attacher ses cheveux d'un ruban juvénile.

— Attention, il va vouloir vous faire sauter sur ses genoux!

Angus s'épanouit en l'apercevant et elle s'avança, les mains tendues.

— Le régisseur s'est-il occupé de vous, Angus ? Je suis désolée, je me suis un peu attardée au lit.

Il lui lança un regard coquin.

— J'espère que le garçon s'est montré robuste... Vous êtes faite pour porter des rejetons.

Elle rougit, mais eut la grâce d'émettre un petit rire.

— Vous, les Douglas, êtes de vrais démons. Je n'ai encore rien vu du château excepté la chambre.

— Venez, petite. Je vais vous faire faire le tour du propriétaire, dit-il, heureux d'avoir une excuse pour poser sur elle un bras possessif.

En réalité, Tina connaissait parfaitement les cuisines et les communs, mais il y avait un endroit où elle n'était pas allée. Archibald la conduisit fièrement à la chapelle où il lui montra la crypte qui contenait les cœurs des Douglas. L'endroit, mal éclairé, dégageait une atmosphère presque irréelle. Tina crut discerner une larme dans les yeux du vieil homme.

— Le cœur d'Alexander est-il aussi ici ? demanda-t-elle doucement.

Il serra les lèvres.

— Ces satanés prêtres n'ont rien voulu savoir. Un suicidé ne doit pas être enterré dans un lieu saint. Mais je ne suis pas certain qu'il s'agisse d'un suicide.

— Vraiment ?

— Venez, petite. Ce n'est pas un endroit pour une jeune mariée. Surtout si elle risque de porter un enfant.

Comme ils sortaient de la chapelle, Tina ne crut pas indispensable de lui dire qu'elle n'était pas mariée ni enceinte. Si cela lui faisait plaisir de le croire...

Dans la salle commune, Tina appela un page.

— Allez chercher du whisky pour monseigneur et du vin rouge pour moi.

Angus fut content qu'elle ne rechignât pas à offrir de l'alcool avant midi.

— Je me suis toujours demandé pourquoi le titre était revenu à Ram plutôt qu'à Colin, le frère d'Alexander, reprit-elle.

— Colin est un bâtard, répondit-il sans hésiter. Ramsay était l'héritier légitime.

Tina aurait dû s'en douter. Elle ne put s'empêcher de penser que Ram avait une bonne raison d'éliminer Alex...

— Ça valait diablement mieux comme ça, poursuivit Angus. Avec Colin infirme...

Par le sang du Christ! Angus et Ramsay avaient-ils conspiré pour faire de Black Ram le seigneur de Douglas? On savait Archibald capable de tout!

Justement, Colin s'approchait en claudiquant.

— Navré de ne pas avoir été là pour vous accueillir, monseigneur, mais je soigne des blessés depuis le milieu de la nuit.

— Avec succès, j'espère, grommela Angus.

Colin hésita.

— Dans l'ensemble, oui. Un seul homme vient de succomber il y a une heure.

— Les fils de garce! cracha Angus. Quand je patrouillais à la frontière, mon passe-temps favori était de pendre des Anglais. Jacques est bien trop indulgent! Que la maison des Tudors soit maudite! Savez-vous que lorsque j'étais sur le point de mettre Jacques sur le trône, ce petit roquet d'Henri VII m'a offert une fortune en or si je le faisais disparaître? Que je sois déloyal envers le roi des Ecossais, moi?

Tina était suspendue à ses lèvres, étonnée qu'il ne fût pas étouffé par ses paroles, car on affirmait qu'il avait assassiné le précédent roi d'Ecosse sous prétexte qu'il était homosexuel.

Ada pénétra dans la salle. Angus s'éclaircit la gorge et leva la tête comme un loup qui sent une proie. Tina, amusée, lisait en lui à livre ouvert.

— Puis-je vous persuader de partager notre dîner, monseigneur? Nous avons du faisan farci.

— Mmmm... Cette armure m'étouffe. Votre gouvernante accepterait-elle de m'aider à m'en débarrasser?

Tina fit un signe à Ada avant de murmurer à l'oreille du vieil homme:

— Vous le lui demanderez vous-même, monseigneur, mais je suis certaine qu'elle ne saura pas vous résister.

Quand Angus et sa garde de douze hommes reprirent la route vers le Nord, tout le monde au château poussa un soupir de soulagement.

Ada avait les yeux brillants.

— Il a la constitution d'un taureau! expliqua-t-elle simplement avec une pointe d'admiration dans la voix.

Black Ram ne revint pas au château cette nuit-là, ni les sept qui suivirent. Partout où il passait avec ses hommes, ils entendaient parler d'atrocités, d'hommes pourchassés comme des bêtes. Ce n'étaient que pillage et dévastation, incendies de forêts, viols et meurtres.

Quand Ram en eut assez vu, il décida de faire régner sa propre loi et ils franchirent la frontière pour pénétrer en Angleterre.

Ils ne tuèrent que lorsque c'était indispensable, et Ram interdit qu'on violât les femmes. Ils volèrent du grain, des moutons, des chevaux et des provisions, brûlèrent des récoltes entières. Ram savait que les incendies étaient plus impressionnants la nuit.

Ensuite, de retour en Ecosse, ils distribuèrent leur butin aux familles les plus démunies. Puis les hommes d'armes embarquèrent sur le *Revanche* et voguèrent vers les côtes anglaises. Quand ils remontèrent la Dee une semaine plus tard, la flotte de Ram s'était enrichie de deux vaisseaux anglais.

Lorsqu'ils étaient en expédition, Ram exerçait un contrôle d'acier sur ses hommes, mais il savait qu'une fois de retour au château, ils avaient besoin de se distraire, et il leur laissait la bride sur le cou. C'était alors un véritable capharnaüm. Les hommes buvaient, jouaient, se colletaient, troussaient les filles.

Ram observa, amusé, la réaction de Tina. Elle avait certes été habituée à vivre au milieu d'hommes, mais les Douglas étaient bien différents des Kennedy.

Au crépuscule, les Gitans arrivèrent et la cour se mit à résonner de musique et de rires.

Zara se dirigea droit sur Ram et, tandis qu'elle lui

parlait, posa une main possessive sur son bras. Tina haussa les épaules. La réputation de Ram avec les femmes était légendaire. Celle-ci n'était qu'une conquête parmi d'autres — sans doute avait-il couché avec toutes les femmes de plus de quatorze ans entre la frontière et Edimbourg... Pourtant, elle avait besoin de s'assurer de son pouvoir sur lui. Elle voulait qu'il la désirât plus que les autres.

Ram ne tarda pas à laisser Zara en compagnie de Jock pour s'approcher de Tina.

— Les femmes respectables se retirent dans leur chambre lorsque les Gitans arrivent, dit-il.

Tina secoua sa flamboyante chevelure.

— Pas question !

— Inutile de le chercher, il n'est pas là.

Elle n'eut pas besoin de demander de qui il voulait parler : tout en lui évoquait la jalousie. Un sourire effleura les lèvres de Tina.

— Les Gitans se considèrent comme une race à part, expliqua-t-elle. Les hommes sont tous des voleurs de chevaux, et les femmes des catins. Pourtant... pourtant, je parierais que vous et moi serions capables de les surpasser sur leur propre terrain.

A la jalousie de Ram se mêlait maintenant un brûlant désir.

— Je suis certainement un bon voleur de chevaux, mais qu'est-ce qui vous fait penser que vous pourriez être une catin ? demanda-t-il, la voix voilée.

— C'est exactement ce que je suis : *votre catin*.

Il l'attira à lui et prit sauvagement ses lèvres. Elle se laissa aller aux vagues de sensualité qui déferlaient en elle.

Puis, il extirpa de son pourpoint une poignée de pièces d'or.

— J'espère en avoir pour mon argent.

Insolente, elle en prit une et y mordit à pleines dents pour voir si elle était vraie, puis la jeta à Zara qui passait, pendue au bras de Jock.

— Où ? demanda-t-elle. Dans le foin, à l'écurie, ou derrière un buisson ?

Choqué, Ram lui assena une tape sur le derrière.

— Monte dans ta chambre, la Flamboyante. Je t'y rejoins dans quelques minutes.

Tina n'obéit pas immédiatement. Elle voulait d'abord parler à la vieille Meg.

La Gitane avait installé son commerce dans un coin de la salle commune, et une dizaine de femmes attendaient leur tour. La plupart pour se faire dire la bonne aventure, les autres pour de moins avouables raisons. Meg prit un malin plaisir à voir patienter Tina quelques minutes avant de lui faire signe de la rejoindre. Elle lui lança un regard malveillant.

— Ainsi, ce que je t'avais prédit est arrivé. Tu appartiens à l'homme assis sur le trône aux têtes de bélier, et il assouvit tes désirs physiques.

— Je veux savoir, au sujet du poison, murmura Tina.

Meg fit un geste cabalistique de la main.

— Si tu ne dis pas le mot, tu ne le penseras pas non plus. Sais-tu que nous pouvons conjurer nous-mêmes ce genre de choses ?

Tina voulut insister, y renonça. L'animosité de la vieille était presque palpable. Elle haussa une épaule et éclata d'un rire léger. Elle adorait jouer avec le danger, c'était ce qui rendait la vie si passionnante.

Près de l'entrée, un jeune homme exposait différents couteaux. Tina lui acheta un petit poignard très acéré, muni de lanières de cuir pour être attaché à une jambe.

Lorsqu'elle releva les yeux, elle vit Ram qui, fatigué de l'attendre, était venu la chercher. Comme il semblait ennuyé mais pas en colère, elle fit de son mieux pour l'exaspérer :

— Ah, le Maître de l'Univers réclame ma présence !

— Pas du tout, répondit-il en souriant. Le Maître de l'Univers attend votre bon plaisir.

Les yeux de Tina pétillaient.

— Je me suis une fois baignée nue dans le Loch Noir à minuit, et j'ai offert mon âme au diable. Je vois que vous êtes venu me chercher mais... je crois que j'ai changé d'avis.

— Je t'ai achetée et payée de mon or, sorcière. Tu m'appartiens.

Elle mit les poings sur les hanches, rejeta ses cheveux en arrière d'un geste arrogant.

— C'est *vous* qui avez été acheté, avec des terres et des bateaux. Vous m'appartenez !

Il la saisit d'une poigne d'acier aux épaules.

— Ne me parle jamais sur ce ton ! grinça-t-il.

— Colère et désir forment un puissant mélange, dit-elle, aguicheuse.

— Je vais te montrer à quel point ! rétorqua-t-il en l'enlevant de terre pour la porter à l'étage.

Dès qu'il la posa à terre, elle se dégagea et alla ouvrir la fenêtre sur la nuit pleine de rires et de musique.

Pour la première fois de la soirée, il remarqua qu'elle portait la robe qui la faisait ressembler à un animal sauvage, celle avec laquelle elle s'était présentée devant le roi. Il ressentit une violente bouffée de jalousie.

Tina se débarrassa de ses souliers et, les bras levés, se mit à onduler au rythme de la musique. Il la contemplait, fasciné, tandis qu'elle esquissait des gestes de plus en plus érotiques. Sans cesser de danser, elle ôta ses bas et fixa le poignard à sa cuisse.

Puis elle passa lentement sa robe par-dessus sa tête et la lança à Ram. Il l'attrapa, y enfouit son visage. Elle fit de même avec ses sous-vêtements, et il se demanda où elle avait bien pu apprendre une danse d'une telle sensualité. La réponse lui vint aussitôt : elle passait beaucoup trop de temps avec ces satanés Gitans !

Il fit un pas vers elle.

— Arrête ! ordonna-t-elle en dégainant le poignard pour viser son cœur.

Horrifié, il la vit rejeter son bras en arrière puis le lancer dans sa direction.

Les pièces d'or qu'il lui avait données vinrent frapper sa poitrine avant de rouler sur le sol. La lame mortelle n'avait pas quitté la main de Tina. Elle la remit dans son fourreau et éclata de rire, la tête renversée en arrière.

— Je ferai l'amour avec toi gratuitement, l'Eclair !

Ram était fou de désir. Il la saisit à la taille, la souleva de terre avant de la jeter sur le lit et de se dévêtir rapidement.

— Tu aimes jouer les catins, dit-il en lui mordillant le cou.

— J'aime rivaliser de sensualité avec toi, avoua-t-elle.

— Alors, rivalise avec ça ! gronda-t-il en se mettant à califourchon sur elle pour embrasser son visage, ses seins, son ventre.

Il releva la tête et contempla ses lèvres entrouvertes, ses paupières mi-closes.

De petits diables dansant dans ses yeux dorés, elle lui fit signe d'approcher davantage. Comment l'aurait-il pu ? A moins que... Il monta doucement vers sa bouche et elle effleura son membre dressé du bout de la langue.

Ram, cambré, cria son plaisir et la supplia d'arrêter. Comme elle continuait, joueuse, il se souleva pour s'allonger de tout son long sur elle et la pénétrer sauvagement.

Elle atteignit l'extase presque aussitôt, et son corps ondula follement au rythme de la musique gitane.

Ram n'entendit pas ses cris de plaisir. Le vilain serpent du doute l'empoisonnait. Qui lui avait enseigné tout cela ? Le roi ? Le Gitan ? Patrick Hamilton ? Il avait dérobé sa virginité, mais elle pouvait avoir eu d'autres expériences... Son imagination le rendait fou.

Il prit le total contrôle de son corps, la mena de nouveau jusqu'aux rivages magiques de la jouissance. Comme s'il voulait la marquer à jamais au fer rouge, comme pour effacer tous les autres. Pour le reste de ses jours, lorsqu'elle penserait à l'amour, ce serait cette fois-là qui serait gravée dans sa mémoire.

Cela dura éternellement, et elle donna autant qu'il demandait.

En cet instant elle aurait tout donné, d'ailleurs. Son corps, son esprit, son âme, sa vie... Tout sauf son amour.

Quand enfin il roula sur le côté, il demanda sèchement :

272

— Qui t'a appris à faire l'amour à un homme avec ta bouche ?

— Ada, souffla-t-elle.

— Ada ?

— Je... je lui ai dit que tu m'avais embrassée... là, et elle m'a demandé si j'avais eu envie de faire pareil. Ce soir, j'en avais envie.

Il eut un rire de pur bonheur et la serra contre lui.

— Dieu, que tu m'as fait peur ! Tu es ma torture et mon apaisement !

Il l'embrassa longuement.

— J'aime ton odeur. J'aime *notre* odeur.

Il ne lui avait jamais rien dit d'aussi intime.

Le château Douglas était si calme, après le départ de Ramsay et de ses hommes, que Tina en fut un peu désorientée. Comme si le soleil avait soudain disparu.

Elle tournait tel un fauve en cage, et au bout de deux jours elle se sentit cloîtrée, presque étouffée par les murs de pierre.

M. Burque, ce jour-là, prépara un somptueux pique-nique, et elle partit avec Colin dans la lande. Plus au courant des dangers que la jeune femme, il insista pour emmener des gardes du château, qui iraient chasser alentour pendant que Colin dessinerait. Ainsi, Tina ne se sentirait pas trop surveillée.

Elle portait une robe d'équitation vert jade, de longues boucles d'oreilles assorties, et sa luxuriante chevelure cascadait jusqu'à ses reins. Colin fut amusé qu'elle eût des idées précises sur l'image qu'elle voulait donner, mais elle tenait à être aussi belle que possible. A quoi bon la fausse modestie ?

Elle était si magnifique dans sa tenue verte, montée sur la robe sombre d'Indigo, que Colin exécuta quelques croquis d'elle penchée sur l'encolure de la bête.

Puis ils s'assirent sur l'herbe fleurie pour déguster le repas de M. Burque. Il y avait du foie gras, du saumon fumé, de la tourte à l'agneau. Ils arrosèrent ce festin de vin de cassis et terminèrent par des fruits.

— Laissez-moi vous dessiner au milieu du trèfle et des marguerites, proposa Colin. Ram va adorer !

— C'est curieux, Colin, dit-elle carrément, vous ne semblez nourrir aucune animosité envers Ram.

— Pourquoi le devrais-je ?

— Parce qu'il a hérité du titre à votre place.

— J'étais un enfant illégitime, même si je l'ignorais. Ramsay était au courant depuis des années, mais pour m'épargner il ne m'avait rien dit.

Il dessina en silence quelques minutes avant d'ajouter :

— Je n'étais pas au château lorsque le drame s'est produit, et quelques jours plus tard, j'ai été blessé au cours d'une échauffourée à la frontière. J'ai frôlé la mort de près, et j'avais bien d'autres problèmes en tête qu'une histoire de succession.

Tina fronça les sourcils. Donc, Ram savait qu'au cas où il arriverait quelque chose à Alex, ce serait lui qui prendrait possession du titre.

— Un jour, vous avez laissé entendre que Ram était amoureux de Damaris, dit-elle légèrement.

Colin sourit.

— Nous l'étions tous. Elle était si belle !

— Ainsi, il s'agissait d'un engouement d'adolescent ?

— Je l'espère.

Tina savait qu'elle n'en tirerait pas davantage. Les Douglas n'étaient guère bavards !

A la fin de la journée, elle pria Colin de lui montrer quelques croquis, mais il refusa tout net. Certains d'entre eux n'étaient pas assez réussis, prétexta-t-il. Il choisirait le meilleur et elle n'aurait le droit de voir son portrait qu'une fois terminé.

Elle se fit câline, supplia, mais toutes ses ruses ne servirent à rien devant l'entêtement de Colin.

Drummond Douglas, sur les ordres de Ramsay, mena son équipage sur la côte est de l'Ecosse, là où le *Caprice* était ancré. Ils repeignirent le navire marchand en gris et le rebaptisèrent *Revanche*, exactement comme le *Valentina*, puis ils effectuèrent des raids systématiques sur la côte anglaise.

On raconta bien vite dans l'entourage du roi Henri Tudor qu'un individu du nom de Lord Revanche menait la vie dure aux vaisseaux anglais — et sur les deux côtes, ce qui semblait absolument impossible.

En même temps, partout où Lord Dacre avait organisé des raids, les Ecossais franchissaient la frontière avec l'Angleterre et s'appropriaient tout ce qui leur tombait sous la main.

Un courrier de protestation fut aussitôt envoyé au roi d'Ecosse par le jeune roi d'Angleterre, ainsi qu'un mandat d'arrêt contre « Lord Revanche ».

Jacques Stuart ignora l'un et l'autre. Il était ravi que l'un de ses nobles eût le courage de rendre la monnaie de sa pièce à l'Angleterre, et de belle manière ! Il ne tenait guère à savoir de qui il s'agissait, car ce « Lord Revanche » était quand même en train de bafouer ouvertement les traités d'entente avec l'Angleterre !

Chaque fois qu'il le pouvait, Ram rentrait au château, où il arrivait généralement au milieu de la nuit. Valentina était devenue une sorte d'aimant pour lui. Elle l'attirait aussi irrésistiblement que la lune agit sur les marées. Il arrivait épuisé et repartait un peu plus tard plein d'une énergie nouvelle.

Parfois il était d'une humeur si sombre que Tina avait du mal à le dérider. D'autres fois, comme ce soir-là, il se montrait si tendre qu'elle se sentait presque fondre. Il l'avait très doucement étendue sur le lit, ses cheveux déployés autour d'elle, et, avec une sorte de respect, avait caressé et embrassé tout son corps avant d'entrer en elle.

Quelques heures plus tard, comme elle gisait satisfaite près de lui, il déposa un baiser sur ses lèvres.

— Séductrice... ma séductrice. Quand je te fais l'amour, Tina, c'est si bien, si juste, si... naturel. Jamais je n'ai ressenti cela avant. Tu me réchauffes, tu me remplis, tu me calmes. Avec toi, je me sens entier, complet. Je crois que je t'aime.

Le cœur de Tina s'accéléra, mais elle lança d'un ton léger :

— En es-tu sûr ?

— Oui. J'ai décidé de t'épouser.

Les mots s'attardèrent dans l'obscurité. Tina était effondrée.

— Non. Nous avons un engagement sur un an. Ensuite, nous prendrons une décision.

— Au diable cet engagement ! Je veux t'épouser tout de suite !

— Je ne suis pas enceinte, objecta-t-elle.

— Qu'en sais-tu ?

Par le Christ, il pouvait bien avoir raison ! Tina se dégagea de ses bras.

— Tu n'es qu'un arrogant individu, Douglas ! Tu crois qu'il te suffit de claquer des doigts pour que j'agisse selon ton bon plaisir ?

— Bon sang, ma Flamboyante, écoute-moi ! Si j'attendais que tu portes un enfant, tu croirais que c'est pour cela que je t'épouse. Mais je veux le faire parce que je t'aime !

Elle mit les mains sur ses oreilles pour ne plus l'entendre.

— Je refuse de t'épouser. Les Douglas empoisonnent leurs femmes !

— Seulement si elles sont infidèles.

— Ma réponse est non ! déclara fermement Tina. Un point, c'est tout.

Il rejeta brutalement la fourrure et se leva. Il alluma les chandelles, s'habilla, sa colère presque palpable. Il allait repartir ainsi, au milieu de la nuit…

Elle remonta le drap jusqu'à son menton, comme pour se protéger, mais il la sortit du lit d'une main ferme.

— Je ne demande pas, j'ordonne.

Il la dominait de toute sa taille, et tout à coup un grand rire éclaira son beau visage buriné.

— Je suis ton destin. La prochaine fois que je viendrai au château, je convoquerai le prêtre.

25

La chambre était soudain glaciale, comme s'il avait emporté toute la chaleur avec lui...

Tina se roula en boule sous la fourrure. Dehors il pleuvait, il ventait, et elle frissonna. Pourtant, c'était lui qui était parti dans la tempête. Il fallait plus que des intempéries pour arrêter Black Ram Douglas. Maudit soit-il !

Etait-il possible qu'il l'aimât vraiment ? Dans ce cas, elle pourrait prendre sa revanche plus tôt que prévu... Non, il la haïssait comme elle le haïssait, mais à un certain point, amour et haine se rejoignaient, comme Enfer et Paradis étaient les deux faces de la même médaille.

L'esprit en alerte, elle envisageait les possibilités qui s'offraient à elle. Elle allait partir. Rentrer chez son père... mais la pensée de sa mère et de Beth la fit changer d'avis. Donald et Meggie, qui résidaient à seulement quelques kilomètres ? Non. Elle avait vu Black Ram en colère et n'enviait pas le sort des gens qui s'opposaient à lui. Le pauvre Donald n'aurait aucune chance contre cette brute.

Soudain, elle cessa de trembler. Elle avait trouvé où aller : la prairie d'Urr. Cela au moins ne manquerait pas de panache !

Ram chevauchait avec ses hommes vers la frontière, sourd aux marmonnements réprobateurs des soldats tirés du lit au beau milieu de la nuit. Il ne voyait pas non plus les moutons qui se serraient les uns contre les autres pour se protéger de la pluie.

Il était perdu dans ses pensées. Maudites femelles ! Pour les femmes, gentillesse était synonyme de faiblesse et alors elles vous méprisaient, vous frappaient dans le dos. « Non, lui dit une petite voix intérieure. C'est ta faute. Lui as-tu déjà offert un cadeau, un bijou ? Lui as-tu fait un compliment, l'as-tu remerciée pour les chemises qu'elle brode à tes initiales ? Félicitée pour les repas qu'elle commande spécialement à M. Burque ? As-tu joué avec elle aux échecs, aux dés, lui as-tu seulement parlé ? Partages-tu avec elle tes angoisses, tes victoires ? Lui as-tu simplement dit combien elle comptait pour toi, excepté dans la chaleur de la passion ? »

Il chérissait comme un trésor le souvenir du jour où ils avaient pêché ensemble. Il avait envie de partager sa vie avec elle. Tout, les rires, les pleurs, la folie, le calme. Bon sang, avait-elle vraiment peur qu'il l'empoisonnât ? C'était absurde ! La simple idée qu'il pût lui arriver quelque chose le rendait fou.

Il aurait dû faire demi-tour, la supplier de l'épouser, au lieu de le lui ordonner. Il soupira. Il était beaucoup trop orgueilleux pour ça. Cependant, il voulait qu'elle fût la mère de ses enfants. Ensemble, ils auraient des filles et des garçons splendides !

Une crainte l'étreignit soudain. Il n'avait jamais été père. Les autres hommes semaient leurs petits bâtards aux quatre vents, mais jamais une fille n'était venue en pleurs lui dire qu'elle était enceinte de lui. Il chassa vite cette pensée. Valentina lui donnerait des enfants. C'était aussi évident que le lever et le coucher du soleil.

Une fois arrivé à la mer, Ramsay fut bien trop occupé pour poursuivre son introspection. Ils embarquèrent les chevaux à bord du *Revanche*, puis patrouillèrent le long des comtés de Kirkcudbright et de Dumfries jusqu'à Solway Firth, là où l'Angleterre et l'Ecosse se rejoignaient. Ils ne débarquèrent qu'à Roxburgh.

Ils trouvèrent les terres Armstrong dévastées et poursuivirent rapidement leur route dans l'espoir de prendre les Anglais la main dans le sac. Ils les rattrapèrent à Rowanburn, où une douzaine d'hommes ivres violaient les femmes et les jeunes filles près des cadavres des hommes. Pas un n'échappa à la colère de Ram Douglas !

Celui-ci était d'autant plus fou de rage que les pillards étaient en uniforme. Sans perdre un instant, Ram mena sa troupe de l'autre côté de la frontière, à Liddlesdale. Lorsque quatre bandits qui conduisaient un troupeau volé aperçurent les Ecossais, ils s'enfuirent sans demander leur reste. Mais le terrain était inégal, difficile, et leurs montures ne valaient pas celles de leurs poursuivants, habituées aux landes traîtresses. Ils ne tardèrent pas à être encerclés. La panique se lisait sur leurs visages. Ils méritaient la pendaison.

S'ils avaient su ce qui les attendait, ils auraient préféré être pendus. Chaque homme, selon la tradition écossaise, reçut un coup de poignard superficiel mais douloureux. Au bout de plusieurs blessures, les malheureux étaient saignés à blanc et ils suppliaient qu'on mît fin à leurs souffrances.

Le dernier bandit raconta tout ce que voulait savoir Douglas avant de recevoir le coup de grâce. Le quartier général anglais était établi à Carlisle, sous le commandement de Lord Dacre.

Ils retournèrent en Ecosse, et Ram organisa une réunion de tous les gardiens des frontières dans l'imprenable château de l'Hermitage, chez le comte de Bothwell. C'était une énorme bâtisse de pierre où tous se retrouvèrent autour de quelques bœufs rôtis et de tonneaux de bière.

Les gardiens de l'Est, les Lindsay et les Hay, racontèrent des histoires atroces de pillages et de tortures. Ils avaient à présent la preuve qu'il ne s'agissait pas de bandes de pillards mais de l'armée même de Henri Tudor.

— Ce fils de garce n'est qu'un gamin, il n'a pas encore vingt et un ans, pourtant il a jeté son dévolu sur l'Ecosse et ne reculera devant rien pour l'avoir.

— La première chose que devrait faire Jacques, c'est renvoyer ce traître d'Howard en Angleterre, dit Patrick Hamilton.

— Hamilton a raison, renchérit Ken. Et tant qu'il y est, Jacques devrait se débarrasser de sa chienne de reine en même temps !

Deux décisions furent prises au cours de cette réunion. On organiserait des expéditions à Carlisle et à Berwick pour essayer de connaître la force et le nombre des ennemis. D'autre part, quelqu'un irait informer le roi à Edimbourg que les frontières étaient en guerre. Chacun admit que Douglas était le seul à pouvoir se faire entendre de Jacques Stuart.

Durant le voyage de retour, un navire anglais commit l'erreur d'attaquer le *Revanche*. Ramsay décida de le capturer. Pourquoi perdre des boulets de canon quand on pouvait l'aborder, prendre sa marchandise et le vendre ensuite ? Il restait encore quelques membres de l'équipage en vie lorsque Ramsay s'installa sur le pont de commandement. Il les débarqua sains et saufs à Silloth, à condition qu'ils racontent qu'ils devaient leurs misérables existences à Lord Revanche.

Ram était d'excellente humeur en débarquant à l'embouchure de la Dee, où il s'arrêta pour chercher le prêtre de Kirkcudbright. Il rêvait d'emmener sa toute nouvelle épouse à Edimbourg pour la présenter à la Cour. En fait, son esprit fourmillait de projets. Ils remonteraient en bateau jusqu'à Ayr où il vendrait les six navires qu'il avait capturés, puis il amènerait Valentina à Doon afin d'annoncer son mariage à la famille. Enfin ils se rendraient à Edimbourg. Ce serait une sorte de voyage de noces, infiniment plus romantique qu'une chevauchée par les terres.

Une fois au château, il confia le prêtre aux bons soins de son régisseur avant de se rendre aux baraques où se lavaient les hommes en sifflotant joyeusement.

Les serviteurs l'observaient, dans une prudente réserve. Le départ de Tina, deux jours auparavant, s'était répandu au château comme une traînée de poudre, et tous craignaient l'explosion qui n'allait pas tarder.

Ram mourait d'envie de voir Tina, et il se précipita dans la chambre de maître qui était vide. Il sortit sur le parapet pour la chercher dans la cour. En vain. Il avait tellement pris l'habitude de la trouver quand il rentrait qu'il avait l'impression qu'une partie de lui-même lui manquait s'il ne voyait nulle part ses yeux dorés et sa chevelure flamboyante.

Il allait se mettre à sa recherche lorsqu'il aperçut une note sur l'oreiller. Une main de glace lui serra le cœur... Sans doute était-elle allée rendre visite à sa belle-sœur...

A mesure qu'il lisait, son désappointement se transforma en incrédulité puis, très vite, en rage.

Douglas, c'est fini. Je suis partie. Veillez, je vous prie, à ce qu'Ada et M. Burque rentrent à Doon dans de bonnes conditions.

C'était signé : *Tina Kennedy la Flamboyante.*

— La petite garce ! Comme ça, sans explications, rien... « C'est fini », cita-t-il. Par Dieu, c'est fini quand je décide que c'est fini, pas avant !

Et elle avait eu l'audace de signer « *la Flamboyante* ». Eh bien, il allait la ramener en la tirant par cette fameuse chevelure flamboyante, et lui flanquer une raclée qui l'empêcherait de s'asseoir pendant une semaine !

Il ouvrit la porte et hurla pour appeler Ada. Puis il entra dans sa chambre sans frapper, terrifiant la petite Nell qui se cacha dans la garde-robe. Ram brandit la lettre sous le nez d'Ada.

— Où est-elle ? Quand est-elle partie ? Je la tuerai ! tonna-t-il.

Très pâle, Ada parvint cependant à répondre d'une voix ferme :

— Il ne vous servira à rien de me rudoyer, monseigneur.

— Vous rudoyer ? Je vais vous écorcher vive, oui ! hurla-t-il en l'attrapant aux épaules.

— Je lui ai dit que vous seriez furieux, mais c'était comme agiter un chiffon rouge devant un taureau. Cela l'a rendue plus déterminée encore.

— Où est-elle ? Si elle était rentrée chez elle, elle vous aurait emmenée. Chez Donald ?

— J'ignore où elle se trouve, mentit Ada.

Ram resserra douloureusement son étreinte.

— Même si vous me battiez à mort, Lord Douglas, cela ne la ferait pas revenir.

Il la repoussa brutalement.

— Depuis quand est-elle partie ?

— Deux jours.

— Deux jours ?… Ce satané Français va me dire où elle est, sinon je l'empale sur une de ses broches et je le fais rôtir.

— Si elle ne m'a pas dit où elle allait, pensez-vous qu'elle se serait confiée à son chef ?

Ram poussa un soupir exaspéré.

— Au nom du Ciel, pourquoi Colin n'a-t-il pas organisé une battue quand il a vu qu'elle n'était pas rentrée ?

— Sans doute parce qu'il a l'intelligence de ne pas se mêler de vos affaires avec une de vos femmes, osa-t-elle répondre…

— Une de mes femmes ? C'est ce que Tina est pour moi, à votre avis ? J'ai traîné jusqu'ici le prêtre de Kirkcudbright pour qu'il nous marie !

— C'est la raison de son départ, milord.

La logique de cette réponse lui échappait totalement.

— Je dois être un peu obtus, mais je ne comprends pas.

— Il s'agit de Lady Valentina Kennedy. Avez-vous une idée de l'injure que vous lui avez infligée en lui proposant le concubinage plutôt que le mariage ? En outre, il a fallu que Rob Kennedy vous paie pour que vous l'acceptiez. Une femme de quelque dignité ne pouvait que se venger d'une telle humiliation.

Ram eut l'impression de recevoir un coup au plexus.

— Voilà sa vengeance, conclut Ada.

Ram était complètement bouleversé. Il n'avait pas l'habitude de s'expliquer. Il aurait pu extirper des renseignements à Ada, il le savait, mais à quel prix ? S'il la brutalisait, Tina lui en voudrait, et il s'en voudrait aussi.

Il retourna dans sa chambre dont il claqua la porte, puis avala à même la carafe une grande gorgée de whisky qui lui brûla la gorge. Il en tira un plaisir pervers et recommença. Au moins, il était certain qu'elle n'était pas allée retrouver Patrick Hamilton, puisqu'il se trouvait à l'Hermitage. Heureusement ! Si elle l'avait trompé avec Hamilton, c'était un homme mort ! Et il aurait tué Tina aussi.

Il but encore une bonne rasade avant de jeter la carafe contre un mur où elle s'écrasa. Bon Dieu ! Jamais encore il n'avait dit à une femme qu'il l'aimait. Jamais il n'avait baissé la garde. Toutes des catins !

Peut-être était-elle allée à la Cour ? Il en doutait. Non, elle était sûrement au château Kennedy. Elle était partie pour qu'il lui courût après. Eh bien, il ne se presserait pas. Il avait besoin d'une bonne nuit de sommeil. Il s'arrêterait en route lors de son voyage à Ayr.

Mais plus question de l'épouser, à présent ! Le concubinage irait jusqu'au bout. Si la petite sorcière voulait jouer au plus fort, elle trouverait à qui parler.

Ram tournait dans sa chambre comme un ours. En effleurant distraitement la fourrure de lynx, il frôla une chemise de nuit qu'il porta à son visage. Le désir l'étreignit aussitôt, ce qui redoubla sa rage, et il lança le léger vêtement à travers la pièce.

Il jouait avec les objets qui se trouvaient sur la table de nuit, luttant contre l'envie de les jeter par la fenêtre. Il écrasait une fleur de papier rouge lorsqu'il aperçut les mots calligraphiés : *Prairie d'Urr*.

Son sang se glaça dans ses veines. Elle était allée retrouver le Gitan ! Son amour se transforma instantanément en haine. Il saisit son poignard, une pierre à aiguiser et se mit à affûter la lame...

Pour la première fois de leur vie, Tina et Heath se disputaient. Les répliques volaient, acerbes, douloureuses pour l'un comme pour l'autre.

— Voilà bien l'arrogance des hommes ! Aussi loin que je me souvienne, tu as toujours passé l'hiver en Angleterre, et maintenant que je te demande de m'emmener, tu prétends vouloir rester à Edimbourg !

— Tu es non seulement stupide mais sourde ! L'Angleterre n'est pas sûre! Pourquoi t'es-tu mis tout à coup dans la tête d'aller en Angleterre?

— Jamais je ne t'aurais cru aussi lâche!

Une flamme dansait dans les yeux du Gitan.

— Lâche, moi? C'est toi qui as détalé comme un lapin.

Elle décida de changer de tactique.

— Oh, Heath, tu ne comprends pas? En Angleterre, je serai libérée de lui. Et même du roi qui a ordonné cette stupide alliance entre nos deux clans.

— Qu'entends-tu par «libérée de lui»? Il ne t'a jamais fait de mal, d'après tes propres paroles. Son seul crime est de vouloir t'épouser. Et il a intérêt, après t'avoir eue pour concubine! Petite sotte, tu ne vois donc pas qu'un mariage avec quelqu'un comme Ram Douglas est ce qui peut t'arriver de mieux?

— Tu te moques complètement de moi! Tu ne t'intéresses qu'à ta petite santé…

Il la considéra avec une tendresse exaspérée.

— Ne remets pas mon affection pour toi en question. C'est indigne de toi, Tina.

Elle se jeta dans ses bras et se mit à sangloter contre son épaule.

— Tu ne le connais pas, Heath. Il me retrouvera, et il me harcèlera jusqu'à ce qu'il ait récupéré ce qui lui appartient. Il croit me posséder! Cela, tu peux le comprendre. Pour un Gitan, la liberté c'est la vie! Je dois être libre de décider de mon sort. Il viendra, tu verras, insista-t-elle.

Il lui caressa les cheveux, apaisant.

— Je ne crains pas Black Ram Douglas.

Il allait avoir l'occasion de le prouver avant la tombée de la nuit.

Ramsay s'approchait du campement des Gitans par la rive de l'Urr. Il n'arrivait pas au grand galop, mais à une allure lente, sûre, implacable.

Il ne trouva pas Tina tout de suite, pourtant il fut certain qu'elle était là, car Indigo broutait dans l'enclos avec les autres chevaux.

Heath le vit mettre pied à terre, attacher son étalon. Il se dirigea vers lui à grandes enjambées pour l'éloigner de sa roulotte, où Tina était en sécurité.

Les deux hommes s'affrontèrent comme deux chiens sauvages. L'expression féroce de Black Ram Douglas en aurait terrifié plus d'un ! Heath parla le premier :

— Vous pouvez partir d'ici tranquillement ou en petits morceaux. A vous de choisir.

L'insulte était insupportable ! Avec un grondement sourd, Ram dégaina son poignard. Heath ne le sous-estima pas. Ce n'était pas leur première rencontre. Il avait déjà sorti son couteau quand Ram se jeta sur lui. Les deux hommes roulèrent dans la poussière en un combat mortel.

Ils luttèrent à coups de poing, de lame, tous deux parfaitement entraînés physiquement. Ils portaient des vêtements de cuir qui ne tardèrent pas à être lacérés, tandis qu'ils saignaient de blessures superficielles.

Ils luttaient au corps à corps, effrayant les poules, faisant aboyer les chiens et crier les enfants. Ils finirent par rouler sur un feu de camp qui mit leurs chevelures en flammes, vite éteintes lorsqu'ils se jetèrent de nouveau sur la terre.

En entendant ce vacarme, Tina parut à la porte de la roulotte. Elle ramassa ses jupes et courut vers les combattants. Elle avait l'impression que son cœur allait éclater, et elle leur cria d'arrêter. Ils ne semblèrent pas l'entendre. Ils allaient s'entre-tuer à cause d'elle ! Jamais elle n'aurait dû venir, jamais elle n'aurait dû exposer Heath à la colère de Douglas !

Elle hurlait à présent, mais ils étaient si intensément plongés dans leur combat que rien d'autre n'existait pour eux.

Finalement, la haine et la jalousie de Ram lui donnèrent l'avantage sur son adversaire. Une botte appuyée sur la cuisse de Heath, le tenant à la gorge d'une main, il levait l'autre bras pour assener le coup fatal.

Sans se soucier du danger, Valentina s'interposa alors entre le poignard et le jeune homme.

— Heath est mon frère ! sanglota-t-elle.

La lame heurta la boucle de sa ceinture et se brisa.

Ram s'assit sur ses talons, fixant avec horreur la jeune femme qu'il avait failli poignarder.

Les yeux de Tina, dans la détresse, avaient viré à l'ambre, et Ram secoua la tête comme pour se débarrasser du brouillard de haine qui l'aveuglait. Il respira longuement tandis que les paroles de Tina faisaient leur chemin dans son esprit.

— Votre frère?

— Oui! Oui, Heath est mon frère, espèce de brute sauvage!

Ram Douglas s'essuya le front d'un revers de manche.

— Vous êtes le fils illégitime de Rob Kennedy? demanda-t-il au Gitan.

Celui-ci hocha la tête.

— En effet, Kennedy est mon père. Ma mère est morte en couches. C'était la fille de la vieille Meg.

Quand ils se relevèrent tous les trois, seule Tina n'était pas remise de ses émotions. Elle frappa Douglas au visage.

— Vous n'êtes qu'un animal, une bête sauvage!

Ram la prit par la taille pour l'écarter de son chemin.

— Y a-t-il un endroit tranquille où nous pourrions parler? demanda-t-il à Heath.

Les deux hommes se dirigèrent vers les caravanes, tandis que Tina les regardait s'éloigner en tentant de ravaler ses larmes.

Dans la roulotte, les deux hommes s'examinaient. Ram reconnut la dignité de celui qui lui faisait face. S'il avait eu un fils de cette qualité, légitime ou non, il aurait veillé à ce qu'il eût une place décente à ses côtés. De ses ancêtres gitans, Heath tenait sa beauté et son courage. Quant à son assurance, elle était le résultat d'une enfance difficile. Pourquoi Rob Kennedy ne lui avait-il pas donné une terre, un château?

— Si nous aimons tous les deux Tina, nous sommes du même côté, dit simplement Ram.

— C'est une vraie petite sorcière. Elle est gâtée, vaniteuse, têtue, je le sais, mais par le Ciel, elle est merveilleuse. Drôle, généreuse, aussi vaillante qu'un homme. C'est la meilleure de la portée, ajouta-t-il avec un sourire. Nous avons une sœur qui est un pauvre petit lapin apeuré. Donald et Duncan sont de braves hommes, mais Davie est un sale gamin.

— Je sais. J'ai déjà eu affaire à lui.

Heath scrutait le visage de Ram.

— Elle m'a dit que toute cette histoire venait du fait que vous vouliez l'épouser.

— C'est vrai.

— La dernière union entre les clans Kennedy et Douglas s'est terminée en tragédie. La vieille Meg prétend que c'est à vous qu'elle a remis le poison.

— Effectivement, mais je vous jure qu'il s'agissait de poison destiné aux loups. Nous avions perdu cette année-là des centaines de moutons. Malgré tout, je me sens encore responsable d'avoir commandé ce poison.

Heath hocha la tête, satisfait.

— Oubliez ces remords, mon ami. Cela ne sert à rien.

Il eut un sourire éblouissant.

— Tina est digne d'un roi, ou d'un Douglas, ajouta-t-il, donnant ainsi son approbation.

Les mains couvertes de sang, ils se donnèrent l'accolade.

— J'ai bien besoin d'un homme de votre qualité, dit Ram.

— Sur le *Revanche*? demanda Heath, montrant par là qu'il en savait beaucoup sur les Douglas.

— Si c'est ce qui vous plaît. Mais je pensais à autre chose. Votre vie de nomade serait une couverture parfaite pour l'espionnage. Vous passez l'hiver en Angleterre, je crois?

— Généralement, mais cette année je suis indécis, avec tous ces raids.

— Les Gitans sont considérés comme une race à part. Ni Anglais ni Écossais. Je ne crois pas que vous seriez menacés. J'aimerais savoir si Henri Tudor est en train de lever une armée. Vous n'auriez pas de mal à le découvrir, en allant de ville en ville.

Les deux hommes s'entretinrent longuement, et Tina craignait qu'ils n'aient recommencé à se battre.

Quand ils sortirent enfin, elle courut vers eux, la main sur la gorge.

— Allez chercher votre cheval, ordonna Ram en se dirigeant vers l'endroit où il avait attaché le sien.

— Vous rêvez, Douglas! cria-t-elle, insolente.

Heath lui donna une légère claque sur le derrière.

— Ton mari a parlé. Je ne te conseille pas de le faire attendre.

Elle se tourna vers lui, les yeux brillants de colère, toutes griffes dehors. Il la saisit fermement aux poignets.

— Il est beaucoup trop indulgent avec toi. Si tu étais ma femme, je te battrais.

Elle en resta bouche bée. Qu'avait bien pu lui dire Ram pour le retourner ainsi contre elle? Elle se précipita sur Douglas.

— Menteur, salaud, canaille, que lui avez-vous raconté?

— J'aimerais mieux que ma femme ne profère pas une grossièreté chaque fois qu'elle ouvre la bouche, dit-il calmement.

— Je ne serai jamais votre femme!

— Nous verrons bien...

Heath amena Indigo jusqu'à elle.

— Montez, tant que vous le pouvez encore, conseilla froidement Ram.

Elle demeura immobile, têtue, les dents serrées.

Heath tendit les rênes à Ram qui les prit en haussant les épaules.

— Marchez, si vous préférez. Cela m'est égal.

Tina avait horreur de reconnaître sa défaite, même lorsqu'elle était évidente. Ram était bien à cinq cents mètres quand elle se décida enfin à le suivre.

26

D'abord, elle souhaita que Ram fît demi-tour pour venir la chercher. Puis qu'il ralentît l'allure, afin qu'elle pût le rattraper. Enfin elle ôta ses bottes et souhaita tout simplement que ses pieds cessent de lui faire mal.

Elle le savait : il avait la ferme intention de la laisser parcourir ainsi les cinq kilomètres qui les séparaient du château Douglas...

Il prit tout son temps pour s'occuper des chevaux à l'écurie de manière à ce qu'ils franchissent la porte d'entrée en même temps. Tina boitillait, sa chevelure était embroussaillée par le vent, elle avait le visage maculé de poussière.

Bien qu'il fût tard, personne n'était couché et tout le monde ouvrit de grands yeux en voyant la si élégante Tina Kennedy dans cette tenue.

Elle se raidit en apercevant le prêtre. Elle résisterait jusqu'à son dernier souffle !

— Désolé de vous avoir fait perdre votre temps, mon père, dit froidement Ramsay. Il n'y aura pas de mariage.

Tous fixaient Tina la Flamboyante que le maître de maison avait finalement décidé de rejeter. Elle rougit, se redressa de toute sa taille et se dirigea vers l'escalier.

Elle en était à la moitié quand Ram lui cria :

— Préparez vos bagages. Nous partons avec la marée du matin.

— Et pour où, je vous prie ? demanda-t-elle, hautaine.

— Nous accosterons à Ayr.

Ayr ? Dieu, il la ramenait à Doon ! Elle en fut blessée, vexée, carrément furieuse ! C'était elle qui voulait le répudier, pas le contraire ! Comment osait-il donner l'impression qu'il la ramenait chez elle parce qu'il en avait assez ?

Ada resta bouche bée devant le triste spectacle qu'offrait Tina.

— Comment va Heath ?

— Il m'a renvoyée...

— Mon Dieu ! Vous n'auriez pas l'air plus épuisée si Ram vous avait laissée marcher tout le long du chemin.

— C'est ce qu'il a fait ! déclara Tina avec une telle indignation qu'Ada ne put s'empêcher de rire.

Tina lui lança un regard noir.

— Et on nous renvoie à Doon.

Ada se calma instantanément. La perspective de retrouver Kirsty, Elizabeth et Beth ne lui souriait guère.

— Les hommes aiment bien les femmes souples, dociles, douces, murmura-t-elle avec regret.

— Pas question ! Les femmes doivent avoir leur propre personnalité. Un homme digne de ce nom n'a aucune raison de s'en sentir menacé.

— Si vous croyez que Ram Douglas n'est pas un homme digne de ce nom, vous vous trompez, Tina.

— Je suis lasse, sale. J'aimerais prendre un bain avant que...

Sa voix se brisa. Elle avait failli dire « avant qu'il vienne », alors qu'il ne viendrait pas, elle en était sûre. Malheureusement, car au lit elle lui faisait faire tout ce qu'elle voulait. A la réflexion, elle s'avoua que la réciproque était vraie. Elle repoussa énergiquement le sentiment de nostalgie qui commençait à l'envahir.

— J'aimerais prendre un bain avant que nous fassions les malles, reprit-elle, résignée.

Au petit matin, elles embarquèrent sur l'*Antigone*. Le *Revanche* n'était pas là, mais six vaisseaux, tous anglais, les suivaient.

Le temps était inquiétant : une tempête menaçait, et Ram savait qu'il aurait du mal à mener les sept navires à bon port.

Tina était appuyée au bastingage, seule, enroulée dans sa cape de velours émeraude. Elle avait natté sa chevelure en couronne et, ce matin-là, elle avait l'allure altière et distante d'une reine. Le piaillement des mouettes éprouvait ses nerfs, mais elle n'avait aucune envie de descendre dans l'étroite cabine avec Ada, Nell et tous les bagages.

Elle se sentait affreusement abandonnée, comme si personne ne se souciait de son sort. Puis elle se moqua d'elle-même et offrit son visage à la caresse du vent. Rien n'était pire que de s'apitoyer sur soi.

A peine étaient-ils en mer que le grain éclata. Ram dépêcha un marin pour prier Tina de descendre, mais elle l'envoya promener sans trop d'égards. Il revint quelques minutes plus tard.

— Lord Douglas veut que vous alliez sur le gaillard d'arrière. Si vous refusez, j'ai ordre de vous porter de force dans la cabine et de vous y enfermer.

Elle parvint péniblement, en s'accrochant aux cordages, à gagner l'arrière du bateau, où elle rejoignit Ram. Ils étaient trempés tous les deux, et il la poussa vers une sorte d'abri où au moins elle ne risquait pas de passer par-dessus bord.

Fascinée, elle l'observa en train d'affronter la tempête. Il semblait en tirer un immense plaisir, le visage ruisselant, les vêtements plaqués sur le corps. Il était dans son élément, en harmonie avec la mer déchaînée, sauvage et indompté comme elle.

L'orage ne dura pas.

Une main sur la barre, il se tourna vers elle et l'attira contre lui.

— Petite sorcière... Vous aimez me défier, hein?

— Oui! répondit-elle, arrogante.

La tête renversée en arrière, il partit d'un grand rire. L'exaltation de la tempête était renforcée par celle du désir. Il prit possession de sa bouche.

— Vous ne souhaitez pas devenir une femme respectable, c'est ça? Vous préférez jouer les maîtresses.

— Pas la vôtre! lança-t-elle méchamment.

Ses yeux gris pétillèrent d'amusement.

Croyez vous que je n'aie jamais vu le désir dans les yeux d'une femme? Vous avez autant envie de moi que moi de vous, dit-il, sûr de lui. Puisque vous devez vous débarrasser de vos vêtements, pourquoi pas avec moi ?

— Goujat ! Vous allez me faire l'amour aujourd'hui pour me déposer à Doon demain comme un paquet ?

— Doon ? s'étonna-t-il. Je ne vous laisserai jamais partir, répliqua-t-il, grave.

Il confia la barre à Jock et entraîna Tina vers le pont inférieur.

La jeune femme se retrouva dans une petite cabine lambrissée, meublée d'une étroite couchette et d'une table couverte d'instruments de navigation. Ram se débarrassa de ses vêtements et entreprit de déboutonner sa robe.

— Elle est définitivement abîmée, dit-elle.

— Peu importe. Je vous préfère toute nue.

A mesure qu'il la déshabillait, elle sentait l'excitation la gagner. Il ne lui avait pas fait l'amour depuis longtemps, et elle devait s'avouer que cela lui manquait.

La sentant néanmoins réticente, Ram l'appuya au mur, prisonnière de ses bras.

— Je n'ai pas le temps de jouer. Je veux simplement te montrer qui est le maître.

Elle tremblait de froid et, bien qu'elle eût envie de protester, elle avait besoin de ses mains, de ses lèvres, de son corps.

Il la caressait de son sexe, la rendant presque folle de désir. Pour un homme pressé, il prenait tout son temps, le temps de voir ses pupilles se dilater, sa bouche s'ouvrir, sensuelle.

Comme il refusait de lui donner ce qu'elle voulait, elle le mordit à l'épaule. Il ne l'emportait toujours pas sur la couchette.

— Je veux te prendre debout, murmura-t-il à son oreille.

Elle sentit ses jambes se dérober sous elle.

— Tu veux ? insista-t-il.

— Oui !

— Oui quoi ?

— Oui, je t'en prie ! supplia-t-elle dans un cri.

Elle n'en pouvait plus.

Il se pencha enfin pour qu'elle pût prendre appui sur ses cuisses et la pénétra d'un grand coup. Elle hurla son plaisir et il agrippa ses hanches tandis qu'il plongeait en elle et jouait au même rythme avec sa bouche.

Emportée par des vagues d'une intensité toujours renouvelée, elle noua les jambes autour de sa taille. Elle ne savait plus ce qu'elle faisait, ce qu'elle disait, ce qu'elle criait. Etait-elle en enfer ou au paradis? Peu importait. Elle ouvrait ce corps qu'il avait su éveiller, qu'il savait assouvir.

Ils se raidirent enfin, la passion à l'état brut inscrite sur leurs visages, puis elle s'effondra contre lui. Il couvrit ses cheveux de tendres baisers avant de la poser à terre. Enfin il la vêtit d'une de ses chemises.

Appuyé à la cloison, elle le vit s'habiller, la couvrant d'un regard sombre, triomphant, possessif. Elle aussi triomphait du pouvoir qu'elle avait encore sur lui, qu'elle avait craint d'avoir perdu.

Quand elle rejoignit Ada et Nell, seulement vêtue de la chemise de Ram, elle dit simplement:

— Finalement, nous n'allons pas à Doon.

La flottille atteignit le port d'Ayr avant la nuit.

Tina reconnut aussitôt le *Thistle Doon* et un sanglot lui monta à la gorge quand elle aperçut la silhouette massive de son père sur le pont. Lorsqu'il avait payé Douglas pour qu'il l'acceptât, elle avait cru ne jamais pouvoir lui pardonner, mais en le voyant, elle comprenait qu'ils partageaient une sincère et profonde affection. L'ancre était jetée quand Ram fit irruption à ses côtés.

— Je vais envoyer un message pour inviter votre père à souper ce soir.

— Oh, laissez-moi le lui porter! J'ai tellement envie de monter à bord du *Thistle Doon*!

Un instant, il craignit qu'elle ne rentrât pas s'il lui permettait d'aller voir son père, puis il sourit de sa stupidité. Il l'attirait comme un aimant, lui aussi. Elle reviendrait toujours vers lui.

— J'invite également l'amiral Arran et d'autres capitaines. Pourquoi, ajouta-t-il après une légère hésitation, pourquoi ne resteriez-vous pas sur le *Thistle Doon* cette nuit ? J'aimerais autant. Votre présence me perturbe bien trop quand j'ai des affaires à traiter.

— Quelles affaires ? demanda Tina.

— La vente de quelques bateaux.

Elle vit le navire commandant d'Ecosse, le *Great Michael*, et se demanda si Patrick Hamilton se trouvait à bord avec son père. Sans doute pas. Il devait être en train de patrouiller à la frontière.

Rob Kennedy serra sa fille préférée contre son cœur, puis il la tint à bout de bras pour voir comment elle supportait la vie avec Douglas. Il dut reconnaître qu'elle était radieuse.

— Tu m'as manqué, petite. Quand tu as quitté Doon, j'ai eu l'impression que tu emportais avec toi le soleil et l'air pur.

— Comment vont mère et Beth ? demanda-t-elle sagement.

— Gémissantes et pleurnichantes, comme d'habitude. J'ai passé beaucoup de temps en mer, dernièrement. J'ai même coulé un navire anglais qui nous guettait près de Holly Island. On dirait que Douglas n'a pas perdu son temps, ajouta-t-il en désignant les bateaux qui accompagnaient l'*Antigone*. Comment diable a-t-il pu en capturer autant ?

Tina lui tendit la note de Ram.

— Vous le lui demanderez vous-même. Il vous prie de souper avec lui ce soir. Mais je vous préviens : M. Burque est resté au château Douglas.

Rob hocha la tête.

— Je ne l'aurais jamais cru, mais ton petit Français me manque presque autant que toi.

Il adressa un clin d'œil égrillard à Ada, et tous éclatèrent de rire.

— Davie est ici, reprit Rob. Tiens, le voilà ! Nous sommes invités sur l'*Antigone*, fils.

— Bonjour, la Flamboyante ! s'écria Davie avant de se tourner vers son père. Vous êtes peut-être obligé de vous rendre aux invitations de Douglas, mais je n'irai certainement pas! Salut, Nellie!

La jeune fille s'écarta légèrement, et Tina fronça les sourcils.

— Ada, emmenez Nell dans la cabine que nous partagerons cette nuit. Viens, Davie, raconte-moi un peu...

Elle lui prit le bras et murmura :

— Des raids intéressants, ces temps-ci ?

— J'ai juste un moment à t'accorder, marmonna-t-il. Ensuite, je vais au Spotted Dick.

— Une taverne ?

— Non. Une maison close, répondit-il en riant.

Il lui offrit une chope de bière, et ils burent lentement à la poupe du navire, en regardant les lanternes s'allumer partout dans le port tandis que la nuit tombait.

— Où alliez-vous quand le vaisseau anglais vous a attaqués ?

— Nous rentrions de France.

— Oh, Davie, quelle chance tu as! Comme j'aurais aimé être un garçon au lieu d'une fille! Montre-moi ce que tu as rapporté.

Il l'emmena dans la soute où étaient entreposées les merveilles acquises en France. Il y avait des miroirs, des paravents de soie, des cabinets de bois précieux, de gracieuses chaises, des repose-pieds, des bureaux.

— Oh, cette écritoire est une merveille! Il me la faut absolument. C'est le cadeau rêvé pour un vieux gentilhomme de mes amis.

— Que j'avale mon épée si tu connais un seul gentilhomme! plaisanta-t-il. Prends-la, je pense que père n'y verra pas d'inconvénient. Elle appartenait à la maîtresse d'un duc qui adorait écrire ses billets doux au lit. Et regarde, si on presse sur cette petite sculpture, là...

— Un tiroir secret! Quelle merveille!... Père a dû aussi rapporter du parfum de France, non ?

— En effet, je lui en ai déjà chipé cinq flacons.

— Tu n'as tout de même pas besoin de ça pour impressionner les jeunes filles! Raconte-leur seulement comment tu as coulé un navire anglais, et on ne parlera plus que de toi dans toutes les tavernes du port.

— On raconte surtout des histoires sur Lord Revanche.

— Lord Revanche ? répéta Tina, intriguée.

— Ne me dis pas que tu n'as jamais entendu prononcer ce nom ! Lord Revanche frappe l'Angleterre par terre et par mer, et sur les deux côtes, la nuit, avec ses vaisseaux fantômes.

— Impossible !

— Rien n'est impossible pour Lord Revanche, apparemment, répliqua David avec un brin de jalousie. Il est en train de devenir un véritable héros. Il ne se contente pas de couler les navires anglais, il s'en empare puis, magnanime, dépose l'équipage sur un lointain rivage.

— Qui est-il ?

— Ah, c'est là tout le mystère ! Un jour on dit qu'il s'agit de l'amiral en personne. Le lendemain, on prétend que c'est son cousin, le comte de Lennox. En ce moment on parle de Bothwell...

— Black Ram Douglas ! murmura Tina en portant la main à sa bouche.

— Pardon ?

— Lord Revanche est Black Ram Douglas. Il a débaptisé le *Valentina* pour l'appeler *Revanche* !

— Tu divagues, la Flamboyante !

— Non, Davie, je suis sérieuse. Il a amené six vaisseaux anglais pour les vendre à Ayr.

David se moqua gentiment d'elle.

— Ce Lord Revanche risque sa vie pour de bonnes causes. C'est un individu qui a le sens de la justice, qui donne aux pauvres et répare le mal qu'on leur a fait. Il est vaillant et bon, s'occupe davantage des autres que de lui-même. Cela ressemble-t-il au portrait de Douglas ?

— Non, avoua-t-elle en riant. Lord Revanche ferait cadeau de ses bateaux au roi pour la protection de l'Ecosse, au lieu de les vendre et de se remplir les poches.

Rob Kennedy, vêtu d'un pourpoint à la dernière mode française, s'approcha d'eux.

— Bon, j'y vais, ma grande. Je te verrai au petit déjeuner avant que Douglas te vole de nouveau à moi.

— Bonne soirée, père.

— Je file aussi, dit Davie avec un clin d'œil. J'ai à faire...

Valentina demeura longtemps seule après le départ des deux hommes. Plus elle y pensait, plus elle était persuadée que Ramsay et Lord Revanche pouvaient être une seule et même personne. Cependant elle regrettait d'en avoir parlé devant David...

Tina se réveilla avec une affreuse nausée.

— Rester à l'ancre toute une nuit est bien pire que d'affronter une tempête, gémit-elle.

Elle alla rejoindre son père et la simple vue de la nourriture lui souleva le cœur. Elle refusait l'idée d'être enceinte, pourtant une petite voix lui rappelait qu'elle n'avait pas été indisposée depuis bien longtemps...

— Tu sais, petite, il y a des gens qui sont malins, et d'autres qui le sont plus encore. Ram Douglas sait fabriquer de l'or. Le roi ferait mieux d'abandonner ses expériences d'alchimie pour transformer le plomb en or, et de charger Douglas de cette tâche.

— En d'autres termes, il vous a vendu un navire ?

— Deux ! Arran en a acquis deux pour la Marine royale, et les autres ont été achetés par O'Malley, un riche armateur irlandais.

Il considéra tendrement sa fille qui buvait un verre de vin coupé d'eau.

— Douglas t'aime beaucoup, apparemment. Il veut t'offrir une nouvelle garde-robe à Glasgow avant de t'emmener à la Cour.

Il hésita un instant, puis posa la question qui lui tenait particulièrement à cœur :

— Et toi, nourris-tu quelque tendresse à son égard ?

Elle soutint le regard de son père et déclara haut et clair :

— Je le détesterai toujours.

Il en conçut un sentiment de culpabilité tout relatif. Il était persuadé qu'il avait bien agi en confiant sa fille à un homme aussi fort et puissant que Douglas. Les temps étaient durs en Ecosse, et cela ne s'arrangerait pas de sitôt.

De retour à bord de l'*Antigone*, Tina se roula en boule sur sa couchette, où elle resta jusqu'à ce qu'ils pénètrent dans le port de Glasgow. Elle se réveilla alors fraîche et dispose, sans l'ombre d'une nausée.

Quand elle monta sur le pont, on avait déjà fait débarquer les chevaux, et ses bagages étaient chargés dans un chariot.

Ramsay l'attendait pour descendre sur le quai.

— Vous êtes-vous bien reposée ? Vous étiez un peu pâle ce matin, quand vous êtes rentrée du *Thistle Doon*.

— Une garde-robe à demi vide me rend toujours malade, dit-elle, les yeux innocents.

— Angus a une demeure à Garrowhill. Demain, je vous emmènerai faire des emplettes en ville.

— J'aurai tout ce que je désire ?

— Oui, tout, promit-il.

La demeure d'Angus était un superbe manoir du XVᵉ siècle, et pour la première fois, Valentina pensa à l'immense fortune et à la puissance qui s'attachaient au nom de Douglas. Les plafonds de la résidence étaient ornés de fresques, l'escalier avait une élégante forme ovale, et les salons regorgeaient d'œuvres d'art et de tableaux du monde entier.

Ram pria le majordome d'Angus d'installer Ada et Nell dans une autre aile. Ce soir, il voulait sa femme toute à lui.

Tina fut agréablement surprise par leur chambre. Immense, elle avait des murs couverts de soie vert d'eau et le plafond s'ornait de scènes de la mythologie grecque. Les portes-fenêtres s'ouvraient sur un petit balcon qui menait à un jardin privé, entouré de murs, où fleurissaient à profusion chrysanthèmes, marguerites et roses trémières. Au milieu chantait une petite fontaine avec un cadran solaire.

La pièce était dotée d'une magnifique cheminée sculptée, mais ils n'auraient pas besoin de feu par cette douce nuit d'automne. Cette demeure était à l'opposé des châteaux, toujours austères. Elle bénéficiait de pièces destinées uniquement aux bains, où l'eau arrivait par des canalisations.

Ils soupèrent dans la solennelle salle à manger et Tina connut le plaisir de se tenir au bout de la table, entourée de deux laquais qui anticipaient le moindre de ses désirs.

Ram était d'humeur badine, et il s'amusa à évoquer ce qu'ils feraient après le repas en utilisant des métaphores, tandis que les valets de pied demeuraient imperturbables. Cependant, Tina se disait qu'il aurait fallu être simple d'esprit pour ne pas deviner qui était «le grand jeune homme d'en bas», qui avait un insatiable désir de visiter à nouveau le jardin parfumé, pour en sentir et cueillir chaque fleur...

Enfin Ram posa sa serviette et se leva.

— Mes compliments au chef, dit-il avant de prendre la main de Tina en lui murmurant à l'oreille : Par Dieu, je ne sais absolument pas ce que j'ai mangé. Je ne pensais qu'à vous.

Néanmoins, il ne se jeta pas sur elle dès qu'ils furent dans leur chambre. Il lui proposa une partie d'échecs et lui raconta des anecdotes de sa jeunesse, lorsqu'il se rendait dans des forteresses retirées des Highlands. Il lui décrivit le château Huntly, qui appartenait aux Gordon.

— Sept étages de grès rouge. De loin, on dirait un château de conte de fées, avec ses tours, ses pignons et ses chemins de ronde. Il surplombe les vertes collines de Fife, et on y entre par une avant-cour située au troisième niveau.

Tout en parlant, il observait sa manière de jouer. Elle bougeait ses pions de façon intelligente et honnête, et il en fut impressionné. Jamais il n'avait connu une femme qui ne trichât pas.

— Ne prétend-on pas que les Gordon sont un peu excentriques ? demanda-t-elle.

— Vous êtes indulgente. Ils sont complètement fous ! La plupart d'entre eux sont illégitimes. Lady Gordon avait naguère jeté son dévolu sur moi pour sa fille Louisa... Elle m'a dit de ne pas m'inquiéter au sujet de l'hérédité, car elle n'avait pas une seule goutte de sang Gordon !

Tina éclata de rire.

— Vous me racontez cela pour me déconcentrer ! Echec au roi ! s'écria-t-elle, pensant l'avoir piégé.

Il bougea son fou.

— Echec et mat.

— Bon sang !

— Pourquoi ne passeriez-vous pas un de ces déshabillés qui poussent un homme à la plus totale dépravation ?

— Cela vous distrairait-il du jeu ?

— Pas de celui que j'ai en tête...

Elle ouvrit le sac qu'Ada avait apporté et y trouva une chemise de nuit de dentelle noire. Oui, cela le distrairait certainement...

Il ne la quitta pas des yeux tandis qu'elle se déshabillait lentement, confiante en la beauté de son corps. Elle cambrait les reins, rejetait sa chevelure en arrière, effleurait son ventre. Avant d'enfiler la chemise, elle se parfuma le bout des seins, le nombril, le pubis, puis laissa la dentelle la voiler tout en la mettant en valeur.

— Vous jouez merveilleusement les maîtresses, ma chérie. Pratiquez-vous depuis longtemps ?

— Oui. Tous mes amants étaient vigoureux.

Ils entamèrent une nouvelle partie que Tina gagna car Ram n'essayait même plus de se concentrer. Elle glissa sa reine entre ses seins, ravie de l'avoir emporté.

— Je la garde. Ainsi, quand vous serez trop prétentieux, je pourrai vous la montrer pour vous remettre à votre place.

Il se dirigea vers elle, le désir brûlant dans son regard. Elle cessa de rire, et ses yeux dorés se voilèrent sous l'effet de la passion. Quand il fit glisser les bretelles de la chemise de nuit, la reine roula sous le lit, mais tous deux s'en moquaient...

300

Il l'embrassa longuement, puis caressa son corps. Il aimait ces préludes autant qu'elle, plus peut-être, car il se réjouissait de la voir ainsi offerte avant de la pénétrer.

— Je me sens plus viril avec toi qu'avec aucune autre femme, murmura-t-il quand il plongea enfin en elle.

Elle tremblait tout entière. Elle aimait son côté animal. Tout en lui était dur comme le fer. Ses bras, son torse, ses jambes…

Ils connurent une jouissance intense qui les laissa épuisés et heureux.

Ram adorait cet instant de répit après lui avoir fait l'amour. Il se sentait repu, entier, plein de vie. Il roula enfin sur le côté, sans la lâcher, et contempla Aphrodite peinte au plafond, nue, sortant de l'onde, sa longue chevelure d'un blond roux cascadant sur ses reins, une main en coupe sur un sein voluptueux.

— Tu es plus belle qu'Aphrodite, dit-il.

— C'est elle?

Il rit.

— Tu manques décidément de culture! Aphrodite, déesse de l'Amour et de la Beauté, est sortie de la mer près de l'île de Chypre. Son mari s'appelait Héphaïstos, et elle était toujours accompagnée des Grâces et d'Eros. Ici, on ne voit que des colombes.

— Comment se fait-il qu'elle me ressemble?

— C'est Angus qui l'a fait peindre, et il est possible que Janet Kennedy ait posé pour l'artiste. Tu ne pensais tout de même pas être la première maîtresse à étrenner ce lit avec son amant?

Elle frotta sa joue contre la poitrine de Ram.

— Crois-tu que le roi l'aime?

— Il aime toutes les femmes. Voilà son point faible.

— Je voulais dire: l'aime-t-il vraiment? insista-t-elle.

— Non, répondit gravement Ram. Le seul véritable amour de sa vie a été Margaret Drummond. Je crois qu'ils étaient mariés secrètement, mais Jacques a cédé à des pressions et accepté d'épouser la fille d'Henri Tudor afin d'établir un lien entre l'Ecosse et l'Angleterre. Il s'est uni à elle par procuration en janvier 1502, mais en novembre il partageait toujours la couche de Margaret Drummond qui lui avait donné un enfant. Il n'avait même pas encore signé le contrat de mariage. Pourtant quelqu'un a décidé d'éliminer Margaret Drummond, qui était un obstacle à l'union entre l'Angleterre et l'Écosse. On l'a empoisonnée. Jacques en a eu le cœur brisé, néanmoins le mois suivant, il signait le traité de mariage et on préparait la venue de Marguerite en Écosse. Quoi d'étonnant s'il la déteste ? Chaque fois qu'il la regarde, il se rappelle que sa bien-aimée a été sacrifiée à cette chienne de Tudor.

Afin d'oublier cette sombre histoire, Ram servit du vin. Tina s'appuya aux oreillers pour le déguster, sa longue chevelure reposant sur ses seins.

— Cette chambre est superbe, dit-elle. Et les nymphes au plafond invitent à l'amour...

— Je préférerais un miroir, la taquina Ram.

Elle en saisit un sur la table de nuit et murmura, rêveuse :

— Pense à tous les secrets qu'il détient, cachés dans son cristal.

Il sourit, attendri, tandis qu'elle s'emparait d'une boîte de laque à l'intérieur de laquelle, sur un coussin de velours, se trouvaient cinq petites sphères d'ivoire.

— Des billes ! s'exclama-t-elle.

— Ce ne sont pas des billes, chérie.

— Alors de quoi s'agit-il ?

— Ce sont des objets érotiques.

— Que veux-tu dire ? demanda-t-elle, intriguée.

— Ce sont des boules de plaisir chinoises. Les Chinois sont beaucoup plus civilisés que nous. Les seigneurs donnent ces boules à leurs concubines pour leur éviter de prendre des amants.

— Mais comment ?

Tina ne comprenait plus rien.

Il s'approcha de son oreille pour lui expliquer :

— Les petites boules remontent en toi, puis tu t'assieds sur une balançoire et tu vas d'avant en arrière jusqu'à ce que la jouissance arrive.

— Ram ! protesta-t-elle, choquée. Tu inventes !

— Je vais te montrer, murmura-t-il.

Il introduisit doucement en elle les billes d'ivoire puis l'emporta dans le jardin. Les bras serrés autour de son cou, elle était déjà émoustillée par l'indécence de leur jeu.

Un rossignol chantait lorsqu'il la déposa sur la balançoire et entreprit de la pousser. Les sensations commencèrent en haut de sa course, quand elle se mit à redescendre vers Ram, et elle poussa un petit cri de surprise, ravie.

Aussitôt, Ram arrêta la balançoire et la reprit contre lui.

— Je ne supporte pas que tu sois excitée par autre chose que moi ! déclara-t-il sauvagement.

Il s'assit sur l'étroit siège et la prit sur ses genoux pour retirer les petites sphères d'ivoire.

— Chevauche-moi, ordonna-t-il.

Elle obéit et cria de plaisir quand Ram la pénétra et, du pied, poussa la balançoire.

Accrochée à lui, elle vogua vers le paradis sur les ailes du vent...

27

Dans la grand-rue de Glasgow, Ram s'arrêta d'abord chez le fourreur. Valentina était incapable de résister aux splendides peaux exposées... Elle en caressa des douzaines, toutes plus splendides les unes que les autres.

Ram savait exactement ce qu'il voulait. Lorsque le commerçant lui posa un manteau de zibeline noire sur les épaules, Tina sut que jamais elle n'avait été aussi belle.

Le fourreur, habitué aux hommes accompagnés de leurs jolies maîtresses, lui présenta une cape de velours émeraude au capuchon de renard fauve, avec un man-chon assorti.

— Oh, Ram, c'est ma couleur favorite !

— Essayez-la, dit-il, indulgent.

Elle se regarda dans la psyché avant de se tourner vers Ram, dont les yeux brûlaient comme des flammes.

— Vous avez vraiment l'air d'un félin, dit-il.

Puis il pria le commerçant de faire livrer les deux vêtements à Garrowhill.

Chez la couturière, Ram laissa le libre choix à Tina. Simples ou raffinées, ses toilettes faisaient toujours d'elle la plus jolie femme d'une assemblée. D'autre part, elle avait un goût parfait et savait précisément ce qui la mettait en valeur. Deux vendeuses l'aidèrent à se déshabiller pour prendre ses mesures et s'extasièrent sur la finesse de ses sous-vêtements.

Tina rougit, confuse.

— C'est ma femme de chambre qui les dessine et les brode pour moi. J'ai de la chance !... Il me faudrait quelques robes pour la Cour.

Les femmes s'éloignèrent, et Ram vint poser un bras autour de la taille de Tina.

— Tu es tentante comme le péché originel, mur-mura-t-il.

La propriétaire de la boutique revenait avec deux robes.

— Je ne tiens pas au rouge, mais je vais essayer l'autre.

Elle était noir et argent, avec un décolleté audacieux, une jupe froufroutante, et Tina choisit une collerette noire aux petites perles d'argent.

Elle était un peu large à la taille et un peu longue. On la lui épingla à ses mesures, et quand ils furent seuls, Ram s'approcha pour caresser doucement ses seins.

— Arrêtez, on va nous voir, protesta-t-elle.

— C'est toi qui veux jouer le rôle de la maîtresse...

Il glissa la main entre ses jambes et elle fit un bond, horrifiée à l'idée qu'on pût les surprendre.

La couturière apporta deux autres robes : l'une abricot au corsage plissé, l'autre blanche, de coupe très simple mais moulante et audacieuse. Tina les adora.

— La blanche est faussement dépouillée pour mettre les bijoux en valeur, expliqua la couturière. Il y a un joaillier à côté, et...

— J'ai le mien, madame, coupa fermement Ram.

On emporta la toilette vers l'atelier, et Ram prit Tina sur ses genoux. Elle se redressa, outragée.

— Je ne suis pas venue ici pour que vous attentiez à ma pudeur ! s'indigna-t-elle.

— Ah bon ?

Elle le gifla avant d'enfiler sa robe.

— J'ai changé d'avis ! s'écria-t-elle, se souciant peu d'être entendue. Je n'ai plus envie d'être votre maîtresse, Lord Douglas !

Elle se précipita vers la porte et sortit dans la rue, où il ne tarda pas à la rattraper.

— Doucement, sorcière. Je voulais seulement vous infliger une bonne leçon. Je ne veux pas non plus de vous comme maîtresse, je vous veux comme épouse.

Tina fondit en larmes.

— Bon sang, qu'ai-je dit ? demanda-t-il, déconcerté.

Tina lui en voulait, s'en voulait, en voulait à la terre entière... Elle avait eu de nouvelles nausées au réveil et craignait d'être enceinte, ce qui la rendait affreusement nerveuse.

— Laissez-moi, sale individu ! siffla-t-elle en lui tournant le dos.

Il n'avait pas l'intention de supporter longtemps ses humeurs. Les femmes ! Jamais contentes, même si vous dépensez une fortune en croyant leur faire plaisir ! Il héla un de ses hommes qui attendait patiemment près de leurs chevaux.

— Ramenez Lady Valentina à Garrowhill. Et attention, elle a la langue plus meurtrière qu'un scorpion aujourd'hui.

Tina n'osait faire part de ses craintes même à Ada. En théorie, il était parfait de porter l'héritier tant souhaité de Douglas pour ensuite le quitter sans autre forme de procès, mais la froide réalité était tout autre.

Elle ne voulait pas que son enfant fût illégitime. D'autre part, elle avait fort peu de chances de tenir Black Ram éloigné de son bébé, surtout s'il s'agissait d'un garçon. Il saurait parfaitement venir le chercher...

Pour se remettre les idées en place, Ram se rendit dans sa taverne favorite, où il retrouva des gardes du roi et apprit que Jacques était en train d'inspecter la construction d'un nouveau navire sur la Clyde. Aussitôt, Ram se mit à sa recherche et ne tarda pas à le trouver en compagnie de l'amiral Arran, venu à Glasgow sur l'un des bateaux qu'il lui avait achetés à Ayr.

— Superbes, Douglas, les vaisseaux que vous avez vendus à la Marine royale. Pourquoi diable ne nous avez-vous pas cédé les six ?

— Certains bateaux anglais sont trop lourds, sire. Ils ne seraient pas efficaces sur nos rudes mers nordiques.

— J'ai prié Angus de nous laisser utiliser sa flotte, et je crains que nous n'en ayons besoin dans sa totalité. Les Anglais attaquent nos villes jusque dans l'extrême Nord. La magnifique cathédrale d'Elgin a été complètement détruite. Et, pour ajouter l'insulte à l'injure, le nouvel amiral d'Angleterre n'est autre que le fils du comte de Surrey, Thomas. J'ai expédié l'ambassadeur Howard en Angleterre avec un sérieux avertissement au jeune Henri Tudor.

— Bon débarras ! déclara Ram. Il est dans le secret de toutes les affaires d'Ecosse et tient le Léopard au courant de tous nos actes.

— Marguerite écrit à son frère chaque semaine, mais à son insu j'intercepte son courrier, dit le roi.

— Les frontières sont dévastées, sire. Les seigneurs ont tenu une réunion à l'Hermitage de Bothwell et m'ont chargé de vous tenir au courant. Les Anglais sont en garnison à Berwick, et Lord Dacre commande celle de Carlisle. Henri Tudor a la prétention de prendre le contrôle de l'Ecosse et il utilisera tous les moyens pour y parvenir. Villes, villages, abbayes partent en flammes, les habitants subissent des atrocités.

— Venez souper avec moi. Nous parlerons de la façon dont il faut réagir. Dieu, que j'aimerais avoir une douzaine de capitaines Revanche !

Jacques regarda Arran, puis Douglas, persuadé que l'un d'eux connaissait l'identité de cet audacieux capitaine.

— Savez-vous, poursuivit-il, que le roi Henri a promis une rente annuelle de mille livres à quiconque le ferait prisonnier ?

— Bon sang, je le livrerais bien moi-même pour une somme pareille ! déclara Ram en riant.

Ramsay attendit qu'Arran les eût quittés avant de faire d'autres révélations au roi. Il l'informa que Heath Kennedy avait accepté de passer l'hiver en Angleterre afin d'espionner pour leur compte.

Merci. J'ai également quelques informateurs là-bas. Toutefois, si nous en venons à la guerre, ce ne sera pas cette année. Les tempêtes d'automne ont commencé, et Henri ne risquerait pas son armée dans notre climat difficile.

— Henri est inexpérimenté, sire, mais l'armée et la flotte anglaise sont les mieux équipées du monde. D'autre part, ses soldats ont une qualité qui manque aux Ecossais…

— La discipline, hélas ! termina Jacques. Eh bien, nous avons toujours notre traité avec la France. Si l'un de nos pays est attaqué par l'Angleterre, l'autre est tenu d'entrer en guerre.

— Les traités sont parfois ignorés, ou brisés, objecta Douglas.

— Je peux réunir une armée de vingt mille hommes, parmi tous les clans. A mon avis, Henri Tudor ignore que nous sommes si nombreux. Seriez-vous d'accord pour vous rendre à Londres et l'informer du tort que vingt mille barbares pourraient faire à ses soldats ?

Il lui demandait de mettre son cou dans un nœud coulant !

— Je me crois plus efficace à la frontière ou sur un bateau que comme ambassadeur, dit Ram sincèrement. Me donnez-vous des lettres de représailles contre les Anglais, sire ?

Jacques baissa les paupières sur ses yeux rusés.

— Ah, je comprends enfin ! Je les rédigerai moi-même, mais je vous préviens : si vous êtes pris, elles ne vous serviront à rien. Henri Tudor vous pendra pour piraterie !

— Le nouvel amiral d'Angleterre, Thomas Howard, n'est lui-même qu'un flibustier. Il faut donc un pirate pour lui damer le pion !

— Je ne voulais pas dire maintenant, mais plus tard, avant que je déclare la guerre, accepteriez-vous d'aller à Whitehall ? insista Jacques.

Ram mit ses mains entre celles du roi et répondit solennellement :

— Je suis à vous. Je passerai l'hiver à Douglas... Mais qu'en est-il des frontières ?

— J'ai déjà envoyé des renforts. Les Kerr, les Hepburn et les Logan y sont partis.

Bien qu'il fût tard lorsque Ram regagna la résidence, il envoya un messager à la forteresse pour demander à Cloin de rentrer à Douglas et d'emmener M. Burque avec lui. Tina serait déçue de ne pas se rendre à la Cour, mais la présence de son cuisinier au château lui rendrait la vie plus agréable.

Il hésitait à la déranger à une telle heure, pourtant il avait tellement envie d'elle...

Dans son pourpoint se trouvaient les bijoux qu'il lui avait achetés, et il avait hâte d'attacher le collier d'émeraudes autour de son joli cou. Il en avait la gorge sèche...

Lorsqu'il trouva la porte verrouillée, il appela :

— Tina, ouvrez !

— Allez-vous-en !

— Tina ! gronda-t-il, menaçant.

Seul le silence lui répondit.

— Je compte jusqu'à trois !

— Vous pouvez compter jusqu'à trois mille si ça vous chante et si vous en êtes capable, je ne vous ouvrirai pas.

308

— Petite chipie! s'écria-t-il, furieux. Si vous vous croyez à l'abri derrière une porte close!...

Il se dirigea vers le sommet de l'escalier, orné d'une statue sur son piédestal, arracha la statue et se mit à en marteler le battant.

Tina, cette fois vraiment inquiète, cria :

— Vous n'avez pas intérêt à casser cette porte! Vous feriez mieux d'aller chercher une autre maîtresse!

La porte céda enfin sous les coups redoublés.

— Que croyez-vous que j'aie fait pendant huit heures? demanda Ramsay, les yeux dangereusement noirs.

Elle eut un haut-le-corps.

— Ignoble personnage! Vous n'obtiendrez plus rien de moi.

Il parcourut du regard ses cheveux sagement nattés et sa chemise de nuit monacale.

D'une main puissante, il déchira le haut de la chemise, dégageant ses seins ravissants.

Elle lui griffa la joue, mais il éclata d'un rire sardonique.

— Vous avez besoin d'une leçon d'obéissance, madame. Écoutez-moi bien : je vous prendrai quand je voudrai, où je voudrai, par terre, dans un lit, au beau milieu de la rue! Et autant de fois que je le souhaiterai.

— Pas question! Vous pouvez me battre à mort! répondit-elle, pleine de défi.

— Je ne vais pas seulement te battre, je vais te violer!

Elle releva le menton, des éclairs de haine dans les yeux.

— Vous n'oseriez pas!

Lentement, délibérément, il déboucla son ceinturon et l'enroula autour de ses doigts. Puis il s'assit sur le lit et, d'une poigne d'acier, la coucha en travers de ses genoux avant de lever le bras dans l'intention de lui administrer une fessée.

— Douglas, non! hurla-t-elle. Je crois que j'attends un bébé!

Il lâcha la ceinture et la releva durement par les épaules.

— Encore une de tes ruses, hein ?

— Non, murmura-t-elle. J'ai mal au cœur, le matin.

Un éclair d'espoir traversa le cœur de Ram.

— Sorcière ! C'est toi qui me pousses à la violence. T'ai-je fait mal ?

— Oui ! Vous m'avez fait mal tout à l'heure quand vous m'avez traitée comme une catin, et vous m'avez fait mal en restant absent jusqu'à minuit. Et puis vous arrivez, fin soûl, vous défoncez la porte et vous me violez…

— Fin soûl ? Je n'ai pas bu une goutte d'alcool !

— C'est encore pire ! cria-t-elle avec colère, sentant qu'elle avait l'avantage sur lui. Votre attitude est inexcusable.

— Dieu, la Flamboyante, je n'ai jamais le dernier mot avec toi !

Elle se dégagea et enfila son déshabillé.

— Vous vous en rendez compte seulement maintenant, Douglas ? Lorsque nous serons à la Cour, j'annoncerai au roi que notre concubinage est terminé.

— Tu oublies l'enfant ?

— Pas du tout. Il est hors de question que je porte votre bâtard. Je prendrai un abortif.

Il se dressa devant elle, impressionnant, n'osant pas lever la main car il aurait été capable de la tuer. Fou de rage, il alla à la porte et hurla :

— Ada !

C'était presque un cri de bataille, et la gouvernante arriva en courant.

D'une voix faussement calme, il déclara :

— Nous n'allons pas à la Cour. Nous nous rendons à Douglas. Veillez bien sur elle. Si elle avorte de l'enfant qu'elle porte, je ne réponds plus de mes actes.

Il avait à peine claqué la porte derrière lui qu'Ada gémit :

— A quoi jouez-vous encore ?

— Je crois que j'attends un bébé.

— Et vous n'en voulez pas ? J'ai honte de vous, Tina. Pas étonnant que Lord Douglas soit furieux !

— Je lui ai dit que je me ferais avorter, mais c'était juste pour le blesser.

— Bon sang, vous aimez les complications ! Il serait temps que vous grandissiez un peu. Regardez autour de vous ; il vous traite comme une reine !

Tina jeta un œil aux murs drapés de soie, au plafond peint, aux boîtes dans un coin de la pièce, qui contenaient ses nouveaux achats.

— Vous ne savez pas comment il se comporte ! cria-t-elle. Il veut me mater d'une main d'acier. Il n'aime que la domination pleine et entière !

— Ne comprenez-vous pas qu'il y est obligé, vu votre caractère ? Vous seriez insupportable avec un homme plus doux.

Tina fut stupéfaite. Pour une fois, Ada n'était pas de son côté. Elle se mordit la lèvre et demanda calmement :

— Vaut-il mieux, comme Nell, être une petite souris soumise ?

28

Damaris, à une fenêtre, fut heureuse de voir la jeune femme rentrer saine et sauve. Elle ne s'était pas aventurée hors de sa chambre depuis des jours, mais elle se glissa vers la grande porte d'entrée, prenant bien soin de laisser la chatte Folie à l'intérieur car Pochard était tout excité par le retour de son maître.

Valentina fut la première à franchir le seuil, et le chien sauta sur elle pour lui lécher le visage.

— Couché ! ordonna Ram sèchement.

Le pli amer de ses lèvres indiqua aussitôt à Damaris que tout n'allait pas pour le mieux dans le couple. Elle se raidit en sentant Alexander à ses côtés.

— *Querelle d'amoureux*, murmura-t-il à son oreille.

Comment les hommes pouvaient-ils manquer à ce point d'intuition ?

Elle s'éloigna, feignant de ne pas avoir remarqué sa présence, mais Alexander la suivit et enroula une mèche de ses cheveux autour d'un doigt. Damaris se dégagea d'une secousse.

— *Je ne comprends pas que tu sois si désolée pour Valentina*, dit-il. *Elle est bien assez forte pour tenir tête à Ram.*

— *Il ne va certes pas la violer au milieu de la pièce*, grinça-t-elle. *Ce que je veux voir, c'est comment il se comporte quand il est seul avec elle.*

— *C'est du joli !* plaisanta-t-il. *Mais peut-être regarderai-je aussi, cela me donnera des idées.*

— *Tu n'as pas besoin de ça pour en avoir, espèce de débauché !*

Il sourit.

— *Ah, tu te souviens ?*

— *Pourquoi a-t-il fallu que je recommence à te parler ?* demanda-t-elle, exaspérée.

— *Parce que cela te distrait, sans doute.*

Damaris disparut.

— Priez les domestiques de monter mes bagages dans la chambre de Damaris, dit Tina à Ada.

Ramsay ne protesta pas. Il informa le régisseur qu'il avait amené soixante hommes avec lui et se rendit dans la salle commune afin de voir qui résidait au château parmi ses cousins.

Ada et Tina soupèrent dans leur chambre, puis Tina prit un bain. Avant de pénétrer dans sa baignoire, elle caressa son ventre plat.

— Cela ne se voit pas... Peut-être me suis-je trompée.

— Quand avez-vous été indisposée pour la dernière fois ?

Tina hésita, haussa une épaule.

— A vrai dire, je ne l'ai pas été depuis le début de notre union.

— Trois mois !

Damaris ne pouvait contenir sa joie.

— Oh, c'est merveilleux, vous devez être enchantée !

312

— Cet enfant ne me réjouit vraiment pas, Ada. Je regrette qu'il ait été conçu si vite.

Damaris était déconcertée.

— *Comment pouvez-vous réagir ainsi, Tina? Mon malheur est de n'avoir pas eu le temps de faire un enfant. Si j'avais laissé derrière moi un fils ou une fille que j'aurais pu regarder grandir, je serais moins malheureuse. J'en suis déchirée depuis quinze ans. Et vous allez avoir l'enfant dont j'ai toujours eu envie...*

Tina cligna des yeux pour ravaler ses larmes.

— Et le pire, c'est que je l'aime déjà...

Damaris poussa un long soupir de soulagement.

— Bien sûr! déclara Ada en tendant à Tina la serviette qu'elle avait mise à chauffer devant la cheminée. Un jour, vous vous féliciterez même que le père soit si viril!

Tina se laissa tomber sur son lit.

— Je suis épuisée. J'aimerais bien que M. Burque soit là. Je meurs d'envie d'hypocras, et lui seul en détient la recette...

Gavin Douglas revint à l'aube, hâlé par son séjour à bord du *Caprice*, rebaptisé le *Revanche*.

— Tu ne t'es pas ancré à Leith, je suppose? lui demanda Ram.

— Pas si bête! Le bateau est bien caché.

— Henri Tudor a offert une rente annuelle de mille livres à celui qui capturera Lord Revanche.

— Dieu, pour cette somme, je le livrerais volontiers moi-même! s'écria Gavin en riant.

— C'est exactement ce que j'ai dit au roi! Toute plaisanterie mise à part, si tu es pris, tu seras pendu pour piraterie. Tu es tout autant Lord Revanche que moi.

— La flotte anglaise reste dans la mer du Nord, mais nous avons coulé deux navires qui rôdaient du côté de l'île de May.

— Tiens-toi surtout à l'écart de Berwick, conseilla Ram. Les Anglais y tiennent garnison.

— Coldstream et Kelso ont été dévastées. Les belles récoltes d'automne ne sont plus que terres brûlées.

— As-tu pu remplacer leur fourrage pour l'hiver ?
Gavin sourit.

— Oui, nous en avons trouvé le long des rives fertiles de la Tyne.

— Drummond dirige-t-il l'un des navires d'Angus ?
Gavin hocha la tête.

— Ian aussi, et Jamie est presque prêt. Il est très doué.

— Le sang qui coule dans les veines des Douglas est en réalité de l'eau de mer, déclara Ram.

— Et notre petit frère Cameron ? Ne crois-tu pas qu'il est temps de lui confier une charge ?

— Il a bien assez de responsabilités pour le moment. Je l'ai laissé à la frontière avec une cinquantaine d'hommes sous ses ordres.

Gavin émit un petit sifflement et Ram le devina un peu jaloux.

— Tu ne peux pas tout faire, mon vieux.

— Tu y arrives bien, toi !

Tina s'aperçut que si elle restait allongée une bonne heure après son réveil, les nausées s'estompaient. Et, en se regardant dans le miroir, elle constata que la grossesse l'épanouissait. Ses cheveux, plus beaux que jamais, bouclaient autour d'un visage rayonnant de santé, et ses seins gonflés donnaient à sa silhouette une allure plus sensuelle.

Lorsqu'elle pensait à Ram Douglas, elle ne pouvait s'empêcher de reconnaître qu'elle adorait leurs disputes, leurs cris et leurs bagarres autant que leurs joutes sexuelles. C'était un adversaire digne de ce nom ! Elle ne regrettait rien de ce qui s'était passé entre eux... pas un mot, pas un regard.

Mais pour l'instant, elle le chassa de son esprit : elle avait hâte de porter l'écritoire à Malcolm le Fou.

Jenna venait de lui faire sa toilette et il était de fort méchante humeur, pourtant ses yeux brillèrent de plaisir lorsqu'il vit le cadeau de Valentina. Il attendit avec un air de conspirateur le départ de Jenna pour sortir ses parchemins et les poser sur la tablette.

Pour une fois, la pièce n'était pas jonchée de carafes de vin et de whisky. Malcolm ne sentait pas l'alcool, ne semblait pas ivre. Tina lui montra le tiroir secret, et il s'empressa d'y enfermer quelques pages.

— Vous êtes une pure merveille, petite… J'ai presque terminé l'histoire du Château des Dangers. Est-*il* rentré?

— Qui?

— L'empoisonneur, répondit-il à voix basse. Alex. Non, pas Alex, je les confonds toujours. L'autre brun.

— Moi, Malcolm? demanda Gavin qui venait d'entrer et avait entendu la dernière phrase.

— Ram? demanda Malcolm en plissant les yeux.

— Je suis vexé! rétorqua Gavin gaiement. Je suis bien plus beau que mon frère!

Tina offrit son charmant sourire au jeune homme.

— Comme c'est gentil de venir lui rendre visite!

— Foutaises! C'est vous que je cherchais. Je suis ici seulement pour une journée.

Le vieillard pouffa.

— Les femmes ont toujours été la perte des Douglas, depuis que l'épouse du premier comte s'est enfuie avec son palefrenier. Tout est là, ajouta-t-il en tapotant l'écritoire.

En réalité, Gavin était à la recherche de Jenna, Tina le savait.

— Vous l'avez manquée de peu. Je crois qu'elle se rendait à la salle commune.

Ils laissèrent Malcolm à ses écritures et descendirent l'escalier ensemble.

— Je serais heureuse que vous demandiez à Jenna de priver Malcolm de vin et de whisky, dit-elle.

Ram, qui passait par là, intervint:

— C'est son seul plaisir. Laissons-le boire, déclara-t-il.

— Excusez-moi, murmura Tina à Gavin avant de tourner le dos à Ram et de remonter l'escalier.

Gavin jeta un coup d'œil à son frère.

— Brr… Le feu et la glace. Tu ne l'as pas encore

dégelée ? Tu devrais lui faire un petit. Rien de tel que la maternité pour adoucir les femmes, paraît-il.

— Mêle-toi de tes affaires ! aboya Ram.

Mille problèmes réclamaient son attention avant qu'il pût retourner sur le *Revanche*. Bien qu'il y eût sur le domaine des paysans et des fermiers pour s'occuper du bétail, tous prenaient leurs ordres de Ram en ce qui concernait le nombre de bêtes à vendre ou à abattre. D'autre part, les moissons n'étaient pas terminées et la pluie menaçait.

Ram regarda le ciel et décida de mettre tous ses hommes d'armes au travail des champs. Faucher était un excellent exercice.

Comme Tina se dirigeait vers les écuries, il décida de lui interdire de partir dans une de ses folles chevauchées. Il la suivit à l'intérieur et déclara au palefrenier qui sellait Indigo :

— Elle ne sortira pas. Elle est grosse.

Tina se retourna, les yeux brillants de rage. Comment osait-il parler ainsi de son état devant tout le monde ?

Ils s'affrontèrent du regard, et Ram se dit qu'elle était la plus belle femme du monde. Il avait eu envie d'elle toute la nuit, or elle ne rêvait que de se débarrasser de lui. Il faillit la prendre dans ses bras, la serrer contre lui, mais il résista. Il avait commis une terrible erreur en lui laissant voir combien il tenait à elle.

Soudain Tina comprit qu'il avait fait allusion à Indigo, pas à elle, et elle ravala ses paroles insolentes. La jolie jument attendait un poulain de Ruffian.

Un petit sourire aux lèvres, Tina s'inclina légèrement vers lui.

— Je promets de monter prudemment.

— Je me moque de ce qui peut vous arriver, c'est la jument qui m'inquiète.

Elle en fut blessée au plus profond d'elle-même et s'enfuit en courant pour qu'il ne pût voir les larmes qui lui montaient aux yeux.

Colin et M. Burque arrivèrent en début d'après-midi.

Tina fut heureuse de revoir Colin. La douceur de son caractère était délicieusement reposante.

— Vous êtes plus belle que jamais, dit-il. Mon portrait ne vous rend pas justice.

— Est-il fini ?

— Pas tout à fait. Patientez encore un peu.

Puis Tina et Ada se rendirent aux cuisines pour accueillir M. Burque. Toutes les filles de la maison accouraient, sous un prétexte ou un autre, et pouffaient ou rougissaient dès que le beau Français regardait dans leur direction.

— Je ne sais pas comment j'ai pu survivre sans vous ! déclara Tina, perchée sur un tabouret.

— Moi non plus, renchérit Ada avec un clin d'œil qui fit rougir le chef à son tour.

— Qu'aimeriez-vous pour souper, ma douce ? Je serai heureux de vous préparer ce qui vous fera plaisir.

— Du coq au vin ! répondit Ada en se léchant les babines.

— Coquine ! protesta Tina. Je meurs d'envie d'hypocras. Voudriez-vous en confier la recette à Ada, afin qu'elle puisse m'en faire quand vous n'êtes pas là ?

— C'est tout simple. Du vin rouge, des clous de girofle, des zestes de citron, du gingembre et de la cannelle. Le secret est dans la préparation : on doit faire chauffer le vin dans un chaudron et le servir dans un calice. Je vous en ferai ce soir.

Ram et ses hommes se battirent contre les éléments dans les champs. Un vent froid soufflait de la mer, pénétrant, mais ils continuèrent à travailler, sachant que lorsqu'il se calmerait, la pluie viendrait. Le déluge commença à huit heures, et ils avaient fauché une vingtaine de prés. Ils rentrèrent le foin en parvenant à le tenir au sec, mais eux-mêmes étaient trempés jusqu'aux os. Un bon feu et un repas chaud ne seraient pas superflus !

Colin et Gavin, près de la cheminée, écoutaient Tina leur chanter une ballade écossaise en s'accompagnant de son luth. La pièce, quasiment vide, se remplit rapidement d'hommes glacés qui réclamèrent du whisky à grands cris.

Ram s'approcha du feu au moment où un page apportait un calice à Tina.

— Voici un breuvage secret que M. Burque vous envoie, madame, dit-il.

Ram le lui arracha des mains et le jeta au feu.

— Garce! s'écria-t-il, furieux.

Elle le fixa, stupéfaite, les joues rouges d'embarras. Colin ramassa aussitôt le calice, tandis que Gavin passait un bras protecteur autour des épaules de Tina.

— Ce n'était que de l'hypocras, protesta-t-elle, indignée, avant d'ajouter, les dents serrées : Je vous hais!

Ram ressentit les regards affectueux de ses deux chevaliers servants comme une insulte personnelle.

— Montez dans votre chambre! ordonna-t-il.

Elle lui lança un regard méprisant puis sortit de la pièce, digne comme une reine.

Gavin serra les poings. Il avait fort envie de corriger son frère.

— Je vais partir, dit-il enfin. Le temps ne s'améliorera pas d'ici demain matin.

Tina se précipita à la cuisine où M. Burque lui fit chauffer sa boisson préférée. Munie de son calice, elle monta l'escalier, mais le dernier endroit où elle avait envie de se rendre était bien sa chambre. Comme elle passait devant la porte de Colin, elle se rappela les croquis qu'il avait faits d'elle, et la curiosité l'emporta sur la discrétion.

La pièce était dans un désordre indescriptible. Il y avait des toiles, des couleurs et des fusains partout, ainsi que des piles de dessins, certains rangés, d'autres éparpillés sur le sol. Comme elle se penchait pour les regarder, elle s'étonna de constater qu'il s'agissait de femmes nues. Non que cela la choquât, mais il n'y avait vraiment que ça. Comme elle en saisissait un, un peu jauni par l'âge, elle reconnut le visage de Damaris.

— Ô mon Dieu! s'exclama-t-elle. Si elle posait nue pour Colin, si elle trompait Alexander avec son propre frère, pas étonnant qu'il l'ait empoisonnée!

Elle décida de le montrer à Ada. Prenant un dessin, elle le roula soigneusement. Elle se dirigeait vers la porte lorsqu'une toile sur un chevalet attira son attention. Elle s'approcha, n'en croyant pas ses yeux.

Elle était étendue dans la bruyère, entièrement nue, les bras tendus vers un invisible amant, les yeux voilés par la passion. Les seins étaient bien les siens, les cheveux aussi, et même le triangle roux entre ses jambes. On aurait juré qu'elle avait posé pour l'artiste. Elle s'enfuit en courant, écœurée par l'odeur d'huile de lin.

Tina s'assit sur son lit, les jambes tremblantes, et déroula le portrait de Damaris.

Celle-ci s'approcha pour voir ce que la jeune femme regardait et faillit tomber à la renverse.

— *Oh, non! Alexander avait raison!*

La querelle qu'elle avait eue avec son époux bien-aimé quinze ans auparavant était encore fraîche dans son esprit. Elle se rappelait chaque mot, chaque reproche, chaque injure, la douleur, les cris, les larmes, le silence... Elle retourna à son siège près de la fenêtre, perdue dans ses souvenirs.

Tina alla à la cheminée pour examiner le portrait de sa ravissante tante à la lumière des flammes. Elle suivit du doigt les traits délicats, les mèches blondes, la bouche tendre et fragile. D'instinct, elle sentait l'innocence de la jeune femme et imagina Damaris parmi les champs de bruyère en compagnie de Colin, comme cela lui était arrivé. Elle devinait que Damaris avait posé en toute bonne foi, sans se douter des fantasmes de l'artiste.

Tina sursauta quand Ada lui parla.

— Oh, Ada... Je ne vous ai pas entendue entrer.

— Vous vous sentez bien? demanda la gouvernante, inquiète de la trouver pâle et défaite.

— Oui... non. Oh! Ada, que pensez-vous de ce dessin que j'ai trouvé dans la chambre de Colin?

Ada jeta un coup d'œil au nu érotique.

— Damaris et Colin étaient amants, souffla-t-elle.

— Non! protesta vivement Tina.

— Ne soyez pas si naïve... C'est évident.

— Vous vous trompez, insista la jeune femme. Il m'a représentée nue, moi aussi. D'ailleurs sa chambre est pleine de portraits de femmes nues.

— Colin ? Alors il doit être aussi tordu que son corps est abîmé. Que penserait Ram s'il voyait cela ?

— Il serait convaincu que j'ai posé pour lui. Il me prendrait pour une catin.

— Il faut détruire ce tableau. Venez, allons-y tout de suite.

Elles coururent à la chambre de Colin, mais la porte en était verrouillée cette fois-ci. Ada levait le poing pour frapper quand Tina l'arrêta.

— Je ne veux pas le rencontrer, chuchota-t-elle. Et je mourrais de honte si quelqu'un voyait ce nu. Je viendrai le chercher demain, lorsqu'il aura quitté sa chambre.

Ada acquiesça, et elles retournèrent sans bruit chez Damaris.

Le lendemain matin, quand Ada lui annonça que Colin était descendu prendre son petit déjeuner, Tina se glissa dans sa chambre, où elle eut la surprise de s'apercevoir que la toile avait disparu. A sa place se trouvait un portrait presque terminé de Tina, vêtue de la robe qu'elle portait ce jour-là, le vent jouant joliment dans ses cheveux. Elle eut beau fouiller partout : aucune trace du nu. Pourtant elle ne l'avait pas inventé !

Elle eut un frisson d'angoisse. Il y avait quelque chose d'inquiétant dans l'atmosphère, ce jour-là. Le Château des Dangers...

Ada la regarda de curieuse façon lorsqu'elle lui raconta sa mésaventure, comme si elle pensait que la jeune femme avait rêvé.

Tina ne parvenait pas à chasser sa peur. Et si Ramsay avait vu le nu ? Il pourrait prétendre que l'enfant qu'elle portait n'était pas de lui. Il lui avait parlé si cruellement la veille, aux écuries ! Non. S'il l'avait vu, il aurait été bien plus dur encore : il l'aurait battue à mort. Elle souhaita de tout son cœur qu'il partît ce jour-là. Il lui fallait du temps pour dénicher ce satané portrait, et en apprendre davantage sur Colin. Elle envisagea d'aller trouver Gavin et fut catastrophée en apprenant qu'il avait quitté le château dans la nuit.

Le déluge de la veille s'était transformé en crachin, et Ram ordonna à ses hommes d'affûter leurs armes, de réparer les harnais. Il devait partir le lendemain, pourtant il répugnait à laisser Tina alors que tout allait si mal entre eux. Il avait été stupide de jeter l'hypocras. S'il l'aimait, il fallait lui faire confiance... Il se rappelait la nuit des Gitans et la façon dont ils avaient fait l'amour, il voulait revivre ces instants... Comment tout s'était-il dégradé de la sorte ? Ils étaient à présent comme des étrangers...

Ce soir, il l'aimerait, il lui donnerait les émeraudes... A cette pensée, le désir monta en lui, violent, irrépressible, et il demeura immobile dans la cour, sous la fenêtre de Tina, indifférent à la pluie qui pénétrait ses vêtements.

Tina était désespérée, perdue. Peut-être aurait-elle mieux fait d'aller voir Ramsay pour tout lui raconter... Brusquement, elle ne voulait plus qu'il pensât du mal d'elle. Elle voulait son amour ! Mais pourquoi ? Ils étaient ennemis, et elle avait juré de se venger des insultes faites aux Kennedy. Mais elle n'était qu'une enfant gâtée, à l'époque. Maintenant elle était devenue une femme, avec la maturité, les besoins d'une femme. Et bientôt elle serait mère, responsable d'un enfant, de l'enfant de Ramsay. Dieu, comment en était-elle arrivée à ce marasme ? Il l'aimait, au point de vouloir l'épouser, et elle l'avait bafoué, elle s'était enfuie. Pourtant, il lui avait offert une nouvelle chance, l'avait ramenée chez lui. Or elle avait refusé son enfant, et maintenant il ne rêvait plus que de se débarrasser d'elle.

Les yeux voilés de larmes, elle alla à la fenêtre et regarda la cour sans rien voir. Enfin, elle prit conscience de la présence de Ram, debout sous sa fenêtre et trempé jusqu'aux os. Elle se sentit affreusement coupable. Quel genre de femme était-elle donc? Elle allait descendre commander à M. Burque un souper spécial, bien épicé pour chasser le froid. Puis elle préparerait à Ram des vêtements secs et ferait allumer un feu dans sa chambre.

Elle posa la main sur son ventre. Elle portait l'héritier des Douglas, et il avait droit au titre, aux châteaux, à la fortune du clan. Le priverait-elle de tout cela en refusant d'épouser son père? Etait-elle à ce point égoïste? La vie n'était pas un jeu!

Soudain, elle entendit jurer et pester au loin. Malcolm le Fou? Elle décida d'aller le voir, peut-être cela le calmerait-il…

Comme elle montait l'escalier de la tour, les cris s'intensifièrent. Quelqu'un avait-il renouvelé sa provision d'alcool?

— Oh, petite, aidez-moi! hurla-t-il dès qu'il l'aperçut. Il va me tuer!

Il était bel et bien ivre…

— Chut, Malcolm. Qui veut vous tuer?

— Alex!

— Non, Malcolm. C'est impossible.

— Ce n'est pas Alex, c'est l'autre. Il a voulu m'étouffer avec mon oreiller!

— Il est parti à présent, Malcolm. Vous êtes en sécurité.

— Je ne suis pas en sécurité, par le Ciel! Et vous non plus! Il a vu ce que j'ai écrit, il sait que je vais tout dévoiler!

— Bon sang, Malcolm, qui vous a apporté à boire? demanda Tina, furieuse.

Rien de tout cela ne se serait produit si Ramsay n'avait contredit ses ordres. Comme Malcolm s'accrochait désespérément à elle, elle tenta de le rassurer.

— Il est parti, je vous le garantis. Je vais envoyer Jenna pour vous tenir compagnie.

Elle eut une moue dégoûtée en voyant tous les flacons d'alcool et de vin près du lit.

— Ne le laissez plus boire, recommanda-t-elle à

Jenna lorsque celle-ci apparut. Il doit dormir maintenant, pour cuver tout ce qu'il a ingurgité.

Malcolm égrenait un chapelet de jurons, mais sa voix avait baissé d'un ton. Tina ramassa deux carafes encore pleines avant de quitter la pièce. Comme elle passait devant la chambre de Ram, elle vit qu'il s'y trouvait et, sans hésiter, entra pour poser les deux carafons sur la table.

— Malcolm est complètement ivre, annonça-t-elle.

Ram avait enfilé des vêtements secs mais ses cheveux étaient encore mouillés. Il fit un pas vers elle.

— Je voudrais vous parler, Tina.

Son visage était dur, le feu découpait son ombre gigantesque sur le mur, et elle s'était tellement inquiétée depuis la veille qu'elle faillit s'évanouir. Elle dut s'appuyer au dossier d'une chaise.

Ram plissa les yeux, soucieux. Il servit un verre de vin et s'approcha d'elle.

— Buvez.

Lorsqu'elle lui prit le gobelet des mains, leurs doigts s'effleurèrent et elle frissonna. Puis elle but le vin d'un trait. Au moment où elle avalait, elle sut. Il venait de l'empoisonner.

29

Le verre s'écrasa au sol.

— Non! hurla Tina en portant la main à son cou, la terreur au fond des yeux.

La gorge lui brûlait, elle eut un spasme. Le poison arrachait la peau de sa langue et sa bouche s'emplit d'un goût amer. Lorsque le vin atteignit son estomac, elle se plia en deux de douleur.

Ramsay comprit aussitôt qu'elle avait avalé du poison. Les cris de Tina lui déchiraient le cœur, et il la souleva dans ses bras.

— Tiens bon, tiens bon, Tina!

Elle se tordait de douleur tandis que Ram descendait l'escalier en courant pour se rendre à la cuisine. Lui-même était terrifié. Il fallait agir, mais comment ?

— Burque ! Burque ! Bon Dieu, où est-il passé ? Aidez-moi, Tina a été empoisonnée !

M. Burque pâlit. Lui non plus ne savait que faire. Pourtant il la considérait comme sa fille, il l'avait toujours consolée, réconfortée, soignée avec des produits naturels.

— De la crème ? proposa-t-il à Ram. Cela peut faire une protection, empêcher le poison de pénétrer à travers tout son organisme.

— De la crème, acquiesça fermement Ram.

Elle sanglotait, criait, cependant ce n'était plus tout à fait sa Tina. M. Burque lui présenta la cuiller tandis que Ram la tenait, mais elle repoussa la main du Français. Elle était incapable d'avaler quoi que ce fût.

— Non, non, non !

— Faites-la-lui ingurgiter de force ! ordonna Ram.

Burque obéit et Tina se mit à vomir. Ram la serrait, sentait son ventre se crisper, la maintenant pliée sur son bras pour l'aider à se libérer. Elle se redressait, toussait, vomissait encore et encore. Ram était paniqué. Elle allait mourir. Mourir dans d'atroces souffrances, et il était impuissant.

Elle était épuisée, ses grands yeux dorés envahis de larmes de peur et de douleur. Ram n'y connaissait pas grand-chose en matière de poisons, il savait seulement qu'ils apportaient la mort. Mais il pouvait lui donner une chose : sa force.

— Ça va aller, mon amour. Je suis là. Tiens bon.

Elle s'accrochait désespérément à lui.

— Encore de la crème, dit-il à M. Burque.

La crème agissait comme un dépuratif, et c'était la seule solution.

Damaris, attirée par les cris de Tina, était catastrophée. Tout recommençait ! Lord Douglas avait empoisonné sa femme ! Damaris se rappela qu'elle avait pris le gobelet de vin des mains de son époux, qu'elle avait bu… Non ! Elle ne voulait pas revivre ça !

Elle se mit à la recherche d'Alexander qu'elle trouva avec Malcolm le Fou et Colin. Elle se jeta sur lui, toutes griffes dehors, et le frappa à coups de poing.

— *Tina est en train de mourir. Soyez maudits, tous les Douglas, soyez maudits jusqu'au dernier !*

— *Arrête, Damaris ! Ce n'était pas moi. Je t'ai dit voilà des années qui était le coupable, et maintenant ce dément recommence !*

Damaris jeta un coup d'œil horrifié au vieillard fou qui gisait dans son lit.

— *Viens, Alex, il faut agir.*

Les deux esprits se retrouvèrent dans la cuisine. Alexander se revit à la place de Ram, sa frêle jeune femme dans ses bras. Son expression désespérée faisait mal à voir.

Des servantes s'agitaient autour de Tina, nettoyaient le sol qu'elle souillait. La jeune femme était mortellement pâle, à présent ; elle avait les lèvres bleutées et son estomac se contractait convulsivement. Sans force, elle se laissait aller contre Ram, les mains crispées sur son ventre.

Elle se mit à vomir du sang, son corps se refroidissait.

Avec une assurance qu'il était loin de ressentir, Ram dit à M. Burque :

— Je la porte au lit. Il faut quelque chose pour la calmer. Une décoction de rue. Elle ne peut pas rester ainsi.

Quatre à quatre, il la monta dans sa chambre où il alluma aussitôt un feu. Les gémissements de Tina le bouleversaient et il revint vite vers elle

— Ram, murmura-t-elle, aide-moi…

Ada entra, pâle comme la mort, étranglée d'angoisse, avec de l'eau et des linges.

— Vite, Ada ! Une serviette par terre !

Ram aida Tina à s'asseoir au bord du lit et la soutint tandis qu'elle cédait à une nouvelle nausée. Il regarda Ada en secouant la tête, impuissant.

Tina remonta ses genoux sur sa poitrine et se roula sur le lit comme un petit animal blessé.

— Déshabillez-la, Ada. Ses vêtements la serrent beaucoup trop.

Entre les spasmes, Tina était une véritable poupée de chiffon. Elle avait du mal à respirer et son souffle était rauque, laborieux. Ram transpirait d'angoisse, persuadé à chaque instant qu'il allait la perdre.

Ada posa la cuvette sur le lit, mais Ram dit doucement :

— Je m'en occupe.

Il enfila une robe de chambre à Tina dont les vomissements étaient moins fréquents. Etait-ce bon ou mauvais signe ?

Elle sanglotait, telle une enfant, les poings crispés sur son ventre, terrorisée.

— Je suis en train de mourir, souffla-t-elle.

— Non ! s'écria-t-il, sauvage. Non, tu ne mourras pas ! Tant que tu sens la douleur, la mort est loin !

Il ignorait si c'était vrai, mais il l'avait dit avec tant de conviction qu'elle ne pouvait qu'y croire.

M. Burque apportait la rue, et Ram prit Tina dans ses bras.

— Mon amour, je veux que tu essaies de boire cette potion.

Il porta la tasse à ses lèvres et eut le cœur serré en voyant avec quelle confiance elle lui obéissait. Bon sang, la dernière boisson qu'elle avait acceptée de lui était empoisonnée !

Il se mit à prier en silence. Dieu du Ciel, il fallait un miracle pour qu'elle survive !

Quand elle eut tout bu, il sembla à Ram qu'elle souffrait un peu moins. Elle continuait à pleurer et à se tordre, mais les spasmes étaient moins violents.

Les heures passèrent lentement, cette nuit-là. Ram demeurait au chevet de Tina, la serrait contre lui quand elle avait besoin de réconfort, l'encourageait à tenir bon, à surmonter les vagues de douleur, mais surtout, il l'exhortait à rester en vie. Il ne lâchait pas sa main, et parfois il avait l'impression que c'était cela qui l'aidait à survivre, leurs doigts enlacés.

Au matin, elle eut une poussée de fièvre. Ram essaya

de la faire boire, mais elle vomissait aussitôt et le fixait de ses grands yeux pleins de reproche.

Vers midi, la fièvre monta encore et elle fut prise de tremblements, puis de convulsions.

— Vite, Ada ! Faites remplir la baignoire d'eau tiède !

Pendant que les serviteurs s'affairaient pour obéir à son ordre, il prit Tina dans ses bras et se mit à marcher de long en large en lui parlant doucement.

Damaris, son chat serré contre elle, était restée près du lit tout ce temps.

Après le départ des domestiques, Ram déshabilla doucement Tina avant de la plonger dans l'eau. Il la mouilla sans relâche, d'abord les épaules, puis la poitrine et enfin la tête.

Peu à peu, elle finit par s'immobiliser. Ram continua à l'asperger pendant une demi-heure avant de constater que les convulsions avaient totalement disparu. La température avait baissé, et il la sortit de l'eau, la sécha tendrement.

Comme il la ramenait vers le lit, elle ouvrit les paupières, les referma aussitôt.

Je suis là, mon amour. N'aie pas peur, tu ne vas pas mourir, tu vivras !

Comme la jeune femme tombait dans un profond sommeil, Ada conseilla à Ram d'aller prendre un peu de repos et de se restaurer.

Il secoua la tête

— Je ne pourrais rien manger. Ada, ne laissez surtout personne boire du vin au château. Il est peut-être empoisonné. Je saurai punir le responsable de ce crime...

Pas une minute il ne quitta des yeux Tina endormie. Au moindre de ses mouvements, un sanglot lui montait à la gorge. Jamais il n'avait vu un tel courage...

Enfin elle se réveilla et essaya de parler, mais ses paroles s'étranglèrent dans sa gorge et elle se plia en deux sous la douleur. Il la tint contre lui, se demandant comment la soulager. Il se contenta de lui caresser les cheveux et de lui murmurer des mots d'amour. Vers minuit, elle parvint à articuler :

— Je suis si mal, Ram…

— Oui, ma chérie. Je sais. Cela va durer quelques jours, mais tout danger est écarté à présent.

Il mentait pour lui donner de la force… pour s'en donner à lui-même aussi.

M. Burque venait sans cesse avec de nouvelles potions, mais chaque fois qu'elle buvait, Tina était prise de violentes crampes. Son organisme n'avait pas encore évacué le poison.

— Colin voudrait vous parler, annonça Ada à Ram.

Il hocha la tête, et Colin entra.

— C'est Malcolm le Fou qui a empoisonné le vin. J'ai trouvé de la mort-aux-rats près de son lit. Dieu seul sait depuis combien de temps il la cachait !

Ram serra les dents.

— Dieu, j'aurais dû me douter qu'il était dangereux. Je ne peux pas la laisser, Colin. Fais-le surveiller en attendant que je m'occupe de lui.

— Je l'ai trouvé mort il y a une heure.

Ram se mordit la lèvre.

— Merci, Colin. C'est ma faute, j'aurais dû l'enfermer.

— Ne te reproche rien, ami. Nous sommes tous responsables.

Colin prenait congé quand M. Burque revint, avec du miel cette fois.

— Le miel a des qualités magiques, dit-il. Il guérit les blessures sans laisser de cicatrices.

Ram tendit une cuiller à Tina et, miraculeusement, elle n'eut pas mal en avalant. Les deux hommes échangèrent un regard d'espoir.

— Ne lui en donnez pas trop, conseilla le Français. Cela l'étoufferait.

Pendant plus de trois heures, Ram lui administra une petite cuillerée de miel toutes les dix minutes, et elle tomba enfin dans un profond sommeil, accrochée à sa main.

Ram pensait sincèrement qu'elle allait se sortir de ce cauchemar à présent, mais tandis qu'il la veillait, son esprit vagabondait. Accepterait-elle de croire que ce

328

n'était pas lui qui l'avait empoisonnée ? Sinon, leur concubinage prendrait fin, elle ne l'épouserait jamais, elle refuserait de rester avec lui à Douglas.

Il passa une main nerveuse dans ses cheveux. Peut-être était-ce Malcolm qui avait empoisonné aussi Damaris, et non Alex ? A l'époque, il se déplaçait dans le château à sa guise. Peut-être même avait-il poussé Alex du haut des remparts ? Ram frémit. Si Alex avait vu Damaris mourir, il n'était pas étonnant que son esprit hantât le château. Il resterait jusqu'à ce qu'il eût obtenu vengeance.

Lui aussi aurait vengé Tina, mais le destin avait fait le travail à sa place : Malcolm était mort...

Ram eut une pensée compatissante pour le roi. Jacques avait dû connaître l'enfer lorsque Margaret Drummond avait été empoisonnée. Ram se signa et remercia Dieu d'avoir épargné Tina. Il ferma les yeux.

Il fut soudain réveillé en sursaut.

— Tina ! cria-t-il en se précipitant pour la saisir dans ses bras alors qu'elle s'évanouissait.

Sa robe de chambre était couverte de sang. Elle perdait le bébé !

Ada et Nell allèrent et vinrent durant vingt-quatre heures, changeant les draps, apportant à Lord Douglas des plateaux qui restaient intacts.

Ramsay soigna Tina, la lava, la réconforta. Il ne quittait pas sa main, pour lui insuffler sa force, sa vie. Enfin elle cessa de saigner, la fièvre tomba tout à fait, la douleur s'apaisa. Mais son angoisse... Quand elle distingua les traces de larmes sur le visage viril de Ram, elle eut le cœur serré. Voilà sa punition pour l'avoir menacé d'avorter. Plus jamais il ne lui offrirait de l'épouser. A quoi bon ? Comme elle ne pouvait supporter son regard, elle se tourna vers le mur.

— Tina, murmura-t-il.

— Laissez-moi...

Damaris se tenait près de la fenêtre quand Alex se matérialisa devant elle, entouré d'un halo brillant.

— *Nous avons à parler, Damaris. Ce que je t'ai dit il y*

a presque seize ans était la vérité, rien que la vérité, Dieu m'en est témoin. Es-tu prête à me croire ?

Damaris lui tendit sa petite main délicate.

— *Oui, Alex. Je suis prête.*

Il la prit dans ses bras.

— *Pas un instant je n'ai cessé de t'aimer,* dit-il en séchant ses larmes avant de l'asseoir sur ses genoux.

Ils parlèrent des heures. Les années n'existaient plus, ils étaient aussi proches l'un de l'autre que le jour où ils s'étaient aimés pour la première fois, et Damaris pleurait la perte du bébé de Tina comme s'il s'agissait du sien.

— *Je croyais que Tina et Ram auraient l'enfant qui nous a été refusé.*

Alex resserra son étreinte.

— *Tout a été si mal entre eux ! Faisons le vœu de rester près d'eux jusqu'à ce qu'ils s'aperçoivent qu'ils s'aiment.*

— *De toute façon, nous ne pouvons la quitter, c'est trop dangereux.*

— *Je me sens tellement impuissant ! Si je pouvais communiquer avec les humains, tout s'arrangerait !*

Ram se baigna, se rasa pour la première fois depuis presque une semaine, et il descendit prendre le petit déjeuner avec ses hommes. Colin s'était discrètement occupé de l'enterrement de Malcolm, et Ram lui en fut reconnaissant.

Jock ne tarda pas à arriver du *Revanche* où il avait en vain attendu Ramsay :

— J'ai senti qu'il se passait quelque chose, et je n'en pouvais plus de rester inactif.

— Il s'agissait d'une affaire personnelle, répondit Ram. Nous ne pourrons lever l'ancre avant quelques jours encore.

Il ne donna pas de plus amples explications, et Jock, qui le connaissait bien, acquiesça simplement de la tête.

Ram envoya un message à Angus pour l'informer qu'il ne résiderait pas à la frontière cet hiver, sans pré-

ciser toutefois où il se trouvait. Archibald s'en doute-
rait bien.

Avant la fin de l'après-midi, trois messagers s'étaient
présentés au château, et Ram convoqua ses hommes
d'armes pour leur faire part des nouvelles.

— Il semblerait que les Anglais pénètrent toujours
plus avant en Ecosse. Trois seigneurs ont été attaqués
depuis quarante-huit heures : Fisherton, Ochiltree et
Cumnock, qui sont beaucoup trop à l'intérieur des
terres pour mon goût.

— En effet, nous avons vu les feux de détresse,
confirma Jock. Mais vous m'aviez ordonné de ne pas
bouger de notre cachette.

— Et tu as eu raison d'obéir. Si ces bandits s'aven-
turent aussi loin, je vais devoir rester ici afin de protéger Douglas. Qui est volontaire ?

Ceux qui se proposèrent avaient en général des
femmes et des enfants au château. Ram se promit
d'avertir les Kennedy. Quel dommage qu'il ne pût bouger en ce moment ! A bord du *Revanche*, il aurait bien
vite écrasé ces Anglais...

Angoissé, il remonta à sa chambre. Il n'avait pas vu
Tina depuis plusieurs heures et espérait qu'elle continuait à se remettre. Un affreux juron lui échappa
quand il constata qu'elle n'était plus dans la pièce. Elle
allait sûrement mieux, en effet, si elle avait eu la force
de regagner la chambre de Damaris !

Il s'y précipita et la trouva assise près de la fenêtre.
Il en fut à la fois soulagé et douloureusement blessé.

— Ainsi, vous n'avez plus besoin de moi ? lança-t-il.

Tina scrutait son visage, guettant la moindre expression de reproche pour avoir perdu le bébé. Elle n'en vit
pas et songea qu'il cachait fort bien ses sentiments.

Sans discuter davantage, Ram l'emporta dans ses
bras jusqu'à leur chambre où il la déposa sur le lit fraîchement fait.

— Nous devons parler ! déclarèrent-ils en même
temps.

— Je crois que c'est la première fois que nous
sommes d'accord sur quelque chose, dit-il, attendri.

— Moi d'abord ? demanda-t-elle d'une voix encore rauque.

— Entendu.

Il s'assit au bord du lit, sans la toucher.

Elle prit une grande inspiration tremblante. Elle allait tout avouer, quoi qu'il lui en coûtât.

— J'ai comploté contre vous, avant même de vous rencontrer. Quand mon jeune frère n'est pas rentré d'expédition, j'ai su que vous l'aviez fait prisonnier. Le simple nom de Douglas était pour tous synonyme de peur et de haine. Comme vous le savez, j'ai feint une chute de cheval, mais vous ignorez ce qui se passait dans ma tête tandis que je gisais immobile sous la pluie. Je vous craignais, je vous haïssais, et j'ai juré de délivrer mon frère ou de mourir. Ainsi, voyez-vous, dès l'instant où j'ai posé les yeux sur vous, vous étiez mon ennemi mortel.

Elle ferma les yeux un moment, rassembla son courage et poursuivit :

— Quand j'ai vu les brûlures de Davie, je vous ai détesté encore davantage. Il m'a fallu des mois pour reconnaître qu'il en était lui-même responsable. Le soir où vous êtes venu à Doon pour provoquer mes frères et Patrick Hamilton, ma haine a atteint son comble. Et lorsque vous m'avez humiliée, j'avais envie de vous tuer !

Ram se souvint du courage qu'elle avait montré en lui tenant tête alors qu'il venait de frapper quatre hommes. Pas étonnant qu'il fût tombé amoureux d'elle !

— Toute ma famille haïssait les Douglas à cause de Damaris, continua-t-elle de sa pauvre voix cassée. Puis notre chef de clan a ordonné que Beth vous épouse, et ma mère a failli en mourir. Quand mes projets de mariage avec Patrick Hamilton ont été annulés, elle a supplié mon père de vous proposer de me prendre à la place de ma sœur. J'en ai été horriblement vexée, et plus encore lorsque j'ai appris qu'il avait dû vous payer pour que vous acceptiez.

Ramsay eut la grâce de rougir légèrement. Il s'était

conduit de manière honteuse, c'était le moins qu'on pût dire.

Tina avait du mal à parler, elle s'épuisait, et Ram servit un verre d'hydromel qu'il goûta avant de le lui donner.

— Quand vous vous êtes présenté au château, j'ai su à quel point vous me détestiez. Et m'offrir un concubinage était pratiquement me traîner dans la boue.

Elle hésita un peu, puis décida de ne rien lui cacher :

— J'ai alors juré de me venger. Il fallait que je devienne assez importante afin de vous briser le cœur quand je vous quitterais. Ada m'a expliqué que je devais apprendre à vous aimer au lit pour parvenir à mes fins.

Elle baissa les yeux pour dissimuler ses larmes.

— Vous avez changé le nom du *Valentina* en *Revanche*. J'ai cru alors comprendre ce qui se passait en vous. Nos relations étaient basées sur la vengeance, notre haine mutuelle nous empêchait à tout jamais de nous aimer, et notre enfant n'avait aucune chance. J'en porterai la culpabilité à jamais.

Il lui prit la main, et une larme tomba sur ses doigts.

— Ne pleurez pas, Tina, je ne le supporte pas.

— Le Cœur sanglant des Douglas, souffla-t-elle. J'ai juré que ce serait le vôtre qui saignerait, pas le mien. Quel drôle de couple nous formons... Lady Revanche. Lord Revanche.

Ram se raidit.

— Vous êtes au courant ?

Elle se laissa aller contre ses oreillers, épuisée, sa chevelure telle une rivière de feu autour d'elle. Jamais il ne l'avait vue si fragile, si délicate, si exquise. Il se sentait vide, comme si on avait creusé un immense gouffre en lui. Sans l'ombre d'un doute, il aimait cette femme au-delà de toute raison, or il ne représentait qu'une vengeance pour elle.

C'était dramatique comme une tragédie grecque. Telle Pandore, elle lui avait été envoyée en punition, et ensemble ils avaient ouvert la boîte qui contenait tous les malheurs des hommes...

Il ne lui restait que l'espoir. Tina savait qu'il était Lord Revanche, pourtant elle ne l'avait pas trahi. Elle prétendait vouloir se venger, pourtant elle n'en avait rien fait.

Quand il se déshabilla pour se glisser au lit près d'elle, elle dormait déjà.

Il baisa doucement son front.

— Je suis là si tu as besoin de moi, murmura-t-il.

30

Tina se réveilla à l'aube mais demeura parfaitement immobile afin de ne pas déranger Ram, qui avait repoussé les couvertures durant la nuit et était allongé sur le dos, les bras derrière la tête. Elle contemplait son ventre plat, sa large poitrine, ses épaules robustes, les cicatrices qui rehaussaient encore sa puissance virile.

Elle se dégagea du drap et compara leurs carnations : lui hâlé, elle pâle, presque luminescente. Cette différence l'avait profondément troublée la première fois qu'ils avaient fait l'amour dans la lumière. Elle s'émerveillait de se voir si douce, si fragile, et lui si rude, si fort, si brun.

Elle rougit dans la pénombre. Déjà son corps s'éveillait à lui, il l'attirait comme un aimant, elle avait envie de ses caresses... Pour la première fois, elle osa s'avouer que c'était cet homme qui lui plaisait, Black Ram Douglas. C'était avec lui et lui seul qu'elle voulait faire l'amour.

Si elle recommençait à le désirer, cela prouvait que son état s'était amélioré. Elle était encore bien lasse, trop sans doute pour subir les fougueux assauts de Ram, mais elle souhaitait qu'il la prît contre lui, qu'il l'embrassât...

Soudain elle s'aperçut qu'il l'observait entre ses cils,

et elle remonta le drap sur elle comme une vierge effarouchée.

— Finalement, vous ne m'avez rien dit hier soir, murmura-t-elle.

— Mon message était bref, Tina : je ne vous ai pas empoisonnée.

Elle le fixa longuement de ses yeux dorés.

— Je le sais, Ram. Je suis désolée… pour le bébé.

— Voyons, Tina, vous n'avez rien à vous reprocher. C'est le poison, le poison seul qui en est responsable. Le poison contenu dans le vin que je vous ai servi !

— Mais vous m'avez sauvé la vie ! Vous m'avez insufflé votre force.

Il baisa le bout de ses doigts.

— Pouvons-nous tout recommencer ? Vous n'oublierez pas ce qui s'est passé, mais je vous jure qu'il n'y a plus trace de vengeance dans mon cœur. Et je prie Dieu qu'il en soit de même pour vous.

Le sanglot qui montait à la gorge de Tina faillit l'étouffer et elle eut une violente quinte de toux. Inquiet, Ram bondit du lit pour remplir un gobelet d'hydromel qu'il goûta machinalement avant de le lui donner.

— Je dois partir demain, dit-il, mais je ne connaîtrais pas la paix si je devais vous laisser seule maintenant. Je veux que vous vous reposiez, que vous repreniez des forces pour être capable de m'accompagner jusqu'à la côte. Le *Revanche* est caché à l'embouchure de la Doon. Vous aurez ainsi l'occasion de rendre visite à votre famille. S'ils entendent parler de l'empoisonnement, cela réveillera la haine entre nos clans. J'aimerais qu'ils l'apprennent de votre bouche et constatent par eux-mêmes que vous êtes remise.

Tina fut grandement soulagée. Elle savait que Ram était resté au château uniquement pour la soigner, mais elle n'avait pas imaginé qu'il attendrait qu'elle fût assez solide pour venir avec lui.

— Merci. Je vais leur écrire afin de les prévenir de ma venue, si vous pouvez envoyer un messager.

Ram s'habilla vivement. Il avait follement envie de

Tina et, s'il l'embrassait, il craignait de ne plus pouvoir s'arrêter. Elle était comme une fièvre dans son sang.

Il avait été blessé dans son orgueil de mâle lorsqu'elle lui avait avoué qu'elle avait couché avec lui pour mieux le réduire à merci. Elle avait réussi au-delà de toute espérance. Que deviendrait-il sans elle ? Il n'avait aucune intention de le découvrir. Son but était bien autre : il voulait se faire aimer d'elle.

Quand il eut quitté la chambre, Tina demeura allongée, à penser à lui. Elle imaginait ses lèvres sur elle et se languissait de sa tendresse, de son ardeur. Quand ils faisaient l'amour, c'était fou, déraisonnable, unique...

La journée lui parut interminable dans le grand lit encore imprégné de l'odeur de Ram. Elle se rappelait chacune de ses paroles, chacun de ses gestes, elle frémissait. L'aimait-elle ? Elle se sentait en sécurité près de lui, et vide lorsqu'il n'était pas là. Elle gémit doucement au souvenir de leurs étreintes.

Finalement, n'y tenant plus, elle pria Ada de l'aider à se baigner et à s'habiller pour aller le rejoindre dans la salle commune.

Les cernes mauves sous ses yeux bouleversèrent Ram. Au cours du souper il se montra courtois, prévenant, mais pas une fois il ne la regarda intimement. Il était indéchiffrable.

Il l'encouragea néanmoins à manger, et elle parvint à avaler quelques bouchées d'un délicieux saumon en sabayon. Lorsqu'elle bâilla, Ram eut l'air inquiet.

— Vous devriez être au lit. Nous partons demain.

— Ne vous tracassez pas, Ram. Je serai capable de chevaucher à vos côtés.

— Chevaucher ? Sûrement pas ! rétorqua-t-il fermement. Nous aurons une douzaine de chariots chargés de marchandises pour les habitants d'Ochiltree et de Cumnock. Nous vous installerons un lit dans l'un d'entre eux.

Il lui prit la main.

— Finalement, nous ne prendrons pas la route demain. Je veux que vous vous reposiez une journée de plus.

Tina avait envie de hurler d'exaspération. Passer encore une journée au lit à ne rien faire? Impossible. Peut-être une partie de pêche... Elle se rappela comme ils avaient ri la dernière fois, puis se reprocha son égoïsme. Ram devait s'occuper de fournir de la nourriture et du fourrage pour les gens qui étaient dans le besoin. Elle trouverait bien un moyen de s'occuper.

En fait, elle surveilla la préparation de ses bagages. Parfois, elle se rendait à la fenêtre et regardait le chargement des chariots. A chaque fois elle n'avait aucun mal à repérer Ramsay, même au milieu de tous ces Douglas aussi bruns les uns que les autres. C'était visiblement lui le chef. Le comte d'Angus, vieillissant, lui passait le pouvoir, et il avait bien choisi son successeur. Ram était arrogant, c'était un flibustier, un maraudeur, mais par Dieu, quel homme!

Ramsay ne rentra qu'au crépuscule. Jock et ses hommes n'étaient pas de retour, et il soupçonna quelques ennuis avec les Anglais. Il partirait le lendemain matin, qu'ils soient revenus ou non. Peut-être les rencontrerait-il en chemin, sinon il saurait où les trouver.

Il fut un peu déçu que Tina ne l'accueillît pas dans la salle commune. Après être allé prier M. Burque de concocter un souper fin susceptible d'éveiller l'appétit de la jeune femme, il monta quatre à quatre à sa chambre.

Tina fixait rêveusement le feu, et quand elle se tourna vers lui, il remarqua qu'elle avait pleuré.

— Tina? demanda-t-il, le cœur battant d'appréhension.

Elle s'essuya les yeux et esquissa un faible sourire.

— Je... je viens juste d'apprendre, pour Malcolm. Ada pensait que vous m'en aviez parlé. Pourquoi n'avoir rien dit?

— Vous étiez bouleversée par la perte du bébé. Tout cela à cause du poison de ce vieux fou! Mieux vaut pour lui qu'il soit mort de sa propre main que de la mienne!

— Il y a eu deux morts ; jamais deux sans trois, murmura Tina, angoissée.

— Superstition ! Vous ne devriez pas rester seule à broyer du noir. J'ai demandé à M. Burque de vous faire porter à manger.

Ada frappa et entra chargée d'un lourd plateau que Ram lui prit des mains.

Alexander et Damaris se tenaient sur le seuil, et Alexander retint son épouse qui voulait s'avancer dans la pièce.

— *Ne les dérangeons pas. Ils partent demain.*

— *Mais je veux savoir où ils en sont,* protesta Damaris.

Alex secoua la tête.

— *Je n'aurais jamais supporté que l'on viole l'intimité de notre chambre, chérie. Et toi non plus.*

— *Tu as raison,* soupira-t-elle.

— *S'ils s'aiment. ils sortiront de cette mauvaise passe, comme nous.*

— *Avez-vous toujours raison, monseigneur ? La suffisance ne vous étouffe-t-elle pas ?*

— *J'ai été patient pendant seize ans, femme, mais à présent c'est fini !*

Damaris, sur un petit cri, s'enfuit en courant, se doutant bien qu'il la suivrait...

Ramsay approcha deux fauteuils de la cheminée.

— Asseyez-vous, je vais vous servir.

Il y avait une bisque de homard à la crème et au cognac, suivie d'un fromage rôti entouré de mouillettes de pain croustillant. Une merveille !

Sous une autre cloche d'argent se trouvaient des petites côtelettes aux baies de genièvre auxquelles elle goûta à peine, laissant à Ram le plaisir de les terminer.

Quant au dessert, il était presque trop beau pour être entamé. C'était une pyramide de truffes au chocolat surmontée d'une crème au beurre. Tina en mordit une en fermant les yeux de bonheur, puis elle se lécha les lèvres du bout de la langue. Quand elle en offrit une à Ram, il secoua la tête.

— J'insiste ! dit-elle, joueuse, en la lui portant à la bouche.

Il la mangea pour lui faire plaisir, et ne tarda pas à en prendre une autre.

— C'est si bon que c'est presque un péché ! murmura-t-il. Cet homme est un magicien.

Tina était ravie de le voir apprécier les talents de son cuisinier français, ses yeux pétillaient de joie.

— Etes-vous heureuse, Tina ? demanda-t-il doucement.

— En ce moment, oui, répondit-elle avec sincérité.

Il vint s'agenouiller près d'elle.

— Il faut vivre l'instant, dit-il en caressant ses bras avant d'ajouter : Il y a encore un plat.

— Je ne peux plus rien avaler ! protesta-t-elle.

Toutefois, elle souleva le couvercle du dernier plat et poussa un cri de surprise en découvrant le collier d'émeraudes et de diamants qu'il y avait caché. Elle le prit en tremblant.

— Oh, Ram, quand l'avez-vous acheté ?

— Le jour où j'ai dépensé cette fortune pour vous. Le jour où vous jouiez à être ma maîtresse.

Elle éclata d'un rire cristallin. Dans un bel ensemble, ils déclarèrent :

— Au moins, vous avez le sens de l'humour.

Tina porta le bijou à son cou, mais Ram le lui prit des mains, souleva sa chevelure flamboyante et l'attacha sur sa nuque. Puis il l'amena devant le grand miroir. Les émeraudes semblaient avoir été faites pour elle... Il eut envie de déboutonner la robe d'intérieur de la jeune femme, mais alors il ne pourrait plus se contenir. Or cette nuit, Tina avait besoin de sa force, pas de sa concupiscence.

Il la dominait de sa haute taille, puissant, sombre, et elle l'imagina comme un dieu mythique envoyé pour la protéger. Etranglée d'émotion, elle fondit en larmes.

Il la porta sur le grand lit en murmurant :

— Promettez-moi de ne plus jamais pleurer.

Elle ravala un sanglot.

— Promettez-moi ! insista-t-il.

Elle lui caressa doucement la joue.

— Je le promets.

Il la garda dans ses bras toute la nuit. C'était ce qu'elle souhaitait, il en était sûr. Et elle s'accrochait à lui, même dans son sommeil.

Tina avait horreur de voyager en chariot, surtout quand tout le monde était à cheval, y compris Ada. Mais elle savait qu'ainsi Ramsay était rassuré sur son sort. Chaque fois qu'il s'approchait pour voir si tout allait bien, elle s'obligeait à sourire et à dissimuler son impatience.

Cumnock n'était qu'à une trentaine de kilomètres de Douglas, cependant ils y arrivèrent tard dans l'après-midi, et Ram décida qu'ils y passeraient la nuit.

Pour la première fois, Tina vit Ramsay avec d'autres yeux. Les habitants de la ville, du seigneur au moindre des fermiers, semblaient le tenir pour un véritable dieu. Lord Revanche était leur bienfaiteur, venu apporter de la nourriture aux enfants et du fourrage aux bêtes, ainsi que de l'or pour parer l'église. Il mit des hommes à leur disposition pour reconstruire les maisons brûlées, leur donna des médicaments, des potions, des bandages, mais surtout il leur apportait l'assurance que Black Ram Douglas les vengerait du mal qu'on leur avait fait.

Les hommes lui serraient la main, lui tapaient sur l'épaule, les femmes l'embrassaient, les enfants s'approchaient timidement pour admirer leur héros. Tina vit Ram les prendre dans ses bras, leur ébouriffer les cheveux, leur parler à l'oreille, les faire rire. Jamais elle n'avait compris jusqu'à cet instant combien il était sensible aux enfants. Et soudain, comme une révélation, elle sut qu'elle l'aimait. C'était donc l'amour, cette émotion passionnée, folle, dévorante, aussi forte que la haine ? Non, plus forte. Amour était un mot trop banal, trop usé pour décrire ce qui se passait entre eux. C'était un sentiment plus proche de la folie que de la raison, de la violence que de la paix. C'était primitif, sauvage, indompté, inextinguible.

Elle le regardait à présent avec les yeux d'une femme fière de son amant, et elle se rappela leur dialogue le jour où il était venu faire sa demande :

— Les Douglas sont réputés pour leur ambition, leur orgueil, leur avidité, leur perfidie...

— Et leur valeur, avait-il ajouté avec son sourire de loup.

Il avait raison. Ram Douglas était vaillant, et elle l'adorait.

Ils soupèrent légèrement et, après que Ram eut veillé au confort de Tina et d'Ada, il partit travailler avec ses hommes à la reconstruction de Cumnock.

Lorsqu'ils s'en allèrent au matin, Ramsay laissa derrière lui dix hommes d'armes qui le rejoindraient après avoir terminé leur tâche au village.

Lord Douglas fut reçu à Ochiltree avec le même enthousiasme. Tina commençait à s'amuser de le voir considéré comme une divinité descendue tout droit de l'Olympe. Les villageois auraient dû le voir quand il était de méchante humeur, ou après une nuit de beuverie !

De nouveau, il chargea des hommes de reconstruire les maisons et ils se dirigèrent vers la Doon, qu'ils pensaient atteindre au crépuscule. Tina avait hâte de passer la nuit avec Ram à bord du *Revanche* avant de se rendre chez ses parents. Ram s'était bien gardé de lui faire des avances depuis qu'elle avait été malade, mais ce soir, c'était Tina qui prendrait l'initiative.

Elle fut étonnée de découvrir à quel point le navire était bien camouflé dans un coude de la rivière. Ram l'aida lui-même à descendre du chariot pour monter à bord de ce qui avait été naguère le *Valentina*.

Elle eut alors la surprise de voir son frère Davie venir à leur rencontre, accompagné d'un inconnu.

Ce n'était toutefois pas un inconnu pour Ram... Lord Dacre s'avança, entouré d'hommes armés qui dégainèrent leurs épées pour les pointer sur Ramsay.

— Au nom du roi d'Angleterre, je vous arrête pour piraterie.

Il se tourna vers David Kennedy.

— Reconnaissez-vous cet homme pour l'infâme Lord Revanche ?

— Oui, répondit Davie avec un plaisir non dissimulé.

— Non ! s'écria Tina, horrifiée.

Ram se battit comme un beau diable, mais il reçut un coup sur la tête qui le mit à genoux. Tina hurla et, comme il levait les yeux vers elle, elle lut de la haine à l'état pur dans son regard gris. Elle était seule à savoir qu'il était Lord Revanche. Elle l'avait trahi.

— Non ! cria-t-elle de nouveau, les mains jointes, suppliante.

Ramsay était aveuglé par la rage. Elle la tenait, sa vengeance ! Cette sorcière l'avait frappé dans le dos.

Alors qu'on l'entraînait, Tina tendit les bras vers lui, comme pour le persuader qu'elle n'avait pas commis cet acte ignoble.

Le regard meurtrier de Ramsay la pétrifia sur place.

31

— Emmenez cette femme ! ordonna Lord Dacre.

Comme une somnambule, Tina se laissa conduire à terre par son frère. Complètement choquée, elle vit son propre bateau faire voile vers l'Angleterre... avec dans ses cales l'homme qu'elle aimait.

Elle tourna vers Davie un visage incrédule ; elle ne pouvait croire que ce fût vrai. Elle allait se réveiller de ce cauchemar...

— Espèce de sale petit imbécile ! hurla-t-elle enfin en se jetant sur lui, toutes griffes dehors.

Il la saisit cruellement aux poignets et elle eut envie de vomir.

— Comment as-tu pu le vendre à ces monstres d'Anglais ?

— Douglas est davantage mon ennemi que Dacre, répondit Davie.

— Par le sang du Christ, tu n'as pas vu les atrocités que lui et ses hommes ont commises en Ecosse! Ils ont incendié des villages entiers, brûlé des femmes et des enfants!

— Ne me parle pas de brûlures, cracha-t-il en montrant les cicatrices sur son bras.

— Pauvre idiot! Le clan Douglas est puissant, ils te pourchasseront comme un chien. Tu es un homme mort!

Le jeune homme jeta un coup d'œil à Ada, qui avait passé un bras protecteur autour des épaules de Nell, et revint à sa sœur.

— Vous êtes les seuls témoins, or on peut facilement réduire les femmes au silence.

Il leva la main pour la frapper, mais elle fut plus vive. Dès qu'il lâcha son poignet, elle lui assena une grande gifle tout en lançant son genou dans ses parties viriles. Il se plia en deux, roula à terre et cria à ses hommes de s'emparer d'elle.

Tina affronta les quatre Kennedy avec un regard de mépris, et aucun n'osa avancer sur elle. Ses yeux dorés lançaient des éclairs.

— L'un d'entre vous serait-il assez vigoureux pour conduire mon chariot jusqu'à Doon?

Les hommes, honteux, regardèrent les trois femmes sans défense. Le plus âgé prit la parole :

— Je vous emmène, Lady Valentina.

En arrivant au château Kennedy, Tina apprit que son père avait conduit Elizabeth chez Donald, car Meggie était sur le point d'accoucher. Elle en fut bouleversée. Elle avait compté sur lui pour l'accompagner voir le roi. Ada la surveillait, inquiète. Tina sortait tout juste d'une double épreuve : l'empoisonnement et la fausse couche.

Tina se tenait debout par la seule force de sa volonté. Il n'y avait pas un instant à perdre : sans aucun doute, Henri Tudor ferait pendre Lord Revanche dès son arrivée à Londres.

La jeune femme courut aux écuries.

— Ada et moi partons pour Edimbourg dès l'aube, annonça-t-elle aux palefreniers. Je veux les meilleures montures et deux hommes pour nous escorter. Pas des gamins !

— Je m'en occupe moi-même, dit le maître des écuries, qui trouvait bien mauvaise mine à sa jeune maîtresse.

Tina se sentait mal à l'aise dans sa propre demeure. Beth se montrait distante, froide, et elle n'en comprenait pas la raison. Quant à Kirsty, elle était toujours aussi odieuse. Elle eut un regard hautain pour la taille fine de Tina.

— Je vois que vous n'êtes pas enceinte. Ce serait dommage que vous soyez stérile, alors que Douglas ne vous a acceptée que pour avoir un héritier.

Dieu, il n'y aurait jamais d'héritier Douglas si on pendait Ramsay !

— Bonne nuit, répondit sèchement Tina. Je pars à l'aube.

— Au fait, j'occupe ta chambre, désormais ! coupa Beth.

— Peu importe. Je prendrai la tienne.

— C'est moi qui dors dans l'ancienne chambre de Beth, dit Kirsty d'un ton suffisant.

— Venez, Tina, intervint Ada. Je vais préparer la chambre de vos parents.

— C'est impossible ! protesta Kirsty, pincée.

— Vraiment ? demanda Ada, menaçante, en marchant sur elle.

La gouvernante recula. Elle n'était pas de taille.

Valentina ne parvint pas à fermer l'œil, mais au moins elle reposa son corps épuisé.

Les deux femmes se levèrent avant l'aube et se vêtirent chaudement pour la longue chevauchée. En parvenant aux écuries, Tina fut soulagée de reconnaître la massive silhouette de Bothwick le Boucher, avec sa cotte de mailles, armé jusqu'aux dents.

— Oh, Bothwick, comme c'est gentil ! Mais je dois

vous avertir que Dacre et ses soldats étaient arrivés jusqu'à la Doon, hier. S'ils attaquaient le château ?

Bothwick serra ses énormes poings.

— Ces fils de garce auraient à qui parler. J'ai expédié des messages à tout le clan, y compris le comte de Cassillis. Ils enverront des hommes ce soir.

Tina portait la cape de renard assortie à ses cheveux, et elle eut un remerciement silencieux pour Ramsay qui avait veillé à son confort. Le chef des palefreniers avait chargé deux chevaux supplémentaires de bagages et de nourriture pour le voyage, tandis qu'il avait choisi deux robustes animaux au pied sûr pour Ada et Tina.

Il leur faudrait bien cinq ou six heures pour arriver à Edimbourg, et Tina se dit avec fierté que Black Ram aurait mis à peine deux heures.

Au début, elle se sentait pleine d'énergie. Il s'agissait d'une course contre le temps, or le danger l'avait toujours stimulée.

Ils avalèrent du pain sec et de la bière sans mettre pied à terre et ne s'arrêtèrent que trois heures plus tard pour faire boire les chevaux dans la Clyde, tout près du château de Patrick Hamilton. En pensant au jeune homme qu'elle avait failli épouser, Tina eut la chair de poule. Elle l'avait échappé belle ! Le destin, plus avisé qu'elle, avait pris les choses en main, heureusement. La comparaison avec Ramsay n'était pas à l'avantage du fils de l'amiral...

— Elle est pâle comme la mort, murmura Bothwick à Ada.

— Elle ne devrait pas mener ce train d'enfer, répondit la gouvernante. Elle a perdu un bébé la semaine dernière.

— Mon Dieu ! Vous voulez la tuer ?

Tina se sentit enlevée dans les bras puissants de Bothwick et, reconnaissante, elle s'accrocha à son cou. Il la posa devant lui sur la selle.

— Repose-toi, petite, Bothwick va te conduire à Edimbourg. Mais je ne te promets pas que le roi te recevra !

— Angus, souffla Tina.

Le Boucher était inquiet. La jeune femme n'était sûrement pas téméraire au point d'affronter Archibald Douglas ? Tina lui sourit, ses yeux dorés pleins de malice.

— Il a un faible pour moi.

Bothwick eut un petit pincement au cœur. C'était quelqu'un, bon sang, cette petite !

Ils firent au château d'Edimbourg une entrée pour le moins spectaculaire : un géant roux et barbu portant une jeune femme enroulée dans du renard, dont les mèches rousses traînaient jusqu'au sol...

Du poing, Bothwick frappa à la porte du comte d'Angus, prêt à trucider ceux qui se mettraient en travers de son chemin. Tina était lasse, elle avait faim, froid, et il se sentait son preux chevalier, celui qui devait mener à bien la mission qu'elle lui avait confiée.

Les domestiques d'Angus les firent entrer aussitôt et dépêchèrent un page pour avertir le comte qui ne tarda pas à arriver. Bothwick put constater par lui-même que le personnage le plus important du clan Douglas était tout miel face à Tina ; il repartit pour Doon d'un cœur léger.

— Quand l'ont-ils pris ? gronda Angus.

— Hier matin, répondit Tina, humiliée jusqu'au plus profond d'elle-même que Davie eût souillé le nom des Kennedy.

— Vous avez bien fait de venir tout de suite, mon enfant. Mais par Dieu, où étaient ses hommes ?

— Son premier lieutenant, Jock, avait emmené beaucoup d'hommes car trois villes ont été dévastées. Ram s'occupait de moi. J'ai bu du poison.

L'imperturbable Angus eut l'air troublé.

— Ce n'est pas Ramsay qui m'a empoisonnée ! protesta Tina avec vigueur.

— Non. Le poison est une arme de lâche. De toute façon, s'il voulait se débarrasser de vous, il lui suffirait de vous renvoyer chez votre père. Mais les autres soldats ? Je lui en ai envoyé soixante !

— Il en a laissé à Cumnock et à Ochiltree pour aider les villageois à reconstruire leurs maisons.

— Le fou! Jamais je ne me déplace sans une centaine de Douglas derrière moi!

— Combien de temps Dacre mettra-t-il pour arriver à Londres?

— Qu'est-ce qui vous fait penser que c'est sa destination?

— Ramsay est Lord Revanche, et il y a une récompense sur sa tête. Avant de le pendre pour piraterie, Henri Tudor voudra voir son ennemi.

Angus poussa un juron et s'assit à sa table couverte de parchemins pour rédiger quelques missives qu'il scella de sa chevalière. Voyant Tina bouleversée, il lui expliqua son plan:

— J'ordonne à Gavin, Ian et Drummond Douglas d'aller faire des raids sur la côte est de l'Angleterre cette nuit, et de signer leurs forfaits du nom de Lord Revanche. Puis j'irai voir le roi, et nous ferons savoir à Henri Tudor qu'il s'est trompé de personne. Si Dacre a pris Ramsay hier, il l'emmène sûrement à Carlisle d'abord. Dacre ne peut prendre le risque d'aller à Londres par le chemin le plus court. Ramsay aurait trop d'occasions de s'échapper, sur terre. Il préférera le garder à fond de cale, et il leur faudra trois ou même quatre jours pour arriver à Londres en bateau. D'autre part, j'offrirai une rançon pour Ramsay. Il l'acceptera, surtout s'il est persuadé que Lord Revanche court toujours.

— Je vais à Londres, déclara Tina.

— Il n'en est pas question! J'irais bien moi-même, mais ils me garderaient en otage, et Jacques devrait vider les coffres de la Couronne pour me libérer.

Tina se laissa glisser à ses pieds, suppliante.

— Vous ne comprenez pas, monseigneur? C'est ma faute s'il a été pris. J'ai révélé à mon frère qu'il était Lord Revanche, et il l'a trahi. Si vous ne m'aidez pas à me rendre à Londres, j'irai tout de même. Je ferai tout pour le sauver, au péril de ma vie!

— Petite, écoutez-moi... Il a fallu douze jours à la reine et à son escorte pour venir de Londres à Edimbourg.

— Alors donnez-moi un navire, monseigneur. Nous mettrons deux jours, ou moins si le vent est favorable.

Il baissa les yeux sur son ravissant visage tendu vers lui.

— Vous l'aimez tant que ça ? demanda-t-il doucement.

— Plus encore !

Angus se leva et se mit à arpenter la pièce. Comme tous les hommes actifs, il réfléchissait mieux debout. Ada se taisait. Elle savait que rien ne pouvait détourner Tina de son but, une fois sa décision prise. Elle s'assit calmement près des bagages en attendant le verdict d'Angus.

— Vous trouver un navire rapide pour aller à Londres ne représente pas un problème. Le problème, c'est votre sécurité.

Il s'arrêta un instant devant Ada dont il examina les seins avec intérêt, avant de se secouer et de se remettre à marcher.

— Vous pourriez apporter un message de la reine Marguerite à son frère Henri. Elle l'informerait que Ram Douglas n'est pas Lord Revanche et demanderait sa mise en liberté immédiate.

— Mais comment, au nom du Ciel, persuader la reine de rédiger un tel message ? Je l'ai rencontrée une fois seulement, je n'ai aucune influence sur elle.

Il adressa un clin d'œil à Tina.

— Ce n'est pas vous qui la persuaderez. Laissez faire mon fils Archie.

Tina le fixa, stupéfaite. Ils parlaient de Sa Majesté Marguerite Tudor, reine d'Ecosse, pas d'une fille de cuisine facile à séduire !

Angus avait son franc-parler.

— Il couche avec elle. Elle écrira la lettre ce soir, sinon il ne l'emmènera pas au lit. Vous ne croyez tout de même pas qu'il fait ça pour le plaisir ? Et Marguerite ne le croit pas non plus, elle n'est pas si naïve !

Tina rougit tandis qu'Ada éclatait de rire.

— Mes domestiques sont à votre disposition, petite. Reposez-vous pendant que je vais demander l'avis du roi. Il va devenir fou quand il apprendra que Black Ram Douglas a été pris !

Après un bain rapide et un léger souper, Tina et Ada s'endormirent dans un grand lit, leurs bagages et leurs manteaux prêts devant la porte. On les réveillerait avant minuit pour les emmener jusqu'à Leith, où l'un des bateaux d'Angus les emporterait avec la marée.

Angus mit à leur disposition son navire le plus rapide, et le vent qui soufflait du nord les poussa vers la côte anglaise comme s'il se mettait de la partie, lui aussi.

Angus avait remis à Tina des pièces d'or ainsi qu'une lettre de crédit pour un orfèvre à Londres. Il lui avait aussi confié une missive personnelle de la reine à Henri Tudor et un sauf-conduit.

Tina ne connaissait pas le capitaine du navire, mais elle aurait juré que c'était un Douglas, même dans le noir. Il lui affirma qu'ils arriveraient à destination en moins de vingt-quatre heures, mais qu'il devrait reprendre la mer dès qu'elle aurait débarqué avec ses chevaux et son escorte. En effet, bien qu'il disposât des papiers nécessaires pour pénétrer dans le port de Londres, il savait que les Anglais s'emparaient de tous les navires à leur portée, enrôlaient leurs équipages de force et pendaient leurs capitaines.

Angus avait insisté pour que les jeunes femmes soient accompagnées de deux robustes serviteurs et, tandis qu'elle se tenait sur le quai avec ses bagages, Lady Valentina Kennedy dut s'avouer que, sans la force des deux hommes, elle aurait eu du mal à arriver à la Cour.

Ils apprirent que celle-ci était à présent installée dans la résidence favorite du roi, à Greenwich, sur la Tamise. Le château, au milieu de son immense parc, ne se trouvait qu'à quelques kilomètres de l'endroit où ils avaient débarqué. Bien qu'il fût plus de minuit quand ils arrivèrent en vue de la résidence, l'endroit scintillait de lumières.

Les serviteurs restèrent aux écuries tandis qu'Ada escortait Tina jusqu'au palais.

Hautaine, la jeune femme discuta avec un valet en livrée qui passa le message au régisseur du château.

— Je suis émissaire de Sa Majesté la reine Marguerite d'Ecosse. J'apporte une missive pour son frère le roi.

Le majordome leur trouva deux petites chambres communicantes et leur indiqua que les serviteurs devraient dormir au-dessus des écuries.

— Nous pourrons peut-être vous trouver demain des appartements plus confortables, madame. Comme vous pouvez le constater, Greenwich est plein à craquer. Certains dorment même dans des tentes et des pavillons montés au milieu du parc pour les fêtes.

— Les fêtes ?

— Les fêtes de la moisson, madame. Elles sont célébrées chaque année à la fin de l'automne, avant l'arrivée de l'hiver.

Tina alla ouvrir la fenêtre sur l'air parfumé du soir et les rires des invités. Pourrait-elle un jour rire de nouveau ? Les joyeux convives, dans le parc de Greenwich, ne pouvaient savoir que son cœur saignait. Le Cœur sanglant des Douglas... Elle se mordit la lèvre, se rappela la promesse qu'elle avait faite à Ram : ne plus verser une larme...

Il faisait beaucoup plus chaud en Angleterre qu'en Ecosse. On était le dernier jour d'octobre, pourtant la fête aurait lieu dehors.

Tina tournait comme un fauve en cage. Elle avait envie de courir voir Henri Tudor et lui demander de relâcher Ramsay Douglas, mais ce n'était pas si simple. Elle aurait déjà de la chance si le roi lui accordait une audience... Elle comptait cependant sur la lettre de Marguerite pour lui ouvrir les portes. Mais elle ne pouvait s'empêcher, par superstition, de craindre que Ram ne fût le troisième mort de la famille.

Elle pensait ne jamais pouvoir dormir, pourtant elle succomba à l'épuisement...

Elle se retrouva solidement coincée entre les cuisses de Ram, à cheval sur Ruffian, en route pour la forteresse Douglas à la frontière. Elle se rappelait vaguement qu'il l'avait déflorée sans égards et se promettait de le séduire au point de le rendre fou d'elle.

Elle s'agita contre lui, suggestive, lui lança de ses yeux dorés un coup d'œil qui l'enflamma.

Il ralentit l'allure de son cheval, et ses soldats les dépassèrent pour disparaître derrière une colline.

Ils étaient enfin seuls, et elle fixa son regard, ses lèvres. Quand elle en aurait fini avec lui, ces lèvres lui appartiendraient, obéiraient au moindre de ses désirs, caresseraient chaque centimètre de sa peau. Cette bouche énergique s'adoucirait, murmurerait des mots d'amour.

Ruffian s'arrêta et elle prit conscience de la splendeur du paysage. Ils se tenaient près d'une immense cascade qui plongeait dans un profond bassin.

— C'est un vrai paradis, souffla-t-elle.

— Accroche-toi à moi.

Elle obéit, et il mit pied à terre, enfouit son visage dans l'opulente chevelure de feu, s'y perdit un instant.

Tina eut son petit sourire secret. Black Ram Douglas ignorait qu'elle le séduisait délibérément. Il se croyait le maître tandis qu'il la déshabillait, habile, avant de l'étendre dans l'herbe semée de fleurs sauvages.

Ses caresses étaient ardentes, ses baisers fougueux. Elle s'ouvrait à lui, s'offrait, se cambrait pour qu'il pût la posséder entièrement. L'amour avec Ram, c'était comme une tempête en mer, et cette tempête emportait Tina, elle répondait avec la même force, la même intensité, la même passion déchaînée.

Il l'entraîna au-delà du plaisir, elle avait l'impression qu'elle allait éclater en mille morceaux. Elle ondula follement sous lui, jusqu'à ce qu'ils atteignent l'extase dans un même cri de joie...

Le rêve s'arrêta, puis reprit. Ils étaient au bord de la cascade. Les mains sur ses épaules, Ram baisait ses cheveux, sa nuque.

— Plonge avec moi.

Tina s'appuya au corps nu de son amant.

— Je sais que tu as tous les courages, tu viens de me le prouver.

Elle sentait sa virilité renaître contre son dos. Il

admirait son courage par-dessus tout, et si elle plongeait avec lui, elle le posséderait à jamais, corps et âme.

Elle ouvrit lentement les bras, et il lui prit les poignets. Tous deux se dressèrent sur la pointe des pieds avant de s'élancer gracieusement vers l'eau miroitante.

Lorsqu'ils heurtèrent la surface, Tina se réveilla de nouveau en sursaut.

Elle demeura immobile pour garder encore un peu la magie de ce rêve. Ram suscitait de si profondes émotions en elle, même pendant son sommeil... Le lien qui les unissait ne pouvait être brisé. Elle trouverait un moyen de le sauver.

Ada s'éveilla vers six heures et, vêtue de sa plus belle robe, partit explorer le château, tandis que Tina regardait rêveusement par la fenêtre.

L'herbe était encore d'un vert brillant et l'air parfumé de l'odeur des roses tardives. Les massifs regorgeaient de chrysanthèmes, de roses trémières et de reines-marguerites. Les arbres commençaient tout juste à roussir et leurs feuilles vertes se teintaient de points d'or et d'écarlate.

Repoussant l'image de Ram, Tina décida de se concentrer sur sa tâche.

Elle choisit soigneusement une robe verte brodée de roses de soie et noua sa somptueuse chevelure d'un simple ruban orné de perles.

Ada revint, tout essoufflée.

— Vous ne devinerez jamais... tous les Howard sont là, avec leurs domestiques ! Apparemment, Thomas, le fils de Lord Howard, est l'amiral du roi. Ce bandit a capturé quelques vaisseaux écossais dont il a pendu les capitaines à leurs propres vergues.

Tina porta la main à sa gorge. Dieu, et si Dacre avait déjà pendu Ram ? Non. Elle le sentirait au fond d'elle. Mais elle se rendait compte que la vie de Ram ne tenait qu'à un fil. Il fallait agir au plus vite.

— Le roi et la Cour assistent à la messe tous les matins, reprit Ada. Vous devriez vous y rendre.

Tina sortit dans le tiède soleil et, pour la première fois depuis la veille, elle sentit un rayon d'espoir, comme un signe du Ciel. La matinée était riche de promesses.

Elle arriva à la chapelle en avance et choisit un siège près de l'autel, là où elle pourrait voir et être vue. Tandis que la nef se remplissait, elle fut frappée par l'élégance tapageuse des courtisans. Les hommes ressemblaient à des perroquets avec leurs tenues bien plus chamarrées que celles des femmes. Leurs chemises étaient plus fines que les délicats sous-vêtements qu'Ada lui brodait, ce n'étaient partout que dentelles, jabots et ruchés sous les pourpoints. Ces derniers étaient généreusement rehaussés de perles et de pierres rares que Tina ne connaissait pas. Jamais elle n'avait entendu parler d'opales, de pierres de lune ni de chrysolites…

Quand le roi arriva, Tina comprit que c'était lui qui faisait la mode, que les courtisans suivaient servilement. Elle le fixa intensément pour l'obliger à la regarder, tandis que la musique s'élevait sous les voûtes. Il avait à peu près la même morphologie que Donald, mais était beaucoup plus grand, presque un géant, avec une vaste poitrine et un gros visage rubicond. Il portait un béret de velours plat orné de pierres et de plumes d'autruche.

Sa barbe d'un blond cendré était coupée court, comme celle de tous les hommes dans la chapelle, et ses énormes doigts étaient chargés de bagues. Au cou, il portait une lourde chaîne d'or et une autre d'émeraudes qui auraient pesé trop lourd sur des épaules moins robustes.

Tina pensa au roi d'Ecosse et à son cilice… Là résidait toute la différence entre les deux monarques. L'un possédait une grande force intérieure, l'autre n'était que parade et ostentation.

Tina baissa la tête pour prier, sans se rendre compte que le roi lui lançait un regard concupiscent. Il n'y avait pas tant de jolies femmes à la Cour. Le roi sentit le désir monter en lui. L'épouse qu'on lui avait imposée, la veuve de son frère, Catherine d'Aragon, ne satisfaisait pas ses appétits sexuels, chaque jour plus exigeants. Henri se promit de demander à son chambellan qui était cette ravissante personne.

Il quitta la chapelle le premier, suivi de tant de gens que Tina n'avait aucune chance de l'approcher. Elle retourna donc à sa chambre où elle trouva Ada en compagnie du chambellan.

— Si vous avez des messages pour Sa Majesté, madame, je vais les porter au chancelier.

— J'espérais avoir un entretien privé avec le roi. Sa sœur m'a chargée pour lui d'un message personnel.

— Il existe un protocole en Angleterre, madame, rétorqua le chambellan, pincé. Je vous suggère de l'apprendre.

Il tendit une main impérieuse vers la lettre.

Tina sentit la moutarde lui monter au nez.

— Il existe la courtoisie, en Ecosse, monsieur. Je vous suggère de l'apprendre.

Sur une brève inclination de tête, il quitta la pièce. Elle avait davantage besoin de lui que lui d'elle !

— J'ai appris que Lord Howard venait d'être nommé à la tête des armées du roi, dit Ada. Evidemment, ici, les Howard utilisent leurs titres de comte et comtesse de Surrey. Si vous pouviez le persuader de vous aider, Tina...

— Par le Ciel, comment lui faire confiance ? Son fils capture autant de navires écossais qu'il le peut. (Tina montra la lettre.) Croyez-vous que j'aie eu tort de ne pas la lui remettre ?

— Non. Je suis certaine que notre prochain visiteur sera le chancelier.

Comme Tina fixait le message, pensive, elle s'aperçut que le sceau avait été posé négligemment. Il était possible de le faire sauter et de le refixer en chauffant la cire à la bougie. Sans plus hésiter, elle brisa le cachet rouge.

Très cher Henri,

Recevez tous les hommages de votre très dévouée sœur Marguerite. La porteuse de cette lettre, Lady Valentina Kennedy, aimerait demander une faveur à votre fort généreuse personne. Elle est la concubine de Lord Ramsay Douglas, que Lord Dacre a arrêté parce qu'il le soupçonnait d'être l'infâme Lord Revanche. Je sais que Douglas n'est pas celui que vous cherchez, car à l'instant même où je vous écris, le Revanche ravage les mers sur la côte opposée.

Douglas est le clan le plus puissant d'Ecosse, comme vous le savez, et j'ai le plaisir de vous annoncer que je suis dans les meilleurs termes avec l'héritier du comté. Je vous supplie de relâcher votre prisonnier, car vous pourriez bien, un jour ou l'autre, vous retrouver apparenté à lui.

Comme vous l'avez sans doute remarqué, Lady Valentina Kennedy est une véritable beauté, et elle saura montrer sa gratitude pour votre divin pardon de la façon qui vous plaira.

32

Valentina en resta bouche bée. Pour que le roi fût apparenté aux Douglas, il fallait que Marguerite épousât le fils d'Angus... ce qui signifiait la mort du roi d'Ecosse !

Existait-il de sinistres complots dans lesquels elle se trouvait à présent impliquée ?

Elle ne pouvait garder cette information pour elle... Elle lut rapidement le message à Ada avant de le sceller à nouveau.

— J'ai vu le roi à la messe. C'est une véritable montagne ! Il est affreux, mais ses vêtements sont somptueux.

— J'ai appris des domestiques tout ce qu'il y a à savoir sur lui. Il a un besoin pathologique de dominer.

Il n'était pas le seul!

— Black Ram Douglas est l'homme le plus dominateur que je connaisse.

— Non. Ram est un chef-né, tandis que Henri Tudor aime dominer chaque repas, chaque conversation, chaque personne. Ses ministres, le clergé. Longtemps, il a été brimé sexuellement par un mariage sans amour avec une espèce de nonne plus âgée que lui. Il n'a osé défier l'Eglise en s'adonnant à l'adultère que cette dernière année, et depuis il a des appétits de bête féroce. C'est une brute envers les servantes comme envers les femmes de la Cour. Ses caprices et ses colères sont légendaires.

— Roi de droit divin!

— De l'avis général, il se prend vraiment pour Dieu, conclut Ada.

Tina glissa le parchemin dans son corsage.

— Venez, allons faire un tour dans le parc. Si j'aperçois le roi ou Lord Howard, je tenterai de leur parler. Les fêtes de la moisson sont prévues pour demain, mais les réjouissances ont déjà commencé.

Elles descendirent dans les jardins où les cognassiers croulaient sous les fruits, passèrent devant le terrain de quilles et les aires de tir à l'arc où s'affronteraient nombre de concurrents dans l'après-midi.

— Personne n'ose gagner contre Henri, expliqua Ada. C'est un enfant gâté, et il trouverait des vengeances cruelles, vicieuses.

Tina tremblait à l'idée de devoir affronter un tel monstre. La dernière phrase de la lettre de Marguerite la hantait, et elle espérait que le roi se montrerait magnanime sans rien exiger en retour.

— Oh, les Gitans! s'écria-t-elle soudain comme elles passaient devant des tentes rayées. Ils sont venus distraire la Cour. Je vais voir si Heath est là.

Elles se glissèrent entre les roulottes à la recherche d'un visage connu, mais il s'agissait de Gitans anglais, sûrement.

Un garçon basané la regardait d'un air égrillard. Au

356

lieu de redresser fièrement la tête et d'ignorer son insolence, Tina s'approcha de lui.

— Connaissez-vous un Gitan du nom de Heath?
Heath Kennedy, d'Ecosse?

L'homme sourit.

— Nous ignorons les frontières. Nous sommes des
romanichels... ni Anglais, ni Ecossais.

— Je sais, s'impatienta Tina. Mais connaissez-vous
Heath?

Il se mit à rire.

— Les Gitans ont horreur des questions. Peut-être
que je le connais, peut-être que non.

Tina tapa du pied. Il ne dirait rien. La discrétion et la
loyauté étaient une loi sacrée chez les Gitans.

Le jeune homme eut un regard coquin.

— Si vos besoins sont à ce point urgents, jeune
dame, je pourrais peut-être le remplacer. Accompagnez-moi sous les arbres...

— Oh!

Tina, offusquée, s'éloigna aussi vite que possible.

— Les hommes ne pensent qu'à ça! s'indigna-t-elle
un instant plus tard.

Ada haussa les épaules, fataliste.

— Ils considèrent ce qu'ils ont entre les jambes
comme le centre de l'univers, qu'ils soient rois ou
Gitans.

Elles passèrent devant une jeune fille qui entraînait
des chiens savants et semblait vaguement familière à
Tina. Elle hésita. Dans leurs jupes rouges et leurs
blouses blanches, il était difficile de les discerner les
unes des autres. Soudain elle sentit que quelqu'un l'observait et fit volte-face pour se retrouver devant une
jeune femme aux yeux noirs.

Tina ne se rappelait pas son nom, mais elle eut un
sursaut d'espoir malgré le regard de haine que la
Gitane lui adressait. Elle se dirigea vers les marches de
sa roulotte.

— Je m'appelle...

— Je sais, gronda Zara. Vous êtes la garce Kennedy.

Elle cracha aux pieds de Tina dont les joues s'enflammèrent. Cependant, elle fit taire son orgueil.

— Heath est-il là?

— Il est parti.

— Quand revient-il?

La Gitane la dévisageait comme si elle voulait lui plonger un couteau dans le cœur. Tina prit une pièce d'or dans sa bourse.

— Il va, il vient, dit Zara, l'œil allumé de convoitise, la main tendue.

— Pourquoi me haïssez-vous? demanda Tina sans se séparer de la pièce.

Elles s'affrontèrent longuement du regard en silence.

— J'étais la femme de Ram avant vous, répondit enfin Zara.

Tina eut l'impression de recevoir un coup de poing. Visiblement, la pulpeuse Gitane avait conçu une véritable passion pour Ram, et Tina décida de s'en servir.

— Il a été fait prisonnier. Sans doute l'a-t-on amené à Londres, or j'ai besoin de Heath pour savoir où il se trouve.

Elle donna la pièce d'or à Zara.

— Voulez-vous m'aider?

L'autre pâlit mais ne lâcha pas pied.

— Qu'est-ce que ça peut me faire?

— C'est important pour vous. Je le sais, j'ai été sa femme, et c'est important pour moi, répondit Tina, renonçant à sa fierté. Je ferais n'importe quoi pour le sauver, et vous aussi.

— Les femmes qui partagent son lit s'éveilleront toujours avec le sourire, insista Zara, provocante.

— Il n'y aura pas d'autres femmes. Ils vont le pendre.

Zara plissa ses yeux en amande.

— Il est le seul homme à m'avoir donné de l'or... Le seul que j'aie autorisé à enlever mes anneaux.

Elle ne portait qu'une boucle d'oreille, mais Tina ouvrit de grands yeux en la voyant remonter sa jupe pour montrer où se trouvait l'autre.

« Le monstre! Qu'il soit donc pendu!»

Tina avait atrocement mal, mais une petite voix lui

disait : « Qu'importent celles qu'il a possédées avant toi ? »

Comme elle se détournait, Zara la rappela :

— M'aideriez-vous à rencontrer le roi ?

C'était Tina qui avait besoin de cela ! Mais elle se garda bien de le dire ; elle acquiesça, espérant se montrer convaincante, avant de s'éloigner.

— On apporte de la nourriture sous une tente, dit Ada. Allons nous restaurer.

— Je suis désolée, je n'ai pas faim.

— Il faut manger, sinon vous allez tomber de nouveau malade.

Tina secoua la tête.

— Je ne pourrais rien avaler. Mais je vous accompagne, je boirais volontiers quelque chose.

Le buffet regorgeait de plats, et Ada se servit une part de tourte à la viande tandis que Tina se contentait d'une bolée de cidre.

La foule des courtisans s'ouvrit soudain devant le roi, qui parlait avec Lord Howard. Tina ne put que l'apercevoir, car il était entouré d'une trentaine d'hommes qui se pressaient autour de lui et repoussèrent les deux jeunes femmes sans ménagement.

— Si nous sommes séparées, dit Tina, suivez Howard pour lui dire que je désire lui parler. Moi, je suivrai le roi.

A peine avait-elle prononcé ces mots qu'il y eut un mouvement de foule en direction du parc et qu'elle perdit Ada de vue.

Tina suivit le groupe de courtisans qui s'étoffait à chaque pas. Le roi se dirigeait vers le jeu de quilles. Quelques heureux élus eurent la chance d'être choisis pour jouer avec lui tandis que les autres se massaient autour pour l'encourager et l'applaudir.

Tina attirait sur elle les regards… et les mains des hommes. Comme on touchait son arrière-train, elle se retourna, furieuse, vers l'insolent.

— Par le Ciel, le côté face est plus séduisant encore que le côté pile, dit un jeune homme blond.

Elle le tapa sèchement sur la main.

— Comment osez-vous me toucher en public ?

Le silence se fit autour d'eux.

— Vous préféreriez que je le fasse en privé, ma chérie ?

Il y eut des éclats de rire gras, et Henri se tourna pour voir ce qui amusait ses courtisans. Lorsqu'il aperçut la ravissante rousse qui avait retenu son attention à la messe, il dit à Lord Howard :

— Cherchez à savoir qui est cette petite, près de votre fils Edmund. J'aimerais bien avoir quelques rapports avec elle.

Howard éclata de rire, mais Tina s'était retirée derrière la foule. Elle attendrait que le roi eût fini de jouer pour reprendre sa chasse.

Pendant ce temps, elle observa les femmes de la Cour. On avait du mal à les distinguer les unes des autres : elles étaient habillées de la même façon. Aucune n'était jeune et toutes avaient des silhouettes de matrones ; mais peut-être était-ce dû à la largeur excessive de leurs jupes et de leurs manches gigot. Elles portaient des parures de cheveux exquises, brodées de perles et de joyaux.

Tina grimpa sur un banc, s'aperçut que le roi avait terminé sa partie. Il prit familièrement le bras d'une dame et quitta le terrain avec elle. La foule les suivit, mais, une fois dans les jardins, certains rentrèrent au palais tandis que d'autres se dirigeaient vers les buffets.

Les efforts de Tina furent enfin récompensés, car elle vit le roi et sa compagne se diriger vers une haie d'ifs. Elle se hâta pour les rattraper, tandis que Lord Howard avait rejoint son fils Edmund.

— Le roi t'a vu parler avec une jeune femme. Il aimerait la rencontrer.

— Le plus beau morceau que j'aie croisé à la Cour depuis un an. Malheureusement, j'ignore son nom.

— Mon Dieu ! Si je ne me trompe, je viens d'apercevoir Lady Valentina Kennedy. Que diable fait-elle à la cour de Henri ? A moins qu'elle ne soit envoyée par la reine ?

— Où est-elle ? demanda Edmund.

— Tu ne peux la manquer, elle a une chevelure de feu.

— C'est avec elle que je parlais ! Tenez, la voilà, en train de suivre le roi.

— Bon sang ! Henri souhaite la rencontrer, mais pas dans ces circonstances...

La foule s'était discrètement éloignée en voyant le roi entraîner sa compagne vers le labyrinthe, mais Tina était tellement concentrée sur sa rencontre avec Henri qu'elle ne s'aperçut pas tout de suite de l'endroit où elle se trouvait.

Soudain, elle se sentit désorientée, entre toutes ces haies destinées à égarer le visiteur. Elle arriva dans un petit espace carré orné d'un cadran solaire sur lequel étaient gravés ces mots : *Je calcule seulement les heures de soleil.*

Elle étouffa un sanglot. Combien d'heures de soleil avait-elle gâchées au lieu de jouir de l'amour de Ram ? Peut-être ne leur restait-il à présent que les heures sombres...

En passant devant une autre allée, elle entendit du bruit et s'approcha. Soudain, presque à côté d'elle, une voix d'homme impatientée ordonna :

— Lève tes jupes, Bessie. Quelle est cette pudeur subite ?

— Sire, je vous en prie, allons ailleurs. Dans ma chambre, vous pourriez vous déshabiller...

— Foutaise, Bessie ! Je ne peux tout de même pas me déshabiller et me rhabiller chaque fois que j'ai besoin d'une femme. Pourquoi crois-tu que j'aie fait tailler une braguette dans mes vêtements ?

Tina, la main sur la bouche, s'accroupit pour se cacher. Le roi allait assouvir ses désirs à quelques mètres d'elle. Pour l'instant, elle ne voyait que deux paires de souliers ornés de pierreries. Ceux de la femme furent brusquement tournés dans une autre direction.

— Penche-toi sur le banc, Bessie, et lève ces bon sang de jupes ! Ne joue pas les coquettes avec moi !

Il y eut ensuite un bruissement de soie, puis des grognements et des piaillements de femme en détresse qui choquèrent Tina au plus haut point. Le roi ne mettait pas plus de délicatesse à s'accoupler qu'un taureau dans un pré !

La femme poussa un cri perçant et se mit à sangloter.

— Pas la peine de pleurer, Bessie. Je sais que je suis fort, parfois je fais mal, mais c'est peu cher payé pour le grand honneur que je t'accorde.

— Vos joyaux m'ont déchiré les fesses, sire.

Henri éclata d'un gros rire.

— Ah bon ? Je t'ai bien fait l'amour, Bessie. Qu'est-ce qu'une petite douleur à côté ? Allons, cesse de pleurnicher et aide-moi à refermer cette fichue braguette.

Les pieds disparurent et Tina entendit le roi qui ordonnait :

— Arrange-toi pour être libre après la chasse.

Elle ne put discerner la réponse de la jeune femme.

Tina erra un bon quart d'heure avant de pouvoir sortir du labyrinthe et quand elle y fut enfin parvenue, elle se jura de ne plus y mettre les pieds.

Ses beaux espoirs du matin s'étaient envolés, et elle retourna dans sa chambre, déprimée. Au lieu d'Ada, elle y trouva un page qui l'attendait avec un message du chancelier. Il lui demandait de le faire prévenir dès qu'elle serait rentrée. Elle envoya le page le chercher et s'assit sur le bord de son lit.

Soudain une silhouette apparut dans l'encadrement de la fenêtre.

— Heath ! Mon Dieu ! Tu m'as fait peur !

— Que fabriques-tu en Angleterre, ma douce ? demanda-t-il, contrarié.

Elle se jeta dans ses bras.

— Tout va mal, Heath ! Davie a dénoncé Black Ram Douglas à Lord Dacre. Ils l'attendaient à bord du *Revanche*.

— Le petit salaud ! Ce gamin m'a toujours dégoûté ! S'ils amènent Ram à Londres, ils l'enfermeront sans doute à la tour Blanche.

362

Il se garda bien d'ajouter que les gibets étaient installés tout près, sur Tower Hill.

— Le roi a envoyé un message de protestation, et le comte d'Angus m'a donné une lettre de la reine Marguerite pour son frère où elle lui affirme qu'ils ne tiennent pas le véritable Lord Revanche. Hélas, je n'ai pas encore pu approcher le roi.

— Lord Howard est probablement l'homme le plus influent de la Cour, en ce moment. Te connaît-il, Tina?

— Oui. Il a même essayé de me séduire.

— Le vieux coureur! Il saura certainement où se trouve Ram. Parle-lui, fais-lui du charme pour qu'il te laisse rendre visite à ton époux. Et s'il t'en demande plus que tu n'es disposée à lui donner, dis-lui que ton frère est là pour veiller sur ton honneur.

Elle semblait tellement perdue... Il lui ébouriffa les cheveux.

— Haut les cœurs, la Flamboyante! Ce que l'on redoute le plus ne se produit presque jamais, dans la vie.

On frappa à la porte et Heath disparut comme il était venu. C'était le lord-chancelier du roi, devant lequel Tina s'inclina en une charmante révérence. Il la releva aussitôt.

— Pardonnez-moi, très chère Lady Kennedy. J'ignorais que vous fussiez là comme ambassadrice de la sœur de Sa Majesté. Le chambellan ne vous a pas traitée comme il convenait, aussi allons-nous vous loger dans un appartement digne de vous.

— Je suis fort bien ici, monseigneur, murmura-t-elle.

Il fallait que Heath sût où la trouver...

— J'insiste, madame. Si vous restiez ici, le roi m'en voudrait.

Tina céda dans un sourire.

— Je vous présenterai au roi Henri ce soir, dans la salle du banquet.

— Oh merci, monseigneur! Quel plaisir de rencontrer un véritable gentilhomme!

Les nouveaux appartements de Tina étaient particulièrement ravissants. La grande chambre était lambrissée de chêne doré, et un feu crépitait dans la cheminée de bois sculpté. La petite table était flanquée de deux fauteuils confortables. Quant à la chambre adjacente, elle contenait une baignoire et un petit lit pour Ada.

Puisqu'elle allait enfin être présentée au roi, Tina choisit de porter l'élégante robe noir et argent que Ram lui avait achetée à Glasgow. Elle était à la dernière mode, avec ses larges manches et son profond décolleté carré. Ada lui orna le cou d'une collerette argent et lui assura que sa chevelure était trop belle pour être dissimulée sous une coiffe.

C'était peut-être la seule occasion qu'aurait Tina de parler au roi, aussi devait-elle faire bonne impression. Ram avait été capturé cinq jours auparavant. Il était sûrement arrivé à Londres, maintenant. Il était possible que le roi eût déjà ordonné de pendre Lord Revanche...

Tina ferma les yeux, pria Dieu en silence, puis souhaita que Ram ne perdît pas courage. Elle avait mal chaque fois qu'elle pensait à lui.

— J'ai besoin de prendre l'air, Ada. Accompagnez-moi aux écuries, je parlerai avec les hommes qui nous ont escortées. Je veux qu'ils restent près de nous lors des réjouissances. Même le parc et les jardins ne sont pas sûrs, à Greenwich, pour deux femmes seules.

Elles y arrivaient presque lorsqu'elles furent rattrapées par la chasse du roi. Le tapage était infernal. Les maîtres de la meute hurlaient des ordres aux gardiens du chenil, tandis que le maître de la chasse sonnait du cor à faire sursauter un sourd. Des courtisans et quelques femmes félicitaient le roi d'avoir capturé autant de gibier.

Les rabatteurs attachèrent une vingtaine de cerfs et de biches, qui n'étaient pas tous morts. Les flèches du roi les avaient simplement blessés, et maintenant, sous les vivats, il leur infligeait le coup de grâce. Il était couvert de sang de la tête aux pieds. Un vrai carnage...

Tina vacilla et rentra à l'intérieur de l'écurie, pâle comme un linge.

— Respirez profondément, lui conseilla Ada.

— Je ne peux pas, je suffoque.

Henri Tudor était l'homme le plus immonde de la terre. Même les chefs des Highlands, comme Angus et Argyll, rustres et brutaux, n'étaient pas si répugnants. Le roi d'Angleterre était excessif en tout. Trop énorme, trop content de lui, trop agressif, méprisant. Et son entourage le courtisait avec un excès à donner la nausée.

Comme elle sortait discrètement des écuries, Lord Howard l'aperçut et envoya un valet se renseigner pour savoir où elle logeait à Greenwich. C'était une superbe créature, elle n'était plus vierge désormais, et l'idée de la posséder lui faisait monter le sang à la tête.

33

Tina demeura longtemps à sa fenêtre, le regard dans le vide. Elle frémissait à l'idée du souper dans la salle des banquets, mais ce serait sa seule opportunité d'être présentée au roi et de lui remettre le message. Elle aurait donné beaucoup pour ne pas avoir à affronter Henri Tudor, pourtant il le fallait.

Rêveuse, elle se rappela combien elle avait haï Ram Douglas. Si seulement il pouvait se trouver près d'elle en ce moment ! Elle soupira et se ressaisit. Elle avait une tâche à accomplir, elle irait jusqu'au bout.

Une ombre apparut dans l'embrasure mais, avant d'avoir peur, elle entendit la voix grave de Heath :

— Je les ai vus débarquer Ram. Il est à la tour du Sang, celle réservée aux prisonniers écossais.

— Etait-il enchaîné ?

— Pour l'amour du Ciel, Tina, cesse de te torturer ! Applique-toi à obtenir de Howard la permission de le voir, je m'occupe du reste. Il nous faut un parchemin officiel.

— Tu as un plan! s'écria-t-elle, pleine d'espoir.

— Oui, mais je préfère que tu l'ignores. Arrange-toi seulement pour obtenir ce parchemin.

Il se fondit dans l'ombre du jardin et, bien qu'elle eût encore mille questions à lui poser, elle se sentit plus forte.

Elle brossa ses cheveux, se munit de son éventail à manche d'argent et, avec une grâce féline, descendit dans la salle des banquets.

Ada prit place à la table des domestiques tandis que Tina attendait qu'on lui indiquât son siège. Le major-dome avait reçu pour instruction de la placer près du chambellan, afin qu'il pût ensuite la confier au chancelier pour la présentation au roi.

De la galerie des ménestrels s'échappait une musique légère, et les pages s'affairaient pour satisfaire les désirs de leurs maîtres. Enfin le roi fit son entrée, suivi de ses courtisans, et on servit le souper.

Tina émietta distraitement un morceau de pain en buvant quelques gorgées de vin coupé d'eau. Elle était écœurée par la forte odeur du gibier, essayant d'oublier les grands yeux apeurés des biches. Bien sûr, il ne s'agissait pas des mêmes animaux, mais elle ne mangerait pas de gibier de sitôt!

Ada l'avait informée que la reine Catherine d'Aragon résidait avec ses dames d'honneur à Richmond, afin de pouvoir poliment ignorer les frasques de son royal époux.

Tina s'intéressait plus aux vêtements de la Cour qu'à ceux qui les portaient, aussi ne remarqua-t-elle pas le regard mauvais que lui lançait Lady Howard, ni l'attention que lui portait son fils Edmund. Comme elle admirait un pourpoint écarlate, son regard remonta vers une barbe courte, puis sur les yeux de Lord Howard... Elle lui adressa son plus radieux sourire, récompensé par un hochement de tête complice.

Edmund Howard, qui avait surpris l'échange, jura entre ses dents. Il ne se risquait jamais à se mesurer à son père pour la conquête d'une femme. Sans que Tina en eût conscience, Lord Howard venait de la sauver.

Enfin il ne resta plus sur les tables que les friandises et les coupes de vin. Le chambellan conduisit Tina au chancelier qui se dirigea avec elle vers le dais où se tenait Henri. Celui-ci cessa un instant de se gaver de sucreries pour admirer la ravissante jeune femme remarquée à la messe.

Tina plongea dans une profonde révérence, et les yeux d'Henri brillèrent de convoitise en s'attardant sur son décolleté.

— Lady Valentina Kennedy apporte à Sa Majesté un message de la reine Marguerite d'Ecosse.

Henri tendit sa main chargée de bagues pour que Tina pût la baiser, mais elle sortit la lettre de son corsage et la posa dans l'énorme paume du roi. Celui-ci était nettement plus intéressé par la charmante créature que par la prose de sa sœur, et il jeta négligemment la lettre sur la table avant d'inviter Tina à s'asseoir près de lui. Le comte qui occupait cette place fut congédié d'un geste méprisant.

Henri versa du vin dans son gobelet incrusté de pierreries qu'il offrit à Tina. La jeune femme n'avait aucune envie de boire là où le roi avait posé ses grosses lèvres et dissimula sa répugnance sous un timide sourire.

— Ne soyez pas si émue, ma chère, dit-il en lui tapotant le genou. Nous partagerions avec vous bien plus que notre coupe.

Deux solides lutteurs vinrent s'incliner devant le roi. Ils étaient vêtus simplement de collants vert pour le champion de Henri, jaune pour l'autre. C'étaient des hommes musculeux, énormes, et Tina trouva cette exposition de chair tout à fait dégoûtante. Le roi se pencha pour lui murmurer à l'oreille :

— Je parie un baiser que mon champion battra le vôtre.

— Je n'ai pas de champion, sire. Je ne connais rien à la lutte.

— Je vous enseignerai tout ce qu'il y a à savoir !

Sur ce, Henri partit d'un grand rire, enchanté de sa plaisanterie. Comme un enfant attardé, il voulait à tout prix briller devant la femme qui lui plaisait.

— Mon champion est le meilleur. Personne ne peut l'égaler. Sauf moi, bien entendu. Aimeriez-vous me voir lùtter contre lui ?

Gênée, Tina ouvrit la bouche pour prendre une grande inspiration, et Henri la crut bouche bée d'admiration.

— Allons, ma douce, pariez sur moi. Vous choisirez votre récompense.

Tina pensait à la lettre que le roi devait absolument lire et répondit doucement :

— Aucune dame n'a jamais eu de plus noble champion, sire.

Henri jeta son pourpoint et sa cape à un domestique avant de descendre dans la salle sous les applaudissements. Heureusement, il avait gardé sa chemise. Tina n'avait aucune envie de voir ce gros homme torse nu.

Le spectacle fut grotesque. Deux corps énormes aux membres emmêlés qui soufflaient, juraient, transpiraient... Tina agita son éventail pour dissimuler son écœurement.

Le champion du roi était un excellent simulateur. Il feignit d'avoir le dessus jusqu'au dernier moment, où il se retrouva cloué au sol par la poigne du roi. Les courtisans poussèrent des cris de joie, frappèrent leurs gobelets sur les tables.

Henri leva les bras, savourant sa prétendue victoire. Il était le champion incontesté d'Angleterre, qu'il s'agît de lutte, de tournois ou de chasse. Et il ne tarderait pas à ajouter la séduction à sa liste. Ses gentilshommes l'aidèrent à remettre son pourpoint, et il tendit vers Tina ses gros doigts chargés de joyaux.

— Choisissez, ma belle. N'hésitez pas.

— Je ne vous demande pas de bijou, sire, dit Tina. Seulement de lire la lettre que j'ai apportée.

Henri brisa le sceau et jeta un rapide coup d'œil au message. Il fronça les sourcils.

— Personne ne m'a dit que l'on avait capturé Lord Revanche !

— Il n'a pas été capturé, sire. Lord Douglas n'est pas le pirate que vous pourchassez.

Henri la couvrit d'un regard concupiscent. L'idée de Douglas en train de faire l'amour à cette beauté l'excitait comme un adolescent devant des images licencieuses.

— Vous êtes en concubinage avec ce Douglas ?

— Oui, sire.

— Une coutume scandaleuse... Interdite en Angleterre. C'est de la fornication pure et simple. Vous vivez avec lui et partagez son lit sans la bénédiction du clergé... Nieriez-vous que vous êtes sa maîtresse ?

Tina s'éventa avec rage.

— Cette tradition est fort ancienne et respectable. Il est mon époux dans tous les sens du terme.

C'était vrai, songea-t-elle : Ram était son époux, et jamais elle ne lui serait infidèle.

Henri lui prit les mains fermement, bien qu'elle tentât de se dégager.

— Femme et catin à la fois... quelle merveille ! Etes-vous un cadeau, au lit ?

Les joues de Tina brûlaient non de honte mais de colère. Henri caressait sa paume de façon suggestive, puis il porta sa main à ses lèvres et la lécha du bout de la langue. Tina craignit un instant de vomir tant elle était dégoûtée.

La comtesse de Surrey était très ennuyée. Elle avait vu Tina remettre à Henri un message qui ne pouvait venir que du roi ou de la reine d'Ecosse. Et si cette missive contenait des mensonges au sujet des Howard ? pensait-elle. Elle fit part à son mari de ses inquiétudes et le pressa d'aller rejoindre le roi sous le dais. Dès que Henri vit Lord Howard approcher, il lui fit signe d'un gros doigt boudiné.

— Pourquoi n'ai-je pas été informé de la capture de Lord Revanche ? demanda-t-il, doucereux.

— Je n'ai appris qu'aujourd'hui, de mon fils Thomas, que le *Revanche* a été vu au large de Flamborough

Head. Un informateur l'a prévenu qu'on s'attendait à un raid sur Kingston, et l'amiral va essayer de prendre Lord Revanche et son navire au piège.

— Votre information semble correspondre à celle de Marguerite. Apparemment, Dacre a fait arrêter Lord Douglas par erreur. Comment a-t-il pu se fourvoyer ainsi ?

Lord Dacre était l'ennemi juré de Howard, qui ne perdit pas cette occasion de ternir sa réputation.

— Votre Majesté a offert une récompense pour la capture de Lord Revanche, je crois ?

Henri tapota la table, impatienté.

— J'aurais dû être prévenu de l'arrivée de cet important personnage à la Tour. Bien qu'il ne soit pas Lord Revanche, il peut tout de même représenter une belle monnaie d'échange dans une négociation.

Tina fut soudain glacée.

— Vous connaissez la charmante Lady Kennedy, je crois ? demanda le roi en observant attentivement la réaction de Lord Howard.

— En effet, sire. C'est l'une des favorites de la reine Marguerite, improvisa le comte. Sa beauté est légendaire.

Henri savait reconnaître le désir. Ainsi, le vieux Surrey convoitait cette jolie femme ?

— Nous voulons que le séjour de Lady Kennedy parmi nous soit aussi agréable que possible. Nous vous chargeons, *ainsi que votre femme*, de faire tout en votre pouvoir pour la servir.

Howard comprit qu'il n'avait pas intérêt à se mettre sur les rangs pour la conquête de Tina, et il se dirigea ostensiblement vers son épouse.

— Rassurez-vous, lui dit-il, Lady Kennedy a seulement apporté un message de Marguerite. Le roi nous demande de veiller sur elle.

— Il semble pourtant fort bien s'en occuper tout seul, répondit la comtesse avec humour. On dirait un chien qui vient de trouver un os !

— Quelle remarque de mauvais goût ! lança sèchement Howard.

La comtesse, qui savait fort bien que son mari convoitait Tina, alla trouver Elizabeth Blount — la fameuse Bessie du labyrinthe.

— Sa Majesté vous néglige honteusement ce soir, Elizabeth, mais il ne faut pas lui en vouloir. Lady Kennedy a la réputation d'être une allumeuse.

— Vraiment ? murmura Bessie.

Elle avait presque espéré que Henri assouvirait ailleurs ses inépuisables désirs cette nuit-là, mais du diable si elle se laisserait humilier en le voyant courtiser ouvertement cette garce de Kennedy ! Elle prit le bras de la comtesse et toutes deux s'avancèrent en direction du roi. Bessie fit la révérence, dévoilant son opulent décolleté.

— Votre Majesté nous a tous émerveillés par ce déploiement de force physique. Vous êtes inégalable, sire.

Le roi n'allait tout de même pas se laisser prendre à une flatterie aussi énorme ? Et pourtant...

— Vous êtes souvent en position d'admirer cette force, Bessie. Et, comme vous pouvez en témoigner, je suis infatigable.

Une affreuse image vint à l'esprit de Tina, et elle se tourna vers le roi, le souffle court.

— Veuillez m'excuser, Majesté, je suis terriblement lasse. Je suis certaine que Lady Howard aura la gentillesse de m'accompagner à ma chambre.

Henri la regarda dans les yeux avant de murmurer lentement :

— A plus tard.

Puis il la remit aux bons soins de la comtesse, demanda du vin et posa une main familière sur l'arrière-train de Bessie...

Tina se laissa tomber dans un fauteuil devant la cheminée. Elle était épuisée par sa rencontre avec le roi. Elle s'était sentie salie quand il l'avait regardée de ses petits yeux porcins, violée quand il l'avait touchée. Mais c'était peu cher payé pour la liberté de Ram.

Ada dénoua les rubans de sa robe.

— Vous êtes pâle comme la mort. Avez-vous mangé quelque chose, aujourd'hui ?

La jeune femme secoua la tête.

— Prenez au moins un fruit, insista Ada.

Tina grignota quelques morceaux de poire.

— Je devrais être contente, la soirée a été une réussite. J'ai été présentée au roi qui a lu la lettre... Mais j'ai peur, Ada. J'ai tellement peur que le roi ne me désire. Et ce qu'Henri veut, il l'obtient. On aurait dit un taureau en chaleur. Lorsqu'il luttait, il transpirait comme un porc.

— Un taureau ou un porc? demanda Ada dans l'espoir de la faire sourire.

— A mon avis, poursuivit Tina, toute à ses préoccupations, il est convaincu que Ramsay n'est pas Lord Revanche, mais n'a aucune intention de laisser un personnage aussi puissant lui filer entre les doigts.

— Oh, ma chérie, vous avez fait des merveilles. Maintenant, Ram ne risque plus d'être pendu.

— Peut-être, soupira Tina. Mais il va falloir payer...

Ada haussa les épaules, philosophe.

— Nous vivons dans un monde d'hommes, ma chérie. Il faut toujours payer. Cependant Ram vous tuerait s'il l'apprenait, ajouta-t-elle. Ne le lui dites jamais!

— Il me haïrait, répondit Tina, amère. Et je me détesterais aussi.

— Si vous êtes assez fine, il ne saura rien.

« Mais moi, je saurai », pensa Tina.

Ada la débarrassa de sa robe et glissa un petit tabouret sous ses pieds.

Les yeux fixés sur les flammes, Tina se mit à rêver. La gentillesse de Ram avec les enfants d'Ochiltree l'avait bouleversée. Elle avait tant envie de lui donner des bébés!

Peu à peu ses paupières se fermèrent, sa tête s'inclina contre le dossier du fauteuil, et Ada la laissa devant le feu, seulement vêtue de sa chemise noire...

Tina se réveilla en sursaut. On frappait.

La main sur la poignée de la porte, elle demanda:

— Qui est là?

— C'est moi, ma chère. Lord Howard. Nous n'avons pas encore eu l'occasion de parler en tête à tête.

C'était la Providence qui l'envoyait! Tina avait besoin de cet homme et elle n'allait pas lui refuser l'entrée de sa chambre sous prétexte qu'elle était en chemise. Du regard elle chercha une robe d'intérieur, mais Ada ne lui en avait pas préparé.

— Excusez ma tenue, Lord Howard. J'ai un service à vous demander.

Galant, il porta la main de Tina à ses lèvres.

— Je ferais n'importe quoi pour vous, ma chère. Vous savez combien je vous apprécie.

Une petite sonnette d'alarme tinta dans la tête de la jeune femme et elle mit quelque distance entre eux avant de poursuivre :

— Je suis folle d'inquiétude pour Lord Douglas. Je vous en prie, donnez-moi un sauf-conduit pour aller lui rendre visite à la Tour. Le roi m'a assuré que vous m'aideriez, très cher Lord Howard.

— Je serais plus qu'heureux de vous faire plaisir, Lady Valentina. En échange, je sais que vous saurez vous montrer généreuse envers moi.

Tina retint son souffle. Seigneur! Encore un qui voulait obtenir ses faveurs! Etait-ce donc toujours la monnaie d'échange entre un homme et une femme?

Howard s'approcha, la prit dans ses bras et écrasa sa bouche contre celle de la jeune femme.

Elle se dégagea.

— Le sauf-conduit, monseigneur!

Quand il l'aurait rédigé, elle lui dirait n'importe quoi, que son frère dormait dans la chambre voisine, par exemple.

Sans lâcher sa main, il se dirigea vers le bureau et prit une plume.

— Vous n'êtes plus la petite oie blanche que j'ai rencontrée à Edimbourg, dit-il en pliant la feuille et en la glissant entre ses seins. Venez, donnez-vous à moi, maintenant.

Il la souleva dans ses bras et la porta vers le lit.

Il était tellement plus fort qu'elle ! Elle se mit à sangloter.

— Comment osez-vous me prendre contre ma volonté, Lord Howard ? Mon frère vous tuera !

Soudain, un panneau de chêne glissa silencieusement, révélant la massive silhouette de Henri Tudor en robe d'hermine. Howard comprit alors qu'il avait commis une énorme bourde. Tina la Flamboyante était à demi dévêtue parce qu'elle attendait le roi ! Et si elle occupait cette chambre, c'était à cause de l'escalier secret qui la reliait à celle de Henri...

— Est-ce ainsi que vous traitez une dame que j'ai mise sous votre protection ? tonna le roi.

Tina était morte de peur. Henri Tudor était tellement imprévisible ! Il pouvait les faire enfermer tous les deux dans la Tour sur un simple caprice.

— Je suis scandalisé par votre comportement, Surrey. Jamais les gentilshommes de ma Cour ne s'imposent aux dames. Mon Dieu, ne voyez-vous pas que cette enfant est bouleversée ? Je me donne bien du mal pour que la morale règne parmi mes sujets, et voilà comment je suis récompensé !

Tina n'en croyait pas ses oreilles. Henri Tudor était le plus bel hypocrite que la terre eût porté, pourtant il semblait persuadé de ce qu'il disait... pour l'instant.

— Sortez, et venez me voir demain matin. Je me demande si j'ai eu raison de vous confier mon armée.

Très raide, Surrey salua le roi.

— Je vous laisse, sire. Mais croyez bien que mon intérêt pour Lady Kennedy est tout paternel.

Ada, réveillée par les cris du roi, écoutait de l'autre côté de la porte. Elle était impuissante : inutile de tenter de s'interposer entre Henri et son plaisir. Mais Tina était assez féminine pour le manipuler, non ? Elle l'espérait de tout son cœur.

Valentina avait les larmes aux yeux, les lèvres tremblantes. Henri la prit sur ses genoux.

— Là, là, ma douce. Vous êtes en sécurité à présent, dit-il en la berçant comme une enfant qui s'est écorché le genou. Allons, ma poupée, séchez vos yeux.

374

Il sortit de sa poche un immense mouchoir dont il lui tamponna le visage.

— Voilà !

Tina était décontenancée. Henri avait l'air de vouloir jouer au papa. Il déposa deux baisers rapides sur ses lèvres.

— Vous voyez ? Mes baisers vous consolent.

Terrifiée par ce qui risquait de suivre, elle leva sur lui de grands yeux innocents.

— Merci, sire. Mon frère dort dans la pièce voisine, et s'il avait trouvé Lord Howard ici avec moi à demi vêtue, il l'aurait transpercé de son épée.

Le roi posa un doigt sur ses lèvres.

— Chut, ma belle. Ne le réveillons pas. Je vais vous mettre au lit... et surtout, verrouillez votre porte à l'avenir.

Il la porta sur le lit, mais avant de l'y déposer, il laissa courir sa grosse main sur ses seins et força ses lèvres de la langue. Puis il murmura contre sa bouche :

— Demain soir, vous assisterez à mes côtés au spectacle des Gitans. Ensuite, vous ouvrirez vos jolies cuisses et je vous donnerai une leçon d'amour que vous n'oublierez jamais !

Henri aimait l'attente presque autant que l'acte. L'instant où une dame découvrait pour la première fois le volume de sa virilité l'enchantait. Même si elle avait connu d'autres hommes, c'était comme une seconde défloration. Elle finissait toujours par saigner, déchirée par son sexe démesuré...

34

Après le départ du roi, Tina enfouit son visage dans l'oreiller et pleura jusqu'à ce que le sommeil s'emparât d'elle.

Les étranges cauchemars commencèrent aussitôt.

En chemise transparente, elle tentait de cacher ses

seins sous ses cheveux, tandis qu'une file interminable d'hommes la regardaient. Son père la passa à Patrick Hamilton, qui la poussa dans les bras de Jacques Stuart, qui l'envoya à son tour contre Angus. Tout au bout de la file, elle vit Black Ram Douglas, qui l'attendait.

Elle ne pouvait arriver à lui sans passer par les autres. Elle dut subir les bras d'un serviteur, puis d'un régisseur, du chambellan, du chancelier. Enfin il ne resta plus entre elle et Ram que Lord Howard et Henri Tudor.

Soudain, elle comprit que Ramsay l'attendait pour la tuer. Si elle passait des bras du roi dans ceux de Ram, il la détruirait...

Elle cria et ouvrit les yeux mais elle dormait toujours.

Il y avait de nouveau une file d'hommes. Cette fois chacun tenait une coupe dans laquelle elle devait boire. Or elle n'avait confiance en aucun d'eux. Presque étranglée de peur, elle but dans celle de son frère David, puis dans celles de Gavin et de Cameron Douglas. Ensuite venaient Ian, Drummond, Jacques, Colin, plus contrefait encore que dans la réalité. Puis elle dut boire dans la coupe de Malcolm le Fou, son dernier obstacle avant d'atteindre Ramsay. Elle avala enfin le contenu de la coupe que lui tendait Ram, calmement, docilement, tout en sachant qu'elle ingurgitait du poison. Dans son sommeil, elle remonta les genoux sur sa poitrine et hurla de douleur.

Heath était près d'elle, mais il avait curieusement les cheveux roux, comme ses autres frères, et elle éclata d'un rire hystérique.

— Arrête, Tina ! C'est moi, Heath ! cria-t-il en la secouant pour la réveiller.

Elle le fixa enfin, stupéfaite.

— Ô mon Dieu, j'ai cru que tu faisais partie de mon cauchemar ! Pourquoi es-tu roux ?

— C'est une perruque. Sans cette couleur de cheveux, personne ne voudrait croire que je suis un Kennedy. As-tu le sauf-conduit ?

— Oui, je l'ai... Bon sang, où est-il?

Elle mit un moment avant de se le rappeler et le sortit enfin de sa chemise. Puis elle se mit à trembler nerveusement.

— Oh, je déteste cet endroit, Heath. Jamais je n'arriverai à voir Ram.

— Voici Ada qui t'apporte du thé. Habille-toi chaudement, je t'emmène sur le fleuve.

— Le fleuve?

— Regarde, dit Heath en traçant du doigt une ligne sur les couvertures. Voici le fleuve, et le quai. Nous prenons une barge ici. Nous passons le pont des Traîtres, puis la porte des Traîtres à la tour Saint Thomas, nous traversons les douves et de l'autre côté se trouve la tour du Sang.

— Faut-il vraiment passer par la porte des Traîtres? demanda-t-elle, frissonnante. Je ne l'ai pas trahi, même s'il pense le contraire.

— Reprends-toi, Tina...

Il déplia une serviette de lin sur ses genoux.

— Et mange!

Elle fronça le nez.

— Qu'est-ce que c'est?

— On dirait que je te propose un hérisson vivant! C'est du porridge. Tout simplement du porridge.

Elle avala docilement et termina son thé.

— Vous sentez-vous mieux? interrogea Ada.

— Non...

— Ne me dis pas que tu as perdu tout ton courage, protesta Heath. Souris, pince-toi les joues pour leur redonner des couleurs. Si Ram te voit dans cet état, il croira qu'il est condamné à mort.

Tina sauta du lit.

— Ada, sors-moi une jolie robe!

Quelle poule mouillée elle faisait! Il lui suffisait d'offrir son corps à Henri Tudor. Si elle ne parvenait pas à charmer ce gros ours suffisamment pour qu'il libérât Ram, elle n'était pas bonne à grand-chose!

Ada choisit la robe pêche au corsage plissé, et Heath sortit de la garde-robe le manteau de zibeline.

— Du panache, petite sœur! murmura-t-il.

Elle se jeta dans ses bras, dans un élan de tendresse. Elle se sentait bien plus proche de lui que de ses vrais frères.

Jamais de sa vie Tina n'avait été plus heureuse de la présence de Heath près d'elle que lorsqu'ils accostèrent sur le quai de la Tour.

Elle s'était montrée d'humeur téméraire durant tout le trajet, mais maintenant, avec l'ombre de la grande Tour au-dessus d'elle, elle avait les jambes en coton et le cœur au bord des lèvres. Elle ne savait ce qui la terrorisait le plus : l'impressionnante forteresse ou la perspective d'affronter le regard accusateur de Black Ram Douglas.

Elle fut presque surprise en constatant que le parchemin de Howard leur permettait de franchir la porte des Traîtres. Elle fut plus étonnée encore quand ils pénétrèrent dans la tour du Sang. Escortés d'un gardien, ils passèrent devant trois cellules à barreaux avant de s'arrêter à la quatrième. L'homme en uniforme leur donna ses instructions avant de déverrouiller la porte.

— Je vais vous enfermer avec lui. Appelez quand vous voudrez sortir.

Les deux Kennedy acquiescèrent.

Ramsay aurait été incapable de dire s'il avait envie d'embrasser Valentina ou de la tuer. Une grande vague d'amour l'envahit en songeant qu'elle risquait sa vie pour lui, mais en même temps il eut envie de la secouer pour lui mettre du plomb dans la cervelle. Elle était tellement insouciante, tellement inconsciente du danger!

Elle produisait sur lui un effet insensé. Son cœur s'affolait, son sang courait plus vite dans ses veines. Si cette femme croyait en lui, rien ne lui serait impossible...

Tina le regardait de la tête aux pieds pour voir s'il avait été blessé et, constatant qu'il allait bien, elle faillit s'évanouir de soulagement. Dieu, qu'elle l'aimait! Elle serait capable de tout pour le libérer. Il lui fallait absolument le persuader qu'elle ne l'avait pas trahi, qu'elle n'aurait jamais cru Davie capable de le dénoncer, mais avant qu'elle n'ait pu trouver ses mots, Heath avait placé la perruque rousse sur la tête de Ram et lui mettait son manteau sur les épaules.

— Les Anglais ont recruté comme des fous, dit-il rapidement. Ils ont des garnisons à Coventry, Gloucester, Leicester, Nottingham, Manchester, York et Newcastle en plus de celles que vous connaissez à Carlisle et Berwick. Les ports sont bourrés de bateaux et l'armée compte entre vingt et trente mille hommes. Mais voici la bonne nouvelle : ils partent faire la guerre en France avant de s'attaquer à l'Ecosse.

— Bravo pour vos informations ! s'écria Ram. Cependant je ne puis vous laisser prendre ma place.

— Question d'honneur. C'est mon frère qui vous a trahi. En revanche, il vous faudra tenir mon rôle, ajouta-t-il dans un sourire, et distraire la Cour ce soir à Greenwich. Etes-vous prêt à monter des poneys, à lancer des couteaux ?

Tina les observait, sidérée.

— Ram, non ! Je vais persuader le roi de vous relâcher !

Il la prit aux épaules et plongea son regard gris dans le sien.

— Plutôt mourir que de vous voir demander une faveur à Henri Tudor.

— Ton travail n'est pas terminé, reprit Heath à l'intention de sa sœur. Tu dois aller tout droit voir le roi, te mettre en colère et lui dire que le prisonnier n'est pas Ram Douglas.

Il sourit à Ram et les deux hommes se donnèrent l'accolade.

— Zara vous attend, dit Heath.

Les yeux de Tina lançaient des éclairs de rage, mais Ram la serra contre lui.

— Appelez le gardien.

Si Tina avait eu peur en arrivant, au retour elle fut positivement terrifiée, pourtant le garde ne remarqua rien du tout.

Ils se faisaient face dans la barque qui les ramenait à Greenwich, n'osant pas se toucher sauf du regard. Ramsay était ému jusqu'au fond du cœur de voir Tina si fragile, avec ses cernes mauves sous les yeux.

Elle se mordit la lèvre pour retenir un hurlement horrifié lorsque le vent souleva le col de Ram, révélant la trace sanglante que la corde avait laissée autour de son cou. Elle avait mille choses à lui dire, cependant elle ne pouvait parler tant sa gorge était serrée.

Elle essayait de deviner ses pensées, mais il gardait un masque indéchiffrable. Tina ravala ses larmes ; elle ne pleurerait pas devant lui. La croirait-il courageuse ou indifférente ? Et qu'importait son opinion ? Elle devait bien le reconnaître : cela importait plus que tout... Si seulement ils pouvaient s'enfuir ensemble... Hélas, elle était prisonnière, comme Heath dans sa cellule.

Ramsay la regarda descendre sur le quai de Greenwich, et son cœur se serra d'appréhension. Il l'avait laissée saine et sauve sous la protection du puissant clan Douglas, pourtant elle mettait son existence en danger pour lui, et son frère était enfermé à la Tour de Londres...

La seule chose qui pouvait la sauver était sa colère, se disait Tina, et elle était effectivement en rage tandis qu'elle se dirigeait vers les appartements de Henri Tudor. Elle ne s'arrêta que dans l'antichambre royale où un soldat montait la garde devant sa porte. Le chancelier se trouvait là aussi.

— Je crains que Sa Majesté ne soit occupée, ce matin, Lady Kennedy.

Elle lui lança un coup d'œil glacial.

— Avec Lord Howard, je suppose ?

— Oui, madame, avec le comte de Surrey.

— Ce que j'ai à dire au roi le concerne aussi, déclara-t-elle en passant devant lui.

— Arrêtez-la ! cria le chancelier.

Le garde mit sa hallebarde en travers de la porte tandis que le chancelier insistait, horrifié :

— Vous ne pouvez voir le roi!

— Vraiment? demanda Tina avec défi.

Elle rejeta la tête en arrière et lança un cri à glacer le sang. Deux secondes plus tard, la porte s'ouvrait à la volée sur la massive silhouette de Henri Tudor.

Tina brandit le papier que lui avait signé Lord Howard.

— L'homme enfermé dans la tour n'est pas Ram Douglas! Qu'avez-vous fait de mon mari?

Elle se jeta sur le roi et martela sa poitrine des deux poings.

Le garde lâcha sa hallebarde pour s'emparer des poignets de Tina et lui tordit les bras derrière le dos. Elle feignit de s'évanouir avec une grâce extrême.

— Lâchez cette dame! s'écria le roi en la soulevant dans ses bras.

Il l'emporta dans sa chambre, l'assit sur ses genoux et lui tapota doucement la joue, jusqu'à ce qu'elle ouvrît ses yeux dorés qui s'emplirent aussitôt de larmes.

— Vous l'avez tué! Je sais que vous l'avez tué, gémit-elle.

— Nous n'avons tué personne, ma chère enfant. De quoi s'agit-il? gronda le roi en se tournant vers Howard.

— Je... j'ai remis à Lady Kennedy un sauf-conduit pour qu'elle rende visite à Douglas. Je n'y voyais pas de mal...

— Pas de mal! s'indigna Tina.

Elle s'arrangea pour faire glisser la cape de zibeline de ses épaules, révélant le profond décolleté de la robe pêche.

— Aidez-moi, Majesté! implora-t-elle.

— Calmez-vous, mon petit, dit le roi comme s'il s'adressait à un enfant. Henri promet de régler ce problème. Je veux que vous alliez vous reposer, maintenant. Je serais fort ennuyé que les fêtes d'aujourd'hui soient gâchées.

Il regardait Surrey, mais ses paroles contenaient aussi un avertissement pour Tina.

— Je suis désolée, Majesté, murmura-t-elle d'une

toute petite voix. Je promets d'être sage. Je sais que vous veillerez sur moi.

Il déposa un baiser sur son front, et elle se leva. A peine était-elle sortie que Henri se tourna vers Surrey :

— Vous avez séjourné à la cour d'Ecosse assez longtemps pour pouvoir identifier ce Ram Douglas, j'espère ?

— Certainement, Votre Majesté.

— Alors envoyez-le chercher, et mettons un terme à cette mascarade !

Deux heures plus tard, Lord Howard faisait de nouveau les cent pas dans l'antichambre en attendant d'être reçu par le roi, tandis que Henri mettait Elizabeth Blount à rude épreuve. Pourquoi ses cheveux étaient-ils si ternes ? Bon sang, elle était grosse comme une vache ! Elle ne l'excitait même plus, et il n'avait joui que deux fois ! Bessie ravalait ses larmes.

Henri alla enfin ouvrir la porte. Il avait envie de tirer à l'arc et en voulait à Surrey de tout ce qui le retardait dans ses plaisirs.

— Alors ? tonna-t-il.

— Lady Kennedy disait vrai, Votre Majesté. Le prisonnier n'est pas Ramsay Douglas.

— Par le diable, qui est-ce alors ?

— Euh... il refuse de le dire, sire. Il ne veut parler qu'à vous.

— Faut-il vraiment que je m'occupe de tout dans ce satané royaume ? Soit ! Allez le chercher et qu'on en finisse. Mais veillez à ce qu'il soit bien attaché avant de me le présenter.

Henri tritura nerveusement sa barbe en attendant le retour de Surrey. Que se passait-il à la frontière ? Pourquoi Marguerite tenait-elle tant à sauver la peau de cet individu ? A moins qu'elle n'eût été forcée d'écrire la lettre...

Il examina avec circonspection l'homme qu'on lui amena enfin, les poignets et les chevilles pris dans des fers.

— Qui diable êtes-vous ? demanda-t-il.

Le grand jeune homme brun s'approcha du roi pour lui parler tout bas. Henri eut alors un petit ricanement et regarda l'homme avec d'autres yeux. Puis il renversa la tête et un énorme rire gronda dans sa vaste poitrine. Par le Ciel, pas étonnant que Marguerite souhaitât récupérer ce garçon !

— Mais comment vous êtes-vous débrouillé pour être arrêté ?

— Un homme dans ma délicate position fait beaucoup de jaloux, répliqua Heath.

— Sans doute, pouffa Henri. Surrey, ôtez les fers à cet homme. Ce sont les fêtes de la moisson, aujourd'hui. Vous êtes le bienvenu parmi nous. Ce soir, les Gitans donnent leur représentation.

Heath se frotta les poignets

— Mes très humbles remerciements, Votre Majesté, mais je n'ose m'attarder davantage. Une dame de notre connaissance, dont je tairai le nom, a besoin de mes services. Croyez bien que je vous serai toujours entièrement dévoué...

Après son départ, Henri donna quelques ordres :

— Suivez-le. Et pendant que vous y êtes, surveillez de près les domestiques de Lady Kennedy... et ce frère que je n'ai jamais vu.

Un peu plus tard, tandis qu'il se rendait sur les aires de tir à l'arc, Henri se demandait ce qu'il allait bien pouvoir dire à la petite jeune femme rousse...

La petite jeune femme rousse en question emballait frénétiquement ses affaires

— Je porterai la robe blanche ce soir, avec mes émeraudes, mais vous pouvez empaqueter tout le reste.

— Il vous faudra un manteau, l'automne a fini par arriver en Angleterre, objecta Ada.

— Oui, la cape de velours vert.

— Parfait. Henri pensera que vous portez les couleurs des Tudor pour lui plaire.

— Qu'il pense ce qu'il voudra, mais il ne me trouvera pas dans ma chambre cette nuit ! Faites porter les bagages aux écuries et dites à nos hommes de louer des chambres à l'auberge. Donnez-leur de l'or pour payer.

Les deux femmes se turent en entendant frapper à la porte. Un page délivra son message :

— Sa Majesté le roi ordonne que Lady Kennedy vienne le rejoindre au tir à l'arc.

— Merci, dit Tina en lui donnant une pièce d'argent. Vous pouvez m'y accompagner.

Le petit fut trop content d'obéir. Habituellement, quand il portait un message, il recevait au mieux une friandise, au pire une taloche.

Tandis qu'elle traversait le jardin puis le parc à la suite du jeune page, Valentina reçut force saluts de la part des hommes et révérences des femmes. Elle se sentit rougir... Tout le monde pensait qu'elle était la nouvelle maîtresse du roi et elle était morte de honte.

Lorsqu'ils arrivèrent à destination, la compétition battait son plein, et on pariait avec animation. Tina se joignit aux autres spectateurs — un mouton de plus qui applaudissait aux exploits du roi et riait quand il tentait de faire une plaisanterie. Elle patienta une heure pendant que Henri tirait ses flèches, non sans boire une pinte de bière entre chaque coup. Il gagna, évidemment, et après avoir reçu avec délectation éloges et applaudissements, il daigna enfin remarquer sa présence.

— Ah, ma douce, venez donc vous promener un peu avec moi.

Tina s'inclina profondément et le vit loucher sur son décolleté. Il la releva au bout d'une bonne minute, garda sa main dans la sienne.

— Toute cette histoire était basée sur un malentendu, expliqua-t-il enfin. Quelle chance que vous soyez venue me voir... Vous avez certainement déjà remarqué le jeune homme en question à la cour de ma sœur ?

— Euh... Oui, Votre Majesté, je crois que c'est un excellent ami de la reine Marguerite, improvisa-t-elle.

— Grâce à vous, ma chère, il est déjà en route pour l'Ecosse. Ce qui me ramène à votre Lord Douglas.

— Oui, sire ? demanda Tina, infiniment soulagée.

— Je n'ai pas la moindre idée de l'endroit où il peut être, mais je parierais qu'il n'a jamais quitté l'Ecosse. Il se trouve au moins à six cents kilomètres de Greenwich.

A moins de six cents mètres, pensa Tina qui se mit sur la pointe des pieds pour déposer un baiser joyeux sur la joue du roi.

— Je découvrirai où il se cache, dussé-je y passer l'hiver, lui dit-il sur le ton de la confidence. En attendant, je vais vous garder près de moi, en sécurité. Accompagnez-moi dans le labyrinthe, ma douce. Je connais un banc où nous serons tout à fait tranquilles.

Tina s'arrêta net et balbutia :

— Je... j'ai une peur bleue des labyrinthes, Votre Majesté, et des espaces clos depuis que j'ai été enfermée, enfant, dans une garde-robe...

Elle dégagea vivement sa main.

— Rien que d'y penser, j'en ai la nausée. Excusez-moi, sire !

Tina s'enfuit en courant et ne se calma qu'après avoir retrouvé Ada dans la salle des banquets.

Elle s'aperçut soudain qu'elle avait faim, pour la première fois depuis des semaines ! Tout en se servant une tranche de rôti et un gobelet de bière, elle raconta son aventure à Ada.

— Je ne mentais pas, conclut-elle entre deux bouchées. Cet homme me donne vraiment la nausée.

Elle sentit confusément qu'on la surveillait et surprit le regard d'un inconnu qui se détourna aussitôt.

— Ne vous retournez pas tout de suite, Ada, mais nous avons un chien de garde. Dieu, si les domestiques n'ont pas encore descendu mes affaires, ils n'y arriveront jamais.

Ada se leva.

— Séparons-nous. Il ne pourra pas nous suivre toutes les deux.

— Non, Ada, ne me laissez pas seule. Montons dans ma chambre. Le roi restera dans le parc pendant des heures.

Elle espérait que l'homme ne l'avait pas suivie à la

Tour, ce matin, ne l'avait pas vue partir avec une personne et rentrer avec une autre. Mais non. Dans ce cas, on l'aurait déjà arrêtée.

Pourvu que Ram ne fût pas suivi, lui! Puis elle pensa à Heath. Elle était censée ne pas le connaître, pourtant à tout instant il pouvait escalader le rebord de sa fenêtre. Que se passerait-il si on le surveillait aussi? Son sang se glaça dans ses veines. Le roi tenait vraiment à la garder près de lui! Il devait sentir qu'elle était prête à s'enfuir...

Heureusement, leurs bagages n'étaient déjà plus dans la chambre.

— Je vais prendre un bain et me changer tout de suite, décida Tina. Inutile de demander de l'eau chaude, je me servirai de celle qui est dans les brocs.

Elle ne s'attarda guère dans l'eau tiède, et Ada l'aida à enfiler la ravissante robe blanche que Ram lui avait achetée.

En attachant le collier d'émeraudes, elle regretta qu'il ne pût la voir dans les beaux atours qu'il avait choisis pour elle. Puis une idée épouvantable lui traversa l'esprit. *Il la verrait!* Elle se tiendrait auprès du roi quand il jouerait le rôle de Heath!

35

Avant que Tina eût le temps de faire part de ses inquiétudes à Ada, on frappa à la porte. C'était la comtesse de Surrey qui venait chercher Tina pour jouer à colin-maillard avec le roi.

Tina trouva ce jeu puéril, jusqu'à ce qu'elle découvrît comment les courtisans le pratiquaient. C'était une simple excuse pour toucher les femmes de façon intime sous prétexte de deviner qui elles étaient.

L'homme qui avait les yeux bandés était aidé par les autres qui poussaient les dames dans sa direction. Tina se tint prudemment à l'écart de toute cette agitation, mais lorsque vint le tour du roi, elle n'avait plus aucune chance de se défiler. Thomas Seymour et Charles Brandon l'amenèrent à Henri qui la tripota longuement en égrenant les noms de toutes les femmes de la Cour, sauf le sien. Tina regretta amèrement d'avoir choisi la robe blanche : quand le roi en eut enfin terminé, elle portait l'empreinte de ses doigts comme s'il l'avait marquée de son sceau.

La fête ce soir-là devait avoir lieu dehors pour la dernière fois de la saison. Bœufs, gibier, agneaux et chevreaux rôtissaient sur des broches. On apportait des tonneaux de bière d'octobre, de cidre et de vin d'Espagne près des tables à tréteaux dressées à la lisière du grand parc.

Ces bacchanales, organisées en principe pour fêter les moissons, n'étaient en réalité qu'un prétexte pour se divertir et boire à l'excès. Les buffets étaient ornés d'immenses cornes d'abondance regorgeant de fruits, et l'enceinte du repas était décorée de gerbes de blé doré cueillies le matin même.

Pour que la fête eût un aspect paysan, des camelots avaient été autorisés à s'installer sous les pavillons rayés, où ils proposaient marrons grillés, tripes et pieds de porc, anguilles en gelée, coques, moules et bigorneaux, caramels à la mélasse, pudding à la confiture...

Les Gitanes avaient installé leurs baraques de diseuses de bonne aventure, et à la fin de l'après-midi, elles avaient déjà fait bonne recette. Un spectacle de marottes distrayait les invités, tandis que des musiciens égayaient l'atmosphère de leur musique poignante.

Les citoyens de Londres, massés autour de Greenwich, s'émerveillaient de tout ce faste. Le fleuve était surchargé de petites barques, les rives s'emplissaient de pique-niqueurs.

Les courtisans avaient enfilé leurs plus beaux atours pour la circonstance. Les hommes éclipsaient les femmes par le chatoiement de leurs vêtements incrustés de joyaux, et le temps était juste assez frais pour qu'ils puissent arborer la dernière nouveauté : un manteau brodé, sans manches, que l'on portait par-dessus le pourpoint et qui couvrait le genou.

Henri déambulait dans le parc, goûtant à tout, en compagnie de Valentina qui s'obligeait à rire de ses lourdes plaisanteries. Ada la suivait, chargée de la cape verte, tandis qu'un gentilhomme portait le manteau royal. Tina avait conscience d'être sans cesse surveillée. Elle en aurait hurlé d'exaspération.

Même pour un souper en plein air, le roi avait tenu à ce que sa table fût surélevée par rapport aux autres, et lorsqu'un valet présenta une chaise sculptée à Tina, elle sut qu'elle serait le point de mire de l'assemblée.

Tout au long du repas, acrobates et funambules firent leur numéro pour distraire les courtisans qui leur envoyaient des pièces. Ensuite vint un ours savant qui guettait le fouet du coin de l'œil et donnait l'impression d'attendre avec impatience le moment favorable pour s'échapper. Tina se sentit en communion avec lui et regretta qu'il fût muselé. Elle aurait adoré le voir dévorer quelqu'un !

Deux jeunes Gitanes montrèrent des chiens dont les tours amusèrent grandement les courtisans qui jetèrent cette fois des morceaux de viande et de pain. Cela créa un véritable capharnaüm ! Les chiens, rendus fous par la nourriture, se mirent à se battre entre eux et à aboyer furieusement. Il y eut même deux graves combats sur lesquels Henri encouragea ses gentilshommes à parier.

Quand on eut consommé assez de mets et de boisson pour nourrir la moitié de l'Angleterre, les tables furent repoussées afin que Henri pût assister confortablement aux divertissements. La Cour hurla de rire quand le cracheur de feu se mit à courir derrière le fou du roi pour lui enflammer le derrière.

Les jongleurs maniaient des torches allumées avec une adresse consommée. On répandit des charbons ardents par terre et un jeune homme les traversa pieds nus.

— Ces Gitans sont malins, confia le roi à Tina. Tous

des charlatans. Ils ont des trucs. Celui-ci n'a pas vraiment marché sur les braises.

Tina renchérit chaudement, comme s'il était l'homme le plus intelligent du monde.

— Ah, voici un écuyer. Là, il faut vraiment du talent, reconnut Henri.

Une douzaine de poneys entrèrent au galop dans le cercle formé par les tables.

Tina se pétrifia. L'homme debout sur le dos de l'animal de tête, vêtu d'un collant noir, un foulard rouge au cou, n'était autre que Ram Douglas! Où diable avait-il appris ces tours? Il sautait à terre, remontait sur un autre cheval avec une aisance surprenante. Elle était terrorisée à l'idée qu'il pût tomber, être piétiné par les sabots... Comme elle ne le quittait pas des yeux, elle surprit sur son visage une expression de fureur à la voir près du roi.

Celui-ci posa une main possessive sur son genou et, remarquant qu'elle fixait le Gitan, lança d'une voix forte:

— Je crois bien que ce garçon m'envie!

— Tous les hommes envient le roi, Majesté, murmura Tina, qui à cet instant avait autant peur des deux hommes.

— Venez vous asseoir sur mes genoux, ainsi cet insolent en aura pour son argent.

— Non, sire! s'écria Tina. Tout le monde nous regarde.

Le roi eut un gros rire.

— Quelle petite timide vous faites! Vous préférez l'intimité? J'aimerais vous enlever, poursuivit-il en se penchant vers elle, et vous emmener dans un autre de mes palais où nous serions tout à fait seuls.

Tina jeta un coup d'œil inquiet vers Ram qui sautait maintenant à travers des cercles enflammés. Elle reçut en retour un regard meurtrier.

Heureusement, l'attention du roi était attirée ailleurs. Les danseuses faisaient leur entrée, et tous les hommes applaudirent ces ravissantes jeunes filles à demi dévêtues qui tapaient des pieds, relevaient leurs jupes sur des jambes hâlées. Elles avaient un aspect sauvage, indompté, qui éveillait le désir des mâles.

Henri remontait le long de la cuisse de Tina à présent, et il posa la petite main qu'il tenait captive sur son sexe. Les Gitanes s'approchaient des tables, dents éblouissantes, chevelures brillantes, et évitaient gracieusement les mains qui se tendaient pour effleurer un sein ou une fesse.

La musique monta crescendo avant de s'arrêter brusquement lorsqu'on apporta devant le roi une grande cible rouge et noire. La foule se tut, et Zara s'avança, tel un sacrifice humain. Le roi se lécha les babines en voyant la belle Gitane qu'on attachait à la cible, bras et jambes écartés.

Un Gitan approcha avec un jeu de poignards d'argent, et Tina ne put retenir un petit cri. C'était encore Ram. Or elle savait à quel point il était dangereux, parfois. S'il estimait pouvoir empêcher la guerre avec l'Angleterre en assassinant Henri, il était capable de le faire.

— Qu'y a-t-il ? demanda le roi, les yeux plissés. Vous connaissez cet homme ?

— Non, Majesté, dit-elle en dégageant sa main. Je viens seulement de m'écorcher le doigt sur vos joyaux.

Henri se pencha en avant, concentré sur la belle Gitane que l'on faisait tourner avec la cible tandis que son partenaire la visait de ses lames mortelles.

Jamais de sa vie Tina n'avait été aussi tendue. Elle ne pouvait plus respirer tant elle avait peur que Zara fût blessée... ou tuée. Elle avait peur aussi que Ram ne lançât un de ses couteaux sur le roi mais, par-dessus tout, elle redoutait le moment où elle se retrouverait seule avec lui. Il avait vu Henri Tudor la toucher, la caresser ouvertement...

C'était un cauchemar !

Tina ferma les yeux sur le spectacle qui enthousiasmait la foule.

Lorsque l'avant-dernier poignard se planta entre les jambes de Zara, effleurant à peine son mont de Vénus, les hurlements des courtisans redoublèrent. Le manche de l'arme faisait penser à un phallus, et Zara ondulait sur la cible comme si elle faisait l'amour. Henri agrippait les bras de son fauteuil, excité au-delà de toute expression.

Il y eut un soupir collectif lorsque Zara laissa retomber sa tête comme si elle était morte, juste avant que le dernier couteau se plantât à côté de son cou.

Henri avait les yeux vitreux de désir, les lèvres humides. Comme la foule se levait pour applaudir chaleureusement, Tina se pencha à l'oreille du roi et lui confia le secret de la Gitane.

— Aimeriez-vous la rencontrer, sire? ajouta-t-elle.

Avec un avide hochement de tête, il acquiesça. Tina s'avança jusqu'au bord de la plate-forme et, évitant le regard mauvais de Ram, fit signe à la Gitane qui s'approcha vivement.

— Puis-je vous présenter Zara, Majesté?

Henri prit la main de la jeune femme, et Tina se fondit dans l'ombre.

«Où est Ada? pensait-elle. Dieu, aidez-moi à m'enfuir!»

Elle se dirigeait vers les jardins quand elle se rendit compte qu'elle était suivie. Où aller? Le roi la faisait surveiller sans cesse. Or elle ne voulait absolument pas se retrouver dans sa chambre à Greenwich, cette nuit!

Elle réfléchit rapidement. Si l'homme qui l'épiait la voyait rentrer chez elle, il penserait qu'elle avait un rendez-vous avec le roi et la laisserait tranquille pour la nuit.

Elle traversa les jardins et les couloirs du château en courant. Les pas l'avaient presque rattrapée lorsqu'elle pénétra dans sa chambre obscure. Elle allait attendre un quart d'heure avant de se glisser hors du palais, loin de Londres, loin de Henri Tudor...

Soudain, quelqu'un la saisit par-derrière, la bâillonna, la ligota et lui jeta sur la tête une sorte de couverture. Puis on l'enleva comme un paquet. Elle ne pouvait se débattre, elle ne pouvait crier, elle ne voyait rien, n'entendait rien.

Il fallait absolument qu'elle respirât lentement pour ne pas succomber à la panique...

Elle avait imaginé qu'on la porterait dans les appartements privés du roi, mais il n'en fut rien. Elle se retrouva à bord d'un bateau.

La terreur fit peu à peu place à la colère. Le roi l'avait kidnappée pour l'emmener dans un autre palais. Il était tellement puéril! Elle en aurait hurlé si elle avait pu.

Quand on la livrerait à Henri, elle lui montrerait ce qu'elle pensait de ses méthodes! Et peu importait qu'il fût roi d'Angleterre... Il n'avait aucun droit sur elle, de toute façon. Pour Tina ce n'était qu'un homme, un mâle grossier, avide, trop gâté, qui prenait sans scrupules ce dont il avait envie.

Enfin elle fut chargée sur une épaule comme un sac de grain et descendue à quai. On la porta un temps qui lui parut infini avant de la remettre à quelqu'un d'autre. La tête en bas, ballottée, elle avait du mal à respirer. Lorsqu'on la posa au sol, elle eut l'impression de sentir encore le bateau rouler sous elle.

Elle demeura ainsi pendant ce qui lui parut des heures. Personne ne venait la délivrer. Peut-être le roi, grâce à ses chiens de garde, avait-il deviné le complot tramé entre Heath, Ram et elle? Peut-être l'avait-on amenée dans l'horrible tour du Sang?

Non, elle devait empêcher son imagination de délirer. Cette petite blague était destinée à affaiblir sa résistance. Il fallait en profiter pour se reposer et prendre des forces avant le moment fatal où elle devrait affronter l'immonde Henri.

Elle avait dû s'assoupir car elle sursauta quand elle sentit qu'on déliait ses chevilles, ses poignets, qu'on ôtait la couverture et le bâillon.

— Espèce d'ignoble personnage! hurla-t-elle, aveuglée par la lumière soudaine autant que par la rage.

La stupéfaction la plus totale se peignit sur son visage lorsqu'elle croisa le regard d'acier de Ram Douglas. Sa fureur n'était rien comparée à celle qui brûlait dans les yeux gris. Il aurait été plus facile de se trouver face à Henri !

— Je ne veux plus jamais voir cette robe, grinça-t-il en déchirant le vêtement d'une main de fer.

Tina lui sauta dessus, toutes griffes dehors.

— S'il y a des traces de ses sales doigts sur ma robe, c'est parce que je ne l'ai pas laissé les poser sur ma peau !

Ram l'écrasa contre lui, mais elle continuait à lui tirer les cheveux.

— Et vous ! hurla-t-elle, folle de colère. Les mains de Zara vous ont bien caressé !

Soudain, il la serra encore plus fort et baisa sa chevelure ébouriffée.

— Je dois nous faire sortir des eaux anglaises. Le *Revanche* ne voguera pas tout seul.

Elle ouvrit de grands yeux.

— Vous l'avez récupéré ?

— Ce qui est à moi, je le garde, dit-il calmement. Ada est dans la cabine voisine, ajouta-t-il avant de sortir.

Ram avait besoin de s'éloigner d'elle pour réfléchir sainement. Il l'avait embrassée, mais il aurait tout aussi bien pu la tuer. Lorsqu'il l'avait vue près du roi, il avait failli perdre son sang-froid et lancer un poignard dans le cœur de Henri Tudor.

Tandis qu'il se tenait sur le pont pour donner des ordres à son équipage restreint, il revivait le soir où il avait fait irruption à Doon pour la trouver dans les bras de Patrick Hamilton.

Elle avait une réputation de séductrice, et il se rappela ce qu'il avait ressenti à l'imaginer avec Jacques Stuart et de nombreux gentilshommes. Pourquoi avait-il accepté ce concubinage qu'on lui imposait ?

Il connaissait la réponse, évidemment. Elle l'attirait comme aucune autre femme. C'était une sorcière magnifique, flamboyante, qui bouleversait ses sens. Et ce sentiment d'orgueil blessé quand, après son évanouissement, il l'avait crue enceinte de Patrick Hamilton !

Puis, en découvrant qu'elle lui avait été donnée vierge, il avait tout à fait perdu la raison et était tombé amoureux fou d'elle. Pourtant le sang sur les draps n'était pas une preuve de véritable innocence. Elle avait pu s'amuser pendant des années avec d'autres hommes...

Debout à la barre de son navire, seul avec le vent et la mer, Ram chassa ses horribles soupçons. Il n'était pas assez naïf pour imaginer que Henri Tudor accordait une faveur à une jolie femme sans rien demander en retour. Mais peut-être avait-elle tenté de jouer au chat et à la souris, promettant plus qu'elle ne donnait. Il lui accorderait le bénéfice du doute. Sa fierté avait reçu un coup mortel, mais c'était son cœur qui dirigeait lorsqu'il s'agissait de Valentina. Pas sa tête.

Quand Tina ouvrit la porte de communication entre les deux cabines pour apercevoir Ada saine et sauve, tous leurs bagages rangés contre le mur, elle éclata en sanglots. La tension nerveuse des derniers jours l'avait épuisée.

Puis la gouvernante l'aida à se débarrasser de la robe déchirée, lui baigna le visage, les mains.

— Comment êtes-vous arrivée ici, Ada? Ligotée comme une dinde de Noël, vous aussi?

— Non. Un Gitan m'a emmenée dans une roulotte où Heath m'attendait. Il avait échappé à celui qui le suivait, mais s'était aperçu que nous étions surveillées aussi. Il avait donc chargé un de ses amis de ne pas vous quitter des yeux et de vous enlever si vous vous trouviez en danger. C'est Heath qui a découvert où le *Revanche* était ancré. Après avoir laissé un message à Ram, il m'a conduite ici avec les deux domestiques de la maison Douglas.

— Je suis restée attachée dans cette cabine pendant des heures, marmonna Tina en se massant les poignets.

— J'ignorais que vous étiez là, et je m'inquiétais terriblement pour vous. Quand j'ai vu Ram arriver seul, j'ai cru mourir d'angoisse.

— Dieu merci, nous sommes tous sauvés!

— Mais le danger n'est pas écarté. En guise d'équipage, Ramsay dispose de deux serviteurs et de Heath.

Valentina enfila la cape de zibeline sur sa chemise et monta sur le pont.

Ram se tenait à la barre, les cheveux balayés par le vent. L'intensité de son regard la fit frémir, mais elle parvint à énoncer calmement :

— Je veux être avec vous.

Après un long moment, il hocha la tête, et elle vint timidement à ses côtés. Ils avaient tant de choses à se dire ! Pourtant ils ne trouvaient pas les mots. Comment pouvait-il lui faire comprendre combien il avait eu le cœur brisé en croyant qu'elle l'avait trahi pour se venger ? Et l'angoisse qu'il avait ressentie pour elle lorsqu'elle était venue à la Tour ? Une angoisse mêlée d'une immense joie devant cette preuve d'amour. Comment expliquer aussi qu'il avait cru devenir fou en l'imaginant dans les bras de Henri Tudor ?

Valentina serra plus fort autour d'elle la douce fourrure qu'il lui avait offerte, tout aussi impuissante à s'exprimer, à lui dire combien elle avait été bouleversée en découvrant que son frère l'avait dénoncé, qu'elle ne supportait pas de vivre avec l'idée qu'il l'imaginait capable d'une telle trahison. Comment lui faire comprendre qu'elle aurait consenti à n'importe quel sacrifice pour le sauver ?

Elle le regardait. Quelque chose en lui était aussi violent et sauvage que la mer. Elle voyait sa solitude, son orgueil, son courage. Elle aurait voulu devenir une partie de lui.

Ram croisa son regard et devina sa fragilité, sa générosité, sa chaleur. Il voulait tout cela et plus, il voulait son amour.

Il tendit un bras vers elle et, sans un mot, elle vint s'y réfugier. Les yeux de Tina s'emplirent de larmes lorsqu'elle vit la cicatrice sur son cou, mais elle les ravala bien vite. Il considérait la pitié comme une insulte.

Ils demeurèrent ainsi plus d'une heure. Sous la fourrure, il avait posé la main sur son sein, et elle le tenait par la taille. Enfin il murmura contre ses cheveux :

— Si vous voulez me faire plaisir, allez vous reposer. Avec l'aube viendra le danger, et personne d'autre que moi ne peut tenir la barre. J'aurai besoin de vous, alors. Nous aurons tous besoin de vous.

Tina leva les yeux vers le gréement d'où Heath leur adressa un signe d'amitié. Il les trouvait tellement bien assortis, tous les deux!

Tina dormit jusqu'à l'aube, sphère rouge qui se reflétait sur la mer d'étain. Puis Ada et elle passèrent toute la journée à préparer de la nourriture et des boissons chaudes. Les hommes descendaient tour à tour pour se restaurer et se sécher devant le fourneau. Tous sauf Black Ram Douglas qui demeura à la barre jusqu'à ce qu'ils soient en sécurité à Leith.

36

C'était déjà l'hiver, en Ecosse. Heureusement, ils ne mirent pas trop longtemps à parcourir les quelques kilomètres qui séparaient Leith du château d'Edimbourg, où Ramsay et Heath s'enfermèrent aussitôt avec le roi. C'était un coup de génie d'utiliser Heath comme informateur, car les Gitans étaient autorisés à aller librement de ville en ville et les gens se confiaient volontiers à eux.

Jacques Stuart convoqua ses conseillers et les chefs des frontières. Il avait les mois d'hiver pour prendre la décision de déclarer la guerre à l'Angleterre ou non. Avec la mauvaise saison, les raids se feraient moins fréquents, se limiteraient à quelques échauffourées. Chaque comte pouvait donner librement son opinion, mais c'était le roi qui avait le dernier mot.

Les évêques, menés par Elphinstone et Beaton, se prononcèrent contre la guerre. Certains chefs de clan prirent la position inverse, d'autres conseillèrent d'attendre le printemps. Si l'Angleterre guerroyait en France, elle ne s'occuperait plus de l'Ecosse. Que le glorieux Henri Tudor dépensât donc de l'autre côté de la Manche la fortune amassée par son père... ensuite, il n'aurait plus les ressources nécessaires pour vaincre l'Ecosse.

Jacques Stuart rappela à ses chefs qu'il avait signé une alliance avec la France, promettant son aide si elle était attaquée par l'Angleterre. Finalement, il décida de profiter de l'hiver pour recruter une armée plus importante.

— C'est moi qui gouverne l'Ecosse, pas Henri Tudor, et s'il le faut, je l'écrirai en lettres de sang et de feu sur ses frontières !

Bothwell le soutint avec enthousiasme.

— Je brûlerai Carlisle ! proposa-t-il.

Douglas pressa le roi de se montrer pratique. Il était logique de mettre l'hiver à profit pour recruter, mais un vaste déploiement de forces aux frontières était un élément de dissuasion suffisant. Douglas n'était pas du tout d'accord pour respecter l'alliance avec les Français.

Ram eut ensuite un entretien privé avec Angus. Heath lui avait dit ce que contenait la lettre que Marguerite avait envoyée à son frère, et il préférait donner l'information à Archibald plutôt que directement au roi.

Angus agita une main indifférente.

— Je ne sais pas de quoi tu parles, ami.

— Bien sûr que si, Angus. Marguerite sous-entend que les Tudor pourraient bientôt être apparentés aux Douglas. Si on lit entre les lignes, cela signifie qu'il y aura une guerre entre l'Angleterre et l'Ecosse, et que si Jacques y trouve la mort, elle épousera votre fils et sera régente d'Ecosse.

Pour la centième fois, Angus regretta que son neveu préféré ne fût pas l'héritier du comté. Il aurait été un bien meilleur régent que le jeune Archibald.

— Tu sais, Ramsay, combien les Ecossais aiment se battre, soupira-t-il. Jacques sera le premier au front, c'est un véritable soldat. Je ne peux pas davantage assurer sa survie que garantir la victoire de l'Ecosse. Mon devoir primordial n'est pas envers l'Ecosse, ni envers les Stuarts, mais envers le clan Douglas. La sœur de Henri Tudor est déjà installée sur le trône d'Ecosse. Si Tudor gagne la guerre, je veux voir les Douglas à la tête de l'Etat.

Ramsay réfléchit longuement aux paroles d'Angus. Il ne s'agissait pas de trahison. Le clan soutiendrait le roi et combattrait en première ligne à ses côtés. Le Cœur sanglant des Douglas serait plus représenté qu'aucun autre emblème. Mais si l'Ecosse était battue, le clan serait là pour recoller les morceaux, comme il le faisait depuis des siècles...

Valentina n'avait pratiquement pas vu Ram depuis que le roi avait convoqué le conseil de guerre.

Elle se mêlait fort peu aux autres femmes de la Cour, sauf Janet Kennedy avec qui elle montait parfois à cheval. Lorsqu'elle ne pouvait refuser une invitation de la reine, elle soupait avec elle et les dames d'honneur, mais la simple vue de Marguerite lui donnait la nausée. Elle ressemblait trop à son frère.

Avec Ada, elle aimait s'occuper à des travaux de couture, broder des mouchoirs pour Ram, des chemises pour elle. Elles entreprirent de confectionner une nouvelle garde-robe à la gouvernante.

Il fallut attendre la mi-novembre pour que Tina et Ram puissent jouir d'une soirée intime. Ils dînèrent dans leur petite chambre du château d'Edimbourg, froide et inhospitalière, qui leur fit regretter celle du château Douglas.

Ram servit du vin à Tina et déclara :

— Si un génie sortait de cette bouteille et m'accordait un vœu, je demanderais la vie éternelle plutôt que les richesses de Crésus.

Tina lui caressa doucement la joue.

— Je sais exactement ce que tu souhaites, et je désire la même chose.

Il laissa glisser ses mains vers ses seins en murmurant d'une voix enrouée :

— La seule idée de ce que je souhaite me met l'eau à la bouche.

— Moi aussi, renchérit-elle.

Ram l'enleva dans ses bras.

— Je suis l'esclave de mes sens… Je te dirai exactement ce que je veux si tu en fais autant.

Ils se fixèrent, solennels, et déclarèrent en même temps :

— Les truffes de M. Burque !

Ils se laissèrent tomber sur le lit en éclatant de rire.

— J'ai faim de toi, chérie, murmura Ram en la déshabillant tendrement.

Quand ils furent nus tous les deux, ils s'agenouillèrent sur la couverture et s'embrassèrent indéfiniment.

L'hiver serait fait de séparations, mais cette nuit leur appartenait, et ils entendaient bien en profiter pleinement, longuement, comme deux amants destinés l'un à l'autre.

Ils n'avaient pas besoin de cheminée. En cette glaciale nuit d'hiver, leur feu intérieur suffisait. Ram frémit quand il plongea enfin en elle. Immobile, il baisa doucement son front, ses joues, ses paupières, ses lèvres, retardant au maximum l'instant de l'explosion qui les enverrait tous deux au paradis.

Tina passa la fin de la nuit dans ses bras.

— Je vais te ramener à Douglas, si tu le veux bien. Je devrai me déplacer souvent, mais je te jure que je reviendrai dormir avec toi chaque fois que ce sera possible.

— Mon foyer se trouve là où tu es. Si tu ne peux venir à moi, j'irai à toi. Je te suivrai au bout du monde…

Il leur fallut presque toute une journée pour rentrer à Douglas, mais ce n'était pas assez long pour Ram et Tina qui goûtèrent chaque instant de cette chevauchée à travers la campagne majestueuse, si différente à cette époque de l'année avec ses arbres dénudés qui se découpaient sur le ciel argenté.

Ils aperçurent quelques cerfs, des oiseaux de proie qui tournoyaient à la recherche de nourriture. Lorsqu'ils s'arrêtèrent pour abreuver leurs chevaux dans la Clyde, ils s'éloignèrent un moment des autres afin de s'embrasser dans cette atmosphère pure, enivrante. Ils avaient chevauché l'un près de l'autre, mais ce n'était pas assez encore. En repartant, Ram prit Tina devant lui sur sa selle.

Le parfum de la jeune femme, mêlé à celui des chevaux et du cuir, était un aphrodisiaque si puissant que Ram n'avait qu'une envie en arrivant chez lui : emporter Tina dans leur chambre.

Damaris et Alexander, la main dans la main, les attendaient en haut de l'escalier.

Après seize longues années, Alex avait enfin convaincu son épouse d'écouter sa version de l'horrible tragédie. Et Damaris l'avait cru, du plus profond de son âme. Elle n'avait jamais vraiment cessé de l'aimer, elle avait seulement été affreusement blessée à l'idée qu'il l'eût empoisonnée. A présent, ils étaient aussi proches dans la mort qu'ils l'avaient été dans la vie.

Alexander lui avait montré l'ombre maléfique qui hantait encore le château Douglas, et ensemble ils s'étaient promis d'en protéger Ramsay et Valentina, de donner à leur amour une chance de s'épanouir. Leur mort n'aurait pas été inutile si les deux jeunes gens se mariaient et avaient des enfants.

Ils n'étaient pas les seuls à se réjouir du retour de Black Ram Douglas. Ses soldats ainsi que ceux d'Angus avaient entendu parler de son arrestation et s'étaient réunis au château, espérant de tout cœur le voir revenir sain et sauf.

Pochard exprimait sa joie en se roulant au milieu du grand lit, et Ram dut faire taire son ardeur le temps de le caresser et de se laisser lécher copieusement le visage par la grosse langue râpeuse.

Ensuite, tandis que les deux amants se retrouvaient enfin, en bas on projetait une grande fête. M. Burque s'occupait de la nourriture, Colin de la musique et des invitations.

C'était comme si Noël arrivait en avance !

Damaris et Alexander, ravis, constataient que leurs protégés ne se comportaient plus comme des scorpions prêts à s'entre-déchirer. Ils décidèrent de réserver à Tina une autre surprise en lui faisant découvrir dans l'écritoire de Malcolm le Fou tous les horribles secrets du clan Douglas. C'était le seul moyen de révéler la vérité sur leur tragédie et d'en éviter une autre.

Ram et Tina se réveillèrent tard, le lendemain. Ils descendirent pour trouver tout le château décoré de houx, de lierre et de gui. Devant tout le monde, Ramsay embrassa Tina sous le gui, selon la tradition, salué par les sifflets et les hourras des hommes. Un sourcil levé, il les avertit :

— Que personne ne se risque à en faire autant !

Ce fut une des plus belles journées de leur vie. Ils se rendirent à l'écurie et constatèrent qu'Indigo portait un petit. Ils feignirent de se disputer pour savoir à qui il appartiendrait et le nom qu'on lui donnerait.

La neige se mit à tomber l'après-midi, et tous se précipitèrent dehors comme des enfants pour la goûter et s'en envoyer au visage. Tina s'inquiétait cependant : si Ram partait à l'aube, comme prévu, ne serait-il pas gelé ?

Il se contenta de rire en la serrant dans ses bras.

— Comment pourrais-je avoir froid, avec toi dans mon cœur pour me réchauffer ?

M. Burque s'était surpassé. Il avait même autorisé les cuisiniers du château à préparer le traditionnel estomac de mouton farci, bien qu'il trouvât cette mixture absolument répugnante. Il fut désespéré quand Tina exprima son intention d'en manger, et alla jusqu'à lui arracher la fourchette des mains.

— C'est plein d'oreilles et de trous de balles ! s'écriat-il, scandalisé.

Tout le monde éclata de rire, surtout Tina qui en avait les larmes aux yeux.

— Vous êtes un trésor rare, mon vieux, déclara Ram. Non seulement vous êtes le meilleur chef de toute l'Ecosse, mais en plus vous nous distrayez pendant le repas !

— Et il n'est pas désagréable à regarder ! renchérit Tina avec un clin d'œil.

Tant qu'il régnait encore un semblant d'ordre, Colin apporta à Ram le portrait de Valentina. Il en eut le souffle coupé. C'était criant de vie, de vérité, au point qu'il croyait sentir l'odeur de la bruyère, qu'il avait envie de plonger les mains dans l'opulente chevelure de feu.

Tina connut un terrible moment d'angoisse. Qu'avait-il fait du nu ? Elle décida d'en parler quand Ram serait au loin. Il fallait détruire ce tableau à tout prix.

La fête battait son plein, mais les hommes ne se risquaient pas à trop boire. Black Ram Douglas partirait au lever du soleil, et il n'était pas question d'avoir la gueule de bois.

Ram entraîna Tina hors de la salle commune et ils montèrent sur les remparts pour admirer le paysage, tout blanc sous la lune.

De retour dans leur chambre, il étendit la fourrure devant le feu.

— Nous avons seulement jusqu'à l'aube, murmura-t-il en l'attirant à lui.

Tina était un peu plus amoureuse de lui chaque jour. Elle adorait la façon dont il la courtisait, et mourait d'envie qu'il la redemandât en mariage. Ram jubilait intérieurement. Il brisait sa résistance, petit à petit.

— Chaque fois que je rentrerai, je te demanderai si tu m'aimes et si tu veux m'épouser, jusqu'à ce que j'entende un « oui » haut et clair.

Elle l'embrassa doucement.

— Courtise-moi encore un peu, j'aime tellement ça...

Elle le repoussa sur la couverture, baisa son visage, son torse, son ventre, et il gémit de plaisir quand sa longue chevelure dissimula une caresse plus audacieuse...

Damaris était un peu frustrée. Elle s'était trouvée là lorsque Malcolm le Fou avait demandé à Jenna de remettre l'écritoire à Lady Kennedy. Avec la mort de Malcolm et la maladie de Tina, la jeune servante avait mis l'objet en lieu sûr, puis l'avait complètement oublié.

Damaris, debout derrière Jenna, lui répéta inlassablement de s'acquitter de sa mission et fut enfin récompensée. La servante alla chercher le petit bureau dans sa garde-robe et, comme Lady Valentina s'était retirée pour la nuit, décida de le confier à Ada qui le remettrait à sa maîtresse dès le lendemain matin.

Damaris poussa un tel soupir de soulagement que les voilages du lit d'Ada se soulevèrent. Celle-ci alla fermer les lourds rideaux de sa fenêtre pour se protéger des courants d'air.

Mais Damaris voulait que Tina lût le récit de Malcolm tant que Ramsay se trouvait encore au château pour la protéger. Il fallait que tout danger fût définitivement écarté avant que la jeune femme se retrouvât seule, vulnérable.

Elle se mit à la recherche d'Alex et sourit en le trouvant en train de regarder M. Burque trousser une accorte servante dont le mari ronflait sous la table.

— *Quelle honte!* le taquina-t-elle. *Je croyais que tu méprisais les voyeurs!*

— *Ce n'est pas du voyeurisme*, protesta Alex. *Je m'instruis*, ajouta-t-il, admiratif devant les prouesses du Français.

Ramsay fut debout longtemps avant l'aube, mais il prit soin de ne pas réveiller Tina : il ne voulait pas de larmes. Il lui suffisait d'emporter avec lui le souvenir de leur nuit d'amour, cela le réchaufferait dans les montagnes glacées.

Il regrettait de n'avoir pas vu ses frères, mais il leur laissa à chacun une note leur demandant d'effacer le nom de *Revanche* sur leurs navires, par prudence.

Ses hommes l'attendaient déjà dans la cour, fin prêts pour la chevauchée qui les mènerait à Stirling avant midi.

Ses lettres à la main, Ramsay chercha Colin. Comme il ne le trouvait pas dans la salle commune, il monta à sa chambre dont la porte n'était pas verrouillée. Il entra, posa ses messages sur la cheminée. Il allait quitter la pièce lorsqu'un portrait attira son attention. Tina était étendue, nue, sur le bord d'une rivière où il lui avait fait l'amour, un jour. Apparemment, il n'était pas le seul! Il y avait une telle sensualité sur son visage!

Ram poussa un hurlement d'animal blessé.

L'esprit d'Alexander se matérialisa dans la chambre, et s'exclama:

— *C'est un mensonge! Un horrible mensonge!*

Mais Ram passa devant lui, tel l'ange de la mort.

Damaris essayait de toutes ses forces d'envoyer Ada remettre l'écritoire à Tina avant le départ de Ram. Soudain elle entendit la lourde porte de la grande chambre grincer sur ses gonds et elle se précipita près de Tina, paniquée, juste à temps pour la voir se réveiller en sursaut.

Black Ram Douglas, vêtu de sa cotte de mailles, la dominait de toute sa taille, son poignard à la main.

— Putain! tonna-t-il, ivre de fureur.

De son arme, il frappa sauvagement la femme encore étendue dans son lit.

37

Le mouvement brusque que fit Damaris rabattit le rideau du lit sur le corps de Tina. Ram arracha son poignard du tissu froissé et lança un juron avant de quitter la pièce comme une tornade.

— *Que s'est-il passé?* cria Damaris à Alexander.

— *Il a vu le portrait nu.*

— *Ne le laisse pas partir! Il ne faut pas qu'elle reste seule ici avec Colin!*

Alex se précipita à la poursuite de Ram.

Ada entrait dans la chambre avec l'écritoire.

— Qu'y a-t-il? demanda-t-elle en prenant Tina dans ses bras.

— Le tableau? Il a dû le voir. Il est devenu fou!

Méfiante, Ada alla fermer la porte à clé.

Alex se matérialisa dans la chambre.

— *Il est parti. Je n'ai pas pu le retenir.*

— *Mon Dieu! L'histoire se reproduit. Elle a été em-poisonnée, comme moi. Colin nous a peintes nues toutes les deux, et Ram a vu le portrait, comme toi. Il y aura un autre meurtre si nous n'agissons pas!*

— *Je vais le suivre, et je le ramènerai*, jura Alex.

— *Je ne crois pas que tu le puisses.*

— *Si! Il suffit que je sois lié à un être humain. Je peux aller là où il va.*

— *Sois prudent!* cria Damaris.

Tina sécha ses larmes et enfila une robe de chambre.

— Oh! Ada, tout est si compliqué! gémit-elle en rejetant ses cheveux en arrière. Cette nuit, il m'a dit qu'il m'aimait, qu'il voulait m'épouser. Maintenant, à cause de Colin Douglas, tout est gâché! Je vais tuer cet imbécile!

— Calmez-vous, ma chérie. Le mal est fait, mais à présent que Ramsay est parti, nous avons tout le temps de voir Colin, de récupérer le tableau. Je vais vous chercher un petit déjeuner, et je demanderai à M. Burque de nous aider. Il nous faut la protection d'un homme pour affronter Colin.

— Bonne idée, Ada. Oh, l'écritoire que j'avais offerte à ce pauvre Malcolm!

— Jenna me l'a apportée hier soir. Elle avait promis à Malcolm de vous la remettre.

Ada descendit, et Tina ferma soigneusement la porte derrière elle avant de revenir vers l'écritoire. Elle caressa la sculpture qui dissimulait le tiroir secret. Comme il était poignant de toucher les pages que le vieil homme avait écrites! Il était tellement obsédé par l'histoire des Douglas... Cette obsession l'avait rendu fou à lier.

Elle commença à lire et fronça les sourcils, étonnée. Elle s'attendait à trouver la généalogie du clan Douglas depuis le premier comte, or Malcolm avait écrit seulement sur les dernières années. D'ailleurs, il y avait à peine une dizaine de feuillets, et le récit portait uniquement sur la nuit tragique où Damaris avait été empoisonnée.

Celle-ci se tenait derrière Tina pour lire par-dessus

son épaule. L'écriture était ferme, élégante, nettement plus claire que Malcolm ne l'était lorsque Tina parlait avec lui :

Il était tellement inhabituel que les jeunes mariés élèvent la voix que je me fis discret pour qu'ils puissent se disputer tranquillement. Avant la fin de l'après-midi, on ne pouvait plus ignorer leurs cris de colère et j'en appris enfin la raison. Colin avait fait un portrait de Lady Damaris devant lequel nous nous étions tous extasiés. Mais apparemment, Alex avait découvert que Colin l'avait aussi peinte nue. Dans une crise de jalousie, Alex accusa sa femme d'adultère.

Comme Colin n'était pas là, Damaris dut affronter seule la rage de Lord Douglas. La nuit tombait quand Lady Damaris but un verre de vin. Il était empoisonné, et Alexander oublia sa colère, paniqué devant l'agonie de sa femme. A l'époque, on m'appelait déjà Malcolm le Fou parce que j'avais un penchant pour la solitude et l'alcool et que je ne suivais pas le même chemin que les autres. Alex m'accusa d'avoir empoisonné le vin et refusa que je l'aide à sauver son épouse.

Je n'aurais rien pu faire, de toute façon, car elle mourut rapidement en murmurant «empoisonneur», persuadée que c'était son mari le meurtrier.

Alex, dans un état de semi-démence, attendit le retour de Colin, convaincu qu'il avait séduit sa ravissante épouse. Lorsque Colin apprit la mort de Damaris, il devint fou furieux, lui aussi. Les deux hommes dégainèrent leurs épées et se lancèrent des injures. Colin avoua à Alex que le poison lui était destiné, à lui, pas à Damaris, afin qu'il héritât du titre. Alex lui jeta au visage le secret qu'il avait tu pendant des années : Colin était un bâtard et le titre passerait à son cousin Ramsay.

Comme je ne voyais pas comment empêcher le sang de couler, muni d'un carafon de whisky, j'allai m'enfermer dans ma chambre. Je l'avais presque vidé quand je les vis sur les remparts. Alexander avait le dessus, Colin était blessé en plusieurs endroits, et pour moi l'issue du combat n'était pas douteuse. Je dus perdre conscience.

Le lendemain, on découvrit le corps d'Alexander écrasé dans la cour.

Le comte d'Angus arriva aussitôt au château ainsi que les Kennedy, ivres de vengeance. Quelqu'un raconta que Colin était avec l'armée du roi dans les Highlands, et je craignis d'être le principal suspect. Je m'enfermai dans ma chambre pour boire jusqu'à l'inconscience. Enfin on découvrit le nu de Lady Damaris, et on en conclut qu'Alexander l'avait empoisonnée par jalousie avant de se suicider en se jetant du haut des remparts.

Lâche comme je suis, je fus soulagé qu'on ne m'accusât pas du double meurtre, aussi me tus-je. Lorsque Colin rentra une semaine plus tard, infirme à la suite de ses blessures, je fus le seul à savoir que c'était l'épée d'Alexander qui en était responsable. Colin me fournit de l'alcool en abondance, et je ne dessoûlai pas pendant plus d'une année. Ensuite, quand j'essayais de parler de cette nuit tragique, les gens hochaient la tête avec condescendance et m'appelaient Malcolm le Fou.

Je me raisonnai. Les choses auraient pu plus mal tourner. Au moins, Colin n'avait pas hérité du titre. Ramsay devint Lord Douglas, et ce rôle lui allait comme un gant. Le chef du clan, Archibald Douglas, comte d'Angus, en était ravi, car Ramsay était né avec toutes les qualités d'un chef. Ainsi le crime n'avait pas profité au misérable.

Je me serais peut-être tu définitivement sans l'arrivée d'une autre magnifique Lady Kennedy. Je sais que Colin la convoite et qu'il est assez pervers pour empoisonner Ram afin d'obtenir sa femme. J'ai donc décidé de briser enfin mon long silence en couchant les faits par écrit. Comme mes jambes m'ont lâché, je crains pour ma vie, mais j'ai peur aussi pour Ram et pour la belle jeune femme qui s'est montrée si bonne envers moi.

Malcolm Douglas

Mon Dieu, c'est Colin qui a tué Malcolm en empoisonnant le vin ! s'exclama Tina. J'en ai bu par erreur seulement.

Pourquoi, mais pourquoi n'avait-elle découvert ces pages qu'après le départ de Ram?

Tina courut aux cuisines pour raconter à Ada et à M. Burque ce qu'elle venait d'apprendre. Damaris ne put l'empêcher de quitter sa chambre, mais elle la suivit.

Valentina rapporta toute l'histoire à ses deux amis avant d'ajouter:

— Colin est dangereux. Nous ne pouvons l'affronter désarmés.

M. Burque saisit une épée accrochée au mur de la pièce commune. Bien qu'il ne fût guère entraîné, il était musclé, agile et courageux. Il envoya Ada dans le quartier des chevaliers mobiliser tous les hommes d'armes que Ram n'avait pas emmenés, et sans hésiter, se dirigea vers le grand escalier. Colin était posté en haut.

— Je n'ai pas empoisonné Damaris volontairement! cria-t-il. Je l'aimais!

Tina, très pâle, rétorqua:

— Vous avez tué Alexander, vous avez tué Malcolm pour qu'il se taise à jamais, et en empoisonnant le vin, vous avez tué aussi mon bébé!

Elle était tellement folle de rage qu'elle se rua dans l'escalier pour l'attaquer à mains nues, sans se soucier du danger.

Il sortit son poignard, un vilain rictus aux lèvres, le visage aussi contrefait que son corps.

— Si je ne peux vous avoir, cette canaille de Ramsay ne vous aura pas non plus. Il m'a déjà volé mon titre!

Black Ram Douglas chevauchait vers Stirling. Il menait un train d'enfer, mais les hommes ne se seraient jamais risqués à protester en remarquant l'humeur sombre de leur chef.

Le brouillard de colère qui l'avait aveuglé se dissipait quelque peu dans l'air vif du matin, mais tandis qu'il se calmait, une main de glace lui serrait le cœur. A ses côtés, le spectre d'Alexander lui répétait:

Fais demi-tour, rentre au château ! Valentina est en danger !

Ram ne pouvait se débarrasser de l'image du portrait nu.

— *Colin a empoisonné Damaris et Malcolm, il convoite Tina. Elle a tout à redouter de lui !*

Enfin un léger doute s'insinua dans l'esprit de Ramsay. Comment sa splendide sorcière aurait-elle pu se donner à Colin ? Ram le connaissait bien, il savait qu'il était aussi laid dans son âme que dans son corps. Il le suspectait d'avoir fourni de l'alcool à Malcolm durant toutes ces années, et il avait même conçu quelques soupçons à la mort du vieil homme. A l'époque, il était trop préoccupé par l'état de Tina pour aller plus avant dans ses investigations, néanmoins il avait refusé de la laisser seule au château.

Alex était de plus en plus inquiet.

— *Rentre, Ram ! Si tu l'aimes, retourne chez toi !*

Les hommes de Ram furent stupéfaits de le voir s'arrêter brusquement. Les pattes avant de son étalon battirent l'air tandis qu'il lui faisait faire demi-tour. Ramsay leva le bras pour indiquer la direction :

— Douglas !

Cette fois, leur chef galopa ventre à terre, et aucun d'eux ne parvint à le suivre.

— Par Dieu ! jura doucement Ram. Elle m'aime. Jamais elle n'aurait fait une chose pareille !

M. Burque fixait le haut de l'escalier, la peur au ventre. Tina était si entêtée, si courageuse qu'elle méprisait le danger. Colin l'avait saisie à la gorge et il semblait suffisamment hors de lui pour l'étrangler.

Indécis, M. Burque se demandait s'il devait agir, au risque de blesser sa maîtresse.

Soudain Pochard aperçut le chat de Damaris. Folie cracha dans sa direction et grimpa l'escalier à toute vitesse. Pochard, en se lançant à sa poursuite, heurta Colin de plein fouet.

Celui-ci perdit l'équilibre, ne put se retenir à cause de sa jambe malade, lâcha Tina et dévala les marches pour venir s'empaler sur l'épée que brandissait M. Burque.

Ada et deux hommes d'armes surgissaient à cet instant.

Les soldats tapèrent dans le dos du Français, le félicitèrent d'avoir sauvé la vie de leur dame et débarrassé la terre d'un meurtrier.

Les gardes conseillèrent à Ada d'emmener sa maîtresse avant qu'ils désembrochent le corps inerte de Colin. Les genoux tremblants, Tina se dirigea vers la grande pièce où Ada l'installa devant la cheminée. Les yeux fixes, comme en transe, elle regardait le feu. En réalité, elle revivait les événements qui avaient conduit à la mort Damaris et Alexander. Le passé se confondait avec le présent, et elle perdit toute notion du temps.

Elle revint au moment présent lorsqu'une haute silhouette fit irruption dans la salle. L'Écossais était impressionnant dans sa cotte de mailles, coiffé de son heaume. Tina se leva et tendit une main suppliante :

— Ram...

Puis elle s'effondra au sol, inconsciente.

Ram l'enleva dans ses bras et la serra contre son cœur.

Quand Tina revint à elle, elle était allongée dans le grand lit, un Ram anxieux assis près d'elle. La voyant ouvrir ses grands yeux dorés, il porta ses mains à ses lèvres puis versa du whisky dans un gobelet, qu'il goûta avant de le lui offrir.

— Buvez, dit-il doucement en écartant une mèche de cheveux de son front. Pourrez-vous me pardonner une fois de plus mes horribles soupçons ?

— Pourquoi êtes-vous revenu ? demanda-t-elle, pleine d'espoir.

— J'ai senti que vous étiez en danger. Lorsque j'ai cessé d'être aveuglé par la jalousie, j'ai compris que jamais vous n'auriez pu me tromper avec un misérable comme Colin.

— Vous a-t-on raconté tout ce qui s'est passé ?

— Oui. Et j'aimerais lire ce qu'a écrit Malcolm.

Tina lui tendit les feuilles. Quand il eut terminé sa lecture, il baisa le front de Tina.

— Dieu merci, l'histoire ne s'est pas répétée. Mais je ne suis pas étonné que leurs ombres rôdent encore dans le château!

— Peut-être vont-ils pouvoir reposer en paix, maintenant que toute la lumière est faite.

— Je vais détruire les portraits et les dessins de Damaris, ainsi que ceux qui vous représentent. Je n'ose imaginer à quelles pratiques perverses il se livrait, derrière sa porte close.

— C'est le troisième Douglas qui meurt. Après Malcolm et le bébé, je redoutais que ce ne fût vous quand vous avez été fait prisonnier.

Ram la serra bien fort.

— Et moi, je craignais qu'il ne s'agît de vous, surtout lorsque vous avez bu le poison que je vous avais servi.

Sa voix s'étrangla. Au bout d'un moment, il reprit:

— Pourrez-vous me faire confiance à nouveau, ma sorcière?

Tina eut un petit sourire ironique.

— C'est à vous d'apprendre la confiance, Ram.

Elle se leva pour se tenir bien droite devant lui.

— Que faites-vous?

— Je ne vais pas rester au lit toute la journée! Je veux vous aider à ôter votre cotte de mailles.

— J'avais oublié que je la portais! dit-il en s'en débarrassant lui-même.

— Je suis désolée de vous empêcher de remplir votre devoir envers le roi... Non! Je ne suis pas désolée du tout. Je suis très heureuse, au contraire.

— Au diable mon devoir envers le roi. Le clan Douglas passe en premier, comme toujours. Mais vous avez raison: je n'ai jamais eu confiance en quiconque. Voyez comme David et Colin nous ont trahis, et pourtant ils sont de notre sang. J'ai traversé la vie en ne me fiant qu'à moi-même. Je vous aime, et pourtant mes actes prouvent que je ne vous fais pas confiance...

Il secoua la tête, étonné de cette contradiction flagrante.

Tina appuya la tête sur son épaule.

— Je crois que nous nous aimons, Ram, mais nous n'avons pas encore appris suffisamment à nous connaître. Nous sommes devenus amants avant d'être amis, or la base de toute amitié est la confiance.

Ils s'assirent dans le grand fauteuil, Tina sur les genoux de Ram, et parlèrent durant des heures. Jamais ils n'avaient éprouvé une telle communion, même dans leurs moments d'intimité. Une à une les barrières s'écroulaient entre eux tandis qu'ils se confiaient leurs espoirs, leurs sentiments, leurs opinions. Ils avaient déjà commencé, une fois, mais les circonstances les avaient séparés. Cette fois, rien ne viendrait interférer dans leur existence. Valentina promit de ne plus s'opposer à lui. Elle se tiendrait à ses côtés, fût-ce contre le roi et le pays, contre le diable lui-même. A partir de cet instant, ils ne feraient plus qu'un seul esprit, un seul cœur, une seule âme. Elle serait bientôt la femme de Black Ram Douglas, et fière de l'être !

Ram resta encore deux jours au château pour s'assurer que Tina ne se ressentait pas de l'horrible scène à laquelle elle avait assisté. Ils ne sortirent de leur chambre que pour se promener dans la neige au clair de lune. Il la couvrit de fourrures et, la main dans la main, ils allèrent admirer la campagne argentée. Ils s'arrêtèrent une fois près de l'endroit où étaient enterrés Alexander et Damaris.

— Je pensais que son âme ne connaissait pas le repos parce qu'elle était enterrée à côté de lui, mais à présent je trouve juste qu'ils soient ensemble. Je vais demander à l'évêque de bénir ce sol. A moins de transférer Alexander au château Douglas, où sont ensevelis ses ancêtres...

— Je crois qu'ils doivent rester unis pour l'éternité, murmura Tina en essuyant une larme.

Ils rentrèrent dans leur chambre où les attendaient un grand feu et des mets délicieusement préparés par M. Burque.

Enfin vint l'instant du départ. Jamais Ram n'avait rien accompli de plus pénible.

— Veux-tu m'épouser? murmura-t-il après avoir embrassé Tina.

Elle s'accrocha à lui.

— Mmm... peut-être. Redemande-le-moi quand tu reviendras...

38

Ramsay Douglas se donnait tout entier quand il recrutait pour le roi. Il allait plus loin et plus vite que n'importe lequel des lieutenants de Jacques Stuart, il obtenait des engagements de chaque branche des clans Douglas, Kennedy, Campbell, Drummond, Erskine et Graham. Il tint sa promesse de rentrer au château dès que possible, mais ne put voir Tina qu'une fois toutes les six semaines.

Ces longues absences n'en rendaient leurs retrouvailles que plus délicieuses, et ils attendaient avec impatience le temps où ils pourraient un peu vivre ensemble.

Lentement mais sûrement, tout au long des mois d'hiver et au début du printemps, Jacques rassembla des forces pour la guerre. Il ne fallait pas seulement des hommes, mais aussi des chevaux, des bœufs pour tirer les chariots et les lourds canons, des milliers d'armes, épées, poignards, lances, flèches...

Ram allait à droite et à gauche pour faire le point. Le roi le nomma chef de tout le clan Douglas, puisque Angus avait passé l'âge de guerroyer.

Comme Stirling était la plus importante forteresse d'Ecosse, le roi y convoqua tous ses chefs afin qu'ils lui jurent fidélité. Quinze comtes, cinq évêques et de nombreux seigneurs se réunirent pour placer entre les mains du roi leurs vies, leurs biens, ainsi que ceux de leurs clans et de leurs hommes liges.

Avec le printemps vint enfin un répit. Henri Tudor

avait envoyé son armée de l'autre côté de la Manche pour préparer la guerre en France, et cela fut un soulagement général en Ecosse. Chaque ville, chaque village se mit à fêter le retour des beaux jours.

Quelques personnes savaient cependant qu'il ne s'agissait que d'un sursis. Le roi Jacques, le comte d'Angus et Ramsay Douglas étaient de ceux-là. Douglas était particulièrement conscient de l'ambition démesurée de Henri Tudor. Il ne reculerait devant rien — conquête, assassinat, intrigue ou corruption — pour obtenir le contrôle de l'Ecosse. Et ses nobles, avides aussi de pouvoir, attendaient comme des chacals le moment de se partager le royaume.

Ram quitta Edimbourg avec ses quarante soldats et ils menèrent grand train jusqu'au château. Lorsque les guetteurs vinrent avertir Tina de leur retour, elle monta sur les remparts pour agiter la bannière des Douglas afin d'être vue de loin. Quand il atteignit la cour, elle descendait en courant l'escalier extérieur.

Ram sauta à terre, l'accueillit dans ses bras et la couvrit de baisers.

— Comme tu m'as manqué, mon amour!

Elle était merveilleusement radieuse et vivante dans le soleil couchant qui mettait en valeur sa chevelure, avec ses yeux dorés qui tournaient à l'ambre quand elle était contre lui. Il était le plus comblé des hommes. Tina ne vit pas la sueur ni la poussière, elle admirait son bel Ecossais brun, au visage buriné, au corps dur comme du granit.

— Je t'aime, Ram.

Il la fit tournoyer un instant en l'air avant de la poser pour un baiser passionné. Puis il souffla :

— Tu m'épouseras, sorcière... Je suis ton destin!

Les yeux de Tina scintillaient d'amour et de fierté. C'était tellement typique de sa part d'affirmer au lieu de demander... Mais elle était bien trop amoureuse pour se faire désirer plus longtemps.

Sans la lâcher, devant tous ses hommes d'armes, il ordonna à Jock :

— Va chercher le prêtre à l'église de Saint Bride. Et vite !

L'assourdissant cri de guerre des Douglas résonna dans tout le château et Pochard, qui revenait de sa chasse quotidienne, se jeta joyeusement sur le couple enlacé.

Ram et ses soldats allèrent eux-mêmes s'occuper de leurs chevaux à l'écurie, tâche qu'ils n'aimaient guère confier aux palefreniers. Tina accompagna Ram, et ils rendirent visite à Indigo.

Tina poussa un cri en voyant sa belle jument couchée, mais le chef des écuries leur assura que tout allait bien. Ram s'agenouilla et caressa le ventre tendu.

— Elle ne va pas tarder à mettre bas, annonça-t-il.

Tina lui parla doucement, et elle se remit péniblement sur ses pieds. Ram fronçait les sourcils. C'était une si belle jument ! Pourvu qu'elle n'eût pas de difficultés pour donner naissance au poulain de Ruffian... Il ne souffla mot de ses inquiétudes à Tina mais demanda au palefrenier de l'avertir dès que le travail commencerait.

Ils revenaient dans la cour quand le prêtre arriva.

— Mariez-nous sur-le-champ, avant que ma jolie sorcière ne change d'avis, dit Ram.

Il était aussi excité qu'un gamin, et Tina se demandait s'il aurait la patience d'attendre avant de l'entraîner dans leur chambre.

Tous les habitants du château sortirent pour assister à l'union de Lord Douglas et de Lady Kennedy.

Celle-ci feignit d'être outragée.

— Vous ne vous lavez pas avant, espèce de barbare ?

— Nous le ferons ensemble. Ce sera votre premier devoir d'épouse, Lady Douglas.

Il la serra plus fort à son côté tandis que le prêtre commençait :

— Nous sommes rassemblés sous le regard de Dieu pour unir cet homme et cette femme par les liens sacrés du mariage...

Le plus grand silence régnait dans la cour du château lorsque le prêtre demanda enfin :

— Voulez-vous prendre cette femme pour épouse ? Jurez-vous de l'aimer, de l'assister, pour le meilleur et pour le pire, de lui être fidèle jusqu'à ce que la mort vous sépare ?

— Je le veux, répondit Ram, solennel.

— Et vous, Valentina Kennedy, voulez-vous prendre cet homme pour époux ? Jurez-vous de lui obéir, de le servir, de l'aimer et de l'honorer, pour le meilleur et pour le pire, de lui être fidèle jusqu'à ce que la mort vous sépare ?

— Je le veux, déclara Tina d'une voix haute et claire.

— Qui remet cette femme à cet homme ?

Il y eut un temps d'hésitation, puis M. Burque s'avança vers les jeunes gens, sous les cris de joie de la foule.

— Moi, Ramsay Neal Douglas, je te prends, toi, Valentina, pour légitime épouse. Je te garderai pour le meilleur et pour le pire, dans la richesse ou la pauvreté, la bonne santé ou la maladie, je t'aimerai et te chérirai jusqu'à ce que la mort nous sépare. Par ceci, je t'engage ma foi.

Tina ouvrit de grands yeux quand il sortit une alliance de la poche de son vêtement de cuir.

— Par cet anneau, je te fais mienne.

Tina répéta les vœux et le prêtre les déclara mariés.

C'était le moment que les hommes d'armes attendaient pour les porter en triomphe jusqu'au château dans une joyeuse cohue.

— Allons les mettre au lit !

Ram parvint à se dégager. Il monta sous le dais et leva les bras pour obtenir le silence.

— Pas question ! Je m'en chargerai seul. Maintenant, allez chercher les tonneaux de vin, et que la fête commence !

Les hommes protestèrent en voyant que le jeune couple allait se retirer, mais Ram fut inébranlable :

— Je dois accomplir ma promesse. N'ai-je pas juré de servir et d'honorer son corps ?

Valentina, feignant d'être choquée, ramassa ses jupes et s'enfuit en courant, mais elle se retrouva bien vite

416

prisonnière entre les bras puissants de son époux, qui la couvrit de baisers de la tête aux pieds...

Damaris et Alexander étaient aux anges. Ces deux-là étaient faits l'un pour l'autre, se disaient-ils... même s'ils étaient un peu étourdis par la rapidité de la cérémonie. Les clans Douglas et Kennedy étaient enfin unis.

— *C'est une fin merveilleuse à l'histoire de Ram et de Tina*, dit Damaris, *et pourtant elle ne fait que commencer.*

Alex lui serra la main.

— *C'est la fin de la nôtre, mon amour. Nous devons partir.*

— *Oh, Alex, nous ne pouvons les laisser! La guerre menace. Et si Tina attend un autre bébé?*

— *Nous ne pouvons vivre à leur place, ma chérie. J'aimerais aussi connaître l'issue de la guerre, mais notre temps ici est terminé.*

— *J'ai peur, Alex.*

— *Je serai avec toi, ma douce. Nous partirons ensemble. Tu me fais confiance, n'est-ce pas?* ajouta-t-il, malicieux.

Elle rougit. Pendant seize ans, elle n'avait pas cru en lui, puis elle avait compris que leur amour n'avait jamais faibli. Dressée sur la pointe des pieds, elle effleura les lèvres de son mari.

— *Oui, je te fais confiance, de toute mon âme.*

— *Monte avec moi sur les remparts, alors.*

Damaris scrutait son visage. Ni l'un ni l'autre n'avait osé se rendre sur le chemin de ronde depuis la nuit fatale.

— *N'aie pas peur, mon amour*, insista-t-il.

Les deux esprits glissèrent silencieusement vers les remparts.

— *Ce nouveau monde n'est guère attirant*, dit Damaris, frémissante. *Sera-ce l'enfer ou le paradis?*

— *Ni l'un ni l'autre, peut-être, mais c'est la preuve de notre fidélité et de notre amour*, assura Alex.

— *Tu es si courageux, si brave! Que dois-je faire?* demanda-t-elle d'une voix qui tremblait un peu.

— *Avance simplement dans le vide de l'infini, ou reste ici pour toujours sans moi.*

— *Non!* cria-t-elle.

Elle lâcha sa main et rentra en courant dans le château.

Alexander eut le cœur brisé. Il avait vraiment cru qu'elle l'aimait assez pour l'accompagner dans ce voyage. Pourquoi n'avait-il su la convaincre? Il était impossible de prolonger ce délai de seize ans, il le savait, et sa peine était immense.

Il avait terriblement froid, seul dans le vent. Pourtant il devait partir... sans elle.

Soudain il la vit réapparaître devant lui, sa chatte bien-aimée dans les bras. Elle eut un rire léger.

— *Je ne pouvais tout de même pas m'en aller sans Folie!*

Alexander éclata d'un rire heureux. Il saisit la main de Damaris, espérant qu'ils resteraient unis pour l'éternité.

Ram était nu, Tina vêtue d'une chemise de soie.

— Dis-moi encore que tu m'aimes, exigea Ram. Tu as mis beaucoup trop longtemps à l'avouer.

— Je t'aime, je t'adore, espèce de démon!

Tina se garda bien de lui dire qu'elle attendait de nouveau un enfant. Elle voulait garder son secret encore un peu pour elle seule. Elle était tellement soulagée qu'il eût tenu à l'épouser avant d'être au courant! Ainsi était-elle sûre qu'il l'aimait vraiment.

On frappa à la porte et, sur un juron, Ram alla ouvrir sans se soucier de sa nudité.

C'était un garçon d'écurie accompagné d'Ada, rouge comme une cerise.

— Indigo... le travail a commencé, balbutia-t-elle.

— J'arrive!

— *Nous* arrivons, rectifia Tina en passant une cape de fourrure sur sa chemise de nuit.

Ram se contenta d'enfiler ses chausses avant de se précipiter aux écuries, Pochard sur ses talons.

La jument poussait de petits gémissements craintifs, et Ram la caressa, apaisant.

— Les juments barbes sont particulièrement fragiles et nerveuses. Le poulain n'est pas encore tout à fait descendu. Nous avons une longue nuit devant nous, mon épouse.

Tina se mit à parler doucement à l'animal, et sa présence le calma presque instantanément. Puis Ram leur fabriqua une couche dans le foin et, sous la fourrure, ils se préparèrent à une nuit de veille, Pochard allongé à leurs pieds.

— Jamais je n'aurais imaginé passer ma nuit de noces à jouer les sages-femmes, plaisanta Ram.

— Tu le fais parce que tu sais combien je tiens à Indigo. Je trouve cela très galant et très romantique, assura Tina en caressant son torse, grisée par son odeur.

— En revanche, ce n'est pas fort galant de t'épouser avant de partir à la guerre. C'est de l'égoïsme pur !

— Mais la menace de guerre est moins importante, depuis que l'Angleterre lutte en France, non ?

Ram demeura un instant silencieux avant de répondre :

— Je connais Jacques Stuart. Il combattra.

— On dirait que tu le regrettes, dit doucement Tina.

— Ce n'est pas sage, à mon avis. Je crois en la force, mais cette fois, je suis persuadé que nous ferions mieux de rester en Ecosse et de fortifier nos frontières pour les rendre infranchissables. Jacques a eu raison de rassembler une importante armée, pourtant il suffirait de faire étalage de cette puissance.

— Tu penses qu'il veut pénétrer en Angleterre ?

Ram répondit à côté :

— Je m'en veux d'avoir passé si peu de temps avec toi. Il y a tellement de choses que je veux te montrer, tellement d'endroits où je veux t'emmener !

— Raconte-moi, pria-t-elle en se serrant plus fort contre lui.

— J'aimerais que tu m'accompagnes dans le Nord

lorsque j'irai chercher des chevaux sauvages. Les Highlands sont tellement primitives, c'est comme l'aube du monde. L'endroit est silencieux, majestueux, les animaux y vivent dans une telle liberté que cela brise le cœur de les séparer... Nous pourrions aussi passer une année à visiter toutes les places fortes des Douglas. Tantallon est particulier, perché sur sa falaise qui domine la mer. Dunbar est plus spectaculaire encore : la forteresse est construite en haut d'une colonne de rochers reliés par des couloirs de maçonnerie.

— C'est impressionnant...

— Seulement pour l'ennemi. J'aimerais aussi te montrer l'île de May. Les jours d'été, du sommet de la falaise, tu as l'impression que le monde t'appartient. Elle est inhabitée, et des milliers de macareux te tournent autour sans crainte. Le roi s'y retire souvent. Cela te plaira. C'est une expérience mystique, spirituelle.

Indigo hennit, et ils se levèrent d'un bond de leur couche. Tina caressa la tête de la jument.

— Là, là, ma belle.

Ram vérifia la position du poulain.

— Il est descendu. Il se présente par la jambe avant.

— C'est ennuyeux ?

Sans répondre, il s'efforça de faire rentrer la patte du petit dans le ventre de sa mère.

Les yeux de la jument roulaient follement, et elle se mit à transpirer. Tina la couvrit d'un plaid tandis que Ram lui donnait à boire. Puis il lui massa les flancs à grands gestes sûrs.

Comme l'animal gémissait toujours, Tina s'inquiéta.

— Ram, fais quelque chose, il est trop gros, il ne passera jamais... Soulage-la de sa douleur.

— Non, ma sorcière. Nous n'allons pas renoncer si vite.

Un rouleau de corde sur les genoux, il glissa une main douce à l'intérieur de la jument. Au bout d'un temps qui sembla infini, il fit sortir deux petits sabots. Patiemment, il attacha la corde autour des pattes de derrière.

Tina ne cessait de parler à la jument, de la caresser, tout en regardant Ram accomplir le miracle. Malgré sa force, il lui fallut une bonne heure pour sortir le poulain. Enfin le petit jaillit, tout entouré d'une membrane. Ram lui dégagea vivement les naseaux, et Indigo se mit debout pour câliner son petit avant même que Ram eût dénoué la corde. Il nettoya le bébé avec des poignées de foin, et, émerveillés, ils l'observèrent tandis qu'il tentait de se dresser sur ses longues jambes grêles.

— C'est un mâle! cria triomphalement Ram.

— Il est magnifique! Comment allons-nous l'appeler?

— Pourquoi pas Destin? proposa Ram en riant.

Tina demeura immobile pendant que Ram se lavait et se séchait avec un tartan. Radieuse, elle lui dit enfin:

— Voilà une expérience spirituelle!

— Pas du tout! C'était un travail physique et sacrément dur!

Une étincelle au fond des yeux, il ajouta:

— Mais passons maintenant à une véritable expérience spirituelle...

Il se jeta sur elle dans le foin pour la dévorer de baisers.

Ils furent interrompus par un homme qui pénétra dans l'écurie et s'approcha d'eux.

— Lord Douglas?

— Oui! aboya-t-il.

— J'ai un message du roi pour vous, monseigneur.

En soupirant, Ram se releva. Embarrassée, Tina tentait de se cacher dans l'ombre. Ram tendit la main vers la lettre tout en disant sévèrement:

— Je ne veux pas que Lady Douglas apprenne que je lutinais une servante à l'écurie.

— Certainement, Lord Douglas, assura le messager penaud.

— Je suppose que l'aube est levée. Allez manger un morceau aux cuisines. Je vous rejoindrai dès que je serai prêt.

Tina pouffait en rentrant au château, mais elle reprit

bien vite son sérieux lorsque Ram lut le message du roi : celui-ci lui ordonnait de se rendre immédiatement à Edimbourg. Elle chargea aussitôt Ada de faire préparer un bain et sortit le nouveau pourpoint de velours de Ram.

Il monta dans la baignoire.

— Désolé, mon amour. Nous avons été privés de notre nuit de noces !

— Faut-il vraiment que tu partes tout de suite ?

Il lui prit la main.

— Viens là, près de moi...

Elle ôta sa chemise et le rejoignit dans l'eau.

Elle s'allongea entre ses jambes, contre sa poitrine musclée, et fut aussitôt submergée par des vagues de sensualité tandis que Ram baisait sa peau satinée. Elle voulait être à lui, se donner sans cesse, qu'il la prît sans cesse. Elle avait l'impression que son cœur allait éclater de trop d'amour.

Enfin il la souleva.

— Mets doucement tes jambes autour de moi.

Il mena d'abord un rythme délicieusement lent, fluide, puis accéléra et elle le reçut avec joie, offerte corps et âme.

Elle plongea dans ses yeux gris lorsqu'elle se sentit monter plus haut, toujours plus haut, et la jouissance les emporta ensemble en un millier d'étoiles.

Ils restèrent ainsi longtemps, toujours unis. Lorsqu'ils se sépareraient, ce serait pour des mois peut-être.

Ram avait simplement dit que le roi le convoquait à Edimbourg d'urgence. Mais Tina avait deviné le reste du contenu de la lettre.

— Emmène-moi, supplia-t-elle.

— Je ne peux pas, dit-il en se levant enfin. Si tu ne dors pas, je viendrai t'embrasser avant de partir. Ne t'habille pas. Je te veux nue...

Un sanglot l'étouffait, et elle acquiesça de la tête, incapable de parler...

Il fallut du temps à Ram et à ses hommes pour tout préparer. Ils devaient enfiler leurs armures, fourbir les armes, caparaçonner les chevaux, charger les chariots, atteler les bœufs...

Elle eut soudain peur que Ram ne vînt pas lui dire adieu comme il l'avait promis. Peut-être redoutait-il l'instant de la séparation? Enfin elle entendit son pas, et elle se jeta dans ses bras. Il portait le Cœur sanglant des Douglas, et elle eut un horrible pressentiment. Comme si elle l'envoyait à la mort... Elle ravala un sanglot quand il la repoussa doucement.

— Au revoir, Lady Douglas. Sois brave, ma petite sorcière.

Tina jeta la cape de zibeline sur ses épaules et s'élança derrière lui.

Elle sortit dans la cour où régnait la plus grande agitation. Il ne se retourna qu'une fois monté sur Ruffian. Alors il la saisit dans ses bras et elle ouvrit son vêtement pour s'offrir une dernière fois nue à ses yeux. Il poussa un sourd grognement en l'écrasant contre sa cotte de mailles.

Pochard attendait aux pieds de son maître, les oreilles dressées. Quand Ram posa Tina à terre et fit signe à ses hommes de se mettre en route, la jeune femme dut se jeter sur le chien-loup pour l'empêcher de suivre la troupe.

39

Rassemblez l'armée!
Jacques Stuart envoya cet ordre à travers l'Ecosse.

Tout le monde devait se réunir près d'Edimbourg sur une lande qui était traditionnellement le point de rencontre des soldats.

Le château d'Edimbourg regorgeait de comtes, d'évêques, de seigneurs. On ne cessait de parler de ce qui avait poussé Jacques à déclarer la guerre à l'Angleterre.

Les évêques racontaient que le pape avait menacé de

l'excommunier s'il brisait ses traités d'entente avec l'Angleterre. Selon eux, Jacques avait répondu aussitôt que l'Angleterre avait déjà rompu les alliances et que Henri Tudor emprisonnait ses sujets. Sa missive étant restée lettre morte, il n'avait pu digérer l'insulte.

D'autre part, un messager était arrivé à Edimbourg porteur d'un appel à l'aide du roi de France, Louis XII. Henri Tudor était entré en Flandre pour tenter de reconquérir la Guyenne qui avait autrefois appartenu à l'Angleterre.

Au-dessus d'Edimbourg, des milliers de bannières et d'étendards flottaient vaillamment dans la brise d'été. Le soleil faisait scintiller des dizaines de milliers d'armures, et Jacques Stuart savait qu'il s'agissait de la plus glorieuse armée qu'un roi d'Ecosse eût jamais levée.

La flotte d'Arran était aussi de belle taille, à présent. Non seulement il commandait les navires royaux, mais aussi les vaisseaux de commerce des différents clans que l'on avait transformés en bâtiments de guerre.

Ram Douglas enviait son frère Gavin et ses cousins, Ian et Drummond, qui commandaient les bateaux Douglas.

Lui-même avait été désigné pour diriger les hommes d'armes de son clan. Il se serait d'ailleurs trouvé gravement insulté qu'il en allât autrement. Angus comme Ram savaient qu'il était le seul capable de se faire obéir.

Jacques Stuart passait chaque jour en revue l'armée qui augmentait sans cesse, et il s'entretenait tous les soirs avec les comtes, évêques, seigneurs et conseillers dans la grande pièce commune du château.

Ce soir-là, il régnait une atmosphère particulière, se dit Ram. La tension était montée jusqu'au point de rupture, et il faudrait une poigne de fer pour empêcher l'explosion.

Jacques leva les mains pour imposer le silence.

— J'ai reçu un appel au secours de la reine de France. Henri Tudor a ignoré un ultimatum lui intimant de quitter Thérouanne, en Flandre. La France et

424

l'Angleterre sont en guerre ! La reine me nomme son champion et me prie d'avancer d'un pas en territoire ennemi pour frapper un coup à sa place.

Des hurlements de joie déferlèrent sur la grande salle comme une immense vague.

Ram Douglas sentit ses cheveux se dresser sur sa tête. Heath Kennedy venait de l'informer qu'une armée de vingt mille Anglais s'était réunie à Newcastle.

Les comtes d'Atholl, Morton et Crawford encouragèrent le roi à pénétrer sur-le-champ en Angleterre, et cette proposition fut suivie d'une nouvelle explosion d'enthousiasme. Le roi pria Argyll de faire le compte des fusils, des canons, des flèches, des chariots et du matériel. Puis il demanda combien il faudrait de temps à une armée de cette importance pour arriver en Angleterre. Lord Home, qui était familier de cette région d'Ecosse, estima que cinq jours suffiraient.

Jacques avait coutume de consulter Angus pour les questions d'importance capitale. Il le pria de se lever pour donner sa bénédiction. Le vieil homme prit la parole :

— Lord Ramsay Douglas, qui commande notre clan dans cette guerre, voudrait nous exhorter à la prudence. Ecoutons ce qu'il a à dire.

Ram se leva dans un silence qui ressemblait à de l'hostilité. La prudence n'était pas à l'ordre du jour dans cette assemblée.

— J'ai appris aujourd'hui qu'une armée égale en nombre à la nôtre venait de se réunir à Newcastle.

Sa voix fut couverte par des protestations énergiques. Personne ne voulait croire une chose pareille, puisque Henri Tudor se battait en France.

— Cette armée est dirigée par un homme qui faisait partie de la Cour jusqu'à l'année dernière, reprit Ram quand le brouhaha se fut un peu calmé. Lord Howard, comte de Surrey.

Il fut de nouveau interrompu, et Jacques se posta à ses côtés pour imposer le silence.

— Mes espions confirment cette information, intervint-il. Laissez parler Douglas. J'aimerais entendre son opinion.

Ramsay Douglas avait le visage fermé, les yeux presque noirs.

— Il nous faut cinq jours pour atteindre la frontière. Je pense que nous devrions aligner notre armée de ce côté de la Tweed, en Ecosse, en mettant les Anglais au défi de faire un pas sur notre territoire. Quand ils verront que nos forces sont égales aux leurs, ils n'oseront pas !

Sa voix fut de nouveau couverte par des sifflets et des jurons. Certains cependant étaient d'accord avec lui, et quelques bagarres éclatèrent.

Ram, incapable de supporter les cris de « lâche », tonna :

— Je défie n'importe lequel d'entre vous en combat singulier ! Je ne crains pas d'organiser un raid en Angleterre. Avec mes Douglas, nous mettrons Carlisle et Newcastle à feu et à sang, mais je persiste à affirmer qu'il vaut mieux que le gros de l'armée reste sur le sol écossais.

Angus, qui observait le roi, comprit que ce n'était pas ce qu'il souhaitait. Jacques était impétueux, avide de montrer son courage. Bref, il voulait guerroyer. « Qu'il en soit ainsi », se dit le vieil homme, résigné.

Jacques Stuart montra l'anneau de turquoise que lui avait envoyé la reine de France. Il sourit.

— Louis nous a offert vingt mille piques de son pays. Faisons-en bon usage !

Ce soir-là, comme Jacques regardait Janet Kennedy se déshabiller pour lui devant le feu, il eut une prémonition.

— Janet, ma douce, c'est notre dernière nuit.

Une main de glace enserra le cœur de la jeune femme, pourtant elle s'avança vers lui avec son plus lumineux sourire. Les hommes n'aimaient pas les larmes. Elle vit que le roi avait retiré sa ceinture de fer et souhaita de tout son cœur qu'il ne la portât pas lors des batailles. Mais elle ne se risqua pas à lui en parler. Elle connaissait la réponse...

Janet avait fardé d'or le bout de ses seins, et tandis qu'il jouait avec, le roi se rappela quelque chose.

— Tu trouveras de l'or dans le tiroir supérieur de mon bureau, Jan. Prends tout, dès demain matin. Cela te sera plus utile que des bijoux.

Elle l'embrassa pour le faire taire, mais il la repoussa doucement.

— Prends bien soin de notre garçon, Janet. Explique-lui qu'il est le fils d'un roi, le frère d'un roi, mais qu'il ne doit jamais essayer de devenir lui-même un roi.

— Je l'élèverai pour qu'il serve Jacques V quand vous ne serez plus là, mon amour. Mais ce ne sera pas avant des années.

Il porta une mèche de cheveux flamboyants à ses lèvres.

— Remercie Angus de t'avoir prêtée à moi quelque temps.

La tête renversée en arrière, elle éclata de rire, puis ils s'aimèrent comme si c'était la dernière fois.

Le lendemain même, Jacques Stuart et ses chefs rejoignirent leurs hommes et, le dernier jour d'août, l'armée écossaise se mit en route. C'était un magnifique déploiement de forces! Les rangées de soldats s'étendaient sur plus de trois kilomètres.

Il faisait un temps superbe et le cinquième jour, comme prévu, ils traversèrent la Tweed pour pénétrer en Angleterre. Les porte-drapeaux ouvraient la marche et Jacques chevauchait à la tête de sa cavalerie, somptueusement vêtu de rouge, de noir et d'or, comme pour montrer à la face du monde qu'il était véritablement le roi d'Ecosse. Derrière lui, chaque clan avait ses propres joueurs de cornemuse.

Jacques avait envoyé des éclaireurs pour être informé des progrès de l'armée anglaise et choisir le terrain le plus favorable. Il se décida pour un point élevé surplombant la vallée de la Till, où trois collines formaient une impressionnante forteresse naturelle au sud-ouest de Norham.

Moneylaws Hill était au milieu, Branxton Hill à gauche, Flodden Hill à droite. La position des Ecossais était imprenable.

Ram commandait plus de quatre cents hommes du clan Douglas, dont environ une centaine de cavaliers. Seuls ses propres soldats et ceux d'Angus étaient experts à l'épée : les autres, venus de régions moins civilisées, maniaient plus volontiers la lance, comme la majorité des soldats. Tous étaient armés de poignards et certains connaissaient le fonctionnement des canons.

Ram faisait toute confiance à Jock pour motiver ses hommes avant la bataille, aussi se concentra-t-il davantage sur ceux qui venaient d'autres régions. Il leur ordonna de mettre leur heaume et de ne l'enlever sous aucun prétexte, leur interdit de se servir des piques françaises, trop longues et auxquelles ils n'étaient pas habitués, leur conseilla de s'en tenir à leurs lances courtes et à leurs poignards.

Quand Lord Howard, comte de Surrey, envoya à Jacques son héraut sous la protection d'une croix rouge, pour le défier en un combat de deux jours en terrain découvert au pied des collines, Ram fut heureux de la réponse du roi : les Ecossais se battraient sur place et non à l'endroit décidé par les Anglais.

Douglas et Bothwell eurent l'idée de fortifier leurs positions, et ils montèrent des structures avec des pieux tournés vers l'extérieur pour empêcher toute charge de cavalerie.

Le jour suivant, les lignes anglaises se déplacèrent vers la rive orientale de la Till. Comme tout le marais était occupé par l'artillerie écossaise et que les Ecossais refusaient de descendre pour se battre, Surrey abandonna sagement la position pour se replier vers Branxton Hill.

Douglas et Bothwell suggérèrent au roi de tomber sur les Anglais pendant leur retraite, mais Jacques refusa de quitter son poste élevé.

L'aube du troisième jour apporta la pluie. Sous couvert de la fumée des détritus que l'on brûlait, Jacques transporta son armée sur Branxton Hill, à cinq cents mètres au-dessus des Anglais. De nouveau Douglas et Bothwell incitèrent le roi à attaquer, mais celui-ci ne se décidait pas à en donner l'ordre, et à la fin de la journée, les Anglais avaient eu le temps d'installer leur artillerie.

Enfin Jacques Stuart ordonna à son maître artilleur de tirer le canon. Les Anglais ripostèrent avec succès. Ils tuèrent le maître artilleur et de nombreux soldats.

Jacques aurait été plus avisé de mettre son armée à l'abri en attendant que les Anglais montent vers lui, mais il ne pouvait plus contrôler sa rage ni son impatience. Avec un courage quelque peu inconscient, il mena ses hommes vers la vallée à travers la pluie et la fumée.

Ram et les siens formaient le flanc gauche avec Lord Home et le comte de Huntly. Edmund Howard menait une division du Cheshire, qui fut rapidement mise en pièces par les hommes de Ram.

Au milieu du vacarme de la bataille, Ram se trouva soudain face à David, qui se battait sous la bannière du comte de Cassillis. Le jeune Kennedy avait disparu de Doon après sa trahison, se cachant des hommes d'Angus et de son père de peur d'être pendu.

Lorsque la guerre avait été déclarée, il était revenu, penaud, priant qu'on lui accordât une chance de se racheter en se battant pour son clan et pour le roi d'Ecosse. Il imaginait qu'il allait se couvrir de gloire, effaçant ses méfaits passés.

Une expression de pure terreur déforma les traits de David quand il croisa les yeux d'acier de Ram.

Ram Douglas, en cet instant, était malade de constater le manque de discipline qui présidait à cette attaque. Il avait oublié la trahison, il ne voyait que la jeunesse du garçon. Il attrapa les rênes de sa monture d'une main sanglante et brandit son épée.

— Va-t'en! Fuis cet endroit maudit, Davie!

Sans demander son reste, le garçon fit tourner bride à son cheval.

Lord Dacre, à la tête de quinze cents cavaliers, vint se joindre à la bagarre. En chemin, Davie le croisa, et il se dit que c'était son jour de chance. Son ennemi mortel lui ordonnait de fuir, et le seul homme qui se tînt en travers de son chemin était un ami. Il eut à peine le temps d'être surpris en voyant Dacre lever son épée et la lui planter en pleine poitrine...

Les comtes de Lennox et d'Argyll suivaient la bataille depuis leur poste élevé quand ils furent surpris par l'arrière-garde anglaise, des archers en ligne rangée qui décimèrent les Stuarts et les Campbell sous leur pluie de flèches.

Quand les archers en eurent fini avec les Highlanders, ils descendirent dans la mêlée. Surrey et Stanley encerclaient la majeure partie de l'armée de Jacques. Il n'y eut pas de quartier. L'un après l'autre, les chefs mouraient avec leurs hommes.

Jacques pénétra bien avant dans les lignes ennemies avec une idée en tête : en combat singulier, il savait qu'il vaincrait Surrey. Il aurait sûrement gagné en effet, mais lorsqu'il atteignit enfin l'immonde Lord Howard, il fut transpercé de flèches et sa tête fut arrachée par une hallebarde.

Ramsay Douglas quant à lui se battait comme un lion. Le flanc gauche tenait bon, mais Ram savait qu'il n'en allait pas de même partout. Heureusement, il ignorait que le roi d'Ecosse gisait sur Flodden Hill avec douze comtes, deux évêques, quinze seigneurs et près de dix mille braves soldats.

Il faisait presque nuit. Ram vit seulement que l'homme en difficulté près de lui était son fidèle lieutenant, Jock. Il expédia deux Anglais dans l'autre monde, en blessa un autre et poussa le cri de guerre des Douglas en voyant le cheval de Jock s'éloigner du champ de bataille. Soudain il fit cabrer Ruffian et ouvrit de grands yeux. D'où venaient donc tous ces Anglais ? Il se retrouvait seul au milieu d'une mer d'ennemis.

Il eut l'impression que son destrier et lui recevaient le coup au même moment. Ruffian tomba sous lui, et Ram ne put se relever car une lance le cloua au sol. Il ne sentait plus ses jambes, il ne pouvait pas bouger, un énorme poids l'écrasait. Et pourtant, en même temps, il éprouvait une sorte de soulagement, d'apaisement. Ainsi donc, c'était cela, la mort...

40

Lady Valentina Douglas n'arrivait pas à s'occuper, elle se sentait prisonnière du château. Si seulement elle était un homme ! Ils avaient le beau rôle, eux. Ram Douglas allait se couvrir de gloire sur les champs de bataille et il rentrerait vers elle tout fier de ses exploits...

Ravalant un sanglot, Tina monta sur le chemin de ronde. Si elle se laissait aller, ce ne serait pas un mais des milliers, des millions de sanglots qui lui échapperaient. *Quand il rentrerait vers elle, quand il rentrerait vers elle...*

Un long mois s'était écoulé depuis le jour où il l'avait épousée, depuis le jour où il était parti pour la guerre. Il n'y avait rien de glorieux dans la guerre, finit-elle par s'avouer. C'était hideux, atroce, fou.

Elle essuya ses larmes et scruta l'horizon comme elle le faisait matin, midi et soir.

Tina n'avait jamais accepté la peur. Lorsqu'elle la sentait pointer, elle lui riait au nez, la refusait avec force et, miraculeusement, celle-ci disparaissait. Jusqu'à présent.

Elle posa sur son ventre des mains tremblantes. Elle n'avait pas parlé à Ram du bébé, et maintenant il risquait de mourir sans savoir qu'il allait être père. Elle se maudit. Cette nouvelle l'aurait en quelque sorte protégé, lui aurait donné une raison de survivre à n'importe quel prix pour venir la retrouver... les retrouver.

Elle eut soudain l'impression qu'elle allait devenir folle et se précipita chez sa gouvernante.

— Ada ! Ada ! Je pars pour la Cour. Les nouvelles arriveront à Edimbourg bien plus vite qu'à Douglas.

— Croyez-vous que ce soit sage? demanda Ada, sceptique.

La place d'une femme était chez elle, à attendre le retour de son époux.

— Sage? Depuis quand la sagesse me dicterait-elle ma conduite? Dépêchez-vous de préparer les bagages, nous partirons à l'aube. Je n'en peux plus d'attendre!

Epuisée, Tina se laissa tomber sur un tabouret.

— Je ne peux plus attendre, répéta-t-elle. Il y a de la catastrophe dans l'air...

— Je ne pense pas que les hommes désobéiront aux ordres de Ram pour nous accompagner.

— M. Burque! Nous emmènerons M. Burque. Occupez-vous des malles, je vais le voir.

Quand le Français entendit la note d'hystérie dans sa voix, il comprit qu'elle ne pouvait rester plus longtemps passive. Pour elle, tout valait mieux que l'inactivité.

— Un cavalier en vue! cria le guetteur depuis la herse.

Tina, oubliant M. Burque, vola jusqu'à la cour, s'engagea sur le pont-levis et s'arrêta net en voyant Heath arriver au galop, mettre pied à terre et la saisir dans ses bras.

— Tout est perdu. Nous sommes vaincus, Tina. Le roi est mort, tous les comtes qui se sont battus à ses côtés ont péri aussi. Des milliers de cadavres jonchent Flodden Hill.

— Non! gémit Tina.

— Si, ma chérie. C'est un véritable désastre.

Il lui caressa tendrement les cheveux, mais elle recula.

— Ne me touche pas! hurla-t-elle.

Il la souleva dans ses bras puissants et l'emporta vers le château.

— Angus est à moins d'une heure derrière moi. Il est effondré.

Ils pénétrèrent dans la grande pièce.

— Whisky! ordonna-t-il au premier serviteur qui passait.

Il portait le gobelet aux lèvres de Tina quand Ada

432

arriva. Tina renversa violemment le whisky sur le sol. Ses yeux dorés lançaient des éclairs de rage et elle essayait de se dégager, mais Heath la tenait fermement. Il répéta les nouvelles pour Ada :

— J'arrive tout droit du champ de bataille, car les Gitans campent non loin de là. Le comte de Cassillis est mort. Quant à notre père, je ne sais rien.

— Lâche-moi !

— Où veux-tu aller, Tina ? Chut, calme-toi. Tous les corps ne sont pas encore identifiés, mais la liste est longue. Argyll, Lennox, Montrose, même Bothwell.

Sa voix se brisa.

— On parle de cent Kennedy... deux cents Douglas, reprit-il.

— Non !

Tina parvint enfin à se mettre debout, les poings sur les hanches, la chevelure rejetée en arrière.

— Le roi est peut-être mort, et Lennox, et Montrose, et Bothwell, mais Black Ram Douglas n'est pas mort !

Pâle, tremblante, Ada échangea un regard entendu avec Heath. Tina allait leur donner du fil à retordre.

— Les bagages sont-ils prêts ? demanda la jeune femme, impatiente. Nous partons aujourd'hui même, finalement.

— Nous devions nous rendre à Edimbourg demain, expliqua Ada à Heath. Elle veut aller à la Cour.

Tina regarda sa gouvernante comme si elle avait perdu l'esprit.

— Je ne vais plus à la Cour, voyons ! Je pars pour l'Angleterre, pour Flodden Hill.

— Ça suffit, Tina ! coupa Heath, sévère. Tu ne peux pas te rendre là-bas. C'est un carnage indescriptible, une véritable boucherie !

— Tu ne comprends pas ! protesta Tina avec fougue. J'ai épousé Ram juste avant la guerre. Je suis Lady Douglas. Je dois rejoindre mon mari.

— J'irai le chercher, Tina. Si je le trouve, je te le ramènerai.

— Merci, Heath, mais je préfère m'en charger moi-même.

Quand Tina avait quelque chose dans la tête!... Il envisageait de la retenir par la force, ou de l'enivrer, quand Angus et sa petite escorte pénétrèrent dans la cour.

— J'espère que vous avez du whisky sous la main, dit Heath à Ada. C'est la première chose que demandera Angus.

Ada dépêcha un serviteur, et le premier mot que prononça le vieil homme en surgissant dans la pièce fut effectivement :

— Whisky!

Puis il se laissa tomber dans un fauteuil et se débarrassa de ses gantelets.

Tina vint poser une main sur son épaule. Il avait vieilli de dix ans.

— Je suis désolée, pour le roi...

Il leva les yeux vers elle. Comme elle était courageuse de le réconforter quand c'était elle qui avait besoin de consolation.

— Je suis bien plus bouleversé par la mort de Ramsay que par celle du roi, avoua-t-il.

— Ram est vivant, Angus. Nous nous sommes mariés avant son départ. Je vais le chercher, je le ramènerai à la maison.

Angus dévisagea Heath qui haussa les épaules, impuissant.

— Inutile, Valentina. Mes hommes s'en chargeront. Tous les clans sont allés sur place pour rassembler leurs morts. Les cœurs des héros du clan Douglas sont toujours enterrés sous l'autel de la chapelle.

Tina pressa ses mains sur ses oreilles.

— Arrêtez! Vous me regardez tous comme si j'étais folle, mais je sais qu'il est vivant! Ram et moi ne faisons qu'un! Je le sentirais s'il était mort! Allez chercher vos cadavres, Angus... Moi, je ne laisserai jamais l'Angleterre garder Ram. Je l'ai retrouvé une fois là-bas dans des circonstances difficiles, je le retrouverai à nouveau. Allez chercher vos morts, répéta-t-elle, j'irai chercher un vivant. Maintenant, excusez-moi, je vais voir si M. Burque est prêt.

434

— Elle est prise d'une sorte de folie qui lui permet de tenir le coup, si vous voyez ce que je veux dire, expliqua Angus quand elle fut sortie.

— Je vois, répondit calmement Heath. Elle n'abandonnera pas avant d'avoir constaté par elle-même qu'il est impossible de trouver un homme parmi des milliers de cadavres. Je l'accompagne. Elle aura besoin de moi à Flodden...

— Je viens aussi, renchérit Ada.

Angus soupira.

— Qu'il en soit ainsi. Nous irons tous ensemble.

M. Burque était le seul au château à ne pas considérer Tina comme une démente. Il s'émerveillait de voir à quel point elle avait mûri depuis un an qu'elle avait quitté Doon. Elle se donnait à fond dans tout ce qu'elle entreprenait... c'était là son secret. Et la raison pour laquelle les hommes qui la rencontraient en tombaient amoureux fous. Elle vivait avec passion ses joies comme ses peines, elle ne se laissait jamais abattre. Pour l'instant, au lieu de s'effondrer en larmes, elle se montrait efficace, pratique, tenace.

— Nous aurons besoin de linges pour les pansements, lui rappela-t-elle. Et de la rue, du pavot, contre la douleur.

— De l'achillée aussi, ajouta M. Burque.

Elle fronça les sourcils.

— De l'achillée ?

— Saupoudrée sur les plaies, elle arrête les hémorragies.

— Oh oui, vous avez raison ! Je prends aussi des aiguilles et du fil, au cas où...

Une heure plus tard, ils étaient en selle.

Il faisait un temps magnifique, et c'était presque une insulte lorsqu'on pensait que la fine fleur de l'aristocratie écossaise gisait en Angleterre, écrasée, vaincue. Les dieux eux-mêmes devaient pleurer sur l'anéantissement d'un si beau royaume !

Tina chevauchait bien droite, tandis que Pochard

gambadait autour d'elle. Personne n'avait protesté quand elle avait insisté pour emmener le chien.

Angus pensait mener un train raisonnable, mais la décision lui échappa : Valentina galopait à une allure qui laissa tous les autres loin derrière sauf Heath. D'ailleurs, elle ne s'occupait absolument pas de ses compagnons. Elle était tout entière tendue vers son but.

Elle aurait bien chevauché toute la nuit, mais le soir venu, Heath saisit ses rênes pour l'arrêter de force. Elle s'apprêtait à discuter, à menacer de poursuivre seule, aussi trouva-t-il le seul argument capable de la calmer :

— Si tu continues, tu vas tuer ta jument sous toi, Tina. Je sais que tu te moques de l'état de santé de notre pauvre Angus, mais tu ne ferais pas de mal à Indigo, n'est-ce pas ?

Prise de remords, Tina céda.

Les hommes d'Angus montèrent un campement et, roulée dans une couverture, elle essaya de tempérer un peu son impatience et de se reposer jusqu'à l'aube. Les poings serrés, elle attendit que les heures passent. Au moins, elle n'avait pas à supporter les réflexions des autres. A quoi s'étaient-ils attendus ? Des larmes ? Un évanouissement ? Une crise d'hystérie ? Non, c'était de la rage qui bouillonnait en elle. Elle avait envie de lever le poing pour anéantir l'univers.

Une petite voix ironique lui rappela que l'Ecosse s'était déjà anéantie elle-même...

Elle se mordit la lèvre de frustration. Elle aurait vendu son âme pour voir Henri Tudor, l'affreuse Marguerite, les Howard et ce porc de Dacre qui avait arrêté Ram brûler à jamais dans les flammes de l'enfer.

Comme ils approchaient de la frontière, ils croisèrent des groupes qui allaient dans les deux sens, tous dans le même but : rassembler leurs morts, leurs blessés, leurs infirmes.

Des charognards tournoyaient dans le ciel au-dessus du champ de bataille, et une bourrasque de vent leur apporta une odeur épouvantable. Poudre à canon, excréments, sang, sueur, chair pourrissante...

Angus était certain qu'en voyant l'horrible charnier d'hommes et de chevaux, Tina renoncerait à chercher Ram elle-même. Mais Heath et M. Burque la connaissaient mieux que ça !

Elle carra les épaules et dirigea sa monture vers le lieu du massacre. En soupirant, les hommes se résignèrent à la suivre. Elle progressait lentement parmi les corps décapités, mutilés. Certains vivaient encore. Tina ferma ses oreilles et son cœur à leurs gémissements poignants.

Ada essayait de se montrer à la hauteur de la vaillance de sa maîtresse, mais quand elle vit des pillards détrousser les cadavres, elle fut prise d'une violente nausée. Tina lui essuya le visage de son mouchoir avant de continuer sa route.

Elle mit pied à terre et avança précautionneusement parmi les corps, tenant sa monture par la bride. Mais, terrorisée par l'odeur de la mort, la jument secoua la tête plusieurs fois, poussa un hennissement et alla rejoindre une douzaine de destriers qui avaient survécu au carnage et attendaient leurs maîtres au bord d'un ruisseau rougi de sang.

Tina s'agenouilla pour retourner un homme brun et ne put retenir un cri devant son visage défiguré. A partir de ce moment, Heath décida de prendre la tête et d'examiner lui-même tous les hommes bruns qu'ils verraient.

Au fond de son cœur, Tina savait qu'elle avait entrepris une tâche désespérée. Au bout de quatre heures de recherches, tous les corps finissaient par se ressembler. Une heure plus tard, lorsqu'elle s'arrêta pour masser ses pieds douloureux, elle s'aperçut que sa robe était souillée jusqu'à la hauteur des genoux, et elle eut une brusque inquiétude pour l'enfant qu'elle portait.

Le soir tombait quand elle décida d'arrêter sa quête. Elle vacillait d'épuisement, et Heath la prenait dans ses bras pour la porter vers ce qui avait été le campement anglais quand Pochard se mit à aboyer frénétiquement.

Tina se dégagea de l'étreinte de Heath et ils se précipitèrent vers le chien en enjambant des cadavres d'Anglais.

Le corps de Ram était à demi écrasé par celui de Ruffian. Le cheval mort avait le ventre affreusement ouvert, tandis que Ram semblait dormir, exsangue. Une lance plantée au milieu de son corps le clouait au sol.

Heath cria pour alerter leurs compagnons. Il avait déjà arraché la lance quand M. Burque les rejoignit.

— L'achillée, murmura Tina.

M. Burque, bien qu'il trouvât inutile de soigner un cadavre, fit ce que Tina attendait de lui. Il répandit la poudre jaune sur la blessure qu'il pansa ensuite soigneusement. Il fallut néanmoins l'aide des hommes d'Angus pour dégager Ram de sous le cheval. Ils le portèrent à la lisière du champ.

Tina, très calme, posa la main sur le bras de son frère.

— Si tu peux me trouver une roulotte, je vais le ramener à la maison.

Etranglé d'émotion, Heath ne put répondre : il se contenta de sauter en selle et de partir au triple galop vers Kelso, où les Gitans avaient installé leur campement.

Les deux hommes d'armes Douglas allèrent s'entretenir avec Angus. Il faudrait bientôt monter les tentes, mais ils répugnaient à le faire au milieu de ce charnier.

M. Burque vint s'agenouiller à côté de Tina près du corps de Ram. Il faisait sombre à présent, et il crut que ses yeux lui jouaient un tour : Ram semblait respirer très légèrement.

— Mon Dieu, serait-il possible qu'il soit vivant ?

— Bien sûr. En avez-vous douté ? répliqua Tina, paisible.

Heath fut également stupéfait de trouver Ram vivant quand il revint avec la roulotte. Tina l'avait-elle ressuscité ? Quelle cruelle ironie du sort ! Ram avait attendu son épouse pour pouvoir mourir dans ses bras...

Angus, complètement bouleversé, se mit à sangloter,

et Ada accorda tous ses soins au vieux comte qui manifestait une faiblesse pour la première fois de sa vie.

Ils se mirent en route très doucement, et il leur fallut cinq jours pour atteindre le château.

Ramsay demeura inconscient durant tout le voyage. Angus, Heath, Ada et M. Burque savaient que c'était mauvais signe.

En revanche, Tina était heureuse qu'il en fût ainsi pour que Ram ne sentît pas les cahots de la carriole mal suspendue.

Au moins, Ram allait mourir chez lui.

41

Valentina fut contente que les hommes montent Ram à sa chambre pour le déposer doucement sur le lit, mais elle tint à le laver elle-même et ils la laissèrent seule avec son époux.

Elle n'avait aucune idée de ce qui lui arriverait à elle, ni au château, ni même à l'Ecosse maintenant qu'ils avaient été vaincus par l'Angleterre, mais elle savait ce qu'il adviendrait de Ram quand il mourrait. Elle ferait preuve d'autorité. Elle était Lady Douglas. Elle ne permettrait pas qu'on lui ôtât le cœur pour le mettre dans une cassette comme l'exigeait la tradition Douglas. Son cœur appartenait à son épouse, et elle veillerait à ce qu'on l'enterrât intact. Elle ne pouvait rien de plus pour lui, elle le savait.

Très doucement, elle s'allongea près de lui et prit sa main.

Curieusement, ce n'était pas la blessure qui avait mené Ramsay aux portes de la mort. En tout cas pas directement, car la lance qui l'avait cloué au sol n'avait traversé aucun organe vital ; elle avait seulement brisé des os, déchiré des muscles, abîmé des vaisseaux sanguins. Si Ram était proche de la mort, c'était à cause du sang qu'il avait perdu pendant trois jours. Et par miracle, maintenant que le flot avait été endigué, il reprenait des forces.

Tina, malgré sa résolution de veiller Ram, dut s'endormir car elle se réveilla soudain pendant la nuit, paniquée. Mon Dieu, il était mort! Il avait refermé ses doigts sur les siens et elle ne pouvait plus se dégager. La rigidité cadavérique...

Un sanglot lui échappa et tandis qu'elle clignait des yeux pour se réveiller tout à fait, elle imagina que Ram la regardait. Elle retint son souffle, n'osant même plus espérer.

— Ram? parvint-elle enfin à murmurer, la gorge sèche.

Elle ne vit pas ses lèvres bouger, mais elle sut qu'il était vivant et qu'il guérirait... Il lui avait répondu. «Sorcière.» Il avait murmuré le mot sorcière, et c'était le plus beau son qu'elle eût jamais entendu!

Comme elle libérait sa main, ses larmes tombèrent sur le visage de Ram et se mêlèrent aux siennes.

Elle bondit hors du lit pour aller crier au monde que Black Ram Douglas était toujours le maître de son château!

Ram se remit avec une rapidité surprenante.

Comme elle entrait dans leur chambre un jour, Tina poussa un cri d'horreur en le voyant debout, en train de s'habiller.

— Grands dieux, que fais-tu? Il y a à peine trois semaines, tu gisais à demi mort sur le champ de bataille!

— Les Anglais n'ont pas eu raison de moi, mais Ada, M. Burque et toi y parviendrez si je reste allongé un jour de plus!

— Que veux-tu dire? demanda Tina, un peu vexée après les tendres soins qu'elle lui avait dispensés quotidiennement.

— Si tu changes une fois de plus ce satané pansement, je t'étrangle avec. Et si M. Burque m'inflige encore une de ses potions, j'écrase le bol sur son fichu crâne de Français!

— Nous avons fait de notre mieux afin que tu gué-

440

risses. Les serviteurs marchaient sur la pointe des pieds pour ne pas déranger ton repos, j'ai refusé toutes les visites pour que tu ne sois pas troublé par les affreux récits de la guerre, j'ai joué aux échecs durant des heures afin de te distraire. Les hommes sont les pires invalides, je le jure !

Les yeux gris de Ram se plissèrent.

— Invalide ? Je ne suis pas un invalide, ni un infirme. Je suis un homme, Tina. Et puisque nous en parlons, je n'ai pas besoin d'une infirmière, j'ai besoin d'une femme, une vraie ! Parfois je me dis que tu aimes bien me voir amoindrir, parce que tu adores commander. Eh bien, à partir de ce jour, Lady Douglas, tu vas commencer à tenir les promesses que tu as faites le jour de notre mariage. Tu as juré de m'aimer, de m'honorer et de m'obéir, il est temps de t'y mettre. Et ne hausse pas tes ravissantes épaules, sorcière !

Il boucla son ceinturon.

— Je viens d'entendre Angus arriver. Je vais descendre lui parler. Pendant ce temps, occupe-toi donc de rapporter tes affaires dans cette chambre.

— Je ne voulais pas te déranger, se défendit-elle doucement.

— Mais tu me déranges ! Tu me déranges chaque fois que j'entends ta voix, que je sens ton parfum, que je vois tes seins quand tu te penches sur moi pour me faire ingurgiter cette bon sang de potion !

Tina sourit, heureuse. Si son désir pour elle reprenait le dessus, il allait vraiment tout à fait bien !

Angus et ses hommes en étaient à leur troisième whisky lorsque Ram pénétra dans la salle commune. Le vieil homme s'approcha et se mit à lui tourner autour.

— Tu as nettement meilleure allure que la dernière fois que je t'ai vu, mon garçon.

Ram eut une soudaine envie de le serrer dans ses bras. Archibald avait terriblement vieilli d'un seul coup, ses années étaient comptées. Mais toute démonstration d'affection aurait été prise pour de la pitié, aussi Ram décida-t-il que l'ironie était préférable.

— J'aimerais pouvoir en dire autant de vous, mais

vous avez une mine épouvantable. Ça va si mal que ça, Angus ? C'est la fin du monde ?

Angus vida son gobelet pour le remplir aussitôt.

— Nous avons subi une défaite totale à Flodden, il faut le reconnaître. Nous avons perdu des milliers d'hommes. Jacques s'est conduit de façon stupide, mais on ne dit pas de mal des morts. Même les Anglais ont été impressionnés par sa bravoure, selon une chronique que j'ai eue entre les mains. « Quel noble et triomphant courage pour un roi que de se battre comme un simple soldat ! » disait-elle.

— Alors, que se passe-t-il maintenant qu'Argyll, Lennox, Bothwell et les autres comtes ont disparu ?

— Crois-le ou non, nous continuons à peu près comme avant. Il y a un nouveau comte d'Argyll pour diriger les Campbell, un nouveau Lennox pour les Stuarts. Heureusement, les comtes avaient des fils... Tu avais sous-estimé Marguerite Tudor, mais pas moi. Elle ne permettra pas à Henri d'annexer son royaume, qu'il ait gagné ou non la bataille. Elle veillera à ce que ce soit son fils qui gouverne l'Ecosse, pas son frère. Nous avons donc un nouveau roi, Jacques V, et en attendant qu'il soit en âge de régner, la régence est assurée par Marguerite, Douglas, Arran et Huntly.

— Ainsi, la perte de son époux ne compte pas pour elle ! déclara Ram, méprisant.

— Bon sang, petit, je ne t'aurais pas cru si naïf ! Elle va épouser mon fils, Archie. Tu sais qu'il a perdu sa femme il y a quelques semaines. Les filles Hepburn n'ont jamais eu beaucoup de santé.

Ram scruta le visage rusé du vieux comte. Il ne saurait jamais ce qu'avait orchestré Angus... et il ne voulait pas le savoir. Mais peut-être bien qu'il allait jusqu'à consoler Janet Kennedy...

— Viendras-tu à la capitale, Ram ? L'Ecosse a besoin d'hommes forts.

Ram pesa soigneusement les paroles de son oncle. Puis, comme Valentina entrait dans la pièce, il prit sa décision sur-le-champ.

— Merci, Angus, mais je suis jeune marié et j'ai trop

442

longtemps négligé ma femme. Ce mois-ci, j'irai patrouiller à la frontière pour que Jacques V soit tranquille sur son trône. Ce que je désire ne se trouve pas à Edimbourg, mais ici, à Douglas.

Gavin et Cameron rentrèrent à la fin de la semaine. Leurs cousins avaient péri en mer, mais ils avaient la chance de se retrouver trois frères en vie.

Le père de Tina vint prendre de leurs nouvelles. En apprenant que David était mort à Flodden mais que Donald et Duncan se remettraient de leurs blessures, Tina fut à la fois triste et soulagée.

Quand tous leurs hôtes eurent quitté la demeure, Ram prit Tina dans ses bras.

— Il fait un temps superbe, aujourd'hui. Une des dernières belles journées de la saison. Allons pêcher.

Tina était étendue contre Ram sur la rive. Ils venaient de terminer le délicieux pique-nique préparé par M. Burque, et à présent Ram avait envie de dessert. Il dénoua les rubans de la robe de Tina.

— Viens nager…

Tina était intimidée… S'il la voyait nue, Ram découvrirait son secret. Elle lui caressa la joue.

— J'ai rêvé une nuit qu'on se baignait ensemble près d'une cascade. Je n'avais jamais rien vu de plus beau, et nous plongions tous les deux.

— Cet endroit existe, à la frontière. Je m'y suis souvent baigné. Crois-tu que tu aurais le courage de plonger avec moi dans la vie réelle?

— Bien sûr! affirma-t-elle sans hésiter, sachant parfaitement qu'elle ne le ferait pas.

— Menteuse! la taquina-t-il. Tu n'as même pas le courage de te déshabiller pour nager avec moi.

Elle se leva.

— Vraiment? dit-elle en rejetant sa somptueuse chevelure en arrière.

Elle se débarrassa de sa robe, et le regard de Ram se fit plus intense tandis qu'elle ôtait ses délicats sous-

443

vêtements. Enfin il ouvrit de grands yeux devant son ventre rebondi.

— Tina la Flamboyante, vous devriez avoir honte de vous promener nue dans votre état! s'écria-t-il, fou de joie.

Elle éclata de rire et il l'attira à lui, toute baignade oubliée, pour la couvrir de baisers passionnés.

— Nous l'appellerons Archibald, souffla-t-il contre ses lèvres.

— Pas question! Je veux de jolis noms pour mes enfants. Comme Neal ou Robin si c'est un garçon. Kate ou Rebecca pour une fille.

— Non! protesta Ram. Si c'est une fille, je l'appellerai Sorcière!

*Découvrez les prochaines nouveautés
de nos différentes collections J'ai lu pour elle*

AVENTURES
&PASSIONS

Le 4 janvier :

Princesse du manoir ❧ Patricia Hagan (n° 6504)
Lorsque ses parents sont assassinés, la princesse Giana doit fuir la
principauté pour échapper au meurtrier. Elle gagne alors l'Écosse pour y
attendre l'heure de la vengeance. Mais le pavillon de chasse où elle trouve
refuge est déjà habité par un jeune et riche Américain, Adam
McKendrick.

Un séduisant corsaire ❧ Miranda Jarrett (n° 8532)
Londres, 1747. Cora MacGillivray est la dernière survivante de son clan
et vit cachée. Elle craint terriblement pour sa vie jusqu'au jour où le beau
et terrible corsaire Alexandre Fairbourne arrive à Londres.

Sauvetage amoureux ❧ Anne Gracie (n° 8533)
France, 1818. Faith tente d'échapper à son mariage raté avec un tricheur
et un menteur qui a abusé d'elle. Dans sa fuite, elle rencontre Nicolas, un
soldat vétéran qui se rend en pèlerinage. Il lui propose de l'épouser pour
qu'elle retrouve sa réputation. Mais une ombre plane sur de leur union…

Le 18 janvier :

Le prince de Mayfair ❧ Brenda Joyce (n° 5809)
Violette Goodwin manque d'éducation et est très vulgaire. Mais quelle
jolie femme ! Dommage qu'elle soit soupçonnée d'avoir assassiné son
mari. Bien sûr, elle pourrait tirer partie de sa beauté car beaucoup de
gentlemen veulent assurer sa sécurité. Mais la jeune femme a donné son
cœur au ténébreux Blake Harding, un homme inaccessible, elle le sait…

Rebecca la rebelle ❧ Julie Anne Long (n° 8547)
Angleterre, 1820. Après la bataille de Waterloo, le duc Conrad de
Dunbrooke change de vie. Il devient palefrenier chez un aristocrate et
rencontre Rebecca, une jeune femme rebelle et insoumise qui rêve de
devenir médecin. Le duc brûle de désir pour cette flamboyante jeune
femme et, lorsqu'elle est contrainte d'épouser un homme qu'elle
n'aime pas, Conrad l'enlève.

---

*Nouveau ! **2** rendez-vous mensuels
aux alentours du 1ᵉʳ et du 15 de chaque mois.*